REMIGIUSZ MRÓZ

INWIGILACJA

Redaktor prowadząca: Monika Długa
Redakcja: Karolina Borowiec
Korekta: Magdalena Owczarzak
Projekt okładki: Mariusz Banachowicz
Projekt typograficzny, skład i łamanie: Stanisław Tuchołka / panbook.pl

ISBN 978-83-7976-616-1

CZWARTA STRONA
Grupa Wydawnictwa Poznańskiego sp. z o.o.
ul. Fredry 8, 61-701 Poznań
tel.: 61 853-99-10
fax: 61 853-80-75
redakcja@czwartastrona.pl
www.czwartastrona.pl
Druk i oprawa: WZDZ - Drukarnia „LEGA"

Dla Bogny i Jacka,
dzięki za metę!

Leges salutem civitatis saluti singulorum anteponunt.

Ustawy przedkładają dobro państwa nad dobro jednostki.

Rozdział 1
Sic!, Hey

1

Skylight, ul. Złota

Zawsze pracowała w ciszy, ale jej sukcesy wybrzmiewały głośnymi riffami. A przynajmniej tak było do pewnego czasu. Kilka ostatnich spraw przywodziło bowiem na myśl raczej dźwięki gitary basowej pozbawionej wzmacniacza.

Gdyby nie to, Joanna Chyłka tego dnia nigdy nie zjawiłaby się w pracy. Krótko po tym, jak dowiedziała się, że jest w ciąży, podjęła decyzję, by przez kilka dni trzymać się z daleka od kancelarii Żelazny & McVay.

Nadarzyła się jednak okazja jedna na sto. Okazja, której nie mogła przegapić. Kiedy tylko jeden z imiennych partnerów poinformował ją, że na dwudziestym pierwszym piętrze wieżowca Skylight czekają na nią wyjątkowi klienci, nie zastanawiała się ani chwili. Nie tracąc czasu na przebieranie się, na koszulkę z Iron Maiden narzuciła czarną skórzaną kurtkę, a potem popędziła do iks piątki.

Dotarcie na Złotą z Saskiej Kępy zajęło jej niecały kwadrans. Miała wystarczająco dużo czasu, by uświadomić sobie, jak wiele mogła dla siebie ugrać dzięki tej sprawie. Wprawdzie wróciła do kancelarii z tarczą, a nie na tarczy, wymusiła nawet awans, ale wciąż nie odbudowała swojej reputacji. Do tego potrzebowała głośnego, efektownego zwycięstwa. Najlepiej poprzez nokaut w pierwszej rundzie.

W sali konferencyjnej czekało na nią dwoje klientów i sam Żelazny, który najwyraźniej uznał, że musi dotrzymać im towarzystwa, dopóki Chyłka się nie zjawi. Kiedy weszła do środka, pożegnał ciepło podstarzałe małżeństwo, a potem z obojętnością skinął głową Joannie i wyszedł na korytarz.

Chyłka stanęła przed dwojgiem ludzi i wsparła się pod boki, rozchylając poły kurtki. Patrzyli na nią jak na wariatkę.

– Eddie się nie podoba? – spytała.

Małżeństwo wymieniło spojrzenia, a Joanna wskazała na zombiepodobne oblicze żniwiarza na koszulce.

– Taki tu mamy *dress code* – dodała, siadając naprzeciw klientów. – Jeden z naszych nosi nawet Willa Smitha. Na szczęście tylko w sercu.

– Czekaliśmy na... – zaczął niepewnie mężczyzna.

– Na najlepszego prawnika w Żelaznym & McVayu – dopowiedziała Chyłka. – A przynajmniej o tym zapewnił was imienny partner, z którym minęłam się w progu.

Starzec skinął głową.

– I doczekaliście się – dodała Joanna. – Niech was strój nie zmyli. Ani nie interesuje.

Położyła łokcie na stole, a potem oparła brodę na rękach. Przyjrzała się parze starszych ludzi, myśląc o tym, że naprawdę trafiła na sprawę, dzięki której odbuduje swoją renomę w palestrze. Większość prawników czekała na coś takiego przez całe życie. I niektórzy się nie doczekiwali.

Wyprostowała się i poprawiła koszulkę.

– To patron spraw opłakanych – powiedziała, wskazując Eddiego. – Przydałby wam się bardziej niż komukolwiek innemu, gdyby nie to, że macie mnie. W zupełności wystarczam do sukcesu.

Wciąż się nie odzywali. Chyłka westchnęła i przewróciła oczami.

– Dzwonić do SETI? – spytała.

– Co proszę? – odburknął mężczyzna.

– Najwyraźniej utraciliście zdolność komunikowania się, a ci z SETI znają się na tych sprawach. Od lat próbują nawiązać łączność z istotami pozaziemskimi.

– Ależ pani ma tupet…

– Bynajmniej. Mam za to ograniczony czas, a jakby tego było mało, płacicie mi od godziny.

– My w żadnym wypadku…

– Zegar tyka – wpadła mężczyźnie w słowo. – A kasa z kieszeni umyka.

Zareagowali tak, jak potrafili to robić jedynie długoletni małżonkowie. Nie potrzebowali ani SETI, ani nawet słów – do porozumiewania się w zupełności wystarczał im sam wzrok.

Podnieśli się, a potem powoli ruszyli w kierunku drzwi.

Niedobrze, uznała w duchu Chyłka. Ten prosty sprawdzian miał jej pokazać, jak wiele ci ludzie są w stanie znieść.

Czekały ich trudne przejścia z mediami, nieustanne ataki, wyciąganie brudów i oczernianie. A od ich reakcji będzie zależało, w jakim świetle opinia publiczna zobaczy oskarżonego.

– Siadajcie – rzuciła Joanna, nie odwracając się. – Musiałam was tylko nieinwazyjnie wybadać.

– Wybadać?

Obejrzała się przez ramię i szybko wytłumaczyła, w czym rzecz. Wiedziała, że zaraz wrócą na swoje miejsca. Nie przyszli do kancelarii Żelazny & McVay przez przypadek, musieli długo rozważać, komu powierzyć sprawę syna. I z pewnością podjęli decyzję na podstawie tego, co Chyłka osiągnęła w sprawie Bukano, Roma oskarżonego o zabójstwo swojej rodziny.

– Zacznijmy od początku – odezwała się, kiedy usiedli naprzeciw. – O co chodzi?

– Sądziłem, że szef wszystko pani wyłuszczył.

– Nie.

Skrzyżowała dłonie na stole i czekała, nie mając zamiaru dodawać niczego więcej. Owszem, Żelazny przez telefon przekazał jej to, co istotne, ale chciała usłyszeć wszystko od nich.

– Nasz syn został oskarżony o… na Boga, nie wiem nawet, jak to ująć.

– Najprościej, jak się da.

– Cóż… chodzi o planowanie zamachu terrorystycznego.

Joanna patrzyła na kobietę, ale ta sprawiała wrażenie, jakby w ogóle nie miała zamiaru zabrać głosu.

– Mieliście zacząć od początku – bąknęła prawniczka. – A to raczej sam koniec.

– Więc co konkretnie chce pani usłyszeć?

– Wszystko – odparła Chyłka. – I jeszcze więcej.

Czekała, aż matka oskarżonego się włączy. To ona mogła najlepiej opisać, co się wydarzyło w Egipcie. I to, co działo się, zanim wyjechali na te pechowe wakacje. Kobieta była jednak w zbyt dużym szoku – raptem dwadzieścia godzin temu dowiedziała się, że jej syn odnalazł się po kilkunastu latach. A zaraz potem poinformowano ją, że został tymczasowo aresztowany.

– Przez wiele lat staraliśmy się o dziecko – zaczął bez emocji mężczyzna. – Właściwie na pewnym etapie życia już pogodziliśmy się z tym, że nigdy nie dane nam będzie je wychować.

– Zrezygnowali państwo z prób?

– Tak.

– I co się stało? Niepokalane poczęcie?

– Nie.

– W takim razie niech pan mówi, a nie przeciąga – upomniała go i przeniosła wzrok na kobietę. – A jeszcze lepiej byłoby, gdyby to pani mi wszystko opisała.

Matka oskarżonego poruszyła się nerwowo. Nie uszło ich uwadze, że Chyłka przestała zwracać się do nich per ty. Odebrali jasny sygnał, że prawniczka ma zamiar podejść do sprawy z należną powagą.

– Dlaczego ja? – zapytała niepewnie kobieta.

– Bo chcę widzieć, jak maluje pani cały obraz. To, co przedstawi mi mąż, będzie już ukończonym bohomazem – odparła i założyła rękę za oparcie krzesła.

Nie miała wątpliwości, że Tadeusz Lipczyński snuł tę opowieść już dziesiątki razy i ułożył sobie wszystko tak, żeby miało ręce i nogi. Tu pominął jakiś fakt, tam coś podkoloryzował, a w jeszcze innym miejscu dodał coś, co w istocie się nie wydarzyło. Chyłka nie potrzebowała zbornej wersji dla mediów. Chciała pełnej, emocjonalnej, czasem nietrzymającej się kupy historii.

Musiała wiedzieć, kim tak naprawdę jest człowiek, który zaginął kilkanaście lat temu, a potem ni stąd, ni zowąd pojawił się w Warszawie z materiałami pozwalającymi na skonstruowanie ładunku wybuchowego, gotów wysadzić siebie i Bóg jeden wie ilu ludzi.

Po chwili kobieta zaczęła mówić, na początku powoli i spokojnie, pilnując każdego słowa. Im dłużej opowiadała, tym bardziej było widać, jak wiele trudu ją to kosztuje.

Lipczyńscy adoptowali Przemka zaraz po jego ósmych urodzinach. Pięć lat, które z nimi spędził, były dla nich najlepszym okresem w życiu. Nie zarabiali dużo, ale dziecku nigdy niczego nie brakowało. Wprawdzie nie mogli pozwolić sobie na zagraniczne wakacje, systematycznie odkładali jednak na ten cel część miesięcznych dochodów. Kiedy chłopak skończył trzynaście lat, zabrali go do Egiptu.

I była to najgorsza decyzja, jaką w życiu podjęli. Anna nie mogła powstrzymać łez, relacjonując Chyłce moment, w którym syn zaginął. Doszło do tego w przeddzień powrotu do Polski, podczas jednej z gier prowadzonych przez animatorów. Polegała na odnajdywaniu ukrytych przedmiotów na terenie hotelu – obszar był ogrodzony, Egipt uchodził wówczas za bezpieczny kraj i nie działo się nic, co kazałoby Lipczyńskim się martwić.

Przemek jednak nie wrócił. Poszukiwania prowadzono dwadzieścia cztery godziny na dobę, hotel bezpłatnie przedłużył małżeństwu pobyt, policja zapewniała, że znajdą dziecko, ale po kilku dniach stało się jasne nawet dla samych rodziców, że musiało dojść do porwania.

Anna i Tadeusz wydali wszystkie oszczędności i zostali w Egipcie aż do momentu, kiedy banki zaczęły odmawiać udzielania im dalszych kredytów. Wylatywali z Okęcia w trójkę, wrócili we dwoje. A może nawet nie. Może każde zostawiło tam część siebie.

– Nigdy nie porzuciliśmy nadziei – kontynuowała Anna, pociągając nosem. – Próbowaliśmy przez lata, zaangażowaliśmy nawet NCB w Kairze…

– NCB?

– Miejscowe biuro Interpolu – wyjaśnił Tadeusz. – Po staraniach naszej ambasady to oni w końcu przejęli sprawę.

– Były jakieś podstawy?

– To znaczy?

– Trafili na jakiś trop, który kazał im sądzić, że w grę wchodzi handel ludźmi? – spytała Chyłka, unikając spojrzenia Anny. – Czy to dzięki skutecznej dyplomacji, która jeszcze wtedy w przypadku Polski nie była oksymoronem?

Tadeusz zamilkł, co stanowiło najlepszą odpowiedź.

– Więc żadnego tropu – skwitowała Joanna.

Na moment zaległa ciężka cisza. Chyłce przyszło do głowy, że zazwyczaj w przypadku braku tropu z czasem przepada też „o" w samym słowie „trop". I zastępuje je „u".

A jednak teraz było inaczej. Przemek Lipczyński pojawił się po latach, cały i zdrowy – przynajmniej jeśli chodziło o zdrowie fizyczne, za psychiczne Chyłka nie byłaby gotowa poręczyć.

Anna kontynuowała jeszcze przez chwilę, ale nie miała już wiele do powiedzenia. Podkreśliła, że między służbami egipskimi a Interpolem nie doszło do żadnych scysji, przeciwnie, wszystkim zależało wyłącznie na tym, żeby jak najszybciej znaleźć Przemka.

– Po powrocie do kraju znów zaczęliśmy odkładać – ciągnęła. – Pożyczaliśmy trochę od znajomych, sprzedaliśmy samochód, a w końcu także mieszkanie. Zamieszkaliśmy z moją siostrą, choć początkowo…

– Przebywali państwo głównie w Egipcie.

Lipczyńska potwierdziła skinieniem głowy, wbijając wzrok w blat stołu, jakby wstydziła się wszystkiego, co zrobili.

Chyłka zaś była pod wrażeniem. Działali bezkompromisowo i przez pierwsze pół roku nie dopuszczali możliwości, by siedzieć biernie i czekać na dobre wieści znad Morza Czerwonego. Latali do Hurghady, kiedy tylko mogli, i nie ustawali w wysiłkach, szukając syna dopóty, dopóki pracodawcy w Polsce nie zaczynali robić problemów.

Ostatecznie odpuścili tylko dlatego, że nie było już od kogo pożyczać pieniędzy. I choć siostra Anny nigdy by tego nie przyznała, ona także miała dosyć.

– Nigdy nie straciliśmy nadziei – powtórzyła na koniec Lipczyńska, choć nie musiała.

– Nie wiedzieliśmy, jak żyć, ale nauczyliśmy się funkcjonować – dodał Tadeusz i wziął żonę za rękę.

– Wegetować – poprawiła go.

Skinął głową.

W sali konferencyjnej znów zrobiło się cicho. Joanna wsłuchiwała się w monotonny szum klimatyzacji.

– No dobra – rzuciła. – I dwadzieścia godzin temu Przemek nagle wyskoczył jak filip z kapusty.

– Co proszę? – bąknął Lipczyński.

– Nie słyszeli państwo tego powiedzenia?

Pytanie zawisło w powietrzu, nikt nie kwapił się do odpowiedzi. Chyłka zabębniła palcami na blacie stołu.

– Znam filipa z konopi – odezwał się nieco skołowany Tadeusz. – Ale to porzekadło zawiera archaizm określający zająca oraz…

– To modyfikacja związana z moją sytuacją rodzinną, ale mniejsza z tym – ucięła Joanna. – Niech mi państwo lepiej powiedzą, jak dowiedzieli się o powrocie syna?

– Zadzwoniono do nas z komisariatu przy Mrówczej – odparła Anna.

– Dlaczego akurat stamtąd?

– Bo Przemka zatrzymano na Wawrze. Według policji mieszkał w jednym z domów niedaleko komisariatu.

Chyłka zmarszczyła czoło.

– Dlaczego akurat do państwa zadzwonili?

Lipczyńscy popatrzyli po sobie ze zdziwieniem. Skontaktowanie się z nimi było dla nich logicznym rezultatem odnalezienia syna, ale dla Joanny wręcz przeciwnie. Nie pasowało to do wszystkiego innego, co przedstawił jej Żelazny.

– O ile wiem, Przemek utrzymuje, że nie ma z państwem nic wspólnego – dodała. – I twierdzi, że nie jest osobą, która zaginęła kilkanaście lat temu w Hurghadzie.

Oboje powoli pokiwali głowami, jakby te słowa sprawiły im fizyczny ból.

– DNA nie sprawdzano, a nawet gdyby, nie byłoby żadnej zbieżności z państwa materiałem – kontynuowała

Joanna. – Przypuszczam też, że nie ma żadnej bazy wychowanków domów dziecka, do której można by się odwołać.

– Nie, nie ma – przyznał Tadeusz.

– W takim razie skąd mundurowi wiedzieli, do kogo dzwonić?

– Przemek…

– Lub Fahad Al-Jassam, jak teraz sam się przedstawia – mruknęła Chyłka bardziej do siebie niż do nich.

Zignorowali tę uwagę.

– Miał numer mojej siostry wprowadzony w komórce – dokończyła Anna. – Policjanci zadzwonili do niej, opisali sytuację, a ona połączyła jedno z drugim… Nie minęło wiele czasu, a zostaliśmy wezwani na komendę. I od razu rozpoznaliśmy Przemka.

Joanna machinalnie sięgnęła do kieszeni, w której powinna mieć paczkę marlboro. Zaklęła w duchu, gdy uświadomiła sobie, że będzie musiała oduczyć się tego odruchu, przynajmniej na dziewięć miesięcy.

– Nie mieli państwo żadnych wątpliwości?

– Najmniejszych.

Chyłka ściągnęła brwi. Gdyby zależało to tylko od ich zapewnień, uznałaby, że widzą w Fahadzie tego, kogo chcą widzieć, i nie wzięłaby tej sprawy. Jednak fakt, że Al-Jassam miał w telefonie ostatni numer, pod którym mógł szukać Lipczyńskich, sugerował, że to naprawdę mógł być ich syn.

A skoro tak, sytuacja dla Joanny była wymarzona. Nie dość, że miała bronić Polaka, który z niewiadomych przyczyn zaginął na kilkanaście lat, przeszedł w tym czasie na islam, stał się ekstremistą i planował zamach, to jeszcze nie przyznawał się do swojej prawdziwej tożsamości.

Zapowiadał się proces stulecia. Chyłka nie zebrała jeszcze wszystkich faktów, ale te, które znała, wystarczyły w zupełności, by mogła to stwierdzić.

Media oszaleją. Codziennie od rana do wieczora będą wałkować szereg tych samych pytań, nie odnajdując żadnych odpowiedzi.

W jaki sposób Przemek zniknął?

Dlaczego nie udało się go odnaleźć na zamkniętym terenie hotelu?

Gdzie był?

Kto go porwał?

Były jeszcze dwa inne, z punktu widzenia Joanny najważniejsze pytania. Dlaczego Fahad twierdzi, że nie ma nic wspólnego z tamtą osobą? I czy naprawdę planował zamach?

Odpowiedzi nie miały dla niej wielkiego znaczenia. Zamierzała sama je sformułować. I nie musiały mieć wiele wspólnego z rzeczywistością. Wystarczy, że wydadzą się przekonujące dla sądu.

A że tak się stanie, nie ulegało dla niej wątpliwości. Choćby miała przestawić się w poprzek, uczyni z tego najgłośniejszą sprawę w swojej karierze. Największy, wybrzmiewający najgłośniejszymi riffami sukces.

Potrzebowała tylko kogoś do pomocy. Kogoś, z kim tworzyła najlepszy duet. I kogoś, kto nie da się łatwo przekonać, by poprowadzić tę sprawę razem z nią.

2

Poziom 2, Złote Tarasy

Ruchome schody zdawały się poruszać stanowczo za szybko. Ledwo Kordian wszedł na pierwszy stopień, a już dotarł pod samo So! Coffee, gdzie miała na niego czekać Chyłka. Nie spodziewał się niczego dobrego, inaczej spotkaliby się w Hard Rock Cafe – miejsca takie jak to Joanna wybierała tylko, kiedy miała złe wieści do przekazania. Chciała złagodzić cios, doskonale znając słabość Oryńskiego do wszelkiej maści kaw smakowych.

A może kierowała się zupełnie czymś innym. W końcu chodziło o Chyłkę. Może decydowała się na Starbucksa, Costę i inne tego typu miejsca, bo chciała, by kojarzył ich asortyment z przykrymi wiadomościami. Zamierzała obrzydzić mu wszystko, co składało się w większej mierze z mleka, syropu czy bitej śmietany niż z kawy.

Wypatrzył ją już z oddali. Siedziała przy skrajnym stoliku, popijając sok z cytryny. Nie zauważyła go jeszcze, a może tylko udawała, że nie widzi. Czasem odnosił wrażenie, że jest czujna jak ci agenci służb specjalnych, którzy zawsze siadają tyłem do ściany, a przodem do drzwi, by nieustannie śledzić, kto wchodzi do knajpy. Na korytarzu centrum handlowego sytuacja była jednak problematyczna, bo zagrożenie mogło nadejść z każdej strony.

W końcu dostrzegła, że zbliżało się od ruchomych schodów. Drgnęła nerwowo, jakby rzeczywiście się tego nie spodziewała.

Kordian bez słowa usiadł przy stoliku i rozpiął marynarkę.

Nie rozmawiali ze sobą, od kiedy był u niej na Argentyńskiej. To wówczas w charakterystycznym dla siebie stylu oznajmiła mu ni stąd, ni zowąd, że jest w ciąży. Nie pytał, kto jest ojcem, bo wiedział, że nie otrzyma odpowiedzi.

Od tamtej pory mijali się kilkakrotnie w Skylight, ale nawet się nie przywitali. Właściwie ignorowali się wręcz ostentacyjnie. Tym bardziej zdziwiło go, kiedy dostał od niej SMS-a.

„Staw się w imperialistycznej odmianie baru mlecznego na drugim piętrze. Przyjdź sam" – brzmiał krótki przekaz.

Chyłka przyglądała mu się przez chwilę, po czym pokiwała głową, jakby była pełna uznania, że trafił we właściwe miejsce.

– Coś nie tak? – spytał.

– Obawiałam się, że po tych ostatnich wydarzeniach będziesz cierpiał na intelektualne turbulencje.

– Mhm.

– I jeszcze nie przesądziłam, czy tak jest, ale widzę, że przynajmniej twoje zdolności dedukcyjne nie kuleją – pochwaliła go.

– Wyćwiczyłem je przy śledztwie z numerami Iron Maiden – odparł obojętnie, rozglądając się. – Chociaż nic nie mogło przygotować mnie na bombę, którą potem na mnie zrzuciłaś.

Joanna uniosła wzrok i głęboko westchnęła.

– Naprawdę? – mruknęła. – Od razu zaczynasz z grubej rury?

– Miejmy to już z głowy.

– W porządku. Ale weź sobie jakąś kawę na osłodę.

Kordian podszedł na środek wyspy i przez moment się zastanawiał. Wziąłby latte, które w menu widniało pod kuszącą nazwą „kasztanowa pralinka", ale Chyłka nigdy by mu tego nie wybaczyła – szczególnie teraz, kiedy sytuacja zmusiła ją do odstawienia kofeiny. Ostatecznie zdecydował się na klasyczne cappuccino.

Wróciwszy do stolika, wyprostował się i przegładził ręką krawat.

– Pytaj – rzuciła Joanna. – A może odpowiem.

Pociągnął łyk i odstawił kubek.

– Mogłabyś zacząć od wytłumaczenia mi, jak to się stało.

– Nie ma problemu. Otóż kobieta i mężczyzna, podobnie jak ma to miejsce w przypadku innych rodzajów ssaków naczelnych…

– Pomińmy sprawy fizjologiczne.

– Dlaczego? One są najciekawsze.

– Nie w tym wypadku.

Otworzyła usta, żeby coś powiedzieć, ale w ostatniej chwili musiała ugryźć się w język. Kordian odetchnął. Nie miał zamiaru brnąć w wymianę uszczypliwości, która mogła skończyć się kolejnymi dniami milczenia.

– Kto jest ojcem?

– Nie wiem.

Oryński uniósł brwi i odchrząknął. Było coś niepokojącego w tym, że rodzaj ludzki bodaj jako jedyny miał zdolność tworzenia zupełnie nowego życia przez przypadek.

– Korzystałaś z anonimowej bazy dawców czy jak? – zapytał.

– Spokojnie, Zordon. To nie pierwszy raz w historii świata, kiedy kobieta nie jest pewna, kto odpowiada za zainfekowanie jej tym… tym stworzeniem.

Dźgnęła się lekko w brzuch i skrzywiła.

– Zainfekowanie?

– Noszę pasożyta, co tu ukrywać? – odparła i wzruszyła ramionami. – To znaczy formalnie tylko jego zalążek, ale i tak czuję się jak Sigourney Weaver w „Obcym".

Oryński potarł świeżo ogolone policzki i przez moment przypatrywał się Joannie. Właściwie powinien był spodziewać się, że w taki sposób podejdzie do sprawy.

– Będziesz najgorszą matką w historii, Chyłka.

– Przeciwnie.

Pokręcił głową.

– Będę najlepszą. Dziecko od najmłodszych lat będzie słuchało dobrej muzyki, a ja zamierzam wychowywać je tak, żeby miało jak najwięcej wolności. Kiedy skończy dwanaście lat, wypiję z nim pierwszą tequilę. Niech kontynuuje chlubne tradycje matki.

– W takim razie rzeczywiście, cofam.

– Będę natomiast najgorszą ciężarną, owszem – przyznała, bezradnie rozkładając ręce. – Ale co poradzisz? Ty też nienawidziłbyś całego świata, gdybyś miał hodować pasożyta w brzuchu, prawda?

– Trudno mi to sobie wyobrazić – odparł cicho. – Podobnie jak to, że nie wiesz, kto jest ojcem.

– Dowiem się tego.

– Szczerbiński?

– Trudno powiedzieć.

– Więc jakiś przypadkowy facet?

– Żaden facet w moim życiu nie był przypadkowy, Zordon. Każdego wybierałam po dogłębnej analizie.

– Szczególnie kiedy byłaś w alkoholowym cugu i ledwo widziałaś na oczy.

– Nawet wtedy – odparowała. – Zdobywam tylko tych, którzy w jakiś sposób mnie…

– Nieważne – wpadł jej w słowo i machnął ręką.

Głęboko zaczerpnął tchu, wdzięczny Chyłce, że nie kontynuuje tematu. Zazwyczaj korzystała z okazji, by się nad nim pastwić, a ta była wprost idealna. Trwali jednak w milczeniu, przez chwilę popijając swoje napoje.

– Zrobię badania, dowiem się, dam ci znać – zakończyła. – A teraz przejdźmy do rzeczy.

– Do rzeczy? Myślałem, że chcesz pogadać o ciąży.

– Nie. Chcę o niej zapomnieć.

– Więc co tu robimy?

– Jest sprawa, którą ze mną poprowadzisz.

Odsunął gwałtownie krzesło, kręcąc głową.

– Nie ma mowy – rzucił. – Nie wciągniesz mnie w żadne swoje grząskie piaski.

– Już w nich stoisz, Zordon. Wdepnąłeś, gdy tylko przyjąłeś propozycję spotkania.

– Nie.

– Tyle że wyjdziesz z nich jako triumfator i sypniesz piaskiem w oczy wszystkim innym aplikantom w Zelaznym & McVayu. Pokażesz, kto tu tak naprawdę rządzi.

– Nie piszę się na to.

– Nawet nie wiesz, czego dotyczy sprawa.

– I nie chcę wiedzieć. Muszę się przygotować do egzaminów, w dodatku Buchelt przydzielił mnie już do…

– Borsukiem się nie martw, spacyfikuję go.

– Chyłka, nie mogę tak po prostu…

– Możesz – ucięła. – I powinieneś, biorąc pod uwagę, że może to być jedna z najgłośniejszych spraw sądowych, jakie kiedykolwiek widziało to miasto.

Kiedy zawiesił na niej wzrok, wiedział już, że nie żartuje. Skinął głową na znak, by powiedziała mu, w czym rzecz, wciąż jednak nie zamierzał się uginać. Nauki i innych obowiązków miał stanowczo za dużo, by wikłać się w jakąkolwiek sprawę z Chyłką. Przypuszczał, że zaabsorbowałaby go całkowicie, bez względu na to, czego dotyczyła.

A gdy tylko się tego dowiedział, był już pewien.

Po tym, jak skończyła mu relacjonować wszystko, co sama wiedziała, przez chwilę się namyślał.

– Fahad Al-Jassam? – zapytał z niedowierzaniem. – To…

– Żyła złota. Odkrycie roponośnych terenów. Wygrana w Lotto. Uśmiech losu. Wpadnięcie na nagą Kim Kardashian w hotelowym pokoju.

– Co?

Joanna wzruszyła ramionami.

– Starałam się dobrać jakąś analogię, która do ciebie przemówi.

– Przemawia do mnie zupełnie inna, związana z wybuchem reaktora jądrowego albo…

– Daj spokój.

Przyglądał się jej badawczo, zastanawiając, czy naprawdę jest tak optymistycznie nastawiona do sprawy, czy robi dobrą minę do złej gry. Znał ją na tyle dobrze, by szybko dojść do wniosku, że pierwsza możliwość jest w tym wypadku prawdziwa.

Z jakiegoś powodu sądziła, że to najlepsze, co mogło ją spotkać.

– Al-Jassam przegra ten proces, Chyłka.

– Nie, jeśli my będziemy go bronić.

– Znaleźli w jego mieszkaniu materiały wybuchowe.

– Które ktoś mógł podłożyć.

– Były też plany któregoś centrum handlowego i…

– Tego nie wiemy – ucięła. – Na razie wszystkie informacje mamy z mediów. Nawet Lipczyńskim nie ujawniają szczegółów, bo nie są pewni, czy to w istocie rodzina.

– Nie mogą sprawdzić DNA?

– Mogą. I jeśli chodziłoby o Chińczyka, z pewnością badanie odpowiedziałoby na wszystkie pytania.

– Hę?

– Chiny mają największą na świecie bazę danych z DNA obywateli. Znajduje się w niej dwadzieścia milionów osób. Wiesz, ile jest u nas?

– Nie.

– Pięćdziesiąt tysięcy próbek. I przypuszczam, że nie znajdzie się w niej taka, którą pobrano kilkanaście lat temu od przypadkowego chłopaka z domu dziecka.

Oryński potrząsnął głową. Musiały istnieć inne sposoby, żeby ustalić prawdziwą tożsamość tego człowieka. Choćby poprzez pobranie materiału z rzeczy, które nadal mieli Lipczyńscy. Z pewnością nie pozbyli się ani jednej zabawki, ani jednego zeszytu czy ubrania.

Ale nie to interesowało go teraz najbardziej.

– Dlaczego tak naprawdę chcesz to wziąć? – zapytał. – Z powodu Bukano?

– A co on ma do rzeczy?

– Jest twoim wyrzutem sumienia.

– Nie miewam ich, Zordon. Nie ma dla nich miejsca podczas wojny.

– Nie wiedziałem, że jakąś prowadzisz.

– A czym innym jest praktykowanie prawa? – zapytała, jakby była to najbardziej oczywista rzecz pod słońcem. – Poza tym w sprawie Bukano zrobiłam wszystko, co mogłam. I przynajmniej pod względem prawniczym wyszło nie najgorzej, dlatego Lipczyńscy zgłosili się właśnie do mnie.

– Nadal jednak nie rozumiem, dlaczego nie odesłałaś ich z kwitkiem.

Chyłka milczała.

– Proces jest z góry przegrany – kontynuował Kordian, ściągając brwi. – Nawet średnio rozgarnięty oskarżyciel doprowadzi do skazania Fahada. A postępowanie z pewnością prowadzić będzie jeden z najlepszych.

– Nie obawiam się o ostateczny wynik.

– Nie? Wystarczą strzępki dowodów, Chyłka. Zwykłe poszlaki. Ten facet jest już praktycznie skazany, cały proces będzie tylko formalnością.

– Nie wierzysz w domniemanie niewinności, Zordon?

– Nie wierzę w twój optymizm, więc powiedz mi, o co tak naprawdę chodzi.

Zaśmiała się pod nosem, a on przez moment się namyślał. W końcu zrozumiał, dlaczego Joanna tak ochoczo podjęła się tej sprawy. Zwycięstwo mogło nie mieć dla niej żadnego znaczenia.

– Salah Abdeslam, organizator zamachów w Paryżu w dwa tysiące piętnastym roku – odezwał się Oryński. – Opierasz się na jego kazusie.

– Tak? Sama o tym nie wiedziałam.

– A konkretnie na tym, co zrobili dwaj adwokaci, którzy go bronili. Zrezygnowali ze świadczenia swoich usług, kiedy nie udało im się namówić Abdeslama, by wszystko wyśpiewał organom ścigania i poszedł na układ.

Chyłka dopiła sok i odstawiła pusty kieliszek na stolik.

– O ich firmach zrobiło się głośno nie tylko we Francji i w Belgii, ale i na całym świecie. Po takiej reklamie z pewnością nie mogli opędzić się od klientów.

Kordian doskonale pamiętał wywiady telewizyjne, w których obrońcy poinformowali, że ich klient zdecydował się skorzystać z prawa do milczenia. Podkreślali, że w takiej sytuacji nie mogą dłużej go bronić, są bowiem sprawy ważniejsze niż dobro jednostki.

Pojawiły się oczywiście głosy krytyki ze strony tych, którzy uważali, że każdy zasługuje na najlepszą możliwą obronę, ale potencjalni klienci i tak zaczęli ustawiać się w kolejce. Sven Mary i Frank Berton zrobili sobie najlepszą możliwą reklamę – pokazali się w mediach jako prawnicy z ludzką twarzą, którym bardziej zależy na bezpieczeństwie państwa niż na obronie terrorysty.

Chyłka mogła planować coś podobnego.

– O to chodzi? – zapytał Oryński. – Chcesz powtórzyć ich manewr? Przyciągnąć do Żelaznego & McVaya wszystkich tych klientów, którzy cieszą się najlepszą renomą? Tych, którzy szukają adwokatów o nieposzlakowanej opinii?

– Chcę wybronić tego bisurmana.

– Dlaczego?

– Bo potrzebuję głośnego zwycięstwa, Zordon.

– I skąd pewność, że odniesiesz je w sprawie, która wygląda mi na przegraną?

– Stąd, że mam przychylność patrona spraw opłakanych – odparła, wskazując na koszulkę. – A oprócz tego będę korzystać z pomocy średnio rozgarniętego, ale wyjątkowo fartownego aplikanta.

Nie miał powodu, by jej nie wierzyć, choć wersja z Marym i Bertonem nadal wydawała się dość prawdopodobna. A być może istniał jeszcze inny powód, dla którego Joanna chciała się tym zająć.

– Więc twoim zdaniem jest niewinny? – spytał Kordian.

– A kogo to obchodzi? – odparła Chyłka. – Dla mnie liczy się tylko to, że wygramy ten proces.

Rozgłos byłby gigantyczny, przyznał w duchu Oryński. Może nawet na tyle, by kiedyś myśleć o założeniu własnej kancelarii, pod swoim nazwiskiem. Jeśli jednak istniało choćby nikłe prawdopodobieństwo, że Al-Jassam przygotowywał zamach, nie było co sobie robić nadziei – służby i prokuratura zrobią wszystko, by trafił za kratki.

– Nie mam już soku, Zordon – odezwała się Joanna, wyrywając go z przemyśleń. – Zdecydowałeś, czy chcesz jeszcze przez chwilę połudzić się, że masz cokolwiek do gadania?

– Właściwie jeszcze chwila wystarczyłaby mi do psychicznego komfortu. Ale teraz już na to za późno.

– Świetnie. W takim razie zaczynajmy – powiedziała, podnosząc się.

– Od czego?

– Od wizyty w areszcie śledczym.

– Fahadowi nie przysługuje widzenie.

– Jestem jego obrońcą i twierdzę inaczej – odparła, podnosząc kubek Oryńskiego. Przyjrzała się piance, a potem odstawiła go z powrotem. – W dodatku chcę się dowiedzieć, dlaczego ten islamista wypiera się swojej prawdziwej tożsamości.

Kordian wstał i zapiął marynarkę.

– Może to nie ten człowiek? – zapytał. – Przecież musi zdawać sobie sprawę, że znajdą jakieś próbki DNA do porównań.

– Może – przyznała Joanna. – Jedno jest pewne, Zordon: coś w tej sprawie nie jest do końca w porządku. I jeśli szukasz prawdziwego powodu, dla którego się jej podjęłam, to właśnie go usłyszałeś.

Oryński milczał.

– No? Nadal wątpisz w moje pobudki?

– Tak – odparł.

Nie wiedział, czy w zatrzymaniu Fahada Al-Jassama jest drugie dno. Był jednak pewien, że odnajdzie je w motywacjach Chyłki. I między innymi dlatego postanowił przyjąć jej propozycję.

3

Areszt Śledczy Warszawa-Białołęka

Silnik nie chodził, jak powinien, przez co Chyłka miała wrażenie, jakby coś drapało ją w duszy. Przyszło jej na myśl, że jeśli uda jej się odbić na sprawie Al-Jassama, powinna zastanowić się nad nowym samochodem.

W grę wchodził tylko jeden model. Iks szóstka.

Zaparkowała jak zawsze przy Orneckiej, a kiedy wysiadła z auta, zauważyła nową tabliczkę na bramie prowadzącej na teren więzienia. Oznajmiała, że obiekt jest strzeżony przez firmę ochroniarską. Słuszne rozwiązanie, uznała w duchu Joanna. Jeszcze trochę, a może zaczną powstawać prywatne więzienia, które będą same na siebie zarabiać dzięki pracy osadzonych.

– W jaki sposób masz zamiar się do niego dostać? – zapytał Kordian, kiedy wyszli z auta.

– Zrobię podkop.

– To może trochę potrwać. Choć przypuszczam, że krócej niż wydanie zgody przez prokuratora.

– Nie przesadzaj – odparła i ruszyła w kierunku głównego wejścia.

Oryński ruszył za nią.

– Nie zostałaś ustanowiona jako obrońca w sprawie – ciągnął. – Nikt nie ma obowiązku dopuszczać widzenia.

– To tylko formalność. Wiadomo, że będę go broniła.

– Nie dostaniesz zgody na widzenie, Chyłka.

– Nie? A mnie się wydaje, że już dostałam.

Spojrzał na nią pytająco.

– Rozmawiałam z Paderbornem.

Kordian zatrzymał się jak rażony piorunem. Chyłka przeszła jeszcze kilka kroków, po czym chcąc nie chcąc zrobiła to samo. Obejrzała się przez ramię i westchnęła.

– Nie mów, że jesteś jedną z tych małż – powiedziała.

– Jakich małż?

– Tych, które zamykają się w skorupie, jak tylko słyszą nazwisko Paderborna.

– Nie wydaje mi się, żeby małże to potrafiły.

– A mimo to takie jak ty posiadły tę zdolność.

Ruszył w jej kierunku, kręcąc głową, jakby chciał w ten sposób zasugerować, że sprawa stała się jeszcze bardziej opłakana. Obserwowała podobne reakcje nie tylko wśród nieopierzonych prawników, ale także w szeregach starych wyjadaczy.

Olgierd Paderborn budził respekt i niejeden dobry adwokat przekonał się na własnej skórze, dlaczego tak jest. Oskarżyciel pracował w warszawskiej prokuraturze okręgowej, ale od dawna mówiło się, że tylko kwestią czasu jest, nim trafi na któreś z najwyższych stanowisk.

Chyłka nie sądziła jednak, by tak się stało. Miał na karku dopiero czterdziestkę, ale biorąc pod uwagę liczbę i wagę wygranych spraw, mógłby już ubiegać się o pokierowanie ministerstwem sprawiedliwości w jakimkolwiek rządzie, obejmując przy okazji tekę prokuratora generalnego.

Joanna przypuszczała, że nigdy tego nie zrobi. Praktykowanie prawa było dla niego sensem istnienia. Olgierd był jednym z nielicznych, którzy czerpali realną, dziką satysfakcję z zamykania przestępców. Miał poczucie misji, ale też zacięcie do rywalizacji – a przy tym nie przebierał w środkach.

Chyłka nieraz słyszała opinie, że jest jej odpowiednikiem po drugiej stronie prawniczej barykady. Od dawna czekała na okazję, by zweryfikować, na ile to prawda, a na ile legenda spowodowana pewnymi zbieżnościami między nią a Olgierdem. Podobnie jak Chyłka, Paderborn nie stronił od mocnych brzmień, a w dodatku przez nieco dłuższe, jasne włosy oraz zarost wielu przywodził na myśl Kurta Cobaina.

Była ciekawa starcia z nim.

Tuż przed bramą Kordian znów nagle się zatrzymał. Odwrócił się do Joanny i posłał jej niewiele mówiące spojrzenie. Przez moment oboje milczeli.

– Lubisz patrzeć jak sroka w gnat, Zordon?

– Nie. A już szczególnie nie w ten, bo wiem, że może wypalić w każdej chwili.

Chyłka przewróciła oczami.

– Gnat w tym przysłowiu to nie pistolet, głąbie. To synonim kości.

– Mniejsza z tym. Właśnie sobie uświadomiłem, co tu robimy.

– Brawo. Próbowałam ci o tym powiedzieć przez całą drogę.

– Nie to mam na myśli.

Doskonale wiedziała, do czego zmierza.

– Zrozumiałem w końcu, dlaczego wzięłaś tę sprawę.

Właściwie dziwiło ją, że dojście do tego zajęło mu więcej niż minutę. Powinien poskładać wszystko razem, kiedy tylko usłyszał nazwisko Paderborna.

Chyłka pokiwała głową z teatralnym uznaniem, zachęcając Oryńskiego, by kontynuował.

– Od lat czekałaś, żeby się z nim zmierzyć – dodał. – W dodatku wiesz, że dzięki temu zwycięstwu odbudujesz swoją pozycję w warszawskiej adwokaturze.

– Tak myślisz?

– Wiem, jak to dotychczas było.

– To znaczy?

– Lew Buchelt raz czy dwa wspominał o Paderbornie i nie pominął przy tym niepisanej zasady, która obowiązywała prokuratora i ciebie.

– Była taka?

– Nie braliście spraw, przez które spotkalibyście się na sali sądowej – ciągnął Kordian. – Nie rozumiem tylko, skąd ta reguła. Ani co miała przynieść. Oboje słyniecie z tego, że niczego się nie boicie.

Wzruszyła ramionami.

– Mogę ręczyć tylko za siebie – odparła.

– A jednak unikałaś go przez lata tak samo, jak on ciebie. Dlaczego?

– Nie wiem. Czasem takie rzeczy po prostu się dzieją.

– Nie chcieliście się zmierzyć? Czy obawialiście się, że po takim starciu przynajmniej jeden mit będzie musiał upaść?

Nie miała ochoty się w to zagłębiać, tym bardziej, że sama nie pamiętała, jak to wszystko się zaczęło. Nie znali się z Olgierdem zbyt dobrze, choć zamienili parę zdań przy tej czy innej okazji. Pamiętała, że swojego czasu określili dzień, w którym spotkają się w sądzie, jako ten, w którym pojawi się pierwszy z jeźdźców Apokalipsy. Jakaś rozmowa musiała jednak odbyć się wcześniej.

Chyłka przypuszczała, że stopniowo zamazywała ją w pamięci alkoholem, aż w końcu wszelki ślad po niej zaginął.

– Oboje mieliśmy w tym względzie ambiwalentne odczucia – wyrecytowała urzędowym tonem.

– Ta? – odbąknął Kordian.

– Przyrównałabym to do wizyty w kiblu.

– Co proszę?

– Kiedy siadasz na ciepłej desce, masz równie dwuznaczne wrażenia. Z jednej strony cieszysz się, bo tyłek ci nie marznie, z drugiej masz świadomość, dlaczego deska jest ciepła.

– Aha.

Patrzyli na siebie w milczeniu.

– Żałujesz, że zacząłeś temat?

– Tak.

Nie dodając nic więcej, Oryński ruszył w kierunku głównego wejścia. Już z oddali oboje dostrzegli czekającego na nich prokuratora i dla Kordiana wszystko musiało stać się teraz jasne.

Prawniczka miała pewność, że zostanie dopuszczona do swojego przyszłego klienta, bo Paderborn nie mógł pozwolić sobie na odmowę. Nie kiedy to sama Joanna Chyłka zabiegała o widzenie. Jego negatywna decyzja wysłałaby jasny sygnał, że się czegoś obawia.

Aplikant odwrócił się do niej i już otwierał usta, ale najwyraźniej w porę zrozumiał, że pomyślała o tym, co chciał powiedzieć.

– Ile ten facet ma lat? – mruknął po chwili.

– A bo ja wiem? Może czterdzieści.

– Wygląda, jakby zaczynał dzień od wyciskania na siłowni. I jakby przygrywały mu przy tym kapele znacznie ostrzejsze niż Ironsi.

Chyłka uśmiechnęła się lekko.

– Dba o kondycję i aparycję, w przeciwieństwie do ciebie.

Kordian zerknął na nią z ukosa.

– Może należy do tych szczęściarzy, którzy mają czas wolny – powiedział. – Ja niestety się do nich nie zaliczam.

– Zawsze mógłbyś wykroić pół godziny na pompki, hantle, machanie kettlebellami, crossfit czy co tam teraz robicie.

– I co mi po tym?

Przygryzła dolną wargę i skrzywiła się.

– Masz rację, nic – odparła. – Przy twojej diecie zerobiałkowej żadnej masy mięśniowej z tego nie będzie.

– Łosoś jest bogaty w…

– Cichaj, Zordon. Zanim nas skompromitujesz.

Chwilę później zatrzymali się przed Olgierdem, który zmierzył wzrokiem najpierw swoją przeciwniczkę, a potem jej pomocnika. Nosił się klasycznie, w dobrym, konsekwentnym stylu. Już z daleka widać było charakterystyczną literę „V" niemal na każdym elemencie ubioru, jakby całego Paderborna sponsorowała Vistula.

Chyłka podała mu rękę i westchnęła.

– Gdzie się podziały czasy, kiedy prokuratorzy chodzili w drelichowych płaszczach i za dużych marynarkach? – zapytała.

– Odeszły razem z Gomułką.

– To ciekawe, bo widywałam twoich siermiężnie poubieranych kumpli całkiem niedawno.

Kiedy ściskał rękę Kordianowi, Joanna odniosła wrażenie, jakby był gotów złamać ją jak suchą gałąź. Mimo to Oryński spojrzał mu pewnie w oczy.

Olgierd Paderborn z pewnością był pełen sprzeczności. Z jednej strony dbał o ciało i zapewne pracował nad kaloryferem na brzuchu, jakby przygotowywał się do zawodów kulturystycznych, z drugiej ubierał się jak dystyngowany dżentelmen i z pewnością więcej czasu spędzał z nosem w kodeksach niż na siłowni.

O Chyłce jednak też mawiano, że łączy przeciwstawne cechy. Może to było kluczem do tego, by stać się rozpoznawalnym w palestrze czy w środowisku organów ścigania.

– Wejdziemy? – odezwał się Olgierd.

– My?

– Nie liczyłaś chyba na spotkanie w cztery oczy z terrorystą?

– Masz na myśli tego zwyczajnego, niewinnego obywatela, którego niesłusznie zamknęliście?

Paderborn nie odpowiedział.

– Ten odpowiednik Kafkowskiego Józefa K., który wie, że jest oskarżony, ale nie wie o co?

– Al-Jassam doskonale wie, co…

– Ale nie, nie liczyłam na spotkanie w cztery oczy – dorzuciła Joanna. – Doskonale zdawałam sobie sprawę, że zgodziłeś się tylko pod warunkiem, że wejdziesz tam z nami.

Nie mogła nic ugrać na tym polu. Olgierd poniósł niewielką porażkę, gdy musiał zgodzić się na widzenie, ale szybko zrównoważył ją decyzją o towarzyszeniu adwokatom.

Dopóki Fahad Al-Jassam był tymczasowo aresztowany, a Chyłka nie została ustanowiona jego obrońcą, miała związane ręce.

Zresztą później przez czternaście dni będzie podobnie. W tym czasie prokurator będzie mógł uczestniczyć w każdym widzeniu.

To tyle, jeśli chodzi o równość stron na początku tego starcia, pomyślała.

Weszli w trójkę do pokoju, w którym czekał na nich Fahad. Podniósł wzrok tylko na moment, ale tyle wystarczyło, by Joanna dostrzegła w jego oczach błysk zrozumienia.

Spojrzał wyłącznie na nią, przelotnie, ale jednocześnie dostatecznie długo. Wiedział, kim jest.

Skąd? Mógł dobrze przygotować się do zadania, o ile rzeczywiście jakieś realizował. Jeśli zakładał, że na pewnym etapie wpadnie, to musiał przypuszczać, że Lipczyńscy zgłoszą się właśnie do niej.

Sprawą Bukano zagwarantowała sobie zainteresowanie wszystkich mniejszości etnicznych i grup, które z tego czy innego powodu były na gorszej pozycji niż ogół społeczeństwa. Początkowo okazało się to utrapieniem. Nigdy nie chciała bronić tamtego Roma ani tym bardziej kogokolwiek z ludzi, którzy się do niej zgłaszali. Ostatecznie jednak uznała, że wszystko jedno. Liczyło się to, by odcisnąć jakieś piętno w historii.

Tak jak teraz.

Nie dość, że w końcu doprowadzi do starcia, na które czekał cały warszawski świat prawniczy, to jeszcze będzie uczestniczyła w pierwszym procesie polskiego islamisty-zamachowca.

Usiadła naprzeciwko niego i uśmiechnęła się szeroko.

– *Salam alejkum* – rzuciła.

Al-Jassam uniósł wzrok i zawiesił go gdzieś w rogu pokoju. Chyłka obejrzała się przez ramię.

– Południowy wschód jest tam – dodała.

Muzułmanin skupił na niej wzrok.

– Jeśli szukasz Mekki – wyjaśniła. – A przypuszczam, że tak, bo skoro mnie ignorujesz, zostały ci tylko modły, bisurmanie.

Fahad przyglądał jej się bez słowa, ale także bez agresji. Joanna szukała w jego oczach czegoś, co mogłoby świadczyć, że ten człowiek w istocie jest szalony i zamierzał wysadzić się gdzieś w Warszawie. Sprawiał jednak raczej neutralne wrażenie.

Nigdy nie powiedziałaby jednak, że jest podobny do Przemka Lipczyńskiego. Miał ciemną, gęstą brodę, ciemniejszy kolor skóry i twarz pokrytą zmarszczkami. Nie mimicznymi ani wynikającymi ze starości – głębokie, podłużne bruzdy świadczyły raczej o tym, że sporo przeszedł.

Uwydatniły się jeszcze bardziej, kiedy uniósł brwi i popatrzył na Paderborna.

– Kim jest ta kobieta?

– Twoim adwokatem, jeśli jej wierzyć.

– Będę bronił się sam.

– Spokojnie – wtrąciła Joanna. – Rodzice pokryją wszystkie wydatki.

– Nie mam z tymi ludźmi nic wspólnego.

– Nie szkodzi – odparła i machnęła ręką. – Ważne, że płacą moją gażę. A w pakiecie dostajesz też Zordona.

Fahad znów utkwił spojrzenie gdzieś w górze. Chyłka pomyślała, że nie będzie łatwo, choć już nie z takimi miała do czynienia. Do dziś pamiętała przejścia z Piotrem Langerem, który przez większość czasu milczał, a jeśli już się odzywał, to jedynie po to, by jej naubliżać.

– Dobra – burknęła Joanna. – Nie chcesz naszej pomocy, twoja sprawa. Ale skoro już tu przytachałam swoje szacowne cztery litery, dostaniesz radę.

Nie sprawiał wrażenia zainteresowanego.

– Po pierwsze, nie gadaj z nikim. Absolutnie z nikim, a już w szczególności nie z nim. – Wskazała na Olgierda. – Po drugie, jeśli chcesz utrzymywać, że nie jesteś synem Lipczyńskich, nie zgadzaj się na badanie DNA. Jasne?

Widziała, że przykuła jego uwagę.

– Powołaj się na artykuł siedemdziesiąty czwarty paragraf pierwszy Kodeksu postępowania karnego.

W pokoju zaległa cisza. Paderborn pokręcił bezradnie głową i odchrząknął.

Chyłka wiedziała, że musi poczekać tylko chwilę, by klient zainteresował się, w czym rzecz. Nie spieszyło się jej. Gdyby miała przeciwko sobie jakiegokolwiek innego prokuratora, mogłaby obawiać się, że za moment zakończy widzenie i ich wyprosi. Olgierd jednak nie miał zamiaru okazywać słabości.

– O czym mówi ten paragraf? – odezwał się w końcu Al-Jassam.

– O tym, że nie musisz ani dowodzić swojej niewinności, ani tym bardziej dostarczać materiałów, które mogłyby cię obciążyć.

Fahad spojrzał pytająco na prokuratora.

– To nie odnosi się do DNA – zauważył Paderborn.

– Nie? A to ciekawe, bo w kolejnym paragrafie są wyjątki od tej zasady. I nie ma w nich mowy o pobieraniu materiału genetycznego.

– Doskonale wiesz, że Trybunał Konstytucyjny…

Chyłka uniosła dłoń w uniwersalnym geście mówiącym „STOP".

– Nie wspominaj nawet o TK – ostrzegła. – Ostatnio miałam z nim dość bolesne przejścia.

– Powiedziałbym, że raczej oni z tobą.

– Może – przyznała. – Choć to i tak nic w porównaniu z tym, co przygotowałam dla ciebie.

Fahad przysłuchiwał się temu z pewną konsternacją, ale też rosnącą uwagą. Joanna nie bez powodu rzuciła przynętę na małą słowną przepychankę. Miała zamiar pokazać klientowi, że w powietrzu wisi widmo rywalizacji między nią a Paderbornem.

Z jego punktu widzenia powinna to być wymarzona sytuacja.

Chyłka podniosła się, a po chwili to samo zrobił Oryński. Klasnęła w dłonie i obróciła się w kierunku drzwi. Liczyła, że muzułmanin ją zatrzyma, ale ten milczał.

– Pamiętaj o tym przepisie – dodała na odchodnym. – I o tym, że Konstytucja gwarantuje ci nietykalność cielesną. Jeśli ktoś będzie pchał ci wacik do gęby, powołaj się na artykuł czterdziesty pierwszy.

Olgierd zaśmiał się pod nosem.

– To nic nie da.

– Przeciwnie – odparła Joanna, pukając w metalowe drzwi. – Sprawi, że będziecie musieli zostawić mojego przyszłego klienta w spokoju przynajmniej do czasu, aż wyjaśnicie wszelkie wątpliwości prawne.

Jeden z klawiszy otworzył drzwi, a potem zajrzał niepewnie do środka. Najwyraźniej nie zamierzał się odsuwać, dopóki prokurator tak nie poleci. Kiedy jednak Chyłka ruszyła w jego stronę, musiał ustąpić.

– Poczekaj – odezwał się Fahad.

Joanna zatrzymała się już w korytarzu. Obróciła się na pięcie, pochyliła nad progiem, a potem posłała Al-Jassamowi lekki uśmiech.

– Jednak zmieniłeś zdanie?

– Porozmawiać nie zaszkodzi.

– Nie? Czasem może zaszkodzić. Szczególnie jeśli nie przeżujesz własnych słów, zanim je wyplujesz.

– Co takiego?

– Następnym razem zastanów się dwa razy, zanim mi odmówisz.

To rzekłszy, znów energicznie się odwróciła i tym razem nie czekając na odpowiedź, ruszyła korytarzem do wyjścia. Wiedziała, że nie minie wiele czasu, a Fahad poprosi o widzenie z nią.

Będzie musiał rozmówić się też z Lipczyńskimi, jeśli mieli płacić rachunki kancelarii. I być może dzięki temu uda jej się dowiedzieć, dlaczego Al-Jassam wypiera się swojej prawdziwej tożsamości.

Fahad nie odezwał się jednak ani do Anny, ani do Tadeusza. Zamiast tego niedługo po tym, jak Joanna opuściła areszt śledczy, zaczął domagać się, by pozwolono mu na rozmowę telefoniczną z jego obrońcą. Nie musiał znać orzeczeń Trybunału, by wiedzieć, że należy mu się to jak psu buda.

Chyłka odebrała dopiero po którymś sygnale, jadąc z Oryńskim w kierunku centrum.

Nie zdziwiło ją to, co usłyszała.

– Jestem niewinny – oznajmił Al-Jassam. – Zostałem przez kogoś w to wszystko wrobiony.

4

Gabinet Chyłki, Skylight

Kordian musiał przyznać, że czuł się dobrze w znajomym otoczeniu. Jeszcze niedawno gabinet zajmowany był przez innego prawnika, który zupełnie przemeblował wnętrze, ale po powrocie Chyłki każdy element znalazł się z powrotem na swoim miejscu.

Łącznie ze wszystkimi Waltosiami, nieodłącznymi kompanami każdego studenta i aplikanta, który zgłębiał meandry postępowania karnego. Oryński stanął przed regałem i wyciągnął ostatnie wydanie. Przeczytał recenzję z tyłu okładki i pokiwał głową z uznaniem.

– Oho – odezwała się Chyłka.

– Co?

– Widzę, że bierzesz się wreszcie do nauki, Zordon.

– Oglądam obrazki.

W przypadku innego podręcznika uwaga byłaby bezpodstawna, ale w tym rzeczywiście znajdowały się sytuacyjne scenki. Przekartkował go, myśląc o tym, że rzeczywiście powinien zająć się nauką, a nie obroną człowieka, który wedle wszelkiego prawdopodobieństwa mógł okazać się niedoszłym zamachowcem.

– Ty też powinnaś – odezwał się po chwili Kordian.

– Co? Poczytać Waltosia? Zawsze chętnie, ale w tym wypadku muszę sięgnąć raczej po jakieś wyssane z palca opracowania o dyskryminacji muzułmanów.

– Miałem na myśli coś dotyczącego twojego aktualnego stanu. – Wskazał na jej brzuch.

– A, no tak. Racja.

Przysiadła na skraju biurka, oparła się o blat i rozsunęła szeroko ręce. Zmrużyła oczy, jakby szukała w pamięci tytułów, które zamierzała wziąć na tapet.

– Oczyszczanie organizmu z pasożytów – rzuciła. – Co sądzisz?

– Niespecjalnie ci się to przyda.

– Zapobieganie rozwojowi zakażeń pasożytniczych?

– Mówię poważnie.

– Wiem. I dlatego cię spławiam.

– Nie chcesz o tym rozmawiać.

– Ja? Gdzieżby tam, Zordon. Zawsze chętnie i otwarcie rozprawiam o wszelkich moich infekcjach.

Oryński westchnął, a potem przysiadł na biurku obok niej. Przez moment oboje wlepiali wzrok w drzwi prowadzące na korytarz. O tej porze na zewnątrz panował rwetes, a wezbrana fala prawników przelewała się z jednej strony na drugą. Tutaj jednak było to niemal niesłyszalne. Jedynie cichy szum w tle sugerował, że znajdują się w korporacyjnym tyglu.

– Jesteś chyba jedyną osobą, która określa ciążę jako infekcję – zauważył Kordian cicho.

– Na pewno niejedyną.

– W takim razie jedną z nielicznych. I nie możesz uciekać od tematu.

Obróciła się do niego i spojrzała mu głęboko w oczy.

– Słuchaj – zaczęła. – Ty też nie chcesz gadać o swoich żylakach odbytu.

– Jakich… Jezu, Chyłka.

Wiedział, że robi wszystko, by odpuścił, ale nie miał zamiaru przestać. Wciąż nie mógł uwierzyć, że była patronka nie ma pojęcia, kto jest ojcem dziecka. Ostatecznie planował to z niej wyciągnąć, choć być może w tej chwili rzeczywiście były ważniejsze sprawy do załatwienia.

– Nie dam ci spokoju, zdajesz sobie z tego sprawę?

– Niestety tak. Wspólne życie z tobą doświadczyło mnie już na tyle, że nie mam złudzeń.

– I wiesz, do czego zmierzam?

– Chcesz mnie zapytać, czy planuję aborcję.

Oryński popatrzył na nią z powątpiewaniem.

– Nie zamierzałem tego robić, ale skoro sama zaczęłaś…

– Nie.

– Nie? Tak po prostu? Bez najmniejszego zawahania?

– A czego się spodziewałeś?

– Po osobie, która namiętnie słucha Iron Maiden, pije na umór, pali jeszcze więcej, z jakiegoś powodu ubóstwia Wojewódzkiego i…

– I Figurskiego, ostatnimi czasy. Pokazał, jak się walczy na ringu zwanym życiem.

Kordian skinął głową.

– I jak się mają Ironsi do aborcji, Zordon? – odparła nieco poważniejszym tonem. – Mój światopogląd znasz.

– Znam, choć nie do końca rozumiem.

– To zrozum to: pasożyt to żywe stworzenie. Jak masz tasiemca, nie zastanawiasz się, czy to jakiś tam zarodek, czy już rozwinięta forma. Wiesz, że to dziadostwo żyje i że musisz się go pozbyć.

– I?

– W moim przypadku jest podobnie. Wiem, że to żyje, bez względu na to, w którym stadium rozwoju się znajduje. Tyle że w przeciwieństwie do tasiemca, nie mogę tego usunąć.

– Bo nie mogłabyś spojrzeć w oczy księdzu, któremu się co miesiąc spowiadasz?

– Nie spowiadam się, bo nie dostałabym rozgrzeszenia.

– Mhm.

– A chodzi o to, że sama sobie nie mogłabym spojrzeć w oczy.

Był to jeden z nielicznych momentów, kiedy miał wrażenie, że Chyłka mówi poważnie. I było w tym coś niepokojącego. Coś, co uświadomiło mu, że za niecałe dziewięć miesięcy sytuacja drastycznie się zmieni.

Nie tylko w jej, ale także w jego życiu.

– Przemyślałaś to? – zapytał. – Naprawdę dogłębnie?

– Nie.

Zaśmiał się pod nosem i pokręcił głową. Powinien się tego spodziewać.

– Masz jeszcze czas – powiedział. – Usunąć możesz do dwunastego tygodnia.

– Tylko w przypadku gwałtu.

– O stwierdzenie czego nie będzie trudno, bo to jedyna sytuacja, kiedy decyduje prokurator. A ty z pewnością masz niejednego znajomego, który wisi ci przysługę.

– Wszystko już zaplanowałeś, co?

– Rzucam tylko pomysł.

– Karalny.

Spiorunowała go wzrokiem i przez moment się nie odzywała. W końcu nabrała głęboko tchu, podniosła się i podeszła do okna. Wyjrzała na zewnątrz, obserwując sznury samochodów poruszające się od świateł do świateł po Alejach Jerozolimskich.

– Zostaje jeszcze kwestia turystyki aborcyjnej. U Czechów i Niemców spokojnie możesz…

– Nie wiem, kto wymyślił tę nazwę, ale jest bzdurna.

– Co nie zmienia faktu, że…

– Nie usunę, Zordon.

Kiedy odwróciła się i zajęła swoje miejsce za biurkiem, wyglądała, jakby coś było nie w porządku. On także odniósł takie wrażenie, ale dopiero po chwili zrozumiał, czym jest spowodowane. Na biurku brakowało popielniczki, a między palcami Joanny dymiącego papierosa.

Może jednak wbrew temu, co twierdziła, rzeczywiście przemyślała sprawę i podjęła decyzję. Wyrzeczenie się nikotyny w jej wypadku było niemal jak rezygnacja z oddychania dla przeciętnego człowieka.

Usiadł przed biurkiem i rozmasował kark.

– W porządku – odezwał się. – Zresztą dążyłem do czegoś innego.

Uniosła brwi i wykonała ponaglający ruch ręką.

– Jesteś pewna, że chcesz w tym stanie prowadzić sprawę Fahada?

Wiedział, że pytanie może podziałać jak płachta na byka, ale musiał je zadać. Nawet jeśli będzie jej pomagał w zmaganiach sądowych i pozasądowych, proces będzie długi i niełatwy. Być może najtrudniejszy w jej karierze.

– Ludzie z salmonellą funkcjonują całkiem normalnie, Zordon. Tym bardziej ja mogę.

– Pogadamy, jak zaczną się pierwsze przypadłości ciążowe.

– Jestem na nie przygotowana.

– Ale czy gotowa?

– Nie ma różnicy – odparła i przewróciła oczami. – Przynajmniej nie w moim przypadku. Dawałam sobie radę z porannym rigoletto potequilowym, dam sobie radę z nudnościami ciążowymi.

– To nie wszystko.

– Co ty nie powiesz, Zordon? – odparowała. – I kiedy stałeś się prenatalnym guru? Przegapiłam ten moment.

– Po prostu mówię, że…

– Że mogę na ciebie liczyć, że nie powinnam przyjmować tak dużej, dalekobieżnej odpowiedzialności, że… – Zawiesiła głos i rozejrzała się. – No, co tam jeszcze ckliwego wymyśliłeś?

– To w sumie wszystko.

– Świetnie. W takim razie bierzmy się za Fahada.

Pokiwał głową, ostatecznie uznając, że przełoży tę rozmowę na później. W końcu zwyczajowa waleczność Chyłki będzie musiała ustąpić miejsca realnemu oglądowi sytuacji.

A ten musiał sprowadzać się do jednego, prostego wniosku – w pewnym momencie ciąża nie pozwoli jej na kontynuowanie batalii sądowej. Szczególnie że po drugiej stronie stał Paderborn.

– Więc czego się dowiedziałaś? – zapytał Oryński.

– Że Fahad jest niewinny, *inszallah*.

– A oprócz tego?

– Że padł ofiarą spisku. Też *inszallah*.

– Nie wiem nawet, co to znaczy.

– Znaczy to, że istnieją pewne tajemnicze, nieujawnione siły, które wrobiły go w przestępstwo, jakiego…

– Miałem na myśli to arabskie sformułowanie.

– To mniej więcej odpowiednik naszego „jak Bóg da".

– Okej – odparł Kordian i zrzucił marynarkę. Zawiesił ją na oparciu krzesła, a potem popatrzył znacząco na Chyłkę, chcąc zasugerować, że najwyższa pora, by przeszła do konkretów. Przez całą drogę z Białołęki na Złotą rozmawiała z klientem i z pewnością miała więcej do przekazania.

Kiedy zrobiła głęboki wdech, wiedział, że nie będzie musiał już dłużej czekać.

– Al-Jassam twierdzi, że nie miał żadnych materiałów wybuchowych.

– Więc zostały podłożone.

– Jeśli mu wierzyć. Mnie się wydaje, że opowiada bzdury.

Oryński popatrzył na nią z niepokojem.

– To dobra rzecz, Zordon – wyjaśniła. – Bo jeśli przekonam samą siebie do tego, że jest niewinny, przekonam także sędziego i ławników.

Od tej strony na to nie spojrzał. Być może miała rację.

– Na tych materiałach znaleziono jego odciski palców – kontynuowała. – Ale jak wiesz, spreparowanie ich nie wykracza poza zdolności polskich służb. Nie wspominając już o ludziach, którzy takimi machinacjami zajmują się zawodowo.

– No tak.

– W mieszkaniu znaleziono też plany twojego ulubionego centrum handlowego.

– Tak? A które to?

– Złote Tarasy.

Kordian wyprostował się, jakby ktoś dźgnął go prosto w odcinek lędźwiowy.

– Ten facet chciał się wysadzić…

– Tak, po sąsiedzku – dokończyła i skinęła głową w stronę galerii. – I wprawdzie nie wiem jeszcze, o jakim ładunku mowa, ale przypuszczam, że odczulibyśmy efekty tego... incydentu.

– O ile nie siedzielibyśmy wtedy w Hard Rock Cafe.

– Aha – potwierdziła obojętnie Joanna.

– Zdajesz sobie sprawę, co to znaczy? – zapytał Oryński, przygarbiwszy się nieco. – Będziemy bronić człowieka, który mógł nas zabić.

– Bo to pierwszy raz?

Przez głowę Kordiana przemknęło kilka niepokojących obrazów. Właściwie miała rację, nieraz przychodziło im reprezentować klientów, którzy w taki czy inny sposób, mniej lub bardziej bezpośrednio, chcieli wysłać swoich prawników na tamten świat.

– Przyznaję, to nie do końca komfortowa sytuacja – podjęła Chyłka. – Ale w takich chwilach zawsze powtarzam sobie, że każdy jest lepszy od Langera.

– Z tym nie będę polemizował – przyznał Oryński, a potem potrząsnął głową. – Co jeszcze wiemy?

– Że Fahad prędzej uśmiechnie się zalotnie do grupy skinheadów w więzieniu, niż przyzna, że jest zaginionym synem Lipczyńskich.

– Dlaczego?

– A ja wiem? Nie rozwinął tej myśli.

– Trzeba to sprawdzić w pierwszej kolejności.

– I tak zrobimy – zapewniła go Chyłka. – Nie chcę sytuacji, w której nagle podczas procesu obudzimy się z ręką w nocniku, bo małżeństwo przestanie płacić rachunki.

– Więc dopuszczasz możliwość, że to nie on?

– Na tym etapie dopuszczam wszystko.

Słusznie, uznał w duchu. Powinni być gotowi na każdy scenariusz, w tym także ten, który zakładał, że w słowach muzułmanina tkwiło ziarno prawdy.

– Na tym moja aktualna wiedza się kończy, Zordon. Podwijaj więc rękawy i zabierajcie się z Kormakiem do roboty.

– A co on…

– Wszystko już wie.

– W jaki sposób?

Joanna przechyliła głowę i spojrzała na niego z niedowierzaniem, jakby zadawanie takich pytań było najdurniejszą rzeczą, jaką mógł zrobić.

– Równie dobrze możesz mnie zapytać, co jest po drugiej stronie czarnej dziury. I czy coś w ogóle się tam znajduje. Pewnych rzeczy nie zgłębisz.

Kordian podrapał się po skroni i przez moment milczał.

– W tej chwili planuję zgłębić coś innego – odezwał się. – A mianowicie to, dlaczego ktoś miałby wrabiać Fahada?

– Kolejne pytanie czarnodziurowe.

– Kto miałby na tym skorzystać?

– I następne! Idziesz na rekord.

– Rząd? – ciągnął Oryński, zawieszając wzrok gdzieś za oknem. – Byłoby im to na rękę, w końcu dzięki temu dostaną najlepszy argument przeciwko imigrantom.

Joanna otworzyła laptopa i skupiła się na tym, co pojawiło się na ekranie.

– Trzeba dokładnie wybadać przeszłość Al-Jassama – kontynuował Kordian, nie dostrzegając, że prawniczka właściwie go ignoruje. – Może znajdzie się coś, co rzuci nieco światła na to, dlaczego mógłby być jeszcze bardziej łakomym kąskiem dla władzy. Może przybył do Polski z jakąś grupą uchodźców? Może początkowo został pozytywnie zweryfikowany? Podobne rzeczy sprawią, że rząd będzie miał prawdziwe…

– Zordon.

– Hm?

– Nie zauważyłeś, że przestałam cię słuchać?

– Nie.

– W takim razie niniejszym cię o tym informuję – odparła, podnosząc na moment wzrok. – I mam świetną radę, żebyś jak najszybciej się stąd zabierał.

– Nie omówiliśmy jeszcze wszystkiego.

– Omówimy, jak tylko będziemy mieli więcej konkretów. Idź je zdobyć.

– Jak?

– W jedyny znany ci sposób.

Otworzył usta, ale ostatecznie się nie odezwał. Opuścił biuro dawnej patronki, a potem przeszedł korytarzem niemal przez całą kancelarię. Zatrzymał się niedaleko gabinetu imiennego partnera, w miejscu, gdzie panował względny spokój. Nie przyszedł jednak do Żelaznego.

Obrócił się w lewo i zapukał do najbliższych drzwi. Nie czekając na odpowiedź, wszedł do Jaskini McCarthyńskiej.

Kormaka zastał pochylonego nad laptopem, czego właściwie powinien się spodziewać. Widok był jednak niecodzienny, na biurku nie było bowiem żadnej książki pisarza, od którego chudzielec w lenonkach zaczerpnął ksywę.

– Niewiele mam – odezwał się Kormak, uprzedzając pytanie.

– Ale odmieni się los – odparł Oryński i zamknął za sobą drzwi.

– Co?

– Dżem. *Wehikuł czasu*.

– Nie znam.

Kordian usiadł przed biurkiem i przybrał zafrasowany wyraz twarzy.

– Twoje pokolenie jest stracone – oświadczył.

– Jesteśmy w podobnym wieku.

– Metrykalnie tak – przyznał Kordian. – Mentalnie nie.

Chudzielec zmierzył go wzrokiem, jakby Oryński właśnie przerwał mu realizowanie dziejowej misji. Odsunął laptopa na bok, otworzył szufladę, a potem wyciągnął z niej jabłko i wgryzł się w nie jak wampir w tętnicę szyjną.

– Gdzie książki McCarthy'ego? – zapytał Kordian.

Przyjaciel wzruszył ramionami.

– Przerzuciłeś się na kogoś innego?

– Nawet tak nie żartuj.

Znów odgryzł kawałek, tym razem znacznie większy.

– Chcesz czegoś konkretnego? – wymamrotał.

– Właściwie wszystkiego, co udało ci się dowiedzieć na temat naszego muzułmanina.

– To... – Kormak na moment urwał, by przełknąć kęs. – To dosyć ciekawa sprawa.

– Znam lepsze określenia. Beznadziejna, z góry przegrana, nierokująca nadziei, stracona...

– To też. Ale przy okazji też ciekawa.

– W jakim sensie?

Chudzielec głęboko nabrał tchu i odłożył jabłko na laptopa.

– Jak się pewnie domyślasz, generalissimus Francisca Chyłka z samego rana poleciła mi wybadać sprawę, dokopać się do przeszłości tego… jak ona go nazywa?

– Bisurman.

– I co to niby znaczy?

– Stare określenie na muzułmanina.

Kormak zbył informację nieznacznym ruchem głowy.

– Zacząłem więc drążyć, starając się cofnąć aż do momentu porwania. Bo założyłem oczywiście, że Lipczyńscy się nie mylą i to ich syn.

– Dlaczego? Znalazłeś jakiś dowód?

– Taki, że matka nigdy się nie myli. Bez względu na to, czy dziecko było adoptowane i czy spędziło z rodzicami dwa czy dziesięć lat.

– W porządku – odparł Oryński i sięgnął po jabłko.

Przyjaciel popatrzył na niego z zaciekawieniem.

– Nie, nie ugryzę tego – zastrzegł szybko Kordian i odłożył owoc na szafkę obok. – Nie jesteśmy jeszcze w tak zażyłych stosunkach. Po prostu nie chcę słuchać, jak mówisz z pełną gębą.

– Okej.

– Więc jak daleko w jego przeszłość udało ci się wniknąć?

– Niedaleko.

– A konkretniej?

– Ustaliłem, że mieszka na niewielkim osiedlu przy Pożaryskiego.

– Gdzie to jest?

– Na Wawrze.

– Nigdy nie byłem.

– I prawdopodobnie nigdy byś się tam nie pojawił, gdyby nie to, że prędzej czy później będziesz musiał zrobić wizję lokalną.

– W twoim towarzystwie.

– Nie wydaje mi się. Nie zapuszczam się w takie miejsca.

– Wawer to niezbyt niebezpieczna dzielnica, Kormaczysko.

– Ale tamte bloki nie nastrajają mnie optymistycznie. Przywodzą na myśl socjalną zabudowę schyłku PRL-u i Bóg jeden wie, co od tamtego czasu wyhodowano w takich miejscach.

– Z pewnością bywałeś w gorszych. Ja w każdym razie na pewno.

Kormak wzruszył ramionami, jakby temat nie podlegał dalszej dyskusji. Spojrzał znacząco na jabłko, ale Oryński pokręcił tylko głową.

– Ustaliłeś więc metę – odezwał się. – Do kogo należy?

– Właścicielką jest przypadkowa kobieta, nie ma żadnych powiązań ani z ekstremistami islamskimi, ani z czerwonymi czy moherowymi beretami. Wynajęła Fahadowi niewielkie mieszkanie, raptem trzydzieści metrów kwadratowych. Płacił gotówką, niewiele mówił, a ona o nic nie pytała. Ogłoszenie było na OLX, bez żadnych zdjęć, minimum informacji. Wygląda na to, że to rudera, ale do jego celów nadawała się wprost idealnie.

Oryński pokiwał głową. Właściwie brzmiało to modelowo. I tym bardziej dziwiło go, że Kormak w ogóle postanowił się nad tym rozwodzić.

– Ustaliłeś coś… bo ja wiem? Pomocnego?

– To wszystko, co wiem.

Kordian odchrząknął, jakby w trakcie jedzenia filetu z łososia niespodziewanie natknął się na wyjątkowo dużą ość.

– Nie żartuj sobie – powiedział.

– Nie żartuję – zapewnił szczypior. – I dlatego ta sprawa jest tak ciekawa. Normalnie potrafię prześwietlić przeszłość danego delikwenta przynajmniej do pewnego stopnia. W tym wypadku trafiłem na ścianę. I przywaliłem w nią głową.

– To znaczy?

Kormak rozłożył ręce i westchnął.

– Al-Jassam pojawił się znikąd. Nie ma żadnego śladu po jego podróży do Warszawy… bo zakładamy, że przybył tu z Bliskiego Wschodu, prawda?

– Mhm.

– I że to wszystko prawda?

– Na tym etapie tak.

– Bo wiesz, że to równie dobrze może być jedna wielka mistyfikacja?

– Nie zagłębiajmy się w to teraz – odparł Oryński i podniósł jabłko. Podrzucił je w dłoni kilka razy, a potem spojrzał na przyjaciela. – Nie masz tu nigdzie noża?

Kormak zignorował pytanie.

– Nie rozumiesz chyba, co to znaczy – powiedział.

– Że nie jesteś w formie?

– Nie. Że ktoś się wyjątkowo postarał, żeby zatrzeć wszystkie ślady. I mówiąc „wyjątkowo", mam na myśli, że rzeczywiście kosztowało to tę osobę sporo wysiłku. – Na moment urwał i utkwił wzrok w ścianie. – Osobę albo osoby, bo takie przedsięwzięcie najpewniej wymagało udziału kilku.

– Przedsięwzięcie, czyli?

Kormak potrząsnął głową i popatrzył w oczy Oryńskiemu.

– Po pierwsze: Fahad Al-Jassam nie istnieje. Nie figuruje w żadnej bazie, nie ma go w Internecie ani nawet w Deep Webie.

Chudzielec uniósł brwi, jakby niepewien, czy Kordian pamięta wszystkie te informacje, które przy sprawie Sendala przekazał mu na temat ukrytej części sieci. Oryński wprawdzie nie przyswoił wtedy wszystkiego, pamiętał jednak o onion routerach, które pozwalały anonimowo poruszać się po Internecie, a także o szemranych miejscach, gdzie można było znaleźć wszystko. I załatwić wszystko, łącznie z materiałami niezbędnymi do skonstruowania ładunku wybuchowego. Jednym z takich miejsc była Silk Road, ale po tym, jak służby wzięły ją na celownik, odpowiedniki zaczęły się mnożyć jak grzyby po deszczu.

Sprawdzanie tych ciemnych zaułków globalnej sieci było w tym wypadku jak najbardziej słuszne. To tam Kormak powinien znaleźć ślad po Fahadzie, wydawało się bowiem, że szczypior ma swoje sposoby, by namierzyć każdego.

– Może szukałeś nie tego, kogo trzeba – zauważył Kordian. – W końcu nie wiemy nawet, jaka jest jego prawdziwa tożsamość.

– Nie łapiesz.

– Czego?

– Rzuciłem hasło na 4chanie i w innych takich miejscach.

– Znaczy…

– Dałem chłopakom znać, że jest ktoś, kto planował zamach w Warszawie i prawdopodobnie szukał pewnych rzeczy na Deep Webie. Dokumentów, transportu, określonych materiałów i tak dalej – wyjaśnił Kormak, a Oryński nie miał zamiaru wnikać, o jakich „chłopaków” w istocie chodzi.

Przez chwilę w Jaskini McCarthyńskiej panowała zupełna cisza. Było to jedno z niewielu miejsc w Skylight, gdzie można było doświadczyć podobnej sielskości. Tyle że teraz napełniała ona Kordiana niepokojem.

– Tyle zazwyczaj wystarczy – dodał po chwili chudzielec. – Wiesz, jak bardzo ci ludzie są cięci na islamistów.

Wiedział doskonale. Atakowali konta w mediach społecznościowych, dzięki którym się kontaktowali, blokowali ich strony i przypuszczali ataki DDoS na wszystko, co miało cokolwiek wspólnego z terroryzmem.

– Siły zostały zmobilizowane od razu – ciągnął Kormak. – A mimo to niczego nie znaleziono. Tego faceta nie ma ani w realnym, ani w wirtualnym świecie. Po prostu nie istnieje.

– A jednak siedzi teraz w areszcie na Białołęce.

– I nie wiem, skąd się tam wziął.

Zawsze musiał być ten pierwszy raz, skwitował w duchu Oryński. Najwyraźniej ten dzień miał zapaść mu w pamięć nie tylko dlatego, że na biurku nie było żadnej książki McCarthy'ego.

– Są tylko dwie możliwości – podjął Kormak.

– Jakie?

– Po pierwsze, Fahad mógł od lat ukrywać się w jaskiniach Hindukuszu, kręcić fatir na… tym ich odwróconym woku i nie wyściubiać nosa poza swoją enklawę.

– Fatir?

– Beduiński chleb. Pieczony na wielbłądzich bobkach.

Kordian wątpił, by to danie miało cokolwiek wspólnego z mudżahedinami czy talibami ukrywającymi się w górach

Afganistanu albo Pakistanu, ale zachował tę uwagę dla siebie. Czekał na drugą możliwość.

– Inne wytłumaczenie jest takie, że to służby zatarły wszelki ślad po Al-Jassamie.

– Polskie służby?

Szczypior wzruszył ramionami.

– Być może – przyznał. – Ale jeśli tak, to najwyraźniej do tej pory ich nie doceniałem.

Znów zamilkli. Kordian starał się ułożyć sobie wszystko w głowie, ale było to jak składanie puzzli, które z wierzchu zostały zaklejone czarną taśmą. Fahad pojawił się znikąd i najwyraźniej był człowiekiem znikąd.

Jak dotrzeć do przeszłości kogoś takiego?

Pytanie zahuczało mu w głowie jak eksplozja ładunku, który miał rzekomo przygotować jego klient. Oryński przerzucił jabłko z jednej dłoni do drugiej.

– Co nam więc pozostaje? – spytał Kordian.

– Nic. Nie ma żadnego tropu.

– A Egipt? Może powinniśmy zacząć od początku?

– Niczego wtedy nie ustalono. Lipczyńscy badają tę sprawę od lat, znacznie skrupulatniej niż najlepszy śledczy.

Oryński poczekał jeszcze chwilę, zanim odrzucił owoc chudzielcowi. Liczył na to, że ten wpadnie na jakiś pomysł, jak to zwykle miało miejsce. Tym razem jednak nadzieja okazała się płonna.

Kordian wrócił do swojego biura i uznał, że nie pozostaje mu nic innego, jak skupić się na linii obrony. Problem polegał na tym, że nie było jej na czym zbudować.

Przez kilka godzin zdołał wypracować jedynie szereg banałów. Każdy prokurator musiał się ich spodziewać, co dopiero zawodnik klasy Paderborna. Sprowadzały się do dyskryminacyjnego, ksenofobicznego charakteru zarzutów. Do ataku na mniejszość religijną. Do oskarżania muzułmanina jedynie ze względu na jego wyznanie.

Kiedy Oryński zwątpił już w celowość jakiejkolwiek obrony, drzwi gabinetu nagle się otworzyły. Właściwie mogła to być tylko jedna osoba. Każda inna najpierw by zapukała.

– Zbieraj się, Zordon – rzuciła Chyłka. – Mamy coś.

5

ul. Pożaryskiego, Wawer

– Bloki rzeczywiście rodem z horroru – zauważył Oryński, kiedy wysiedli z iks piątki na niewielkim parkingu.

Chyłka rozejrzała się z rezerwą.

– Masz na myśli te dwupiętrowe bryły? Dla mnie wyglądają zupełnie normalnie.

– Bo przywykłaś do składania wizyt w najgorszych rejonach Pragi Południe i Ursynowa.

– Odnalazłam w nich pewien urok.

– Z pewnością.

– Grunt, że przeżyłam w jednym i drugim miejscu. Dzięki temu teraz dobrze mi się kojarzą.

Ruszyła w kierunku jednego z bloków, a Oryński poszedł za nią. Joanna toczyła wzrokiem dokoła, spoglądając przelotnie na zaniedbane, odrapane elewacje, pokryte brudem okna w łuszczących się futrynach i stare samochody zaparkowane gdzie popadnie. Miała wrażenie, że cofnęła się w czasie. Ale było w tym coś przyjemnego.

W kilku mieszkaniach poruszyły się firanki, kiedy dwoje prawników przechodziło między blokami, szukając właściwego numeru klatki. W końcu go zlokalizowali i weszli do środka.

– Wytłumaczysz mi w końcu, co tutaj robimy?

– Nie.

– Policja sprawdziła już to miejsce.

– Ale policja ma to do siebie, że szuka dowodów obciążających. My szukamy prawdy.

Kordian nie odpowiedział.

– To ten moment, kiedy mam parsknąć śmiechem? – zapytał, otwierając drzwi klatki schodowej. Ze środka natychmiast buchnął zapach stęchlizny.

– Nie, jestem śmiertelnie poważna.

– Więc skorzystam z okazji i licząc na poważną odpowiedź, zapytam: jak zamierzasz wejść do tego mieszkania?

– Normalnie.

Kiedy dotarli na drugie piętro, wszystko stało się dla niego jasne. Przed drzwiami, które wciąż oznaczone były policyjną taśmą, stał Szczerbiński.

Kordian zatrzymał się w pół kroku, a Chyłka otaksowała wzrokiem aspiranta, który stawił się w pełnym umundurowaniu. Najpewniej zrobiłby to nawet wtedy, gdyby nie był na służbie, chcąc dać jasno do zrozumienia, że jest tutaj w celach wyłącznie służbowych.

Odchrząknął niepewnie, patrząc na Kordiana. Joanna również zwróciła na niego wzrok i przekonała się, że ten jest jeszcze bardziej skołowany. I to tylko dlatego, że niespodziewanie zobaczył mężczyznę, z którym przez jakiś czas sypiała i którego pieszczotliwie określała mianem Szczerbatego.

Na powitanie przyłożyła dwa palce do czoła. Policjant skinął jej głową.

Przez chwilę panowała niezręczna cisza. Chyłce przemknęło przez głowę, że mogła uprzedzić Oryńskiego, ale gdyby wiedział, zapewne dotarłaby na osiedle sama.

– Długo czekasz? – zapytała.

– Pięć, może dziesięć minut.

– Aha.

Znów zapadło milczenie.

– Jestem w ciąży – odezwała się Joanna.

Szczerbiński wyglądał, jakby czas się dla niego zatrzymał. Chyłka odniosła wrażenie, że przestał nawet oddychać. Trwał w kompletnym bezruchu, wbijając w nią wzrok.

– Nie jestem pewna, czy jesteś ojcem, ale z pewnych względów istnieje taka możliwość.

– Ale…

Czekała, aż dokończy, słowa jednak ugrzęzły mu gdzieś w gardle. Oryński nerwowo przestąpił z nogi na nogę, patrząc na policyjną taśmę, jakby chciał zasugerować, że zjawili się tutaj nie po to, by roztrząsać te kwestie.

Chyłka wolała jednak mieć to z głowy już na samym początku. Tym bardziej, że tym samym wprowadzała Szczerbatego w niemałą dezorientację. Dzięki temu opuści gardę i być może zdradzi jej więcej, niż powinien.

– To niemożliwe – dodał.

– Takie rzeczy się zdarzają.

– Przecież…

– Spokojnie. Nie jest pewne, czy to ty odpowiadasz za infekcję.

Szczerbiński spojrzał na Kordiana, jakby ten mógł wesprzeć go w tej wymianie zdań. Oryński wciąż jednak nie miał zamiaru się włączać.

– Chcesz powiedzieć, że…

– Byłam w alkoholowym ciągu – ucięła czym prędzej Chyłka, chcąc mieć to z głowy. – Różne rzeczy się działy i przed tobą miałam kilka innych zdobyczy.

Policjant wyglądał, jakby trafił go piorun.

– Coś nie tak? – spytała Joanna, robiąc krok w jego stronę. – Jesteś jednym z tych, którzy uważają, że faceci mogą zaliczać kobiety, ale nie odwrotnie?

– Nie, ja po prostu…

– No, wysłów się, Szczerbaty.

– Zabezpieczaliśmy się. Za każdym razem.

– Super – odparła Chyłka. – W takim razie nie ty jesteś ojcem, temat zamknięty. A teraz przejdźmy do spraw, które mają realne znaczenie.

– Twoja ciąża z pewnością ma – zaoponował aspirant. – Ale…

Urwał i znów popatrzył na Kordiana. Joanna przypuszczała, że niewiele brakuje, a Oryński dojdzie do wniosku, że nic tu po nim. Może jednak powinna była go przygotować do rozmowy, którą musiała odbębnić.

– „Ale" co? – ponagliła Szczerbińskiego.

– Naprawdę tego pilnowałem. W żadnym wypadku nie doszło do… do sytuacji, w której… byłoby ryzyko, że zajdziesz w ciążę.

Wydusił to z trudem, ale także pewnością w głosie. Nie miała powodu, by mu nie wierzyć – zasadniczo był porządnym facetem, może nawet zbyt porządnym, jak na jej gust. Oczywiście istniał jakiś procent szansy, że mimo jego najlepszych starań antykoncepcja zawiodła, ale było to znacznie mniej prawdopodobne niż alternatywa.

– W porządku – powiedziała w końcu Joanna. – Mówiłam, że to niekoniecznie ty jesteś moim pacjentem zero.

W myślach nie wykreśliła go jednak z listy, którą zdążyła stworzyć. Oprócz Szczerbińskiego znajdowało się na niej dwóch innych kandydatów. Niewielu, jeśli wziąć pod uwagę, jak dużo piła w szczytowym okresie swojego cugu.

– Możemy teraz przejść do rzeczy? – zapytała tonem nieznoszącym sprzeciwu.

– Śmiało.

Nadal był skołowany, ale przyjąwszy postawę zasadniczą, najwyraźniej poczuł się nieco pewniej. Dopiero teraz zastąpił im drogę do mieszkania wynajmowanego przez Fahada, jakby przypomniał sobie, w jakim celu Chyłka w ogóle się z nim skontaktowała.

– Będziesz się bawił w Cerbera?

– Nie mogę was tam wpuścić, dobrze o tym wiesz.

– Więc po co tu przyjechałeś? Drzwi są zamknięte, i tak nie wejdziemy.

Nie zawsze okazywało się to problemem nie do pokonania, ale nie miała zamiaru o tym wspominać.

– Poprosiłaś, więc...

– Nie prosiłam, a oznajmiłam, że najlepiej dla ciebie będzie, jeśli się zjawisz.

– W twoim wykonaniu to jak prośba.

Joanna uśmiechnęła się lekko. Nie mógł się bardziej pomylić.

– W żadnym wypadku, Szczerbaty – oznajmiła, podchodząc jeszcze bliżej.

Stali teraz na tyle blisko, że poczuła jego wyraziste perfumy. Osiadły na ubraniu jak kurz, prawdopodobnie spryskał się nimi w samochodzie albo innym małym, zamkniętym pomieszczeniu. Typowy mężczyzna. Nie miał pojęcia, że to, jak pachnie, zależy także od tego, z jakiej odległości i gdzie się wyperfumuje. Psikanie ubrania zamiast skóry było równie zasadne, jak nakładanie żelu do włosów na rzęsy.

Kątem oka dostrzegła, że Oryński się odwrócił.

– Wybierasz się dokądś, Zordon?

Zanim zdążył odpowiedzieć, wróciła wzrokiem do drugiego z mężczyzn.

– A ty nie usłyszałeś prośby, tylko dobrą radę. I świetnie, że z niej skorzystałeś, bo kiedy media zwęszą to samo co ja, będziecie mieć cały szereg problemów.

– O czym ty mówisz?

Postąpiła o krok w kierunku drzwi, ale on szybko zrobił to samo.

– Zaczęłam się zastanawiać, dlaczego po moim kliencie nie ma żadnego śladu. Dlaczego cała jego przeszłość zdaje się wymazana, dlaczego nikt nigdy o nim nie słyszał, nikt go nie zna i nikt go nigdy nigdzie nie widział.

– Bo dobrze się ukrywał.

– Nie. Żeby się ukryć, musiałby nawiązywać jakieś kontakty. Nie poradziłby sobie, zdany wyłącznie na siebie. Musiałby korzystać z jakiejś siatki, a tak się składa, że mam człowieka, który potrafi dotrzeć do takich rzeczy.

– Kormaka.

Nie przypominała sobie, by kiedykolwiek wspominała policjantowi o chudzielcu, ale jeśli wziąć pod uwagę, że nie kojarzyła także momentu, w którym uprawiała seks bez zabezpieczeń, nie było to przesadnie dziwne.

Potwierdziła ruchem głowy i nabrała tchu.

– Zazwyczaj kiedy on nie może do niczego dotrzeć, oznacza to, że nic nie ma na rzeczy.

– Więc może w tym wypadku…

– Nie – ucięła.

Szczerbiński lekko drgnął, jakby chciał się cofnąć, ale w ostatniej chwili zrezygnował.

– Co sugerujesz?

– A jak ci się wydaje? – odburknęła Chyłka. – Zatarliście jakieś ślady, aspirancie Szczerbaty. Nie mam co do tego najmniejszych wątpliwości.

– My?

– Nie policja konkretnie. Raczej wywiad lub ABW.

Szczerbiński prychnął i pokręcił głową.

– Jesteś na tropie jakiegoś spisku? A sądziłem, że to domena twojego aplikanta…

Znów zaległa cisza, tym razem jednak była niewygodna z innego powodu. Powietrze w okamgnieniu stało się jakby naelektryzowane.

Podobnie jak w przypadku Kormaka, Chyłka nie mogła przypomnieć sobie rozmowy, w której poruszałaby temat Oryńskiego i jego gotowości do dawania wiary teoriom spiskowym.

Kordian zbliżył się do nich i stanął obok. Wymienili się ze Szczerbińskim spojrzeniami.

– Tylko bez walk kogutów – odezwała się Joanna. – Tym bardziej, że żaden z was nie jest ojcem.

Aplikant spojrzał na nią z pytaniem w oczach, ale ostatecznie nic nie powiedział. Chyłka szybko podjęła poprzedni temat, zapewniając Szczerbińskiego, że prędzej czy później dokopie się do informacji, które potwierdzą, że służby maczały w tym wszystkim palce.

– A wtedy będzie za późno – dodała.

– Opowiadasz kompletne bzdury.

– Doprawdy? W takim razie może powiesz mi, jak trafiliście na trop Fahada?

Przypatrywała mu się, poszukując oznak, że wie więcej, niż jest gotów przyznać. Nie drgnął mu jednak żaden mięsień na twarzy.

W końcu zdecydował się na typowo policyjny wykręt.

– Nie mogę zdradzać technik operacyjnych – oświadczył. – Doskonale o tym wiesz.

– Wiem także, że nie wpadliście do tego mieszkania przez przypadek.

– Nie przesadzaj.

– Przesadą jest wasza naiwna wiara w to, że nie odkryjemy, co przed nami ukrywacie – odparowała Joanna. – Najlepiej dla was będzie, jeśli tu i teraz powiesz mi, jakim cudem znaleźliście się w mieszkaniu tego człowieka.

Szczerbiński milczał.

– No? – ponagliła go. – Dostaliście cynk?

– Nie mogę tego zdradzić.

– A może śledziliście Al-Jassama? Ale w takim razie potrzebowalibyście jakiegoś powodu, by w ogóle się nim zainteresować.

Aspirant schował ręce do kieszeni, patrząc na nią obojętnie, jak gdyby nie mogła bardziej minąć się z prawdą.

– A może tak właśnie było, co, Szczerbaty? Może zainteresowaliście się nim, bo zamiast chodzić na coniedzielną mszę do kościoła, dzień w dzień wali pokłony w kierunku Mekki?

Wciąż się nie odzywał, choć teraz musiał już rozumieć, do czego zmierza prawniczka.

– Bo jeśli tak było, wygląda mi to na niemałe nadużycie i materiał na skandal – dodała. – Więc powiedz mi, aspirancie, wybraliście tego faceta na chybił trafił ze względu na to, że jest muzułmaninem? Czy mieliście powód sądzić, że coś planuje? I teraz ukrywacie zarówno ten powód, jak i całą jego przeszłość?

Jedna i druga wersja mogła okazać się druzgocąca dla prokuratury i Szczerbiński dobrze zdawał sobie z tego sprawę. Jakby na potwierdzenie jej przypuszczeń w końcu odsunął się nieznacznie od Chyłki i rozejrzał nerwowo.

Dwoje prawników z kancelarii Żelazny & McVay jak na sygnał ruszyło przed siebie. Nieznacznie, ale wystarczająco, żeby udowodnić, kto miał teraz inicjatywę. Było to jak partia szachów rozgrywana na miniaturowej planszy, gdzie nawet milimetrowy ruch mógł doprowadzić do materialnej przewagi.

– Nie rozumiem, skąd te wymysły…

Gdyby byli w sądzie, Chyłka powiedziałaby, że linia obrony strony przeciwnej praktycznie nie istnieje. Milczenie się przeciągało, Joanna nie miała jednak zamiaru go przerywać, świadoma, że działa na jej korzyść.

Policjant musiał teraz gorączkowo szukać jakiegoś ratunku, powoli uświadamiając sobie, że trafił w ślepą uliczkę.

W końcu Szczerbaty wyprostował się i ledwo zauważalnie wypiął pierś. Był przygotowany, by w końcu dać odpór.

– Nie wiem, dlaczego w ogóle zgłaszacie się z tym do mnie – powiedział.

Joanna czekała na tę uwagę.

– Do kogo twoim zdaniem powinniśmy? – zapytała.

– Z pewnością nie do policji.

– Więc do kogo?

– Do tego, kogo podejrzewacie o to rzekome działanie.

– ABW? – podsunęła. – To oni podlegają premierowi i to oni mają narzędzia, żeby wyciąć taki numer.

Szczerbiński nie odpowiadał.

– Prokuratura? Właściwie jest bardziej niezależna od jakiejkolwiek agencji, ale chyba nie dałaby rady wymazać całej przeszłości mojego klienta. Nie sądzisz, Szczerbaty?

Nie dawał po sobie poznać, która możliwość wydaje mu się bardziej prawdopodobna, ale nie musiał. Chyłka miała świadomość, że jeśli w tej sprawie robiono coś wbrew zasadom, to zaczęło się na szczeblu ABW. Kiedy Al-Jassamem zajęła się prokuratura, oskarżyciele zostali postawieni przed tak zwanym faktem dokonanym. Może sami zdawali sobie z tego sprawę, a może nie, nie miało to dla Joanny znaczenia. Liczyło się to, że z jakiegoś powodu ktoś wymazał całą przeszłość tego człowieka. I że ujawnienie tego uczyni z aktu oskarżenia nieistotny świstek papieru.

Szczerbiński również musiał być tego świadomy.

– Wpuścisz nas do środka czy nie? – mruknęła Chyłka.

– Nie. To miejsce jest zabezpieczone.

– Pobraliście już wszystkie krople śliny po każdym kichnięciu mojego klienta – odparła z niezadowoleniem. – Nie macie już tam czego szukać.

– A ty nie masz prawa wchodzić na miejsce zdarzenia.

– Jakiego zdarzenia? Niewiele poza kichnięciami się tam wydarzało, jeśli wierzyć sąsiadom.

– Rozmawiałaś z nimi?

– Oczywiście. Potwierdzili, że Fahad to spokojny chłopina. Nikomu nie wadził, nie organizował żadnych imprez ani nawet nie spraszał kobiet.

W rzeczywistości nie miała pojęcia, kim są ludzie zajmujący mieszkania obok. Szczerbiński nie musiał jednak o tym wiedzieć.

– Tak czy inaczej nie ma możliwości, żebyś…

– W porządku – rzuciła i odwróciła się.

Klepnęła Oryńskiego w plecy i ruszyła szybkim krokiem przed siebie. Aplikant nieco się ociągał, przypuszczała, że posłał jeszcze długie spojrzenie Szczerbatemu, zanim poszedł za nią.

– Poczekaj – rzucił policjant.

– Na co?

Zatrzymała się i obejrzała przez ramię.

– Nie możesz tak po prostu rzucać oskarżeniami i…

– Mogę. Wolno mi zresztą o wiele więcej, taka rola adwokata. Prokurator musi umotywować każdy swój zarzut, udowodnić winę. Ja nie muszę.

– Posłuchaj…

– I zapewniam cię, że jeszcze dzisiaj przycisnę ABW. Nie omieszkam przy tym wspomnieć, z kim się spotkałam przy Pożaryskiego. I kto uświadomił mi, że przecież nieprzypadkowo trafiliście właśnie tutaj.

Funkcjonariusz syknął przeciągle, jakby uchodziło z niego powietrze.

– Niczego ci nie uświadomiłem.

– Wręcz przeciwnie – odparła z uśmiechem. – Zresztą to ma drugorzędne znaczenie. Dla ABW będzie liczyło się głównie to, że się tutaj ze mną spotkałeś. Resztę dopowiedzą sobie sami.

Pokręcił głową, jakby był to najbardziej naiwny wniosek, jaki mogła sformułować.

– W dodatku mam świadka, który to potwierdzi – dodała.

Wiedziała, że Zordon w pewnym stopniu potraktuje to jako cios. Natychmiast musiało dotrzeć do niego, dlaczego zależało jej na tym, by tu przyjechał. Nie chodziło o wsparcie ani chęć wspólnego prowadzenia sprawy. Potrzebowała kogoś, kto potwierdzi, że do spotkania doszło.

Szczerbińskiemu oberwie się od przełożonych, ale prawdziwe problemy zaczną się, kiedy dowie się o tym ABW. Szczególnie jeśli Chyłce uda się przekonać któregoś z agentów, że Szczerbaty w istocie coś zdradził.

– To jak będzie? – zapytała. – Wpuścisz nas czy mamy jechać prosto na Rakowiecką?

Napięcie stało się tak mocno wyczuwalne, że Chyłka miała wrażenie, iż zaraz oberwie się nad nią chmura, a niebo przetną błyskawice.

– Jedź, gdzie chcesz – rzucił w końcu Szczerbiński. – Co mi do tego? To nawet nie mój wydział.

– To nieistotne.

– I skąd w ogóle myśl, że mógłbym cokolwiek wiedzieć? I że mógłbym was tam wpuścić? Do kurwy nędzy, to duże miasto, nie wszyscy noszący mundury dzielą się ze sobą szczegółami prowadzonych spraw albo...

– Doskonale wiem, że masz klucz.

Nie odpowiedział.

– Inaczej byś tu nie przyjechał.

Była przekonana, że się nie myli. Zagrała na uczuciach Szczerbińskiego już poprzez sam fakt, że zwróciła się właśnie do niego, a nie do kogoś innego. Od tygodni zabiegał o spotkanie, raz czy dwa czekał na nią nawet przy Argentyńskiej. Nie mógł przepuścić okazji, by wkupić się w jej łaski.

Ale teraz nie to, a groźba donosu do ABW zrobiła swoje.

Milczał jeszcze przez chwilę, aż w końcu sięgnął do kieszeni i bez słowa podał jej klucz. Wyglądał, jakby pozbywał się czegoś, co przyrzekł bronić bez względu na wszystko.

– Dziękuję – powiedziała Joanna.

Spojrzał na nią z niedowierzaniem.

– Przypuszczam, że kosztowało cię to kilka przysług.

– Mhm – potwierdził.

Chyłka otworzyła drzwi, a potem przeszła pod policyjną taśmą. Spodziewała się, że zastanie obraz jak po apokalipsie. Funkcjonariusze ABW czy CBŚP nie przebierali w środkach, gdy dochodziło do przeszukań miejsc, w których mogli ukrywać się zamachowcy. Przeciwnie, śledczy i antyterroryści przewracali wszystko do góry nogami, nie musząc obawiać się żadnych konsekwencji.

– Spójrzmy na ten krajobraz po blitzkriegu – powiedziała, wchodząc do niewielkiego przedpokoju.

W mieszkaniu unosił się lekki zapach tytoniu i przypraw. Właściwie przyjemna mieszanka, przywodząca na myśl indyjską lub arabską kuchnię. Chyłka weszła do jednego z dwóch pokojów i zamarła.

Wszystko było na swoim miejscu. Mieszkanie wyglądało, jakby właściciel wyszedł na moment do sklepu. Jedynym śladem po wizycie funkcjonariuszy była taśma w progu.

Joanna obróciła się.

– Co to ma znaczyć? – zapytała.

Szczerbiński uniósł brwi i nie odpowiedział. Był równie skołowany jak ona.

– Gdzie postapokaliptyczny pejzaż, Szczerbaty?

Policjant nie odpowiadał, a Joanna przeniosła wzrok na Oryńskiego.

– O co tu chodzi? – zapytał cicho Kordian, zbliżając się do niej.

– O to, że nikt nie przeszukał tego mieszkania.

– Co?

– Albo wiedzieli dokładnie, gdzie są te materiały, z których miał robić ładunek, albo…

– Albo nie było żadnych materiałów – dopowiedział Oryński.

6

Skrzyżowanie Pożaryskiego i Kolarskiej

Trzydziestoparoletnia brunetka siedziała w srebrnym sedanie zaparkowanym pod drzewami. Niedaleko, naprzeciwko niej, znajdował się osiedlowy parking, ale część mieszkańców zostawiała samochody tutaj. Skorzystała z okazji i uznała, że lepiej będzie stanąć w tym miejscu. Im dalej od iks piątki, tym lepiej.

Sądziła, że prawnicy uwiną się szybko. Godzina, dwie i będzie po sprawie.

Tymczasem zdążyła nie tylko przeczytać wszystkie gazety, jakie ze sobą wzięła, ale także zjeść obiad. Po drugiej stronie ulicy była pizzeria Dominium, więc brunetka postanowiła skorzystać z okazji.

Zamówiła pierwszą lepszą pizzę, cały czas wyglądając przez okno. Teraz wiedziała, że niepotrzebnie się przejmowała. Obrońcy z Żelaznego & McVaya spędzili w mieszkaniu Fahada wiele godzin, wyszli dopiero po zmroku.

Był z nimi policjant, którego nie znała. Zanotowała jednak numer rejestracyjny samochodu, do którego wsiadł. Sprawdzi go później i wszystkiego się dowie.

Miała pewność, że prędzej czy później ktoś zjawi się w mieszkaniu. Było to tylko kwestią czasu.

Służb już nie interesowało. Znaleziono w nim wszystko, co mogło zostać odnalezione.

Wszystkie elementy układanki były na miejscu, teraz wystarczyło czekać, aż młyny sprawiedliwości zrobią swoje.

Brunetka nie spodziewała się, że którakolwiek z szanowanych kancelarii weźmie tę sprawę. Była przekonana, że Fahad Al-Jassam traktowany będzie jak trędowaty, szczególnie po sprawie prawników z Belgii i Francji, którzy zrezygnowali z obrony Abdeslama.

Nie spotkał ich żaden ostracyzm. Przeciwnie, wielu ludzi zaaprobowało ich decyzję i pochwalało fakt, że ukazali dobro publiczne jako najwyższą wartość. Dawało to wolną rękę innym prawnikom, którzy zamierzali postąpić podobnie.

Kobieta sądziła, że Fahada bronić będzie bliżej nieznany mecenas z małej, butikowej kancelarii. W normalnych okolicznościach taka osoba nie miałaby wielkich szans w starciu z Olgierdem Paderbornem. Ale te do nich nie należały.

Fakt, że to właśnie Paderborn otrzymał zadanie oskarżania Al-Jassama, nie był żadnym zaskoczeniem. Wiedziała, że tak będzie. Nie spodziewała się jednak, że przyjdzie mu się mierzyć z Joanną Chyłką.

Czy to cokolwiek zmieniało? Była przekonana, że nie. Wszystko zostało skonstruowane zbyt precyzyjnie, by jeden niespodziewany element mógł zagrozić całości.

Brunetka spojrzała na niedojedzony kawałek pizzy, a potem zamknęła karton. Odprowadziła wzrokiem samochód policjanta, kiedy ten wyjeżdżał z osiedlowego parkingu. Potem skupiła wzrok na dwójce prawników stojących przy czarnym bmw.

Migające światło latarni oświetlało ich pomarańczową łuną. Sprawiali wrażenie zaniepokojonych, a jednocześnie nieco zdezorientowanych. Zupełnie jakby nie czuli się komfortowo w swoim towarzystwie.

Brunetka wiedziała jednak, że jest inaczej. Kiedy tylko dotarło do niej, że to Chyłka i Oryński będą reprezentować Fahada, dowiedziała się na ich temat wszystkiego, czego mogła. Plotki o ich zażyłych stosunkach, niewłaściwych relacjom patronki i aplikanta, nie były dla niej niczym szokującym.

Joanna wyglądała na kobietę, która szanuje tylko te zasady, które sama ustanowiła. Ostatecznie przestała być patronką młodego prawnika, ale najwyraźniej nadal blisko ze sobą współpracowali. I jeśli wierzyć obrazkom pokazywanym przez niektóre media po sprawie Szlezyngierów, bliskość ta była wcale niemała.

Będzie ciekawie, uznała brunetka.

Szczególnie kiedy prawnicy zrozumieją, w co dali się wciągnąć.

7

Areszt Śledczy Warszawa-Białołęka

Do wszechobecnego smrodu nie dało się przyzwyczaić, choć kiedy Oryński zjawił się w areszcie śledczym po raz pierwszy, sądził, że okaże się to jedynie kwestią czasu. Pomylił się. Za każdym razem wyraźnie czuł unoszącą się w powietrzu mieszankę potu, dymu papierosowego i uryny. Zapach sam w sobie właściwie aż tak nie przeszkadzał, ale kojarzył mu się z pierwszą wizytą na Białołęce. Z reprezentowaniem Langera, który okazał się jednym z najtrudniejszych klientów, o ile nie najtrudniejszym.

Teraz mogło się to zmienić. Fahad Al-Jassam zgodził się wprawdzie, by reprezentowała go dwójka prawników od Żelaznego & McVaya, ale nie był skory do współpracy. Siedział nieruchomo przy stoliku, wbijając wzrok w sufit.

Prokuratora tym razem nie było. Paderborn najwyraźniej uznał, że nie skorzysta na uczestnictwie w rozmowie.

Kordian właściwie mu się nie dziwił. Oskarżyciel nie miał bowiem pojęcia o wizycie na Pożaryskiego.

Chyłka chodziła po pokoju, czekając, aż ich klient w końcu się ożywi. Ostatecznie usiadła obok Oryńskiego i westchnęła.

– Musisz zacząć gadać, *habibi*.

– Nie nazywaj mnie w ten sposób.

– Dlaczego nie?

Nie odpowiedział, nawet nie opuścił wzroku.

– W porządku, mam kilka innych koncepcji, Alibabo – odparła. – Zresztą nie tylko ja. Znana ci jest pewnie sprawa strażnika granicznego z Łomży, którego sąd uniewinnił po tym, jak nazwał was… – Zawiesiła głos i zmrużyła oczy. – Ścierwem pasożytniczym. Chyba tak to było. Mam rację, Zordon?

– O ile mnie pamięć nie myli, tak.

Fahad nadal zdawał się nieporuszony. Kordian skorzystał z okazji, że klient ignoruje oboje obrońców, i przyjrzał mu się. Na pierwszy rzut oka wydawało się niemożliwe, by był zaginionym synem Lipczyńskich. Kolor jego skóry przywodził na myśl raczej osobę urodzoną na Bliskim Wschodzie, a rysy twarzy, częściowo zakryte gęstą brodą, zdawały się to potwierdzać.

Może płynęła w nim romska lub południowoeuropejska krew, a może był to tylko rezultat tego, że w istocie niedawno dotarł do Polski i głęboka opalenizna nie zdążyła jeszcze zejść.

– No, Saracenie – ponagliła go Chyłka. – Czemu jesteś taki oporny?

– Nie jestem.

– I dlaczego wypierasz się swoich rodziców? Nie ma w Koranie jakiejś kary za to?

– Koran nakazuje wdzięczność, szacunek i posłuszeństwo wobec rodziców – niemal automatycznie wyrecytował Al-Jassam. – Ale nie mam nic wspólnego z ludźmi, których masz na myśli.

Brzmiał, jakby został urobiony przez ISIS. Kordian nieraz czytał o dzieciakach, które porywano w państwach arabskich, a potem przez długie miesiące i lata karmiono nie tylko ekstremizmem, ale także przemocą. Dzień w dzień kazano im oglądać egzekucje i inne okrutne sceny – aż do momentu, gdy stawały się obojętne. Ostatecznie dzieci te same potrafiły bez mrugnięcia okiem wykonywać kary śmierci. I unosić do kamery własnoręcznie oberżnięte głowy jazydów czy innych niewiernych.

Nienawiść tłoczono w ich żyły niemal jak w fabryce, a Fahad mógł być jednym z takich ludzi. Pozbawionym skrupułów ekstremistą, z sercem wypranym z ludzkich emocji i umysłem przepełnionym żądzą przelewania krwi.

Tak, zdecydowanie mógł okazać się gorszy od Langera.

– Byliśmy wczoraj w twoim mieszkaniu, Aladynie – ciągnęła Joanna.

Dopiero teraz się ożywił.

– Okazało się, że jest nietknięte.

– Co?

– Masz problemy ze słuchem? Czy polski język ci się przykurzył? – odparła. – Mogę wezwać tłumacza, nie ma problemu. Ale Zordon powie ci, jak to jest z tłumaczeniami.

Spojrzała na Oryńskiego, a ten wzruszył ramionami, niespecjalnie wiedząc, co ma powiedzieć.

– Twierdzi, że są jak kobiety – dodała. – Jak wierne, to niepiękne, jak piękne, to niewierne.

Fahad zmarszczył czoło. Najwyraźniej musiało minąć jeszcze trochę czasu, nim przyzwyczai się do sposobu bycia swojej prawniczki.

Chyłka poprawiła żakiet. Dla Oryńskiego wyglądała znacznie lepiej w koszulce Iron Maiden i skórzanej kurtce, ale nie zająknął się na ten temat słowem. Kiedy jechali na Białołękę, napomknął zaś, że niedługo będzie musiała zacząć zaopatrywać się w sklepach z odzieżą ciążową. Odpowiedziała tylko, że martwić się o to będzie administracja więzienia, do którego trafi po zabójstwie aplikanta ze szczególnym okrucieństwem.

– Dlaczego nie przewrócili twojej hacjendy do góry nogami?

– Nie wiem.

– Mnie się wydaje, że wiesz, mahometaninie. I nie tylko to.

Pochylił się nad stołem i w końcu na nią spojrzał. W jego oczach widać było głęboką niechęć, wręcz odrazę. Oryński dopiero teraz pomyślał, że jeśli Al-Jassam naprawdę poważnie traktuje najsurowsze interpretacje szariatu, może nie życzyć sobie, by broniła go kobieta.

Przypuszczał, że przynajmniej w części krajów islamskich nie jest to często wybierany przez nie zawód. Formalnie zapewne nic nie stało na przeszkodzie, ale kobieta bez pozwolenia męża nie mogłaby przecież publicznie występować w sądzie czy spotykać się w cztery oczy z oskarżonym płci męskiej, który nie był członkiem rodziny.

Kordian uznał, że pora przyjąć aktywniejszą rolę i sprawdzić, jak dalece jego przypuszczenia są trafne.

– Co przed nami ukrywasz? – zapytał.

Al-Jassam oderwał wzrok od Chyłki. Z jego oczu znikła nieprzychylność. Teraz jej miejsce zajęła zwykła, obojętna rezerwa.

– Nic – odparł ze spokojem Fahad. – Dlaczego sądzicie, że jest inaczej?

– Bo zrobiliśmy to, czego nie zrobiły służby.

Al-Jassam zamrugał nerwowo.

– Przeszukaliśmy twoje mieszkanie – wyjaśnił Kordian. – Dość skrupulatnie. Spędziliśmy tam kilka godzin.

– Niełatwych – dodała Joanna. – Bo wyobraź sobie, że musiałam…

– Nie mieliście prawa.

Prawnicy spojrzeli po sobie.

– Próbujemy cię obronić przed poważnymi oskarżeniami, Fahad – odparł Oryński. – A nie możemy tego skutecznie robić, jeśli…

– Macie wszystko, czego potrzebujecie. Musicie tylko udowodnić w sądzie, że zostałem wybrany na chybił trafił i służby uwzięły się na mnie z powodu mojego wyglądu, wyznania i pochodzenia.

Chyłka prychnęła cicho.

– Coś nie tak? – syknął Al-Jassam.

– Chcesz oprzeć całą sprawę na profilowaniu przestępców? W Stanach to by przeszło, u nas nie.

– Skąd ta pewność?

– Stąd, że wystarczy jeden argument, by rozbić taką linię obrony w drobny mak – odparła i rozsiadła się wygodniej. – Wyobraź sobie strażników granicznych, którzy widzą na parkingu dwa samochody. W jednym siedzą pasażerowie o jasnej skórze, w drugim o ciemnej. Komu należy sprawdzić wizy i tymczasowe pozwolenia na pracę?

Fahad odpowiedział głębokim westchnięciem.

– To pragmatyzm, nie dyskryminacja – dodała Joanna.

– Stałem się celem, bo wyznaję islam. Bo boicie się wszystkich, którzy kierują się naukami proroka Mahometa.

– E tam.

Pokręcił bezradnie głową. Prawnicy dali mu moment, żeby zastanowił się nad tym, co od nich usłyszał.

– Udowodnicie to bez trudu – podjął po chwili Al-Jassam. – W sądach przeważa pogląd liberalny. Jako przeciwwaga dla prawicowego w polityce.

Kordian i Chyłka wymienili się spojrzeniami.

– Dobrze orientujesz się w polskich sprawach, bisurmanie.

Nie odpowiedział.

– Mimo że przebywałeś przecież poza krajem – dodał Oryński.

W duchu przyznał, że komunikacja z tym klientem będzie trudniejsza niż z jakimkolwiek innym. I najwyraźniej będzie wymagała aktywnej roli obojga prawników. A ponad wszystko pełnego współdziałania między nimi.

Chyłka musiała w tym wypadku ustąpić mu pola. Al-Jassam był wyraźnie bardziej skory do rozmowy z mężczyzną.

– Trzymałeś rękę na pulsie? – zapytał Kordian.

– Oczywiście. W końcu to mój kraj.

– Kiedy z niego wyjechałeś?

– Jakiś czas temu.

– I kiedy wróciłeś?

– Niedawno.

Oryński spodziewał się usłyszeć kolejne prychnięcie, ale Joanna zachowywała spokój. Przypuszczał, że przychodzi jej to z trudem, bo na dobrą sprawę Fahad nie miał żadnego powodu, by migać się od odpowiedzi na tak podstawowe pytania.

– Gdzie wcześniej przebywałeś? – kontynuował Kordian.

– Za granicą.

– A konkretniej?
– W jednym z państw arabskich.
W końcu Chyłka pokręciła bezradnie głową.
– To nie ma sensu – rzuciła. – Albo zaczniesz gadać, albo przygotuj się na wysłuchiwanie długiego uzasadnienia do wyroku skazującego cię na wiele, wiele lat odsiadki.
– Nic nie zrobiłem.
Joanna wydęła usta.
– Chyba żartujesz. Zdajesz sobie sprawę, z ilu paragrafów mogliby ci postawić zarzuty?
– Nie.
– Jest tego od groma – odparła, a potem pstryknęła palcami przed Oryńskim. – Dawaj, Zordon.
– Hm?
– Mianowałam cię właśnie prokuratorem. Wespnij się na wyżyny pogardy dla drugiego człowieka, awersji do wszystkich wokół, nieżyczliwości i wrogości. Innymi słowy, wciel się dobrze w rolę. I postaw zarzut.
– Ale…
– Z jakiego artykułu? Hipotetycznie.
Spojrzał na klienta, lekko zakłopotany. Sytuacja nie była komfortowa, choć może metoda była dobra jak każda inna. Rzeczywiście było sporo norm, które odnosiły się do terroryzmu. Problem polegał na tym, że nie na tej części Kodeksu karnego skupiał się najbardziej podczas nauki do aplikacji.
– Jedziesz – ponagliła go. – Jak Kubica po powrocie na tor. Wygłodniały, żądny prędkości. Szybki i wściekły.
– Dwieście pięćdziesiąt osiem?
– Który paragraf?
– Trzeci?

Skrzywiła się.

– Drugi – poprawił się Oryński.

Uniosła dłoń i zafalowała mu nią przed twarzą.

– Przestępczość zorganizowana i plany terrorystyczne? – spytała. – Średnio, średniawo. Ale można by to przepchnąć, gdyby udało się wykazać, że w istocie nasz własny Abdeslam jest członkiem ISIS. Dostałby góra osiem lat. Co jeszcze?

– Dwieście pięćdziesiąt dziewięć a – odparł Kordian. – Przekraczanie granicy celem zorganizowania zamachu.

– O, to dobry początek, można dostać do pięciu lat. Jeszcze coś?

– Cóż…

– Najważniejsze, Zordon. Sam zamach terrorystyczny. Gdzie jest regulowany?

Oryński przez moment się zastanawiał. Głównie jednak nie nad odpowiedzią, a nad tym, jak całą tę sytuację odbiera klient. Artykuły i paragrafy z pewnością nie mogły go uspokoić, ale Kordian miał poważne wątpliwości, czy strategia przyjęta przez Chyłkę wywoła w Al-Jassamie niepokój. A jeśli tak, to czy będzie na tyle duży, by muzułmanin w końcu zaczął mówić.

– Artykuł sto czterdziesty – odparł wreszcie. – Paragraf trzeci mówi o przygotowaniu zamachu.

– Brawo. Policzysz mi karę łączną za tych parę spraw?

– Nie jestem dobry z matematyki.

– Z Kodeksu karnego też nie – zauważyła. – Ale może to i dobrze. Lepiej żyć w niewiedzy, bo trochę by się tego uzbierało.

Spojrzała na Fahada, a potem znów na Oryńskiego.

– I zapomniałeś o sto sześćdziesiąt pięć a. Gromadzenie środków na cele terrorystyczne i inne takie. Od dwóch do dwunastu lat za kratkami.

Al-Jassam nadal sprawiał wrażenie, jakby ten cały czas, który mógł zostać mu odebrany, zupełnie go nie obchodził.

– Pader to świetny prokurator – odezwała się Joanna. – Znajdzie jeszcze trochę innych rzeczy, zapewniam cię. Dla niego ta sprawa to żyła złota.

– Niech szuka – odparł Al-Jassam – Wy trzymajcie się swojej linii.

– Trudno to zrobić, kiedy jest tak cienka – zauważył Kordian. – Daj nam coś więcej niż tylko dyskryminacja na tle religijnym, Fahad.

– Nic więcej się nie liczy.

– Więc chcesz z siebie zrobić męczennika? Tyle że nie wysadzając się, a pozwalając na wymierzenie ci kary przez sąd?

– Nie.

Kordian przyglądał mu się przez chwilę, starając się stwierdzić, czy rzeczywiście byłby gotów poświęcić się tak, jak robili to inni ekstremiści. Nie w sądzie, to była jedynie gadanina, która miała przekonać go, by w końcu coś zdradził. Poświęcenie, o jakim myślał Oryński, dotyczyło życia Fahada. Był terrorystą? Rzeczywiście planował zamach?

Wszystko wskazywało, że to realna możliwość. W jakim innym celu miałby trzymać w tajemnicy to, skąd i kiedy przybył do Polski? Tym bardziej że prokurator i tak niebawem wszystko wyjawi.

Joanna podniosła się, a potem położyła ręce na stole i rozsunęła je. Spojrzała spode łba na klienta.

– Nie chcesz współpracować, twoja sprawa. Ale jak już się być może domyśliłeś, znaleźliśmy coś w twoim mieszkaniu.

Nawet nie drgnął. Zupełnie, jakby nie miał nic do ukrycia.

– Nie chcesz wiedzieć co?

– Nic, co powiesz, nie zmieni mojego…

– Zmieni, zmieni – przerwała mu Chyłka. – Bo byliśmy znacznie bardziej skrupulatni od agentów ABW, funkcjonariuszy CBŚP czy prokuratorów. Oni z jakiegoś powodu wiedzieli, czego szukać. I gdzie to znaleźć.

Zawiesiła na moment głos, licząc pewnie na to, że wyzwoli jakąkolwiek reakcję. Fahad jednak nadal niemal całkowicie ją ignorował.

– My przetrzepaliśmy to mieszkanie od góry do dołu. I znaleźliśmy ten świstek papieru.

Sięgnęła do kieszeni, wyciągnęła wyblakły paragon i grzmotnęła dłonią o stół. Tym razem Al-Jassam poruszył się nerwowo.

– Co to jest?

– Doskonale wiesz.

Gdyby nie to, że miał skute ręce, z pewnością sięgnąłby po wydruk.

– Przypuszczam, że już po tym, jak tu trafiłeś, przypomniałeś sobie o jednym, jedynym śladzie, który zostawiłeś. Zaplątał się w jednorazowych reklamówkach, które upchnąłeś pod zlewozmywakiem.

Przysunęła paragon do siebie, a potem podniosła go i obejrzała. Fahad po raz pierwszy sprawiał wrażenie zaniepokojonego.

– Masz nam coś do powiedzenia, Saracenie?

– Nie.

Patrzyła na niego w milczeniu, wyczekująco, ponaglająco. Zanim weszli do pokoju przesłuchań, długo omawiali podejście, jakie powinni przyjąć. Wyłożenie asa już na samym początku nie wchodziło w grę, musieli odpowiednio to rozegrać.

Teraz jednak wszystko wskazywało na to, że nie mieli wystarczająco dobrych kart. Fahad wprawdzie pozwolił sobie w końcu na emocjonalną reakcję, ale paragon nie zrobił na nim takiego wrażenia, jakie powinien.

– Twój błąd – powiedziała Chyłka. – Ale jak wolisz. Sami ruszymy tym tropem.

– Nigdzie nie dotrzecie.

Joanna zaśmiała się cicho. Zabrzmiała w tym nuta bezradności, ale Oryński był pewien, że tylko on ją wychwycił. Może nawet sama Chyłka jej nie słyszała.

– Chcesz trafić do więzienia na dobre, abdulu?

Al-Jassam syknął coś pod nosem po arabsku. Najwyraźniej niespecjalnie spodobało mu się to określenie. Kordian szybko odchrząknął, chcąc upomnieć Joannę, zanim rozkręci się na dobre. Doskonale wiedział, do czego to doprowadzi, przerabiali to właściwie na pewnym etapie przy każdym kliencie.

– Nie, oczywiście, że nie chcesz – odpowiedziała sobie. – Inaczej zrezygnowałbyś z naszych usług. Ale dlaczego nie współpracujesz?

Nie odpowiedział, a Chyłka nabrała głęboko tchu.

– Niewiary-kurwa-godne – mruknęła i popatrzyła na Oryńskiego. – Czy ty widzisz, co się dzieje, Zordon? Jak nie milczący Langer, to oporny Fahad. Ciąży nad nami jakieś fatum czy jak?

– Może.

Przemknęło mu przez głowę, że na dobrą sprawę była to prawda. Szczególnie jeśli chodziło o ich relacje.

Szybko odsunął tę myśl, starając się skupić na sprawie. Wbrew temu, co mówiła Chyłka, Langera i Al-Jassama wiele różniło. Ten pierwszy nie przyznawał się do zbrodni, ale też nie zaprzeczał, że ją popełnił. Fahad twierdził, że jest niewinny.

I jedynie twierdził. Nie robił nic, by to udowodnić.

– Mniejsza z tym – rzuciła Chyłka, po czym załomotała w drzwi.

Strażnik zjawił się niemal natychmiast, jakby tylko czekał, by otworzyć. Prawnicy wyszli na zewnątrz, ale Joanna przełożyła jeszcze nogę przez próg i posłała klientowi długie spojrzenie.

– Będziemy robić swoje – powiedziała. – A ty niebawem stąd wyjdziesz.

– Co takiego?

Nie odpowiadając, ruszyła korytarzem w kierunku wyjścia. Oryński poszedł za nią, nieprzekonany co do gwarancji, której udzieliła klientowi. Jak dziś pamiętał pierwszy dzień w pracy, kiedy powiedziała mu, żeby nigdy, pod żadnym pozorem, niczego nie obiecywał ludziom, których broni.

– Sukinsyn nas sabotuje – zauważyła cicho, gdy kierowali się do wyjścia.

– To mało powiedziane.

Mruknęła coś pod nosem.

– Co mówisz? – spytał Kordian.

– Że to nie ma znaczenia.

Oryński był innego zdania, ale uznał, że najlepiej będzie, jeśli nie podejmie tematu. Chyłka popatrzyła na niego z zawodem, jakby liczyła, że potwierdzi jej ocenę sytuacji.

– Damy sobie radę – dodała, kiedy nie doczekała się żadnej reakcji. – Bo wiesz, jak to mówią.

Uniósł pytająco brwi.

– Kiedy życie rzuca ci kłody pod nogi, zacznij budować z nich schody. Zajdziesz wysoko.

– Kto tak mówi?

– Ja.

Właściwie trudno było z tym polemizować. Wyszli na zewnątrz, po czym skierowali się do iks piątki. Stała pod drzewami, z których posypało się na nią trochę liści. W dodatku pokrywała ją wcale niemała warstwa kurzu. Kordian nie mógł opędzić się od myśli, że stan samochodu Chyłki zazwyczaj odzwierciedla jej sytuację życiową.

– Po co zapewniałaś go, że wyjdzie z aresztu?

Wsiedli do środka, Joanna zmieniła płytę. Najwyraźniej była w bojowym nastroju, bo z głośników popłynęły mocne dźwięki otwierające „The Wicker Man".

– Bo tak się stanie.

– W jaki sposób?

– Dziś rano złożyłam wniosek o uchylenie środka zapobiegawczego.

– I wydaje ci się, że Paderborn na to przystanie?

– Ma trzy dni na rozpatrzenie. Wiele w tym czasie może się zmienić.

– No nie wiem...

– Ludzki mózg przetwarza widziany obraz w trzynaście milisekund, Zordon. Ja zadbam o to, żeby prokuratorski jeszcze szybciej przetworzył obecną sytuację.

Oryński uniósł lekko kąciki ust, kiedy Chyłka szybko wycofała, a potem wbiła pedał hamulca, jakby to on jej czymś zawinił. Zaraz potem bmw wyrzuciło spod kół żwir i piach i wyjechało na główną ulicę.

– Jak tylko mahometanin wyjdzie na wolność, dowiemy się, o co w tej sprawie chodzi.

Kordian pokiwał głową, zamyślony.

– Masz jakąś koncepcję?

– Ten jeden raz: nie.

Z jakiegoś powodu zabrzmiało mu to niepokojąco.

8

McDrive, ul. Radzymińska

Trzy dni w zupełności wystarczyły. Chyłka nie przyjmowała zresztą innej możliwości – kiedy wciągnęła w sprawię media, była pewna szybkich rezultatów. Redakcje natychmiast zaczęły zabiegać o możliwość przeprowadzenia z nią wywiadu, węsząc głośną i efektowną sprawę.

Inaczej byłoby, gdyby Lipczyńscy przyjmowali podobne propozycje, ale ci nie mieli zamiaru stawiać się w centrum uwagi. Joanna utwierdziła ich zresztą w przekonaniu, że na razie najlepiej będzie, jeśli będą trzymać się z dala od świateł kamer. Ostatecznie nie potwierdzono jeszcze nawet, że Fahad to w istocie ich zaginiony syn.

Początkowo chciała wystąpić w „Zygzakiem do celu" na antenie NSI, ale szybko zrezygnowała z tego pomysłu. Potrzebowała dotrzeć do liberalnych środowisk, nie konserwatywnych.

Wybór padł na TVN24. Najchętniej wykorzystałaby do swoich celów Pawła Blajera, bo dziennikarz budził jej głęboką sympatię. Stacja nie dała mu jednak żadnego autorskiego programu, w którym mógłby odpytywać gości w prime timie, zadowoliła się więc inną ofiarą.

I musiała przyznać, że ta zatańczyła dokładnie tak, jak jej zagrała.

Kiedy Joanna oglądała materiał po trzech dniach, była w pełni zadowolona. Uderzała w dyskryminacyjne tony, nie zostawiając suchej nitki na prokuraturze. Uwydatniła, że gdyby nie wyznanie jej klienta, nigdy nie zostałby wzięty na celownik.

A oprócz tego wspomniała, że pigmentacja skóry nie jest wystarczającym powodem do stawiania komukolwiek zarzutów.

Właściwie sama uważała inaczej, ale po obronie Bukano brzmiało to w mediach dość wiarygodnie. Wizualnie jej klient także się bronił, choć przypuszczała, że opalenizna niebawem zacznie blednąć.

Nie było to jednak przesadnie istotne. Cykl informacyjny się skończy, media zajmą się czymś innym. Tym bardziej, że w samej sprawie Al-Jassama tematów do przeanalizowania było całkiem sporo.

Przede wszystkim istotny był paragon. Mimo że niemal wyblakł, dało się odczytać, że został wydrukowany w Monolitten Cafè na lotnisku w Oslo. Tyle wystarczyło, by w końcu mieć jakiś trop.

Wspomniała o tym odkryciu na antenie TVN24, a zaraz potem zaczęła długi wywód na temat tego, że niewiele jest służb na świecie, które skrupulatniej od norweskich sprawdzają podróżnych.

Zapewniła, że gdyby tylko istniało prawdopodobieństwo, iż Fahad Al-Jassam może mieć jakiekolwiek związki z terroryzmem, nigdy nie opuściłby lotniska w Oslo. Zostałby natychmiast zatrzymany, a polskie władze powiadomione.

Dzień wcześniej jeden z ministrów stanowczo zaprzeczył, że zatrzymanie Fahada było skutkiem międzynarodowej akcji. Przypisał wszystkie zasługi polskim służbom. I to był jego błąd.

Dzięki temu Chyłka mogła jeszcze dobitniej podkreślić, że skoro Norwegowie uznali, iż niebezpieczeństwa nie ma, należałoby im wierzyć. Potem przeszła do opisywania tego, co zastała w mieszkaniu przy Pożaryskiego.

Argument o nieprzeszukaniu go podała jako dowód na to, że służby wiedziały dokładnie, czego szukać. Zupełnie jakby ktoś celowo umieścił w mieszkaniu obciążające Al-Jassama dowody.

Tyle wystarczyło, żeby wywrzeć presję na Paderbornie. A mimo to jej oponent przez trzy dni milczał. Kiedy czas na decyzję upłynął, Chyłka spodziewała się otrzymać w końcu odpowiedź. Nie doczekała się.

Teraz, kiedy zatrzymali się z Zordonem w McDrivie, słuchała tłumaczeń Olgierda w radiu. Cały jego wywód właściwie sprowadził się do tego, że wypuszczenie Fahada byłoby jak zaproszenie wilka pomiędzy stado owiec.

– Ma trochę racji – oznajmił Oryński, kiedy podjechali do pierwszego okienka.

– Błagam, Zordon.

– Jeśli Al-Jassam coś planował, ma do dyspozycji siatkę ludzi, którzy natychmiast pomogą mu zniknąć. I nie minie godzina, a dostarczą mu pas szahida czy cokolwiek innego, co wystarczy do siania terroru.

– Przesadzasz.

– Wystarczyłby mu samochód dostawczy – dodał Kordian. – Nie muszę ci chyba przypominać, ile osób zginęło w Nicei i w Berlinie.

– Nie musisz. Ale nasz klient nie jest terrorystą.

– Nie możesz być tego pewna.

– Ale mogę być pewna, że mam obowiązek zrobić wszystko, by odpowiadał z wolnej stopy. Zresztą Pader mógłby zamienić areszt na dozór, w zupełności by to wystarczyło.

– Islamista ekstremista z zapleczem ISIS kontra dozór policyjny… Ciekawi mnie wynik tego starcia, szczególnie że pewnie pilnowaliby go funkcjonariusze o kompetencjach zbliżonych do Szczerbińskiego.

Spojrzała na niego z niedowierzaniem. Spodziewała się, że będzie wracał do sprawy, nie przypuszczała jednak, że zdecyduje się to robić w taki sposób. Ale prawdopodobnie sama była temu winna. Od trzech dni próbował rozmówić się z nią na ten temat, za każdym razem go zbywała. Może jedynym wyjściem rzeczywiście pozostawał sarkazm.

Joanna odebrała kawę i sałatkę, a potem zamknęła okno.

– Co teraz? – zapytał Oryński, kiedy szukała miejsca na niewielkim parkingu.

– Zjesz tę zieleninę, wypijesz kawę i ruszamy dalej.

Przez chwilę milczał, przyglądając jej się.

– Coś ci nie pasuje? – odezwała się.

– Zastanawiam się, co z twoim prawem jazdy.

– Jest zagwarantowane jako prawo przyrodzone w mojej osobistej konstytucji.

– Tyle że jakiś czas temu ci je odebrano.

– A potem oddano.

Nie wyglądał na przekonanego, ale nie podjął tematu. Znów przez jakiś czas się nie odezwał.

– Właściwie dokąd chcesz jechać? – spytał.

– Dowiesz się w swoim czasie.

– Powinniśmy się spotkać z Paderbornem. Termin minął.

– I?

– I nie może ot tak…

– Może – przerwała mu Chyłka. – Termin wprawdzie jest jasno określony, ale ustawodawca zapomniał obwarować go jakimikolwiek sankcjami. Prokurator może uchybić, nic mu za to nie grozi.

– Więc złóżmy zażalenie do sądu.

– Na co? Przecież nie wydał żadnego postanowienia.

Kordian otworzył pudełko z sałatką i przyjrzał jej się krytycznie.

– Wiesz, że to podobno ma tyle kalorii, ile każda inna potrawa w Maku? – bąknął.

– Nie.

– Właściwie nawet więcej niż podwójny Big Mac.

– I naprawdę sądzisz, że mnie to interesuje?

– Chyba powinno, bo najwyraźniej zmieniasz nawyki żywieniowe. To bodaj pierwszy raz, kiedy zajechałaś do McDonalda.

Chyłka przez moment milczała. Potem uznała, że to dobry moment, by powiedzieć mu, dlaczego tak się stało.

– Zrobiłam test McDrive'a – oznajmiła.

– Co takiego?

– To zaawansowana technika śledcza, którą wykoncypowałam na użytek takiej sytuacji jak ta.

Kordian popatrzył na nią, jakby straciła rozum.

– Uznałam, że najlepszy sposób, żeby sprawdzić, czy ktoś w istocie cię śledzi, to zjechanie do McDrive'a.

Oryński drgnął nerwowo, chcąc się obrócić, ale szybko złapała go za rękę i powstrzymała.

– Doprawdy, Zordon, myślałam, że nie muszę ci mówić, żebyś się nie oglądał za siebie.

– Ktoś nas śledzi?

– Najwyraźniej.

Spojrzał w lusterko, ale było ustawione w taki sposób, że nie mógł niczego dostrzec. Chyłka za to doskonale widziała w nim srebrną toyotę w sedanie, która jechała za nimi od pewnego czasu.

– Srebrna avensis – oznajmiła. – Ciągnęła się jak smród po gaciach od centrum. Znikła, kiedy zatrzymaliśmy się na BP, żeby zatankować. Potem pojawiła się znów, a teraz zjechała za nami do McDrive'a. Brunetka zamówiła sobie kawę.

Oryński zamarł, jakby najmniejszy ruch miał sprawić, że się zdradzą.

– Jedz te rośliny – rzuciła. – Sprawiaj normalne wrażenie.

– Kim jest ta kobieta?

– A ja wiem? Jedno jest pewne, do orłów nie należy.

– Albo nie spodziewa się, że będziesz kontrolować odbicie w lusterku na tyle często, żeby wypatrzyć jeden samochód, który za nami jedzie.

– Widocznie nie wie, ile nieoznakowanych radiowozów uwieczniło mnie na swoich nagraniach. Dziwię się, że nigdy nie trafiłam na antenę TVN Turbo.

– Wszystko jeszcze przed tobą.

– To prawda – odparła Joanna, a potem sięgnęła w kierunku drzwi.

Zanim Kordian zdążył zaprotestować, otworzyła je raptownie i wyszła na zewnątrz. Szybkim krokiem ruszyła w stronę avensis. Spodziewała się, że brunetka natychmiast zareaguje, ale ta zachowywała pełen spokój.

Najwyraźniej nie była taką amatorką, jak Chyłka sądziła. Kiedy prawniczka podeszła do auta, kobieta popatrzyła na nią, pozorując zdziwienie. Uchyliła okno.

– Mogę w czymś pomóc? – spytała niepewnie.

– Możesz za mną nie jeździć.

– Słucham?

– Jeszcze raz zobaczę ciebie lub twój samochód, zastawię cię, a potem razem poczekamy na policję.

W jakiś sposób czuła się niekomfortowo, odwołując się do ewentualnej pomocy mundurowych. Zazwyczaj byli po drugiej stronie barykady i nie kojarzyła ich udziału z niczym dobrym.

– Co też pani…

– Daj sobie spokój – rzuciła Joanna. – Ja nie pytam, kim jesteś i kto kazał ci mnie śledzić, bo wiem, że nie doczekam się odpowiedzi. Ale ty nie udawaj, że nie wiesz, w czym rzecz.

Brunetka odstawiła kawę na deskę rozdzielczą, a potem otworzyła drzwi, niemal odpychając przy tym Chyłkę.

– Zwariowała pani? – rzuciła. – Co z panią nie tak, że napastuje pani obcych ludzi?

Kątem oka Joanna zauważyła, że Oryński stanął obok. Skrzyżował ręce na piersi i przyglądał się im, jakby spodziewał się ciekawego starcia.

– Ja tam chętnie bym się dowiedział, kto jest naszym cieniem.

– Co państwo…

– To będzie trudniejsze, niż sądziłam – wpadła jej w słowo Chyłka. – Może jednak od razu skontaktujmy się z aparatem pilnującym przestrzegania porządku publicznego.

– Co takiego?

– Kolnijmy na psy – powiedziała Joanna, patrząc pytająco na Kordiana. – Tak się teraz mówi na Zbawiksie, Zordon?

– Na czym?

– Na placu Zbawiciela – odparła i westchnęła. – Beznadziejny z ciebie hipster, zdajesz sobie z tego sprawę?

Brunetka cofnęła się o krok. Sprawiała wrażenie, jakby miała zamiar czym prędzej wsiąść do samochodu i odjechać. Chyłka zareagowała szybko, opierając się o otwarte drzwiczki.

– To chyba ja powinnam wezwać policję, państwo są…

– Owszem, powinnaś.

Prawniczka sięgnęła za pazuchę i wyjęła telefon. Wykręciła 997, a potem podała komórkę kobiecie. Ta nawet nie ruszyła ręką.

– No, proszę bardzo. Ty rozmawiaj.

– Ale…

– Powinnaś to zrobić. Naskoczyła na ciebie dwójka opętańców, to całkowicie uzasadniona reakcja.

Przez moment mierzyły się wzrokiem.

– A jednak się nie kwapisz. Dlaczego?

Brunetka nie odrywała od niej spojrzenia, zdawała się nawet nie mrugać. Fasada szybko runęła i Chyłka dostrzegła w oczach rozmówczyni coś, co ta wcześniej ukrywała. Satysfakcję.

Naraz zrozumiała, że się pomyliła.

Ta kobieta nie tylko nie była amatorką, ale wręcz doskonale znała się na tym, co robiła.

Joanna odwróciła się w kierunku iks piątki akurat w porę, by zobaczyć mężczyznę wsiadającego do jej samochodu. Zanim zdążyła choćby drgnąć, ruszył z piskiem opon.

Pierwsza jej myśl była typowa dla prawnika, który doskonale zdaje sobie sprawę, iż wystarczy kilkadziesiąt sekund, by ważne szczegóły zatarły się w umyśle.

Zapamiętaj wszystko, powiedziała sobie w duchu.

Zanim jednak zdążyła dostrzec cokolwiek istotnego, iks piątka wyjeżdżała już z parkingu. Nie zastanawiając się długo, Joanna ruszyła za samochodem w beznadziejnym, ale naturalnym odruchu.

Nie wiedziała, czy Zordon popędził za nią. Nie powinien. Kluczowe było, by został przy…

Zatrzymała się jak rażona piorunem i szybko odwróciła. Srebrna toyota avensis opuszczała parking przy McDonaldzie.

– Kurwa mać! – krzyknęła Joanna.

Rozejrzała się za Oryńskim, ale nigdzie go nie dostrzegła. Czuła się, jakby ktoś ją znokautował jeszcze przed wejściem na ring. Dopiero teraz uświadomiła sobie, jak nierówno oddycha, mimo że przebiegła raptem kilka, może kilkanaście metrów.

Toczyła wzrokiem dokoła. Na dobre nie dotarło do niej jeszcze to, co się właśnie zdarzyło.

Potem myśli zaczęły uderzać w nią jak grad.

Dała się ograć. Straciła iks piątkę.

Co było w samochodzie? Torebka, akta sprawy, kilka płyt. Laptopa nie zabrała, zostawiła go w gabinecie, ale…

Paragon.

Tego szukali. I bez trudu go znajdą, kiedy tylko otworzą torebkę. Wprawdzie służby próbowały wymusić na niej przekazanie świstka papieru, ale twierdziła, że na tym etapie nie ma wartości dowodowej i nic nie stoi na przeszkodzie, by go zatrzymała.

Znów zaklęła głośno, rozłożyła ręce i rozejrzała się.

W końcu dostrzegła Kordiana. Wracał wolnym krokiem od strony wyjazdu do Marek. Kręcił głową, zaciskał usta i zapewne cedził przekleństwo za przekleństwem. Kiedy do niej podszedł, nie musiała nawet pytać, czy zdołał zapamiętać numer rejestracyjny toyoty.

– Szczegóły – rzuciła. – Szybko.

Oboje nieraz przeprowadzali eksperymenty sądowe, które miały obalić zeznania świadków. Oboje znali też przypadki takie jak ten Kirka Bloodswortha, który w latach osiemdziesiątych został skazany na karę śmierci na podstawie zeznań pięciu naocznych świadków. Zanim wyrok wykonano, ale już po tym, jak odsiedział dziewięć lat w więzieniu, uniewinniono go na podstawie badań DNA.

Wyzwoliło to prawdziwą lawinę w USA. W kolejnych latach sprawdzono w ten sam sposób blisko dwieście czterdzieści spraw. W przypadku siedemdziesięciu trzech procent z nich rezultat był taki, jak w sprawie Bloodswortha.

Rekonstrukcja wydarzeń nie była mocną stroną ludzkiej psychiki. Szczególnie kiedy dana osoba próbowała odtworzyć coś, czego doświadczała w silnym stresie.

– Facet w czarnej czapce – odezwał się Kordian. – Metr osiemdziesiąt?

– Raczej osiemdziesiąt pięć, musiał się pochylać.

– Twarzy nie widziałem.

– Ja też nie – odparła Joanna i machnęła ręką. – Zostawmy go, był za dobrze przygotowany. Kobieta.

– Brunetka, bez znaków szczególnych i…

Rozłożył ręce, a ona miała ochotę zrobić to samo. Kobieta niczym nie wyróżniała się z tłumu. Właściwie gdyby

Chyłka minęła ją jutro na Marszałkowskiej, zapewne by jej nie rozpoznała.

Srebrnych avensis jeździło po polskich drogach również stanowczo zbyt wiele, a na tym samochodzie nie dostrzegła niczego, co sprawiłoby, że w jakikolwiek sposób by się wyróżnił.

– To profesjonaliści, Zordon.

– Na to wygląda.

Zaklęła w duchu, żałując, że nie ma przy sobie paczki papierosów. Spojrzała w kierunku stacji benzynowej, ale naraz uświadomiła sobie, że portfel został w torebce. Dopiero później dotarło do niej, że i tak nie mogłaby zapalić.

– Służby? – zapytał Oryński.

– Nie wiem, czy ryzykowaliby w taki sposób.

– Jeśli w grę wchodzą oficerowie operacyjni, czemu nie? – odparł przez zęby, wodząc wzrokiem wzdłuż Radzymińskiej. – Nigdy ich nie rozpoznamy, nie trafimy na nich przypadkiem, nie spotkamy przy żadnej okazji ani nie...

– Nie ma co gdybać.

– Więc co proponujesz?

– Nie wiem. Kurwa, nie wiem.

Zamilkli, jakby ich bezradność wymagała przypieczętowania jej chwilą ciszy.

– Co za bagno – odezwała się w końcu Joanna.

Oryński skinął głową i odwrócił się do niej.

– Co tu się dzieje, Chyłka?

– Naprawdę musisz pytać? Wypowiedziano mi wojnę.

– Tobie?

– A jak inaczej nazwiesz to, że skradziono iks piątkę?

Mogłaby przysiąc, że lekko się uśmiechnął.

– Nazwę to chęcią zwinięcia paragonu, który miałaś w torebce. Bo o to chodziło, prawda?

– Mogli to zrobić, nie zabierając samochodu. To osobisty atak. Najbardziej osobisty, na jaki mogli się zdecydować. I szybko tego pożałują.

Nie wyglądał na przekonanego, ale nie miała zamiaru się nad tym rozwodzić. Należało od razu zabrać się do roboty. A żeby to zrobić, musiała wyciągnąć Fahada z białołęckiego aresztu. Potem przyciśnie go i w końcu dowie się, o co chodzi w tej całej sprawie.

Sięgnęła do kieszeni po telefon i wybrała numer Paderborna.

– Co robisz?

– Stawiam ultimatum.

Czekała z komórką przy uchu, ale prokurator nie odbierał. Dopiero za drugim podejściem usłyszała w słuchawce jego głos.

– Pochylam się nad sprawą – oznajmił Olgierd. – Musisz dać mi jeszcze trochę czasu na odpowiedź.

Spodziewała się, że będzie czerpał satysfakcję z braku jakichkolwiek sankcji za przekroczenie terminu. Zresztą na jego miejscu postępowałaby dokładnie tak samo, starając się wyprowadzić drugą stronę z równowagi i pokazać, kto jest w tym starciu ważniejszy.

– Daruj sobie, Paderewski – odparła. – Właśnie zwinięto mi samochód.

– I dzwonisz, żeby mi o tym powiedzieć?

Zero zaskoczenia. Chyłka zmarszczyła czoło, zastanawiając się, czy powinna odnotować tę reakcję jako podejrzaną. Nie, raczej nie. Olgierd niewątpliwie był człowiekiem z natury upierdliwym, ale nie podejrzewała go o jakiekolwiek nieczyste zagrania. Nie tego kalibru.

– Razem z iks piątką skradziono mi torebkę, w której miałam paragon.

Tym razem odpowiedziało jej milczenie.

– Słyszysz, Pader?

– Nadzwyczaj wyraźnie.

– Wiesz, co to oznacza?

– Że pewne problemy rozwiązują się same?

Dobrze wiedział, że tak nie jest.

– Nie – odparła. – Że zaraz umówię kolejny wywiad w mediach. I będę w najlepsze rozprawiać o tym, jak buchnięto mi materiał dowodowy. Całą winą oczywiście obarczę ciebie i twoich kumpli.

– Wiesz dobrze, że nie mam z tym nic wspólnego.

Tym razem to ona mogła pozwolić sobie na to, by się nie odezwać.

– I nie masz niczego na potwierdzenie takich zarzutów.

– Nie muszę mieć. To media, nie sąd – odparła, siląc się na to, by w jej głosie zabrzmiała satysfakcja. – Będzie burza, Paderewski. O sile tajfunu.

– Nie będzie moją pierwszą ani ostatnią. Przetrzymam.

– Może tak, może nie. Ale w naszej sprawie orzekać będą też ławnicy. A jak być może się domyślasz, są znacznie bardziej podatni na wpływy mediów niż szacownej jurysprudencji.

Odchrząknął głośno.

– Nie uchylę tymczasowego aresztowania.

– A ja tego nie oczekuję.

– Więc czego?

– Decyzji odmownej – odparła, obracając się w kierunku, w którym odjechały iks piątka i avensis. – Dzięki temu wilk będzie syty i owca cała. Ty pokażesz się jako nieustępliwy prokurator, a ja będę mogła złożyć zażalenie do sądu.

Zaśmiał się prosto do słuchawki.

– I myślisz, że jakikolwiek sędzia pójdzie ci na rękę?

– Pozwól mi się o to martwić – odparła. – Ty tymczasem będziesz mógł spać spokojnie, bo nie pójdę do mediów z informacją o kradzieży.

Nie musiał się długo namyślać. Układ wydawał się dla niego dobry.

Kiedy Chyłka rozłączyła się i schowała telefon do kieszeni, obróciła się do Oryńskiego. Ten patrzył na nią z niedowierzaniem, jakby nie spodziewał się, że tak szybko obróci sytuację na swoją korzyść.

– Co jest, Zordon? – zapytała. – Już zapomniałeś, co mówiłam o kłodach i schodach?

9

ul. Argentyńska, Saska Kępa

Nic w tej sprawie nie było w porządku, ale właściwie to samo Kordian mógł powiedzieć zarówno o sytuacji życiowej Chyłki, jak i swojej. Pomijając to, co działo się między nimi, każde z osobna miało swoje problemy.

Ona właściwie zakopała się w nich po uszy.

On zupełnie zaniedbał aplikację, w dodatku nadal w głowie rozbrzmiewały mu słowa Marcina Pruszki, prokuratora, z którym musiał zmierzyć się w batalii sądowej w sprawie Sendala. Oskarżyciel wydawał się przekonany, że Oryński znajdował się po złej stronie barykady.

I może coś w tym było. Starał się o tym nie myśleć, szczególnie w sytuacji, kiedy Chyłka właściwie straciła jedną z najważniejszych rzeczy w jej życiu, ale prokuratorska analiza wracała raz po raz.

Z Targówka na Argentyńską dostali się dzięki uberowi. Joanna zamówiła samochód, a potem z jakiegoś powodu uparła się, żeby płacić gotówką, a nie przez aplikację. Być może dlatego, że razem z iks piątką przepadł jej portfel.

Chcąc nie chcąc Oryński wysupłał zapłatę, nieco zdziwiony, że firma w ogóle dopuszcza taką formę płatności.

Potwierdzenie parszywej sytuacji osobistej, w której znajdowała się Joanna, czekało na nią na Argentyńskiej. Kiedy stanęli przed drzwiami jej mieszkania, Kordian kątem oka dostrzegł mężczyznę siedzącego na schodach.

Ten szybko wstał, a potem uniósł otwarte dłonie. Wydawało się to sprzężone z automatyczną reakcją Oryńskiego, który dopiero po chwili zdał sobie sprawę, że zacisnął pięści.

– Chyba żartujesz… – mruknęła Joanna. – Tego mi tylko do szczęścia potrzeba.

Filip Obertał z trudem przełknął ślinę, patrząc na córkę i jej towarzysza. Nawet gdyby nie obecność Kordiana, miał wystarczająco dużo powodów, by trzymać się z daleka od Joanny.

Po ich ostatniej scysji Oryński niewątpliwie był ostatnią osobą, którą chciałby widzieć. Filip nie miał już wprawdzie śladów po tamtym pobiciu, ale musiał liczyć się z możliwością, że pojawią się nowe siniaki.

Kordian zrobił krok w jego stronę.

– Spokojnie – jęknął Obertał. – Nie chcę żadnych…

– Wynoś się – uciął Kordian, wskazując prowadzące w dół schody. – W tej chwili.

Nie opuszczając rąk, Filip cofnął się nieznacznie. Nie wyglądało jednak na to, żeby miał zamiar odpuścić.

Oryński wbił wzrok w jego oczy, po raz kolejny starając się zrozumieć, jak na pozór zwyczajny człowiek mógł w przeszłości dopuścić się względem córki rzeczy, za które powinien trafić za kratki.

W idealnym świecie z pewnością tak by się stało. Ale ten nie miał z nim nic wspólnego.

– Na Boga, przyszedłem zobaczyć się z własną córką…

– Nie wiem nawet, czy masz prawo ją tak nazywać, skurwielu.

Oryński poczuł dłoń Chyłki na ramieniu. Obejrzał się, a ona posłała mu uspokajające spojrzenie. Nie spodziewał się tego. I może właśnie dlatego odniosło to zamierzony efekt.

– On doskonale zdaje sobie z tego sprawę, Zordon.

– Może jednak trzeba mu to wytłumaczyć.

– Już raz to zrobiłeś.

– I chętnie to powtórzę.

Zabrała rękę, a potem wyminęła go i stanęła przed ojcem. Kordiana nieraz zastanawiało, w którym momencie ich drogi ostatecznie się rozeszły. Jak długo żyli pod jednym dachem po tym, jak do Joanny dobierał się Adam? I czy był to jednostkowy przypadek?

Zapewne nie.

– Czego chcesz? – zapytała Chyłka.

Przełknięcie śliny znów przyszło mu z trudem.

– Daj sobie spokój z tym teatrem – rzuciła. – Zapominasz, że dobrze cię znam.

– Jakim teatrem?

– Udajesz skołowanego, wystraszonego, grzecznego.

Rozejrzał się niepewnie, jakby oprócz Oryńskiego jeszcze gdzieś na korytarzu miało czekać na niego inne niebezpieczeństwo.

– Wiem, że masz to wszystko gdzieś – dodała prawniczka. – Nieraz oberwałeś po mordzie i nieraz jeszcze oberwiesz. Nie obawiasz się takich rzeczy.

– Jak już mówiłem, przez te lata...

– Zmieniłeś się? – wpadła mu w słowo. – Oszczędź mi tych bzdur.

Odwróciła się i ruszyła w stronę mieszkania. Nie miała klucza, ale pech lub szczęście chciały, że Kordian nadal miał w komórce numer do firmy, która niegdyś rozwiązała taki sam problem dla niego.

Jego myśli natychmiast popłynęły w kierunku Gorzyma, pobicia pod Warszawą i wizyty w szpitalu. W jakiś sposób sprawiły, że poczuł rosnącą agresję. Zamiast pójść za Chyłką, która właśnie przekroczyła próg, ruszył w kierunku Obertała.

– Zordon!

Oryński stanął przed nim na tyle blisko, że niemal zetknęli się czołami.

– Zostaw ją w spokoju – powiedział cicho Kordian. – Rozumiesz?

– Spokojnie...

– Wystarczająco dużo już spierdoliłeś w jej życiu.

Zanim Oryński uświadomił sobie, że nie kontroluje ani tego, co mówi, ani tego, co robi, popchnął Filipa. Ten zatoczył się do tyłu, zupełnie zdezorientowany, jakby nie spodziewał się, że i tym razem Kordian przejdzie od słów do czynów.

Niewiele brakowało, a runąłby na schody – w ostatniej chwili jednak Chyłka znalazła się obok niego i złapała go za koszulę. Natychmiast skorzystał i chwycił się balustrady. Spojrzał z przerażeniem na córkę, a Joanna obróciła się z wściekłością do Oryńskiego.

– Oszalałeś? – syknęła. – Chcesz go zabić?

Kordian miał wrażenie, że jego serce ominęło jedno uderzenie, kiedy pytanie odbiło mu się echem w głowie.

Chciał? Na Boga, niewiele brakowało, a Filip rzeczywiście mógłby spaść. I nie byłby pierwszym, który skręciłby kark na schodach.

– Wystarczy tego – rzuciła Joanna, a potem wymierzyła palcem w ojca. – Ty wchodzisz. – Przeniosła wzrok na Oryńskiego. – Ty wracasz do domu.

– Co?

– Zobaczymy się rano w biurze.

Kordian w pierwszej chwili miał ochotę zaprotestować, wytłumaczyć, że sam właściwie nie wie, co się stało – szybko jednak uświadomił sobie, że to bezcelowe. Chyłka już podjęła decyzję, nie było sensu się z nią sprzeczać.

– Wybacz, Zordon, użyłam enigmatycznej dla ciebie nomenklatury – dodała, kiedy nie ruszył się ani o centymetr. – Widzimy się w kancy. Teraz okej?

Nie była to wymarzona reakcja na przepychanki z Filipem, ale Oryński znał swoją byłą patronkę na tyle dobrze, by wiedzieć, że gdzieś w tym nieprzychylnym tonie kryje się wdzięczność.

– W porządku – odparł.

– Przyjedź po mnie tym swoim rydwanem ognia.

– Mhm – dodał na odchodnym, a potem oddalił się, nie zwracając uwagi na Obertała.

Zszedł na dół, stanął przed klatką i rozejrzał się. Nie miał zamiaru wracać do wynajmowanej kawalerki, świadom, że cały wieczór spędziłby na obracaniu w głowie dzisiejszych zdarzeń.

Wyciągnął telefon, zamówił taksówkę na Złotą, po czym wybrał numer Kormaka. Najlepszym wyjściem będzie udawanie, że wszystko jest w jak najlepszym porządku. Że do przepychanki w bloku nie doszło.

– Nie mam teraz czasu – odezwał się chudzielec na powitanie.

– Czytasz?

– Nie.

– A jednak wizualizuję sobie ciebie z nosem w *Drodze*.

– Wizualizuj sobie lepiej mój wyciągnięty środkowy palec – odburknął Kormak. – Zresztą czytałem tę książkę już dobrych kilka razy.

– Kilkanaście.

– Chcesz czegoś konkretnego czy po prostu musisz odreagować po spędzeniu zbyt wielu godzin z Chyłką?

– Jedno i drugie.

– Świetnie…

– I jadę właśnie do kancelarii.

– To jeszcze lepiej – zauważył Kormak. – Bo mnie tam nie ma.

Oryński milczał.

– Jest już po godzinach pracy – dodał szczypior.

Kordian pokręcił głową, wchodząc do taksówki. Wiedział doskonale, że Kormak jest na posterunku – kiedy miał pełne ręce roboty, właściwie sypiał w Jaskini McCarthyńskiej. A ostatnie dni z pewnością mógł do takich zaliczyć.

– Widzimy się za chwilę – zakończył Oryński.

I tym razem się nie pomylił. Wjechawszy na dwudzieste pierwsze piętro biurowca Skylight, zauważył uchylone drzwi na końcu korytarza i snop światła padający z nich na podłogę oraz przeciwległą ścianę.

Wszedł do gabinetu Kormaka i powitał go machnięciem ręki. Przyjaciel odpowiedział tym samym.

– Masz coś dla mnie? – spytał aplikant.

Chudzielec pokiwał głową. Pewne rzeczy nie wymagały werbalizowania – podobnie jak to, że Kordian przyjechał do kancelarii w określonym celu. Chciał wiedzieć wszystko, do czego udało się dotrzeć Kormakowi.

– Poszedłem tropem paragonu – zaczął szczypior.

– Masz jego skan? Zdjęcie? Kopię?

Kormak zmarszczył czoło.

– A co? Zgubiliście najważniejszy dowód w sprawie? I właściwie jedyny?

– Zgubiliśmy iks piątkę.

– Aha.

– Nie wydajesz się wstrząśnięty.

– Ani zmieszany.

– Nie dowierzasz?

– Oczywiście, że nie – przyznał Kormak. – Chyłka prędzej kazałaby mówić jej per Aśka, niż pozwoliła…

Chudzielec urwał, dostrzegając powagę na twarzy przyjaciela. Kordian nabrał głęboko tchu i szybko zrelacjonował, co wydarzyło się na Radzymińskiej.

Kormak skwitował jego rewelacje milczeniem, nie okazując większych emocji. Na dobrą sprawę właśnie takiej reakcji Oryński się po nim spodziewał. Może rzeczywiście coś było w tych wszystkich badaniach, które dowodziły, że ludzie systematycznie czytający mają znacznie większy dystans do świata i są bardziej odprężeni.

– To zapowiedź armagedonu – zauważył rzeczowo Kormak. – Chyłka przewróci do góry nogami pół miasta, żeby znaleźć ten samochód.

– Przyjęła to dość spokojnie.

– Raczej przybrała taką maskę. Wiesz, że ma ich więcej niż aktorzy na proskenionie.

– Na czym?

– Na hellenistycznej scenie, Zordon. Twoja wiedza naprawdę nie wykracza poza sprawy prawne, co?

– Orientuję się mniej więcej w kulturze współczesnej. Tę klasyczną obrzydził mi Homer.

– Nie wiesz, o czym mówisz. Bez niego nie byłoby choćby Sienkiewicza.

– Tak? To rzeczywiście, byłaby to niepowetowana strata.

– Poza tym *Iliada* to całkiem niezłe dzieło – kontynuował poważnym tonem szczypior. – I pomijam już fakt, że gdyby nie Homer, nigdy nie powstałaby pierwsza powieść w historii.

– Mhm.

– Wiesz, co nią było?

– Niespecjalnie.

– Zdania w doktrynie są podzielone – zacytował Chyłkę Kormak. – Ale jeślibyś mnie spytał, to *Prawdziwa historia* Lukiana. Nie inspirował się wprawdzie Homerem, ale napisał tę historię po części, żeby sobie z niego zadrwić. Swoją drogą to także pierwsza powieść *science fiction*, a biorąc pod uwagę, że powstała w drugim wieku…

– Kormaczysko – upomniał go Oryński. – Nie przyszedłem tu dyskutować o historii literatury.

– Szkoda.

– Mów, co dla mnie masz.

Szczypior obrócił do siebie niewielkiego laptopa stojącego na biurku, a potem odchrząknął z dezaprobatą, jakby zbycie tematu rzeczywiście głęboko go dotknęło.

– Paragon oczywiście skopiowałem – zaczął. – Ale przypuszczam, że w sądzie nie dopuszczą takiego dowodu.

– Może nie będzie potrzebny. Liczymy na to, że sprawa skończy się jeszcze przed rozprawą.

Chudzielec uniósł brwi.

– Jak to tak? – mruknął. – Przecież gość siedzi za kratkami.

– Złożyliśmy wniosek o uchylenie środka zapobiegawczego.

– I co?

– Na razie nic, ale wszystko przed nami.

– Myślicie, że sędzia go wypuści?

Oryński wzruszył ramionami, sądząc, że Chyłka zrobi wszystko, by tak się stało. Nie chodziło już nawet o to, by Fahad wyszedł na wolność i odpowiadał z wolnej stopy. Teraz to była sprawa osobista. Zaprzepaszczenie tej okazji sprawiłoby, że kradzież iks piątki w istocie okazałaby się tragedią, której Joanna nie przekuła na sukces.

I to by było na tyle, jeśli chodziło o budowanie schodów.

– No dobra – bąknął Kormak. – W każdym razie zacząłem iść tym tropem z Oslo. Wygląda na to, że Al-Jassam przyleciał tam liniami British Airways z Dżuddy.

– Skąd?

Kormak przesunął palcem po touchpadzie.

– Z lotniska Króla Abd al-Aziza ibn Su'uda.

– Błagam cię...

– Z Arabii Saudyjskiej – wyjaśnił z uśmiechem chudzielec. – To właściwie najlepsze miejsce, by wydostać się z tamtego rejonu. Przynajmniej jeśli jesteś zamachowcem samobójcą.

– W jakim sensie?

– Mają tam dość dobre procedury bezpieczeństwa.

– To chyba minus.

– Przeciwnie – odparł bez wahania Kormak. – Kraje europejskie mają zaufanie do Saudów w tym względzie. Inaczej traktuje się samolot lecący z Rijadu czy Dżuddy niż z Jemenu. Jeśli więc dżihadyście uda się przejść tam kontrolę bezpieczeństwa, jest w lepszej sytuacji. A że mają na to swoje sposoby, nie muszę ci chyba mówić. Ta kontrola to zresztą niespecjalnie efektywny sposób na zatrzymywanie takich jak Fahad.

– Nie zagłębiajmy się w szczegóły – rzucił Kordian. – Poszedłeś dalej tym tropem?

– Dalej? Żartujesz? Nawet amerykańskie służby, współpracując z Arabami, zasadniczo kopią się z koniem. Saudowie są sojusznikiem, ale o sprawnej wymianie informacji trudno mówić.

Kordian zaklął w duchu.

– Ale musi istnieć jakiś ślad – odezwał się. – Al-Jassam w jakiś sposób został porwany w Egipcie, potem przebywał Allah jeden wie gdzie, a ostatecznie trafił do tej Jabby.

– Dżuddy.

– Jedi. Mniejsza z tym.

Kormak pokiwał głową, mrużąc oczy, jakby odpływał gdzieś myślami.

– O ile to w ogóle ten porwany chłopak – zauważył. – Jesteście tego pewni?

– Nie. Wyniki badań DNA mają być jutro.

– Pobrali jakiś materiał od Lipczyńskich?

Oryński energicznie przesunął ręką po włosach, burząc fryzurę, która trzymała się dzielnie przez cały dzień. Teraz, kiedy ten zmierzał ku końcowi, Kordian mógł sobie na to pozwolić.

– Okazało się to dość skomplikowane – odparł ciężko. – Sprzedali tamto mieszkanie, więc nie było gdzie szukać śladów. U siostry Anny właściwie nie bywali z młodym, a nawet jeśli, po tylu latach nie miałoby to żadnego znaczenia. Szczęśliwie niczego nie wyrzucili, wszystko załadowali do pudeł i toreb i trzymali w piwnicy. Kryminalistycy znaleźli kilka włosów i twierdzą, że tyle wystarczy.

– Idealnie.

– O ile potwierdzi się, że to ich syn. Jeśli nie, będziemy mieć problem.

– Co za różnica? Waszej linii obrony to nie zmienia.

– Ano nie – przyznał Kordian. – Tyle że przestaną płacić rachunki, a my z zasady nie pracujemy za darmo.

Oryński westchnął i podniósł się. Spojrzał z góry na przyjaciela, starając się stwierdzić, czy to jedna z tych sytuacji, kiedy ten celowo nie powiedział mu wszystkiego, by na koniec go czymś zaskoczyć.

– Nie mam nic więcej – zastrzegł szybko Kormak. – Nie rób sobie nadziei.

Aplikant z wolna pokiwał głową, wciąż mając nieodparte wrażenie, że brak jakiejkolwiek książki na biurku jest zwiastunem czegoś niepokojącego. Spojrzał na blat od niechcenia i przez moment wydawało mu się, że na rogu widzi kilka białych ziarenek.

Szybko odwrócił spojrzenie.

Gandalf biały? Nie, to niemożliwe. Wprawdzie to Kormak niegdyś uraczył go amfetaminą, twierdząc, że większość pracujących ponad normę prawników w Warszawie ją wciąga, ale od tamtej pory w Żelaznym & McVayu obowiązywały, nomen omen, żelazne zasady.

A jednak tempo pracy Kormaka sprawiało, że trudno było wykluczyć, iż wspomagał się speedem.

– Daj znać, jak tylko na coś wpadniesz – powiedział Oryński.

– Wpadnę? Na co? Mam polecieć do Arabii Saudyjskiej, kupić sobie kefiję i snuć się po ulicach, wypytując o Fahada Al-Jassama?

– Czemu nie? – odparł Kordian, a potem uniósł dłoń na pożegnanie i wyszedł na korytarz.

Był przekonany, że trop prowadzący z Hurghady do Dżuddy musiał jeszcze istnieć, niezatarty nawet przez kilkanaście lat. I wydawało mu się, że jeśli ktokolwiek miał go odkryć, to właśnie Kormak.

Nazajutrz przekonał się jednak, że był w błędzie. O tropie poinformował go ktoś inny.

10

Saska Gęba, ul. Saska

Wpuszczenie ojca do mieszkania było jedną z ostatnich rzeczy, które Chyłka była gotowa zrobić. Jednocześnie nie miała zamiaru odprawiać go z kwitkiem, nie tym razem. Kiedy tylko Zordon znikł w windzie, skinęła na Filipa i zaprowadziła go do znajdującej się nieopodal knajpy.

Usiedli naprzeciwko siebie na wiklinowych krzesłach obok baru.

Joanna wbiła wzrok w twarz Obertała.

– Skąd wiesz, że jestem w ciąży?

Filip szerzej otworzył oczy.

– Nie chcę tracić czasu, więc przechodzę od razu do rzeczy – wyjaśniła Chyłka, odbierając mu menu. – A ty nie zdążysz niczego zjeść ani wypić, więc się nie fatyguj.

Kelner podszedł do nich nieco niepewnie. Joanna zamówiła siekany, wołowy, grillowany befsztyk z sosem pieprzowym. Bez sałatki i bez frytek.

Potem z impetem położyła kartę dań na stole. Przez chwilę oboje milczeli, patrząc na siebie. Żadne nie uciekło wzrokiem.

– Mam powtórzyć pytanie? – syknęła.

– Nie.

– Więc? Kto powiedział ci o ciąży?

– A skąd wiesz, że ktokolwiek to zrobił?

– Bo z tego powodu do mnie przyszedłeś.

– Mogłem mieć…

– Mogłeś to ty mieć udane, normalne życie, gdybyś tylko w pewnym momencie się ogarnął i nie dał się skundlić przez odejście matki. Ale byłeś słaby jak smoleńska brzoza.

– Ona chyba akurat uchodzi za pancerną.

Na Chyłce ta uwaga nie zrobiła żadnego wrażenia. Ojciec położył dłonie na stole i zaczął nerwowo je pocierać.

– Darujesz to sobie?

– Co takiego?

– Te wszystkie sygnały, że się denerwujesz, że czujesz się niekomfortowo, że stałeś się wrażliwy, zakłopotany wszystkim wokół i tak dalej.

Wiedziała, co mówi. Znała tego człowieka stanowczo zbyt dobrze, by dać się na to nabrać. I dzięki temu zdawała sobie także sprawę z tego, że czegokolwiek by nie powiedziała, będzie szedł w zaparte. Budował nowego siebie – a do tego niezbędne mu było, by i ona zaczęła postrzegać go jako inną osobę.

Zbył jej uwagę milczeniem, a potem przygarbił się.

– Dowiedziałem się od Artura Żelaznego.

– Jesteś z nim w kontakcie?

– Tak. Jak być może pamiętasz, miałaś prowadzić moją sprawę.

– Nigdy nie nosiłam się z takim zamiarem. Pedofilów nie bronię. Koniec kropka.

Sprawiał wrażenie, jakby nie wiedział, co odpowiedzieć. W rzeczywistości jednak z pewnością starał się po prostu utrzymać nerwy na wodzy i nie odparować zbyt agresywnie.

Kiedyś naprawdę był taki, jakiego teraz udawał. Zanim odeszła matka, Chyłka widziała w nim jedynie spokojnego, ciepłego człowieka. Potem jednak stopniowo się zmieniał, a od momentu, kiedy jego kumpel pewnej nocy podczas popijawy zaczął się do niej dobierać, Filip znalazł się na równi pochyłej.

Tanie narkotyki, jeszcze tańszy alkohol, urywany film, huczne libacje do bladego świtu… to wszystko było dla Obertała chlebem powszednim. A dla Chyłki składało się na środowisko, w którym dorastała.

Zaklęła cicho i pokręciła głową.

– Nie odpowiesz?

– Odpowiem tak, że bronisz teraz zamachowca.

– To wciąż lepsze od pedofila.

– Te zarzuty nie miały nic wspólnego z…

– Więc o co chodziło?

– Zostałem oskarżony o formułowanie gróźb karalnych.

Joanna pochyliła się lekko. Musiała przyznać, że była zaciekawiona. Takie wyznanie niespecjalnie współgrało z nowym image'em, który starał się stworzyć Filip. Kiedy Żelazny wywierał na nią presję, by wzięła jego sprawę, nie wnikała w szczegóły. I mimo że formalnie zgodziła się na podjęcie obrony, nie miała zamiaru nigdy tego robić.

– Wobec kogo formułowałeś te groźby?

– Piotra Langera.

Uniosła wysoko brwi, poniewczasie orientując się, że taka reakcja dostarczy mu satysfakcji. Widok obojętności na twarzy córki był dla niego największym ciosem. Zaskoczenie czy inne emocje wręcz przeciwnie.

– Nie zapytasz, skąd…

– Nie zapytam o nic – wpadła mu w słowo. – Bo nie będę musiała. Wszystko mi opowiesz, od początku.

Po chwili dostała swoje danie, a Obertał zaczął relacjonować, jak śledził jej postępy w sprawie Salusa. Wyjawił, że już wcześniej zamierzał się z nią skontaktować, zaniepokojony telefonami od Magdaleny.

– Twoja siostra powiedziała mi, że pracujesz w prawniczym butiku w Arkadii, że pijesz coraz więcej i…

– Co było, minęło.

Skinął głową, jakby zinterpretował te słowa znacznie szerzej, niż powinien. Potem kontynuował opowieść, długo rozwodząc się nad tym, jak bił się z myślami, rozważając, czy nawiązać kontakt.

Chyłka musiała kilkakrotnie przypominać mu, że interesuje ją to mniej więcej tak, jak buddyjskiego mnicha kuszenie Jezusa na pustyni.

– Jak tylko przyjęłaś sprawę tego Roma, uznałem, że pomogę… zacząłem interesować się Salusem, rozpytywałem na temat firmy…

– I dowiedziałeś się, że Langer zasiada w radzie nadzorczej.

Pokiwał głową, a ona odkroiła kawałek mięsa. Zanim Filip zdążył powiedzieć więcej, podszedł do nich kelner, popatrzył na Obertała i zapytał, czy nie życzą sobie czegoś jeszcze. Joanna stanowczo zaprzeczyła.

– Wiedziałem o tym, że go broniłaś. To była dość głośna sprawa.

– Stanowczo za głośna. Nawet jak na moje uszy, które są otrzaskane z mocnymi brzmieniami.

Uświadomiła sobie, że zbyt daleko się posuwa. Nie powinna pozwalać sobie na taki ton, zbliżali się bowiem do niebezpiecznego miejsca, w którym zaczynała się normalna konwersacja. A na to nie miała zamiaru pozwolić. Nigdy.

– Wiedziałem też, że coś w tej sprawie było bardzo nie w porządku.

– Nie sil się na zaniepokojony rodzicielski ton.

– Dobrze – odparł ze spokojem. – Zresztą wystarczy tylko, żebyś wiedziała, że Magdalena nie zdradziła mi nic konkretnego. Powiedziała tylko, że były z Langerem problemy.

– Więc spotkałeś się z nim.

– Tak.

Chyłka zaśmiała się pod nosem.

– Niewiarygodne.

– Chciałem dać mu do zrozumienia, że jeśli w jakikolwiek sposób będzie ci robił problemy…

– Wprost nie do uwierzenia – przerwała mu, odkładając sztućce. – Wracasz po tylu latach i wpierdalasz się wprost w sam środek mojego życia.

– Chciałem tylko…

– Chciałeś dokładnie tego, co osiągnąłeś, gnoju – ucięła. – Znam cię. Znam twoje metody. I doskonale zdaję sobie sprawę, że poszedłeś do Langera, by ugrać to, co ugrałeś.

– Ale…

– Liczyłeś na to, że zagrozi ci pozwem. I zamierzałeś zgłosić się do nas, żebyśmy cię reprezentowali, ty pieprzony łgarzu. Chciałeś pokazać, jak ci zależy na córce. I że jesteś gotowy podpaść nawet samemu Langerowi.

Filip nie odpowiadał. Robił jednak wszystko, by wyglądać na urażonego.

– Wiedziałeś, że mamy z nim niezałatwione sprawy, więc nie miałeś wątpliwości, że Żelazny skorzysta z okazji i weźmie sprawę. I przydzieli do niej mnie, bo uzna, że w takiej sytuacji wytoczę przeciwko Langerowi najcięższe działa. Nie połapał się tylko, że chciałbym raczej wycelować je w ciebie.

Podniosła się, a potem sięgnęła nerwowo do kieszeni żakietu. Zamierzała rzucić na stół kilka banknotów i po prosu wyjść z Saskiej Gęby, na śmierć jednak zapomniała o tym, że nigdzie nie znajdzie portfela.

Obertał również się podniósł.

– Langer wycofał pozew – odezwał się.

– Świetnie. Dzięki tobie sądzi teraz, że jestem mu coś winna.

Miała ochotę podnieść resztkę mięsa i cisnąć ją prosto w twarz Filipowi. Była przekonana, że Piotra Langera ma z głowy na dobre. Owszem, mógł jeszcze kiedyś nagle wyskoczyć skądś jak diabeł z pudełka, ale nie spodziewała się, że nastąpi to tak szybko. I że będzie to miało związek z jej ojcem.

– Jesteś zupełnym kretynem – rzuciła. – I trzymaj się ode mnie z daleka.

– Joanno...

– Zapłacisz też za tego befsztyka – dodała, jakby rzeczywiście miało to stanowić jakąś formę kary.

Odwróciła się, ale złapał ją za rękę. Natychmiast odtrąciła jego dłoń i sama się zamachnęła. Zamarła, orientując się, że niewiele brakowało, by mu przywaliła. Najwyraźniej nie tylko na Zordonie odcisnęły się piętnem emocje tego dnia.

– Posłuchaj – powiedział Filip, patrząc, jak opuszcza rękę. – Będziesz miała dziecko, zostaniesz matką, a ja... a ja chcę w tym...

– Nie masz prawa w niczym uczestniczyć.

Nie dodała nic więcej. Szybkim krokiem opuściła restaurację, a potem przyspieszyła jeszcze bardziej, kierując się do pierwszego lepszego monopolowego. Wpadła do środka jak huragan, omiotła wzrokiem półkę z alkoholami i znów uświadomiła sobie, że nie ma czym zapłacić.

– Kurwa mać! – krzyknęła.

Ekspedient popatrzył na nią niemal z przerażeniem. Zwróciła na niego wzrok i przekonała się, że dobrze go zna. Zazwyczaj była to dla niej wada osiedlowych sklepów, każdy bowiem mógł zidentyfikować alkoholika wyjątkowo szybko. Tym razem jednak mogło się to okazać zaletą.

– Potrzebuję butelki na krechę – rzuciła.

– Słucham?

– Muszę się napić. Teraz, już. Zostawiłam portfel w domu.

– W takim razie…

– Zapłacę ci dychę więcej, jak nie będziesz robił problemów. Kupisz sobie paczkę fajek.

Chłopak szybko zrozumiał, że nadarzyła się okazja.

– Raczej pół – zauważył.

– Niech będą dwie dychy.

– W porządku.

Joanna ściągnęła z półki pierwszą lepszą butelkę tequili, a potem niemal wyskoczyła ze sklepu. Spojrzała w kierunku wejścia na osiedle. Było tuż obok, ale jednocześnie stanowczo za daleko.

Już czuła ciepło rozlewające się w żołądku. Ręce jej się zatrzęsły, kiedy odkręcała butelkę. Nie zastanawiając się ani przez moment, przyłożyła gwint do ust i przechyliła.

Smak był cudowny, ale uczucie okropne. Przełknęła pierwszą porcję alkoholu z trudem. Szybko jednak pociągnęła kolejny łyk.

Rozejrzała się niepewnie. Jej pierwszą myślą nie było to, jaki efekt alkohol może mieć na płód w tak wczesnym okresie ciąży. Uświadomiła sobie, że szuka wzrokiem Oryńskiego. Obawiała się przede wszystkim tego, że po wyjściu z osiedla czekał gdzieś tutaj, jak czasem miał to w zwyczaju robić.

Nigdzie go jednak nie dostrzegła. Zauważyła za to Filipa, który szybkim krokiem kierował się ku niej. Popatrzyła najpierw na niego, a potem na butelkę.

Stawała się nim, czy tego chciała, czy nie. A może po części zawsze nim była.

Zakręciła tequilę i podeszła do rogu osiedlowego sklepu. Postawiła butelkę na parapecie niewielkiego okna, a potem przechyliła się za ścianę. Włożyła dwa palce do gardła i wywołała odruch wymiotny.

Po chwili Obertał stanął obok i podał jej chusteczkę. Otarła usta i spojrzała pod nogi.

– Teraz możesz ze mną zjeść – powiedziała. – Przynajmniej w pewnym sensie.

Nie czekając na odpowiedź, odeszła w stronę osiedla. Nie obracała się przez ramię, nie chciała nawet przez ułamek sekundy widzieć Filipa. Obawiała się, że poczuje się, jakby patrzyła w lustro.

Wróciła do mieszkania i zatrzasnęła za sobą drzwi. Oparła się o nie, na chwilę zamknęła oczy, a potem spojrzała w dół. Przez moment się nie ruszała. Potarła lekko brzuch.

Skrzywiła się i poszła do łazienki. Szorowała zęby przez dobre dziesięć minut, jak gdyby mogło to usunąć znacznie więcej niż tylko nieprzyjemny posmak w ustach.

Chwilę później weszła do salonu i wzięła głęboki oddech. Uznała, że najwyższa pora zająć się rzeczami, które nie miały wiele wspólnego z prawem. Przynajmniej na tym etapie. Trudno było powiedzieć, czy za jakiś czas nie wysuną się one na pierwszy plan także w kwestii ciąży.

Odsunęła tę myśl. Najpierw ustali, kto jest ojcem. Potem będzie się martwić uregulowaniem tej sytuacji przed sądem rodzinnym.

Podłoga w salonie była zwyczajowo zawalona materiałami związanymi ze sprawą, nad którą pracowała. Jakiś czas temu przyjęła taki sposób działania z musu, szybko jednak okazało się, że jest znacznie bardziej efektywny niż gromadzenie wszystkiego na biurku czy na komputerze.

Stojąc między rozłożonymi dokumentami, kartkami i zdjęciami, miała znacznie lepszy ogląd sytuacji.

Żałowała tylko, że w sprawie dziecka nie może tego powiedzieć.

Przeszła do pokoju, który wcześniej służył jej za gabinet, i usiadła przy biurku stojącym obok okna. Widok nie był za dobry, tuż obok stał bowiem dziesięciopiętrowy, stary blok. Chyłka wysunęła jedną z szuflad, wyciągnęła notatnik i położyła go na blacie.

Przez chwilę obracała długopis między palcami, raz po raz przykładając końcówkę do ust.

Sprawa była problematyczna.

Zapisała nazwisko Szczerbatego, po czym zaczęła zastanawiać się nad mężczyzną, którego poznała w… właściwie nie pamiętała gdzie. Pewne było tylko to, że musiało chodzić o lokal, gdzie grano mocną muzykę.

Wiedziała oprócz tego dwie rzeczy. Facet wyglądał naprawdę nieźle, miał mnóstwo tatuaży i imię zaczynające się na literę „W". Nic nie zmieniło się jednak od ostatniego momentu, kiedy próbowała dowiedzieć się czegoś więcej – równie dobrze mógł to być Wiktor lub Witold, jak Wergiliusz czy Wrocisław.

Zapisała „W".

Podrapała długopisem tył głowy i wyprostowała się. Dopiero po chwili uświadomiła sobie, że wstrzymuje oddech. Wypuściła ze świstem powietrze, starając się przywołać z pamięci inne ofiary.

Na dobrą sprawę tylko jeden kandydat naprawdę ją niepokoił.

Z Wezuwiuszem, czy jak się zwał, oraz ze Szczerbińskim poradziłaby sobie bez problemu. Nie byłoby mowy o żadnym związku, żadnym wspólnym wychowywaniu pasożyta. Odsunęłaby ich na boczny tor.

I *eso es todo*, jak mawiają Hiszpanie. To by było na tyle.

Problem pojawiłby się przede wszystkim w przypadku jednego mężczyzny. Tego, z którym nigdy nie powinna wchodzić w żadne relacje, co dopiero lądować z nim w łóżku. I który sam wychodził z podobnego założenia względem niej.

A mimo to doszło do tego, co hipotetycznie niemożliwe.

Paweł Messer. Obecnie jeden z najlepszych karnistów w Warszawie, niegdyś zajmujący się też innymi gałęziami prawa. Imienny partner w kancelarii, którą postrzegano jako jednego z głównych konkurentów Żelaznego & McVaya.

Czymański Messer Krat rozwijała się coraz szybciej, raz czy dwa czyniąc zakusy na przejęcie co głośniejszych nazwisk z innych kancelarii adwokackich. Do tej pory nikt od Żelaznego & McVaya nie skorzystał z takiej możliwości, ale wraz z rozwojem CzMK pokusa była coraz większa. Głównie za sprawą coraz lepszych i coraz śmielej składanych ofert.

Chyłka nigdy żadnej nie otrzymała. Jej konflikt z Pawłem Messerem był znany każdemu – i nie miał nic wspólnego z wysublimowaną konkurencją, jak przy rywalizacji z Olgierdem Paderbornem.

Ona i Messer ścierali się ze sobą podczas kilku procesów, nie przebierając w środkach i niejednokrotnie balansując na granicy otrzymania kary porządkowej od sędziów przewodniczących rozprawom.

Obrzucali się błotem zarówno w salach sądowych, na oczach wszystkich, jak i wówczas, gdy niefortunnie wpadali na siebie gdziekolwiek indziej.

Nie dochodziło do tego często. Właściwie robili, co mogli, by omijać się szerokim łukiem. A jednak raz wybitnie im się to nie udało.

Chyłka niechętnie zapisała jego nazwisko na kartce. Zastanawiała się jeszcze przez moment, po czym zrezygnowała z dalszych prób. To byli trzej najbardziej prawdopodobni kandydaci.

Poprosi Kormaka o pomoc w odnalezieniu tego na „W", z pozostałymi dwoma się rozmówi. Nie przekonywało jej bynajmniej to, że Szczerbaty zarzekał się o swojej ostrożności. Żadne zabezpieczenie nie było stuprocentowo pewne.

Wróciła do salonu, usiadła między rozłożonymi materiałami, a potem podjęła próbę poskładania wszystkiego w logiczną całość.

Nie ulegało wątpliwości, że szesnaście lat temu doszło do uprowadzenia. Dżihadyści wówczas jeszcze nie działali zbyt prężnie na tym polu – Chyłka przypuszczała, że porywaczami mogli być Europejczycy handlujący żywym towarem lub Romowie. Jedna i druga grupa nieraz wybierała białe dzieci. Ci pierwsi sprzedawali je dalej, i być może właśnie tak Przemek trafił do islamistów. Ci drudzy wychowywali obce dzieciaki jak swoje, ale chłopak w pewnym momencie mógł zbiec.

Chyłka rozpuściła włosy i pochyliła głowę. Były to tylko dwa najczęściej ziszczające się scenariusze. Mogła jednak pomyśleć o kilkunastu innych. Potarła nerwowo skronie, podniosła się i usiadła wygodnie na fotelu.

Nawet nie wiedziała, kiedy nadszedł sen.

Rano zbudził ją dźwięk refrenu *Afraid to shoot strangers*. Powiodła wzrokiem za komórką, ale nigdzie jej nie dostrzegła. Dopiero po chwili zreflektowała się, że zostawiła ją w żakiecie.

Powlokła się po nią cała obolała.

Dzwonił Oryński. Joanna zastanawiała się nad odebraniem o moment za długo, aż skończył się czas nawiązywania połączenia. Już chciała odłożyć telefon, kiedy wyświetlacz znów rozbłysnął. Tym razem przesunęła po nim palcem.

– Jeszcze pierwszy kur nie zapiał, Zordon – rzuciła chrapliwym głosem.

– Mamy przełom.

Chyłka natychmiast się ożywiła, jakby jednym haustem opróżniła kilka filiżanek espresso.

– Jak duży?

Odpowiedź w pełni ją usatysfakcjonowała.

11

Sala konferencyjna, Skylight

Obserwując wchodzącą do pomieszczenia prawniczkę, Kordian mógłby przysiąc, że cofnęli się w czasie. Znów miała podkrążone oczy, szarą cerę i wyraźnie zmęczoną twarz. Zupełnie jak wtedy, kiedy dzień w dzień systematycznie pracowała nad tym, by minąć swój pijacki *point of no return*.

Spojrzał na nią z niepokojem.

– Nie łyp tak – zagroziła, zajmując miejsce obok niego.

Wszystkie dokumenty znajdowały się już na stole. Czekali tylko na dwójkę ludzi, którzy mieli zasiąść naprzeciwko.

– Nie łypię.

Spojrzała na niego z ukosa.

– *Sic!*, Hey – rzuciła, jakby to było jakieś tajne hasło.

– Co?

– *Sic!*, Hey, Zordon.

– To jakaś nowa forma *sieg heil*? – bąknął. – Zamieniłaś się w neonazistkę? A może zawsze nią byłaś?

– Jeśli już, bliższy byłby mi faszyzm.

– Sądziłem, że raczej frankizm.

Nieraz mówiła o swojej głębokiej sympatii do hiszpańskiego dyktatora, Francisco Franco. I właściwie Kordian sądził, że dogadaliby się całkiem nieźle.

– A – odezwała się. – To tylko, jeśli już mówimy poważnie.

– Może nie róbmy tego – zaoponował, chcąc uniknąć jednego z wywodów, które wychwalały osiągnięcia faceta odpowiedzialnego za prowadzenie bezlitosnej polityki między innymi wobec mniejszości narodowych. – Ale o co chodzi z tym hasłem?

– Kasia Nosowska śpiewa w tym numerze, że nie wygląda tego dnia przesadnie ładnie.

– Aha.

Chyłka spojrzała w kierunku drzwi, a potem przeniosła wzrok na Kordiana.

– Coś nie tak? – mruknęła. – Chcesz może zasugerować, że to w moim przypadku niedopowiedzenie?

– Nie, po prostu…

– Zastanawiasz się, czy po spotkaniu z Obertałem umoczyłam dziób.

– Nie ująłbym tak tego, ale…

– Ale zdajesz sobie sprawę, że ubzdryngoliłabym nie tylko siebie, ale także to, co we mnie siedzi? – wpadła mu w słowo, a potem się zamyśliła. – Choć nie wiem, czy teraz tak to działa. Od którego tygodnia płód ma zdolność przyjmowania alkoholu?

– Chyba od początku.

– Mhm. Muszę to sprawdzić.

– Tak, zdecydowanie powinnaś zainteresować się tematem.

Znów zerknęła w kierunku drzwi. Klienci się spóźniali.

Dopiero po chwili zorientowała się, że Kordian jej się przygląda.

– Czego znowu, Zordon?

– Myślę nad tym, co powiedziałaś.

– Żartowałam. Alkohol wpływa już na zygotę.

– Nie nad tym. Nad *Sic!*, Hey – wyjaśnił, a potem obrócił się w jej stronę. – Nie pasuje mi to.

– Bo?

– Bo wyglądasz przesadnie ładnie.

Przez moment milczała, patrząc na niego nieprzeniknionym wzrokiem. Kordian miał wrażenie, że za chwilę równie dobrze może usłyszeć całą kanonadę obelg, jak i zdawkowe podziękowanie.

Czekał na reakcję, ale ta nie nadchodziła. Patrzyli na siebie w milczeniu na tyle długo, że stało się to dla niego dyskomfortem. Poprawił poły marynarki, ale nie oderwał wzroku od Joanny.

– *Mamihlapinatapai* – wyrecytowała bez zająknięcia Chyłka.

Tego się nie spodziewał.

– Powtórz – poleciła.

– Co… co to ma niby znaczyć?

– Powtórz, Zordon.

– Mami…

– *Mami. Hlapi. Natapai.*

Z trudem udało mu się połączyć te trzy człony w jedno i powtórzyć. Czekał na wyjaśnienie, ale Chyłce najwyraźniej sprawiało przyjemność trzymanie go w niepewności.

– Wytłumaczysz mi, o co chodzi?

– To z jagańskiego. Najtrudniejsze do przetłumaczenia ze znanych słów, bo w żadnym innym języku nie ma bezpośredniego odpowiednika.

Nigdy nawet nie słyszał o jagańskim, ale nie miał zamiaru o tym wspominać.

– Oznacza spojrzenie wymieniane przez dwójkę ludzi, które sugeruje, że obydwoje chcieliby sobie coś powiedzieć, tyle że żadne z nich nie ma odwagi, by to zrobić.

Otworzył lekko usta, ale się nie odezwał. Natychmiast zrozumiał, że w istocie przydałoby się zapamiętać to słowo, uleciało mu już jednak z pamięci. Jedno nie ulegało wątpliwości – kimkolwiek byli Jaganie, najwyraźniej stanowili dość rozgarniętą społeczność.

Zanim zdążył zapytać o coś więcej, otworzyły się drzwi. Anka z Recepcji zajrzała do środka, oznajmiła, że klienci są już w biurowcu i jadą na dwudzieste pierwsze piętro.

– Pójść po Kormaka? – spytała.

– Nie – odparła Chyłka. – Wszystko wiemy, niech chuderlak robi swoje. Nie przepada za spotkaniami z... właściwie z ludźmi ogółem, o ile nie występują na kartach książki.

– Nie on jeden.

Oryńskiego bynajmniej nie dziwiło, że dziewczyna była gotowa stanąć w obronie Kormaczyska. Od jakiegoś czasu wysyłała mniej lub bardziej zawoalowane sygnały, że jest nim zainteresowana.

– Zresztą biorąc pod uwagę tych, którzy tutaj przychodzą, trudno mu się dziwić – dodała.

Mami... hlapi?

Mimo najlepszych chęci Oryński nie mógł przypomnieć sobie reszty.

– Albo ogółem to, co się dzieje na świecie – kontynuowała Anka z Recepcji.

Nani. Kłapi. Na tapczanie?

Mniej więcej tak to szło. Zanim jednak zdążył poskładać to w jedną całość i skorygować, Chyłka mocno szturchnęła go w bok. Potrząsnął głową i spojrzał najpierw na nią, a potem na Ankę.

Recepcjonistka machnęła ręką, najpewniej godząc się z tym, że żadne z prawników nie podejmie tematu.

– Jesteś prawdziwym mentalnym marynarzem, Zordon.

– Że kim?

– Odpływasz myślami w siną dal – odparła. – Na przepastne wody oceanu bezowocności.

Nie zdążył odparować ani wyjaśnić, że próbuje przypomnieć sobie jagański termin, bo do sali konferencyjnej weszli Anna i Tadeusz Lipczyńscy. Rozejrzeli się niepewnie, jakby byli zwierzyną wkraczającą na niebezpieczny obszar.

– Siadajcie państwo – rzuciła Joanna, wskazując im miejsca po drugiej stronie stołu.

Zaraz za małżeństwem weszła Anka, podała kawę i ciastka, a potem posłała długie spojrzenie Chyłce i zamknęła za sobą drzwi. Kordian przypuszczał, że to początek pięknego konfliktu między tymi dwiema. Jedna będzie nadal uszczypliwie mówiła o „chuderlaku" i mu docinała, druga zacznie go bronić.

– Udało się coś wskórać? – odezwał się Tadeusz. – W sprawie zwolnienia naszego syna?

– Pracujemy nad tym – odparła Joanna. – Ale nie po to chcieliśmy się z państwem zobaczyć.

– A w jakim celu?

– Dziś rano otrzymaliśmy wyniki badania DNA.

Anna zamknęła oczy i opuściła głowę. Tadeusz sprawiał wrażenie, jakby ktoś wbił mu nóż w samo serce, a potem podważył żebra i otworzył klatkę piersiową. Najwyraźniej oboje spodziewali się najgorszego.

Kordian im się nie dziwił. Po tylu latach, płonnych nadziejach i tropach, które ostatecznie okazały się ślepe, musieli podświadomie wieszczyć powtórkę poprzednich scenariuszy.

– Kryminalistycy pobrali kilka próbek z pudeł, które trzymali państwo w piwnicy, i...

– Wiemy, skąd się wziął materiał porównawczy – ucięła Anna, podnosząc głowę.

Spojrzała na Chyłkę z tak ogromną nadzieją, że Oryński poczuł się nieswojo. A sądził, że zdążył już do takich rzeczy przywyknąć. Była to immanentna część tej roboty. Klienci najpierw robili głupoty, przez które mogli zniszczyć całe swoje życie, a potem zwracali się do obrońcy, jakby ten był aniołem stróżem lub samym Bogiem, który może wymazać ich przewinienie i nie dopuścić do konsekwencji.

Joanna nabrała głęboko tchu.

– Proszę powiedzieć, to on? – spytała Anna. – To Przemek?

– Tak.

Ona głęboko odetchnęła, on sprawiał wrażenie, jakby nie dowierzał.

– To pewne? – spytał.

Chyłka wzruszyła lekko ramionami.

– To nie śmierć ani podatki – odparła.

Przez moment panowało milczenie.

– Mam na myśli, że absolutnej, stuprocentowej pewności mieć nie można – wyjaśniła. – Ale prawdopodobieństwo błędu w tym wypadku jest mniej więcej takie, jak tego, że ten tutaj aplikant zda egzaminy zawodowe bez nauki.

Kordian wzdrygnął się na tę myśl. Spojrzał na Lipczyńskich, ale ci zdawali się w ogóle nie słyszeć komentarzy

Chyłki. Skupiali się wyłącznie na meritum. Popatrzyli na siebie, a potem na ich twarzach w jednym momencie odmalował się głęboki wyraz ulgi. Objęli się na kilka sekund, a potem pochylili w kierunku adwokatów.

– Co teraz? – zapytał Tadeusz. – Co nam to daje?

– Przede wszystkim jasność sytuacji – odparła Joanna. – Mamy potwierdzenie, możemy działać dalej.

– Czyli?

– Mam już pewną strategię w głowie.

– Jaką?

– Na tym etapie jeszcze za wcześnie, by o tym mówić.

Najwyraźniej, skwitował w duchu Oryński. Jemu także nie wspominała o tym słowem, choć to akurat nie było niczym dziwnym – po prostu nie zwykła tego robić. Nigdy nie dała mu okazji, by poczuł się jak równoprawna strona w sprawach, które współprowadzili.

– No dobrze... – jęknął Lipczyński. – W takim razie jaki będzie pani kolejny krok?

– Rozmówię się z waszym synem.

Nie wyglądali na zadowolonych, z pewnością przez agresywny ton, którego użyła.

– Jak do tej pory milczał, więc...

– Nie stać go na to, żeby dalej to robić – weszła mu w słowo. – A my nie będziemy szukać igły w stogu egipskiego siana. Możemy gonić za tropem przez długie tygodnie lub miesiące, i mimo że mamy na stanie najlepszego śledczego, jakiego znam, nie odnajdziemy niczego istotnego.

Kordian żałował, że tej wzmianki o Kormaku nie usłyszała Anka z Recepcji.

– Tymczasem na Białołęce siedzi jedyna osoba, która ma wszystkie informacje.

– A jednak Przemek nie jest gotów się nimi podzielić… – zauważyła Anna. – Z pewnością ma ku temu powody.

– Nie obchodzi mnie to.

Właściwie mogłoby to być jej motto życiowe. A z pewnością być powinno, jeśli chodziło o podejście do Fahada Al-Jassama. Teraz, kiedy uzyskali pewność co do jego prawdziwej tożsamości, wystarczyło go przycisnąć. W końcu wyjawi, co się z nim działo od momentu, gdy zaginął w Hurghadzie.

Z tą myślą – i niechętnym przyzwoleniem Lipczyńskich – dwoje prawników pojechało do aresztu śledczego. Rozmowa z Paderbornem i przekonanie go, że powinien zgodzić się na widzenie, zajęły nieco dłużej, niż Kordian się spodziewał.

Prokurator zapewnił przy tym, że to ostatni raz przed rozpatrzeniem zażalenia, kiedy pozwala na spotkanie.

– Będziesz robił problemy w kontakcie z obrońcą, to mój klient szybciej wyjdzie – oznajmiła Chyłka przez telefon, który trzymała przed sobą, zupełnie jakby nie była to komórka, a komunikator ze „Star Treka".

Nie dlatego widok prawniczki był jednak dla Kordiana niecodzienny. Siedziała na fotelu pasażera w jego żółtym daihatsu, przywodząc na myśl samego Lucyfera, który omyłkowo zawędrował do kościoła.

– Te kwestie reguluje prawo – odparował Olgierd.

– Ale z niezrozumiałych dla mnie względów zostawia ci pole do popisu. Więc popisz się.

– Nie robię wam żadnych problemów, Chyłka.

– Nie, nie robisz. Jedynie je zapowiadasz.

– Bo moja cierpliwość ma swoje granice.

– Moja też – syknęła. – I jeszcze raz usłyszę, że chcesz ograniczyć prawo do obrony Al-Jassama, zapewniam cię, że popełnię mięsisty artykuł dla „Rzeczpospolitej", w którym wykażę, jakim jesteś sukinsynem.

Zaśmiał się prosto do słuchawki, jakby specjalnie zbliżył ją do ust, by adwokat lepiej usłyszała jego reakcję.

– Mój klient będzie Dawidem, ty Goliatem – dodała. – I zgadnij, komu środowisko sędziowskie, media i potencjalni ławnicy będą przychylniejsi.

Rozłączyła się, nie czekając na odpowiedź. Potem wbiła wzrok przed siebie. Jechali mostem Grota-Roweckiego, zbliżali się do zjazdu na Modlińską. Ruch był minimalny.

– Depnij trochę, Zordon.

– Nie mogę.

– Co cię, kuźwa, powstrzymuje?

– Globalna polityka i światowe trendy.

Popatrzyła na niego z ukosa.

– OPEC porozumiała się z Rosją w sprawie ograniczenia wydobycia ropy naftowej. Niebawem zmniejszy się podaż, cena baryłki pójdzie jeszcze bardziej w górę, a...

– Tak, wiem, jak to działa – ucięła. – Ale myślałam, że ten twój rydwan ognia chodzi na LPG?

– Nie.

– Zainwestuj w instalację. Będzie pasowała.

Wbił kierunkowskaz i zjechał na ślimaka. Chwilę później jechali już wzdłuż Wisły, w kierunku aresztu śledczego. Tym razem Oryński zdecydował się nieco przyspieszyć, by nie narażać się na krytykę.

– To niejedyna rada, jaką dla ciebie mam.

– Dzięki Bogu. Nie wiem, jak bym bez nich funkcjonował.

Oparła się na podłokietniku, obróciła do niego i przechyliła głowę.

– Gdzie parkujesz, Zordon?

– Hę?

– Przed robotą. Gdzie stawiasz rydwan?

– Gdzie jest akurat miejsce.

– Zainwestuj w karnet pod Pajacem.

– Taniej wychodzi mi…

– Zainwestuj – powtórzyła. – To słowo klucz, oznacza bowiem, że przeznaczasz jakąś część pieniędzy na cel, dzięki któremu tę część później pomnożysz. Łapiesz mniej więcej, o co chodzi?

– Po jaką cholerę mi miejsce pod PKiN-em?

– Żebyś mógł parkować obok Żelaznego. Staje tam od lat, pewnie z przyzwyczajenia – wyjaśniła Joanna. – Sęk tkwi w tym, żeby to twoje oczojebne cudo zawsze znajdowało się na miejscu parkingowym obok, kiedy Stary przyjeżdża do pracy. I żeby nadal tam stało, kiedy odjeżdża.

– Aha.

– Dzięki temu będziesz sprawiał wrażenie, że harujesz jak wół. Przychodzisz przed szefem, wychodzisz po nim.

– Nie muszę sprawiać żadnego wrażenia. Haruję.

– Pewnie, pewnie.

Miał nadzieję, że już więcej porad nie usłyszy. Zanim jednak dojechali pod boczną bramę przy Orneckiej, musiał jeszcze wysłuchać całej litanii na temat tego, jaka wysokość obrotów jest optymalna, by jednocześnie jechać dynamicznie, ale nie spalać benzyny niczym ford mustang czy inne amerykańskie cudo.

Kiedy wysiedli z samochodu, Chyłka nagle spoważniała. Wbiła wzrok w budynek widoczny za wysokim murem i nabrała głęboko tchu.

Zaczyna się, pomyślał bojowo Oryński. Zamknął samochód, a potem przegładził ręką krawat i sprawdził, czy koszula nie wysunęła mu się ze spodni. Był gotowy. Popatrzył na Joannę. Nadal tkwiła w postawie zasadniczej.

Nagle jednak zgięła się wpół, obróciła i zwymiotowała.

– Chyłka?

Przez moment się nie odwracała. Mruknęła pod nosem coś niezrozumiałego. Powoli zaczął się do niej zbliżać, ale zatrzymał się, kiedy wyciągnęła ku niemu otwartą dłoń.

– Wstrętny pasożyt – bąknęła. – Kręci mi się w brzuchu i wywołuje rigoletto.

– Chyba nie ma jeszcze zdolności kręcenia się.

– A co ty tam wiesz, Zordon.

Otarła usta chusteczką, zza pazuchy wyciągnęła opakowanie gum do żucia, a potem wpakowała dwa listki do ust. Skinęła na Oryńskiego, jednocześnie wyciągając ku niemu paczkę.

– Poczęstuj się.

Spojrzał krytycznie na czerwone opakowanie.

– Nie lubię big redów – oznajmił.

– Ja też nie, cynamonowe świństwo. Dostałam od znajomego, innych w domu nie znalazłam.

Schowała gumy do kieszeni i przyspieszyła kroku. Dopiero teraz na dobre zaczęła wyglądać, jakby nastroiła się bojowo. Po raz kolejny Kordian zaczął się zastanawiać nad tym, jak długo pociągnie w taki sposób.

Do którego miesiąca będzie potrafiła być tą prawniczką, którą znał? Kiedy jej ciało zacznie się buntować przed przeszarżowaniem?

Z pewnością będzie robiła wszystko, by nie odpuścić do samego końca. Trudno było jednak sobie wyobrazić, by w siódmym, ósmym czy tym bardziej dziewiątym miesiącu wykłócała się na sali sądowej lub odwiedzała klienta w areszcie.

Wiedział jednak, że nie ma sensu z nią o tym rozmawiać. I tak zrobi, co będzie chciała. W ostateczności napisze pełnomocnictwo i przekaże mu prowadzenie sprawy. Już to przerabiali, choć nie przy tak dużym procesie, jakim ten mógł się okazać.

Na Fahada czekali nieco dłużej niż ostatnio. Kiedy wszedł do pokoju widzeń, sprawiał wrażenie przybitego, zgaszonego. Opadł ciężko na krzesło, a potem posłusznie poczekał, aż strażnik na powrót go skuje.

Kiedy uniósł spojrzenie, Oryński zobaczył w jego oczach niewypowiedzianą prośbę.

Chyłka poruszyła się nerwowo.

– Coś nie tak, bisurmanie? – zapytała. – Ktoś ci groził? Zaatakował cię?

– A jak sądzisz?

– Że praktykuję prawo dostatecznie długo, by wiedzieć, że tak.

– W takim razie po co pytasz?

– Po to, żeby uświadomić ci, że to jest ten moment, kiedy powinieneś zacząć współpracować.

Długo przytrzymywał jej spojrzenie, a Kordian skorzystał z okazji, by spróbować wyczytać z niego coś jeszcze. Była w nim jednak tylko bezsilność.

– Poczekasz jeszcze trochę, a na kolejne widzenie będziemy musieli się z Zordonem udać do ambulatorium.

– Poradzę sobie.

– W jaki sposób? – odparowała. – Nie dość, że jesteś młody i nigdy wcześniej niekarany, to jeszcze nie zdążyłeś nikogo zabić. Przysługuje ci zero szacunku w szeregach więźniów.

Zaczęła przeżuwać nieco energiczniej, a Fahad odwrócił wzrok. Popatrzył na Oryńskiego, jak gdyby liczył, że to on przejmie pałeczkę. Jakby chciał zasugerować, że w istocie jest wreszcie gotowy na pewne ustępstwa, ale nie wobec kobiety.

– W dodatku mają cię za terrorystę – dodała Joanna. – Osobę, która podniosła rękę na ten kraj. A zapewniam cię, Fahad, mimo że jest tu wielu parszywców, znajdzie się też kilku patriotów, którzy wytłumaczą ci, dlaczego Polacy w swojej historii rozbijali armie znacznie liczniejsze od nich.

Al-Jassam poruszył łańcuchem, nadal patrząc na Kordiana.

– Albo zaczniesz gadać, albo zaraz będzie za późno.

Oryński pokiwał głową na potwierdzenie jej słów. Kiedy Chyłka się do niego obróciła, zrozumiał, że chce, żeby przejął inicjatywę. Rozpiął marynarkę i położył łokcie na stole. Przez moment czekał, by to, co powiedziała, dotarło do ich klienta.

– Mamy wyniki badań DNA – odezwał się w końcu Kordian.

– To dobrze.

Fahad wyglądał, jakby poczuł prawdziwą ulgę.

– Potwierdzają, że jesteś synem Lipczyńskich.

Przez chwilę Al-Jassam trwał w zupełnym bezruchu, a potem nagle się roześmiał. Jakiś czas trwało, nim się uspokoił. Do tego momentu kręcił głową z niedowierzaniem i wyglądał na realnie rozbawionego.

– Korzystaj, póki możesz – zauważyła Joanna. – Niedługo nie będzie ci już tak do śmiechu.

– Nie rozumiecie – odparł, nadal się uśmiechając. – Ktoś mąci.

– Owszem. Ty.

– Nie. Komuś z jakiegoś powodu zależy na tym, żeby... – Urwał i znów się roześmiał. – Nie rozumiecie – powtórzył. – Nie jestem ich synem.

– Biologicznie nie, oczywiście – włączył się Oryński. – Ale...

– Nie. Te badania powinny pokazać, że nie mam nic wspólnego z tamtym chłopakiem. Ktoś je sfałszował, choć nie rozumiem po co.

Prawnicy spojrzeli po sobie.

– Ja naprawdę nie jestem ich synem – dodał Fahad.

12

ul. Chocimska, Stary Mokotów

Chyłka nie miała zamiaru mówić Lipczyńskim o tym, co wydarzyło się w areszcie. Wprawdzie Zordon raz po raz przebąkiwał, że właściwie to oni płacą rachunki i powinni być ze wszystkim na bieżąco, ale wytrwale ignorowała jego uwagi.

Kiedy jechali na Mokotów, niewiele się odzywała. Wciąż się zastanawiała, dlaczego Fahad przyjął taką a nie inną taktykę. Jakie korzyści mogła mu przynieść? Z jego punktu widzenia najlepiej byłoby przyznać, że jest synem Anny i Tadeusza. Nawet jeśli nie była to prawda.

Joanna stała przed daihatsu, czekając, aż Kordian wróci z biletem parkingowym. Zamyśliła się tak głęboko, że nie zauważyła, kiedy wetknął go za szybę i zamknął drzwi. Obejrzała się przez ramię dopiero, gdy głośno odchrząknął.

– To wszystko jakieś brednie – zauważył.

Uniosła pytająco brwi.

– Przecież wynik badania DNA był jednoznaczny – dodał.

– A ja mogę wymyślić przynajmniej kilka scenariuszy, w których go obalam. To nie jest żelazny dowód, Zordon.

– Nawet jeśli nie, muszą istnieć inne sposoby, żeby zweryfikować, czy on mówi prawdę.

– Mhm.

– Przemek mógł mieć jakieś cechy szczególne.

Wzruszyła ramionami.

– Oprócz tego istnieją przecież te wszystkie algorytmy, dzięki którym skanery zamieniają twoją twarz na ciąg znaków, a potem porównują z…

– Technicy wszystko sprawdzili, Zordon – ucięła, patrząc na gmach, do którego zaraz mieli wejść. – Ustalenia były nierozstrzygające, już ci mówiłam.

– Brzmi to wręcz nieprawdopodobnie.

Joanna ruszyła powoli w kierunku pokaźnego budynku, przywodzącego jej na myśl miejsca, w których urzędowali dyktatorzy lub ich totalitarne sługusy. Niespecjalnie orientowała się w jego historii, ale zważywszy na masywne, wysokie kolumny i ponurą atmosferę, przeszłość musiał mieć nieciekawą.

Wiedziała tyle, że budynek był wart jakieś trzydzieści milionów. Tyle ujawniono na stronie internetowej – bo musiano. Wszystko, czego nie musiano, trzymano w tajemnicy. Było to typowe dla instytucji, która tu urzędowała.

Chyłka doskonale znała za to historię pobliskich budynków. Tuż obok niegdyś było Biuro Odbudowy Stolicy, też miejsce nieprzesadnie chlubne, jeśli wziąć pod uwagę, co zrobiono w Warszawie po czterdziestym piątym. Komuniści zagospodarowali ją tylko trochę lepiej od nazistów.

Pozostałe gmachy nie wymagały od przechodnia znajomości historii. Stary Mokotów właściwie wydawał się obłożony tablicami pamiątkowymi. Tu mieszkał dyrygent Rowicki, tam filozof Tatarkiewicz, a jeszcze dalej mieścił się Dom Welecki. I perełka, kamienica Gombrowicza.

Chyłka zmrużyła oczy.

– Niebezpiecznie jest namawiać ludzi do odwagi z bezpiecznego miejsca – odezwała się.

– Hę?

– Parafrazuję Gombro.

Kordian wydawał się zaskoczony.

– Nie przypuszczałem, że doceniasz jego spuściznę.

– Żartujesz? To był pieprzony geniusz.

– O dość liberalnym światopoglądzie.

– Nie wszystko ma związek z polityką, aplikancie – zauważyła.

– Ale polityka ma związek ze wszystkim.

– E tam – odparła i machnęła ręką. – Ale z Gombro dążę do tego, że…

– Że nie namówimy Al-Jassama do wyjawienia prawdy, bo jesteśmy w bezpiecznym miejscu – dopowiedział Kordian. – A on nie.

Chyłka wzruszyła ramionami.

– Hipoteza dobra jak każda inna, prawda?

– Może – przyznał Oryński. – W takim razie co proponujesz?

– Władować się w równie niebezpieczne miejsce, jak Fahad.

– Z tym chyba nie będzie problemu. Biorąc pod uwagę, że najpierw ktoś nas śledził, a potem buchnął nam iks piątkę…

– *Hola, señor*. Nam?

– Zagalopowałem się.

– I to stanowczo za daleko – potwierdziła. – Rozumiem twoje ciągoty, żeby mieć współudział w tej czy innej związanej ze mną kwestii, ale to już przesada.

– Ciągoty?

Stanęli przed głównym wejściem. Chyłka potoczyła wzrokiem po okazałej fasadzie, a potem rozejrzała się. Tuż obok stała zaniedbana kamienica, która sprawiała wrażenie, jakby ostatnim razem remontowano ją za czasów, kiedy głównym architektem Warszawy był Adolf Hitler.

Właściwie w pewien sposób takie otoczenie pasowało do instytucji, która się tu mieściła. Znacznie bardziej niż domy dawnych artystów.

– Oczywiście, że masz ciągoty.

– Nie rozumiem, o czym mowa.

– *Nihil novi* – odparła pod nosem Joanna. – A mowa o tym, że kipisz z zazdrości.

– Co proszę?

– Jesteś załamany, że to nie ty jesteś ojcem, więc podświadomie uzurpujesz sobie prawo do współposiadania iks piątki.

– Trudno, żebym był ojcem, skoro nigdy nie było okazji, żebym się nim stał.

Joanna ruszyła w kierunku drzwi, przelotnie zerkając na czerwoną plakietkę z polskim godłem oraz napis „Prokuratura Okręgowa w Warszawie".

– Mogłam pobrać materiał genetyczny, a potem postarać się o zabieg *in vitro*.

Spojrzał na nią niepewnie, otwierając przed nią drzwi. Weszli do środka zdecydowanym krokiem.

– Właściwie masz rację – przyznał. – Byłabyś do tego zdolna.

– O ile nie kłóciłoby się to z moim światopoglądem.

Oryński uniósł bezradnie wzrok w momencie, gdy zainteresował się nimi pracownik ochrony.

– Jesteś przeciwna nie tylko aborcji, ale i *in vitro*?

– Co do zasady nie, ale wszyscy wiemy, ile zarodków się w ten sposób… powiedziałabym, że marnuje, ale marnować to się może przeterminowane jedzenie.

Zatrzymali się przed bramkami wykrywającymi metal.

– Z jakiegoś powodu czuję niepokój, ilekroć mówisz o tych sprawach – zauważył Oryński, wyciągając z kieszeni marynarki telefon.

– Ja też – odparła pod nosem Chyłka.

Wiedziała, że niebawem wejdzie na zupełnie nieznany teren – i bynajmniej nie miała na myśli prokuratorskiego świata. Zaczną się kolejne dolegliwości związane z ciążą, jej ciało stopniowo przestanie przypominać to, które znała.

Wzdrygnęła się na tę myśl.

– Coś nie tak? – zapytał ochroniarz, podchodząc do nich.

– Żebyś wiedział – odbąknęła, ściągając bransoletkę Iron Maiden z metalowymi elementami. – Moja macica ma teraz wielkość jabłka, a właściwie niewielkiej gruszki. I pojemność raptem kilku mililitrów.

Mężczyzna cofnął się o pół kroku, jakby właśnie zorientował się, że w prokuraturze pojawiła się osoba potencjalnie niebezpieczna, która może wnieść do budynku materiały zagrażające życiu i zdrowiu pracowników.

– Za niecałe dziewięć miesięcy jej pojemność zwiększy się do pięciu litrów. Wyobrażasz to sobie?

– N-n-nie…

– I słusznie. Nikt nie powinien – odparła, przechodząc przez bramki. Rozległ się sygnał świadczący o tym, że musi zawrócić. Zaklęła w duchu, wyjęła telefon, a potem przeszła jeszcze raz. – A mimo to my, kobiety, musimy. Szczególnie kiedy mamy pecha, jak ja.

Poczekała na Kordiana po drugiej stronie, zakładając bransoletkę. Potem zmierzyła ochroniarza wzrokiem. Facet pracował tu od dawna, doskonale wiedział, kim są ludzie, którzy przyszli do gmachu przy Chocimskiej.

Tajemnicą poliszynela było, że zrobi wszystko, co w jego mocy, by poczuli się nieswojo. I Chyłka nie mogła mu się dziwić. Trwała nieustanna wojna, w której nie było miejsca na żadne traktaty pokojowe, zawieszenia broni czy korytarze humanitarne.

Obydwie strony wykorzystywały każdą okazję, by sobie dołożyć. Nawet tak błahą, jak wejście do budynku.

– Proszę się cofnąć.

– Znowu zaczynasz?

– System…

– Tak, tak, system akurat na moment okulał, kiedy przechodziłam przez bramki. Już to przerabialiśmy, kilka razy.

Po chwilowej utarczce słownej Oryński musiał się cofnąć, a Chyłka powtórzyć wszystko od początku. Znalazłszy się w końcu po drugiej stronie, wyjęła telefon z kieszeni i zerknęła na godzinę.

Obróciła się do Kordiana i postukała w komórkę.

– Za każdym razem, kiedy to robię, myślę, że cofnęliśmy się w rozwoju.

Oryński akurat rozkładał ręce, pozwalając, by mężczyzna sprawdził poły jego marynarki wykrywaczem.

– Kiedy co robisz?

– Wyciągam telefon z kieszeni, żeby sprawdzić czas.

Kordian pytająco uniósł brwi.

– Nachodzi mnie taka konkluzja, że identycznie zachowywali się ludzie w siedemnastym wieku. Sięgali do płaszcza czy sakwy na pieniądze, żeby wyjąć zegarek kieszonkowy.

– Mnie nachodzi konkluzja, że zaraz się spóźnimy.

Spojrzeli wymownie na ochroniarza, ale ten zwyczajowo ignorował wymianę zdań między adwokatami.

– Spokojnie, Zordon. Ta łachudra wkalkulowała cyrki przy wejściu, ustalając porę spotkania.

Mimo to Olgierd Paderborn wydawał się niezadowolony zbyt długim oczekiwaniem, kiedy w końcu weszli do jego gabinetu. Nerwowo postukał w tarczę zegarka, a potem niedbale wskazał im miejsca przy niewielkim stoliku obok okna.

Jako jeden z niewielu miał gabinet wielkości dwóch normalnych. Joannie przeszło przez myśl, że zmieściłaby tutaj znacznie więcej regałów na książki niż u siebie. Upchnęłaby nie tylko wszystkie wydania Waltosia, ale także cały zestaw komentarzy do Kodeksu karnego i… Właściwie to wszystko. Były to tak przepastne tomiszcza, że na dobrą sprawę można było używać ich zamiast cegieł przy wznoszeniu budynków.

– Częstujcie się – powiedział prokurator, kiedy zajęli miejsca.

Popatrzyli na pusty stół.

– Ach, no tak – dodał Paderborn. – Czekając na was, wypiłem kawę i zjadłem wszystkie ciastka.

Chyłka zignorowała uwagę. Ilekroć przychodziła do gmachu przy Chocimskiej, odbywała podobną rozmowę z każdym oskarżycielem. Gry pozorów i drobnych uszczypliwości zdawały się nie mieć końca.

A jednak tym razem przeciwnik ją zaskoczył.

– Dobra – rzucił, rozchylając poły marynarki, po czym wsunął ręce do kieszeni. – Z czym do mnie przychodzicie? Przyzna się do winy?

– Nie.

– Wskaże współodpowiedzialnych za organizowanie zamachu?

– Niczego z nikim nie organizował.

Olgierd rozłożył ręce.

– Więc co tu robicie?

– Badania DNA potwierdziły, że to zaginiony chłopak.

– Wiem. Wyniki trafiły najpierw do mnie. – Znów schował dłonie, zapewne tylko po to, by tą postawą uwydatnić, jak szerokie ma barki. – I co w związku z tym?

– Oznacza to, że masz PR-owo pozamiatane, Paderewski – oznajmiła pewnym tonem Joanna. – Będziesz oskarżał ofiarę porwania. Ofiarę, która została odebrana rodzicom, wedle wszelkiego prawdopodobieństwa miała wyjątkowo niełatwe dzieciństwo, a w końcu w jakiś sposób wyrwała się z… Bóg jeden wie skąd i wróciła do Polski.

– Jakoś sobie poradzę.

Nie wyglądał na przejętego, choć z pewnością taki scenariusz nie był jego wymarzonym.

– W dodatku to muzułmanin – ciągnęła Chyłka. – Niemal z automatu opinia publiczna oskarży cię o dyskryminację.

– Będę ostrożny.

– I nic ci to nie da, bo znajdujesz się na pozycji siły, a przynajmniej tak to z zewnątrz wygląda.

– Nie tylko wygląda – odparł z przekąsem.

– Fahada przedstawimy jako poszkodowanego, a ciebie jako człowieka, który urządził sobie wraz z ABW polowanie na czarownice.

– Nie pozostaje mi nic innego, jak życzyć wam powodzenia. – Zerknął w stronę drzwi. – To wszystko?

Wiedział dobrze, że nie. Inaczej Chyłka nigdy nie zapędziłaby się do jego gabinetu. Zbyt długo uczestniczył w tej grze, by nie zdawać sobie sprawy, że to jedynie preludium. Podobne do tego, które odgrywano po wejściu do gmachu.

Joanna spojrzała na Oryńskiego, a ten nachylił się nad stołem, jakby miał coś poufnego do przekazania.

– Rzecz w tym, panie prokuratorze, że łatwo będzie to udowodnić.

– Doprawdy?

– Wzięliście na celownik naszego klienta tylko ze względu na jego religię. Gdyby był katolikiem, nigdy nie zapukalibyście do jego drzwi.

– I jak to wykażecie?

Kordian wzruszył ramionami.

– Co tu wykazywać? Wystarczy włączyć jakiekolwiek wiadomości. Od rana do wieczora jest albo o nowych dotacjach na cele kościelne, albo o zaostrzeniu przepisów antyaborcyjnych, antyimigranckich, anty… właściwie anty wszystkiemu, co kłóci się z jedyną właściwą religią.

– Jeśli taka będzie wasza retoryka, nie wróżę sukcesów – odparł Paderborn, wyraźnie poirytowany. – Prokuratura nie działa na polityczne zamówienie.

Chyłka zaśmiała się cicho. Mężczyźni zbyli uwagę oskarżyciela i reakcję Joanny milczeniem.

Po chwili Kordian odchrząknął.

– Pański problem polega na tym, że mamy o wiele więcej – ciągnął. – Byliśmy w mieszkaniu, widzieliśmy, w jakim jest stanie.

– I?

Chyłka podniosła się z krzesła, skupiając na sobie uwagę ich obu. Podeszła do biurka prokuratora i powiodła po nim wzrokiem. Wszystkie teczki były zamknięte, laptop uśpiony.

– Nie zostawiliście po sobie burdelu – powiedziała. – To samo w sobie jest wysoce niepokojące. Stanowi aberrację.

– To zarzut? Jeśli tak, nie bardzo rozumiem…

– Zrozumiesz za moment – ucięła i spojrzała na Oryńskiego.

On także wstał, nabrał tchu, a potem powiedział:

– Weszli tam państwo, doskonale wiedząc, że w środku znajdują się materiały wybuchowe.

– Mhm – mruknął Olgierd.

– Wiedzieli też państwo dokładnie, gdzie ich szukać – kontynuował. – Nie doszło do ustanowienia perymetru ochronnego, do ewakuacji mieszkańców, na miejsce nie został nawet wezwany policyjny robot do rozbrajania ładunków. A robi się to nawet w przypadku, gdy chodzi o znacznie mniej niebezpieczne materiały.

Paderborn ściągnął brwi, wbijając wzrok w aplikanta.

– W dodatku nie ma nagrania z akcji antyterrorystów – dodał Oryński. – To zupełnie niespotykane, może nawet bardziej niż zostawienie po sobie porządku. Takie jednostki zazwyczaj upubliczniają nagrane materiały.

Olgierd spojrzał na Chyłkę, ta pokiwała głową w zadumie.

– Nie żeby się chwalili – zauważyła. – Chodzi raczej o odstraszenie potencjalnych terrorystów.

Paderborn na tym etapie doskonale wiedział, do czego zmierzają prawnicy od Żelaznego & McVaya. Mimo to nie miał zamiaru ułatwiać im sprawy.

– To wszystko dowodzi, że albo sami podłożyli państwo obciążające dowody – dodał Kordian. – Albo otrzymali państwo wyjątkowo precyzyjny donos.

Przez chwilę nikt się nie odzywał.

– W pierwszym przypadku konsekwencje będą dla służb druzgocące. Dla prokuratury zapewne też, o ile wiedział pan o manipulacji.

– Do żadnej manipulacji nie doszło.

– W drugim przypadku będzie jeszcze gorzej – ciągnął aplikant. – Dojdzie bowiem do tego, że aby obalić nasz argument, będą państwo musieli ujawnić, skąd mieli informacje. A zdradzenie źródła to chyba najbardziej niebezpieczna rzecz, jaką można w tej sytuacji zrobić.

Chyłka i Oryński stanęli obok okna, odwrócili się, a potem przysiedli na parapecie. Oboje w tym samym momencie skrzyżowali ręce na piersiach.

Olgierd westchnął, jakby ten mały teatr sprawił mu fizyczny ból.

– Czego chcecie?

– A więc któraś z hipotez jest prawdziwa?

– Nie przeginaj, Zordon – włączyła się Chyłka. – Nie przyszliśmy tu przecież po prawdę.

– Racja. Zadowolimy się zmianą środka zapobiegawczego.

– Zaraz, zaraz – odparł prokurator. – Zamierzałaś przecież…

– Zmieniłam zdanie, kiedy wzięłam pod uwagę okoliczności.

Paderborn w końcu również się podniósł.

– Owszem, moglibyśmy powtórzyć to wszystko przed sądem – kontynuowała. – Dodając jeszcze, że byłam śledzona i rąbnięto mi rzecz dla mnie najbardziej wartościową, ale to już chyba byłaby przesada, nie sądzisz?

Olgierd nie odpowiedział. I nie wyglądał, jakby miał zamiar podejmować temat.

– Ucichłeś.

Prokurator pokiwał głową.

– Mowa jest srebrem, a milczenie złotem – zauważył.

– A takie przysłowia są gówno warte.

Mimo to jeszcze przez jakiś czas żadne z nich się nie odzywało. Ostatecznie obrońcy spojrzeli po sobie porozumiewawczo i wyprostowali się, sygnalizując, że są gotowi, by zakończyć to spotkanie.

Poszli w stronę drzwi.

– A, jeszcze jedno – dodała Chyłka. – Właściwie Zordon nie wspomniał o trzeciej hipotezie. Moim zdaniem dosyć solidnej.

Olgierd nie zapytał, na czym polega. Wiedział jednak, że to *clou* programu.

– Domyślasz się, co mam na myśli?

– Nie.

– W takim razie podpowiem. Piętnasty stycznia. Co wtedy przypada?

Paderborn wzruszył ramionami, siląc się na obojętność. Dobrze odgrywał swoją rolę i Chyłka byłaby gotowa uwierzyć w to, że nie przejmuje się kierunkiem, w którym zmierza rozmowa. Byłaby, gdyby nie to, że na jego miejscu czułaby już głęboki niepokój.

– Sejm uchwalił pewną nowelizację. Senat przyjął ją bez poprawek dwudziestego dziewiątego.

– Nie prowadzę kalendarza uchwalanych ustaw.

– Prezydent podpisał ją trzeciego lutego.

Olgierd ledwo zauważalnie wyprężył klatkę piersiową, jakby przygotowywał się do starcia. Mięśnie wyraźnie się zarysowały, a żyły na szyi stały się lepiej widoczne.

– To była spora nowelizacja, prawda Zordon?

– Nie da się ukryć. W jednym projekcie upchnięto zmiany dotyczące działania policji, ABW, Agencji Wywiadu, Służby Kontrwywiadu, Wywiadu Wojskowego, CBA, Służby Celnej, Granicznej, Żandarmerii Wojskowej i...

– Wystarczy – rzucił Paderborn.

– Więc już wiesz, o co chodzi?

Nie miał zamiaru wdawać się w zgadywankę, więc Chyłka uznała, że pora wyłożyć wszystkie karty na stół. Chciała jeszcze wprawdzie wspomnieć o protestach wobec noweli, które złożyli Rzecznik Praw Obywatelskich, szereg fundacji i organizacji pozarządowych, Główny Inspektor Danych Osobowych, Krajowa Rada Sądownictwa, organizacje adwokackie, radcowskie, Helsińska Fundacja Praw Człowieka i inne, ale ostatecznie odpuściła. Paderborn z pewnością sam mógłby wymienić wszystkie te podmioty, a może nawet dodać kilka innych.

Szczególnie jednak podobało jej się, że przeciwne uchwaleniu było samo Biuro Analiz Sejmowych. Wiedziała, że kwestią czasu jest, nim nowela zbierze niepokojące plony. I tak mogło się stać właśnie w przypadku Al-Jassama.

– Mowa o ustawie inwigilacyjnej, rzecz jasna – odezwała się. – Dzięki której pofolgowaliście sobie w sposób absolutnie wyjątkowy.

Kordian pokiwał głową, pozorując zafrasowanie.

– Jeśli dwie pierwsze możliwości się nie sprawdzą, trzecia jest pewna – odezwał się. – Służby wybrały muzułmanina, tego lub wielu innych, a potem szpiegowały ich tylko dlatego, że chodzili do meczetu zamiast do chrześcijańskiego kościoła.

– To absurdalny zarzut.

Olgierd musiał zdawać sobie sprawę, że nawet jeśli działali w oparciu o nową ustawę, nawet jeśli zgodę na daleko idącą inwigilację otrzymali od sądu po fakcie i wszystko odbyło się w ramach obowiązującego prawa, mieli w rękach gorącego ziemniaka. I nie było go komu podrzucić.

– Jeśliby to wyszło, zainteresuje się tym nie tylko Unia Europejska, ale i wszystkie organizacje broniące praw człowieka – dopowiedziała Joanna. – A jeśli udowodnimy, że nasz klient naprawdę nie planował żadnego zamachu, macie pozamiatane. Wszyscy. Od gościa, który słuchał rozmów Fahada, siedząc w jakiejś piwnicy ze słuchawkami na uszach, aż po osoby na samych szczytach władzy.

Prawnicy zatrzymali się przed drzwiami i spojrzeli pytająco na Olgierda. Obydwie strony wiedziały, że wszystkie sprawy wstępne zostały załatwione. Teraz pozostało tylko uzgodnić cenę.

– Nie uchylę postanowienia.

– Zmień je.

– Na co?

– Na poręczenie osoby godnej zaufania.

Paderborn uniósł kąciki ust, a potem zrzucił marynarkę i zawiesił ją na krześle za biurkiem. Oparł się o nie i popatrzył na obrońców spode łba.

– Nie chodzi o żadnego imama, mam na myśli...

– Z pewnością mnóstwo osób przeciwnych ustawie inwigilacyjnej. I być może część z nich rzeczywiście byłaby gotowa zaryzykować, biorąc na swoje barki poręczenie. Choć na ich miejscu zastanowiłbym się głęboko nad tym, co się stanie, jeśli Fahad okaże się terrorystą.

Chyłka wiedziała, że ta propozycja zostanie od razu odrzucona. Podobnie jak kolejna.

– Zakaz opuszczania kraju.

– Nie.

– W takim razie co proponujesz?

Kiedy wraz z Oryńskim opuszczali gmaszysko, otrzymali zapewnienie, że prokurator zmieni środek zapobiegawczy na dozór policji i poręczenie majątkowe. Pieniądze zebrać będzie Lipczyńskim niełatwo, ale sobie poradzą. Zawsze byli gotowi oddać cały majątek, byleby syn do nich wrócił.

Teraz miało się to stać.

Tyle że Chyłka była coraz bardziej pewna, że Fahad to nie zaginiony chłopak.

13

XXI piętro, Skylight

Kordian szedł jak na stracenie. Nie pierwszy raz szef wezwał go do siebie na rozmowę, ale nigdy nie kończyły się one dobrze. Na dobrą sprawę już od pierwszej takiej wizyty stanowiły zwiastun problemów.

Czasem żałował, że nie praktykował prawa w Krakowie. Tamtejsza filia kancelarii pod wodzą Harry'ego McVaya stanowiła inny świat, zupełnie jakby chodziło o inną firmę. Tam rzeczywiście dbało się o pracowników, tutaj Artur Żelazny traktował ich mniej więcej tak, jak swoje spinki do mankietów.

Kiedy Oryński wszedł do gabinetu, gospodarz jak zwykle bawił się nimi, przerzucając je z ręki do ręki i obracając między palcami.

– Wchodź, chłopcze, wchodź.

Kordian niechętnie zamknął za sobą drzwi.

– Widziałem, że zaparkowałeś swoje cinquecento obok mojego samochodu – rzucił przyjaznym tonem imienny partner.

– Tak, ekhm… rzeczywiście.

– Wyjątkowo charakterystyczny samochód.

Aplikant pokiwał głową, nie mając zamiaru poprawiać szefa, że daihatsu nie ma wiele wspólnego ze wspomnianym fiatem. Stał za progiem, czekając, aż Żelazny powie, żeby zajął miejsce przed biurkiem.

Ten jednak marszczył czoło, wpatrując się w ścianę.

– Nie, nie – bąknął. – Inaczej nazywają ten samochód...
– Oni?
– Słyszałem rozmowę kilku chłopaków z noryobory.

Stażyści lub praktykanci mieli swoje określenie na jego daihatsu? Nie brzmiało to najlepiej. I dowodziło, że musi solidnie popracować nad swoją reputacją w kancelarii.

– Pikaczento! – powiedział w końcu Artur. – Rzekomo chodzi o jakąś postać z kreskówki. A może gry... sam nie wiem. – Machnął ręką. – Siadaj i mów, jak ona się ma?

Oryński zajął miejsce, mając nadzieję, że nie zdąży go zagrzać. Pytania o stan psychiczny ze strony Żelaznego miały tyle wspólnego z realnym zainteresowaniem, co starania prokuratury z dotarciem do prawdy obiektywnej.

– W porządku.
– Złożyła zawiadomienie o popełnieniu przestępstwa?
– Słucham?

Kordian sądził, że szef pyta o ciążę, ale najwyraźniej było inaczej.

– O kradzieży iks piątki – wyjaśnił Artur. – Załatwiła wszystkie formalności?
– Tak, z pewnością.
– Da sobie radę.

Brzmiało to, jakby Chyłka straciła całą rodzinę i wszystkich przyjaciół, a nie samochód. Ale może całkiem słusznie.

– Nie chcę komplikować jej życia jeszcze bardziej – dodał Żelazny. – I tak ma sporo na głowie.
– I dlatego mnie pan wezwał.
– Zaprosiłem cię, chłopcze, nie wzywałem – sprostował, odkładając spinki. – Ale owszem, właśnie dlatego się do ciebie zwracam.

– W związku z…

– Z ciążą, rzecz jasna.

– Rzecz jasna.

– Nie chciałbym, żeby się forsowała, a ta sprawa okaże się wyjątkowo paskudna. Wszyscy o tym wiemy.

Oryński pokiwał głową. Wprawdzie spodziewał się najgorszego, ale takie uwagi sugerowały, że w istocie mógł nie docenić zagrożenia, jakie wiązało się z dzisiejszą wizytą. Przełknął ślinę.

Zaległa cisza, a z każdą mijającą sekundą Kordian miał wrażenie, że serce mu przyspiesza. Do czego dążył Żelazny? Właściwie taki wstęp mógł oznaczać tylko jedno.

Nadejście dopustu Bożego.

– Rozumiesz, do czego zmierzam?

– Nie.

Lepiej było grać głupa, niż wyręczać szefa. Była to dobra zasada, którą kierował się chyba każdy pracownik tej kancelarii.

– Może więc podejdę do tego od innej strony.

Kordian cierpliwie czekał.

– Proces tego terrorysty przykuwa uwagę nie tylko krajowych, ale także zagranicznych mediów. Nie muszę chyba dodawać, że…

– Terrorysty?

– Hipotetycznego, oczywiście. I to tylko między nami. Formalnie to niewinny człowiek, w dodatku Polak, którego przecież nie można winić za to, że ileś lat temu został porwany.

Co do tego Oryński nie miał pewności. Podzielał rezerwę Chyłki i jeśliby miał się zdać wyłącznie na swoją intuicję, musiałby uznać, że Fahad Al-Jassam mówi prawdę i nie jest synem Lipczyńskich.

A jednak wyniki badań DNA były nieubłagane.

– Szesnaście lat – sprecyzował.

– Otóż to, otóż to.

Żelazny spojrzał na spinki, jego ręka mechanicznie drgnęła. Ostatecznie jednak po nie nie sięgnął. Może ktoś mu napomknął, jak irytujący jest to zwyczaj, a może sam uznał, że imienny partner jednej z największych warszawskich kancelarii nie powinien przejawiać cech niemal obsesyjno-kompulsywnych.

– Nie pamiętam, kiedy ostatnim razem mieliśmy tak głośną sprawę – ciągnął Artur. – Nie mam oczywiście na myśli wartości przedmiotu sporu. W tej kwestii było wielu innych klientów, przy których ten muzułmanin jest płotką.

– W jego przypadku wartością jest…

– Jego dobre imię, oczywiście.

– I prawo do bycia niedyskryminowanym.

– Tak, tak, chłopcze.

– Tudzież wolność wyznania i swoboda w praktykowaniu islamu.

Żelazny wyglądał, jakby miał zamiar zbyć temat milczeniem. Po chwili jednak skrzywił się, ewidentnie dochodząc do wniosku, że musi się nieco wysilić, by aplikant ostatecznie stanął po jego stronie i pomógł mu w tym, co sam zamierzał.

– Nikt nie broni mu uderzać czołem w ziemię i wznosić modłów na każdy sygnał z minaretu.

– Nikt? – spytał Kordian pod nosem. – Oprócz agentów, którzy wpadli do jego mieszkania, siłą go z niego wyciągnęli i…

– Mieli dobry powód.

– Mieli albo fikcyjny donos, albo spreparowane dowody, albo podsłuch.

– Nieistotne – odparł Artur i w końcu sięgnął po spinki. – Liczy się to, że Chyłka nie może prowadzić tej sprawy sama. Nie w tym stanie.

– Stan błogosławiony to nie ułomność, panie mecenasie.

– Ale duże obciążenie. Zbyt duże.

Oryński chciał zaprotestować, powiedzieć, że czegokolwiek między sobą nie uzgodnią, nie będzie to miało znaczenia, bo Joanna i tak postąpi po swojemu. Szef jednak uniósł otwartą dłoń, najwyraźniej mając już dość dyskusji.

– Nie może być zdana wyłącznie na siebie. To zbyt wysokoprofilowa sprawa.

– Ma mnie.

– Owszem, ale jesteś jedynie aplikantem. Potrzebuje kogoś równorzędnego.

Tego Kordian się nie spodziewał. Kiedy tylko Żelazny zaczął temat, Oryński od razu pojął, że konkluzją będzie odsunięcie Chyłki od sprawy. Nie przypuszczał, że przełożony wybierze inną drogę, próbując sparować ją z jakimś graczem jej kalibru.

– Mniemam, że nie czujesz się urażony.

– Oczywiście, że nie.

– To świetnie, bo decyzja właściwie już zapadła.

Oryński poczuł, że robi mu się sucho w ustach.

– Bez wiedzy Chyłki?

– Została przegłosowana. Nawet McVay był za.

– I kogo dostanie?

Żelazny poruszył się nerwowo. Jeśli teraz miał opory, by przedstawić nowego partnera Kordianowi, przed obliczem Chyłki odniesie wrażenie, jakby stał u wrót piekła i czuł już na sobie ciepło gorejącego tam ognia.

– Cóż… – zaczął niepewnie. – Uznaliśmy, że trzeba połączyć w tym wypadku siły z inną kancelarią. Sprawa jest zbyt głośna, finansowo niezbyt istotna, za to w sferze PR-u może okazać się katastrofalna.

– Aha.

– Musimy mieć absolutną pewność, że wygramy w sądzie. Jeśli ten człowiek zostanie skazany lub zaistnieje jakakolwiek niepewność co do jego niewinności, nigdy się z tego nie wygrzebiemy.

– Z czego?

– Z nicości, chłopcze. Nicości, w której znajdują się wszystkie te kancelarie, które broniły zamachowców, niedoszłych terrorystów, wynaturzonych gwałcicieli i pedofilów, i cały ten najgorszy element.

Nie kojarzył nazwy żadnej kancelarii, która mogłaby mieć taką łatkę. Ale być może było to znamienne.

– Dentons? – zapytał Oryński.

– Nie, nie.

– CMS Cameron McKenna?

– Gdzieżby się oni ładowali w taką sprawę karną…

– Domański Zakrzewski Palinka?

– Pozwól może, że ci powiem – rzucił mrukliwie Artur, a potem nabrał głęboko tchu. – Czymański Messer Krat.

Wiedział już, jaka będzie następna informacja. Jeśli Chyłka miała współpracować z kimś równym sobie, w grę wchodził jedynie człowiek, którego nazwisko nie było na tyle ważne, by znaleźć się na pierwszym miejscu, ale na tyle istotne, by nie było też na ostatnim.

– To tragiczny pomysł. I przepis na…

– Na zwycięstwo w sądzie – dokończył Żelazny. – Nie ma lepszego kandydata. I nie obchodzi mnie, że będą ścierać się ze sobą. Tarcie wyzwala energię kinetyczną, jak wiesz z fizyki.

Zabrzmiał jak stary belfer, a Oryński wzdrygnął się na myśl o wszystkich tych wzorach, formułkach i regułach, które niegdyś musiał przyswajać. Właściwie w podstawowym wymiarze obecne zakuwanie niewiele się różniło od tamtego, ale przynajmniej miał poczucie, że kiedyś będzie mógł wykorzystać któryś przepis w sali sądowej. Przepis bądź argument, który został podniesiony przez jednego z autorów licznych opracowań.

Teraz szukał takiego, który pomógłby mu w tej sytuacji. Żaden nie wydawał się jednak dostatecznie przekonujący.

Na dobrą sprawę Żelazny miał słuszność. Ta sprawa miała potencjał, żeby nie tylko wyczerpać drogę odwoławczą w kraju, ale także trafić do Luksemburga. O ile oczywiście nie wszystko pójdzie po myśli prawników.

Ale zanim sprawą zajmie się Trybunał Sprawiedliwości UE, współpraca Chyłki z Pawłem Messerem wywoła trzęsienie ziemi w kraju. O ile o jakiejkolwiek współpracy w ogóle będzie można mówić.

– Mógłby jej pan przydzielić kogoś z kancelarii, nie musimy sięgać po Messera – zauważył Kordian.

– Decyzja już zapadła.

– Dali nam coś w zamian?

– Oczywiście.

Artur zaśmiał się, uświadamiając Oryńskiemu, że przełożony bynajmniej nie dzielił się sprawą Fahada z dobrej woli. Musiał dostrzec okazję, by ugrać coś istotnego. Coś, na czym mu zależało.

– Oby tylko nie przypalił pan tych pieczeni – mruknął Kordian.

– Co mówisz?

– Że piecze pan dwie przy jednym ogniu. Oby się nie spaliły.

Żelazny uśmiechnął się pobłażliwie, jakby chciał zasugerować, że nawet jeśli przedstawi aplikantowi wszystkie szczegóły układu, ten i tak nie zobaczy całego obrazu. Po prawdzie nie interesował on Kordiana. Mogli się dogadywać, jak im się żywnie podobało, jemu zależało wyłącznie na tym, żeby doprowadzić sprawę do końca.

I przeżyć. Teraz bowiem chodziło o przetrwanie.

– Oczywiście na twoich barkach spoczywa ciężar poinformowania Joanny – powiedział jakby na potwierdzenie jego myśli Artur. – Uznaliśmy, że tak będzie najlepiej.

– Najlepiej dla kogo?

Żelazny zignorował pytanie, po czym spojrzał wymownie na drzwi. Nauczony doświadczeniem, Oryński podniósł się, ukłonił lekko i opuścił gabinet szefa. Dalsze rozmowy nie miały żadnego sensu, zresztą kancelarie zapewne już załatwiły wszystkie formalności.

Kordian stanął przed pokojem Chyłki i spojrzał na zegarek. Było jeszcze przed południem, co oznaczało, że Joanna realnie pracowała, przynajmniej w jej przekonaniu. Twierdziła, że potem tylko pozoruje robotę, spotykając się z klientami, uczestnicząc w rozprawach i tak dalej.

Zazwyczaj może nie mijało się to z prawdą. Kiedy jednak dostawała taką sprawę, jak ta Al-Jassama, chodziła na najwyższych obrotach przez cały dzień.

Oryński zapukał, nie spodziewając się odpowiedzi. Po chwili wszedł do środka, a siedząca za biurkiem Chyłka powoli podniosła wzrok.

– Brakuje tylko dymu z nosa – powiedział, zamykając za sobą drzwi. – I czerwonej płachty.

Nadal świdrowała go spojrzeniem.

– I publiczności skandującej *arriba*, *arriba*, *andale*, *andale*!

Odsunął sobie krzesło i usiadł naprzeciw Joanny. Uśmiechnął się, ignorując jej kamienny wyraz twarzy.

– Jak zwykle cieszy cię mój widok – zauważył. – To dobrze, bo mam świetne wieści.

– Zordon – rzuciła, jakby to miało samo w sobie stanowić wystarczające upomnienie. – Jest przed południem.

– Wiem, ale przychodzę z tak cudownym newsem, że nie mogłem czekać.

– Wywalaj stąd.

– Sprawa jest naprawdę ważna.

– A ja właśnie czytam orzeczenia TSUE w sprawach Huber versus RFN i Test-Achats.

– W takim razie dobrze, że ci przerwałem.

Wyprostowała się, uniosła lekko brodę, a potem położyła dłonie na blacie. Kiedyś w takim momencie sięgnęłaby po paczkę marlboro, sprawnie wystrzeliła jednego, a potem niechętnie poczęstowała aplikanta.

Kiedyś na stole stałby też kubek z kawą. Teraz jednak w powietrzu nie czuć było ani jednego, ani drugiego aromatu. Chyłka najwyraźniej naprawdę zaczynała o siebie dbać. O siebie i o pasożyta.

– Podaj mi sygnatury – rzuciła.

– Co takiego?

– Huber kontra Niemcy.

– Nie mam…

– *Andale, andale*.

– Nie znam sygnatur, Chyłka. Nie wiem nawet, czego te orzeczenia dotyczyły. Są pewnie sprzed kilkunastu lat.

– I? – odparła, bębniąc palcami o dłonie. – Powinieneś się orientować.

– Ale się nie orientuję. Dasz spokój?

– O ile podasz mi chociaż pierwszą literę.

Zastanawiał się przez moment, ale tylko dlatego, że rozważał, czy warto brnąć. W końcu westchnął i się poddał.

– „C".

– Świetnie – pochwaliła go, jakby właśnie zimą zdobył Mount Everest. – Pierwsza to C-524/06, a druga…

– Nie muszę tego pamiętać.

– Oho – rzuciła i wyprostowała się. – To prawda, nie musisz też znać jakichkolwiek przepisów, żeby być prawnikiem. Tyle że będziesz wtedy elementem szarej masy, która miesza się gdzieś w salach sądowych na jednolitą breję. Chcesz być breją, Zordon? – zapytała, ale nie dała mu czasu na odpowiedź. – Nie, chcesz być elitą. A elita zna na pamięć rzeczy, które zwykły śmiertelnik musi sprawdzać.

– Mhm.

– Powiedz mi, co znaczy to oznaczenie. „C".

– Repertorium spraw cywilnych.

Chyłka uderzyła się dłonią w czoło.

– Nie jesteś breją, Zordon. Jesteś kompletnie zmiksowaną, rozdrobnioną, rozmokniętą mamałygą.

– Dzięki.

– To nie sąd krajowy, tylko TSUE. „C" oznacza, że sprawę rozpoznawał Trybunał Sprawiedliwości. „T", że Sąd, a „F", że Sąd do spraw Służby Publicznej.

– No tak.

– Jakieś uwagi w stosunku do tego ostatniego?

– Eee...

– Nie istnieje od września dwa tysiące szesnastego roku, pulpo intelektualna – mruknęła, załamując ręce. – Niniejszym cię oblewam, Zordon. Nie fatyguj się nawet na egzamin adwokacki.

– Ale...

– Kiedy go w ogóle masz?

Czasem żałował, że to nie ona, a Buchelt jest jego patronem. Tylko czasem.

– Pod koniec marca – odparł. – Ale...

– No co „ale", co „ale"? Weź wolne, idź się uczyć i przestań w końcu zawracać mi dupę.

Jeśli jakikolwiek moment był dobry, by powiedzieć Chyłce o Messerze, ten z pewnością taki nie był.

Mimo to Oryński nie miał wyjścia. Im szybciej i sprawniej to załatwi, tym lepiej. Nabrał tchu i dopiero teraz zorientował się, że najwyraźniej mechanika prawnicza nie zadziałała, bo nie rozpiął marynarki. Szybko rozsunął poły.

– Żelazny chce współpracy z inną kancelarią – zaczął.

Z początku szło mu powoli, opornie. Stopniowo jednak przechodził do konkretów, a kiedy wspomniał o tym, że

McVay podpisał się pod decyzją, na twarzy Chyłki wreszcie dostrzegł jakąś zmianę.

I był to wyraz, którego się nie spodziewał. Przemknął tylko jak błyskawica po niebie, ale nie ulegało wątpliwości, że był odbiciem sympatii. Najwyraźniej Joanna doceniła troskę Brytyjczyka. Bo tym z pewnością się kierował, godząc się na współudział CzMK.

Nie. To nie to.

Oryński szybko uświadomił sobie, że Joanna nigdy nie pochwaliłaby takiej opiekuńczości.

– A to sukinsyny… – rzuciła pod nosem i lekko się uśmiechnęła.

A zatem miał rację.

– Żelazny i McVay?

– Nie – odparła zamyślona, jakby lekko nieobecna. – To znaczy tak, też… ale przede wszystkim Czymański, Messer i Krat.

– W jakim sensie?

– Nie rozumiesz?

– Nie.

– Bronią kogoś innego. Kogoś zamieszanego w tę sprawę.

– O czym ty mówisz?

– O tym, że pojawił się nowy gracz, Zordon – powiedziała, podnosząc się zza biurka. – O tym, że Fahad nie mógł działać sam. I w końcu o tym, że jego wspólnika reprezentuje nie kto inny, tylko CzMK.

To komplikowało sprawę. Prawdopodobnie bardziej, niż Kordian przypuszczał.

14

ul. Radzymińska, Targówek

Przy dźwiękach AC/DC Chyłka zjechała z głównej drogi, a potem zaparkowała przed budynkiem, który zdawał się schowany przed światem. Może dlatego wybrała akurat ginekologa, który tutaj urzędował. A może chodziło o to, że gabinet znajdował się daleko od wszystkich miejsc, w których zazwyczaj przebywała.

Wyszła z samochodu i spojrzała na niego krytycznie. Oryński wysiadł z drugiej strony.

– I jak? – zapytał, poklepując żółte YRV po dachu.

– Traumatyczne przeżycie. Chcę już o tym zapomnieć.

– Zawsze mogłaś pojechać sama. Taksówką, uberem lub nawet tramwajem. To dopiero byłaby przygoda.

Potoczyła wzrokiem po karoserii. Samochód wyglądał nieźle, przynajmniej jak na pojazd, którego nazwa zawiera słowo „turbo". Jeździło się nim jednak tragicznie.

Wchodząc do gabinetu, starała się o tym nie myśleć. Opadało ją bowiem dojmujące uczucie straty. Po iks piątce nadal nie było śladu i wedle wszelkiego prawdopodobieństwa auto znajdowało się już poza granicami kraju. Z nowymi tablicami, przebitymi numerami nadwozia i zapewne inną karoserią.

Potrząsnęła głową, przekraczając próg. Mężczyzna w białym kitlu powitał ją serdecznym uśmiechem. Odpowiedziała zupełnie obojętną miną.

– Widzę, że tym razem jest obstawa – zasunął stanowczo zbyt standardowy tekst.

Chyłka obejrzała się przez ramię, dopiero teraz uświadamiając sobie, że Oryński wszedł za nią do gabinetu.

– Pan jest ojcem, jak przypuszczam – powiedział lekarz, podnosząc się.

Kordian chyba dopiero teraz uświadomił sobie, że jest w miejscu, w którym znajdować się ani nie chce, ani nie powinien. Joanna posłała mu długie spojrzenie, więc szybko się wycofał.

Kiedy drzwi się za nim zamknęły, Chyłka położyła się i zamknęła oczy.

– Miejmy to już z głowy.

– Obawiam się, że będziemy mieć dopiero za jakieś osiem miesięcy – zauważył doktor, przysuwając sobie niewielki stołek.

– Nie może pan tego wyciągnąć ze mnie wcześniej?

– Nie da rady.

Podciągnęła kolana, a potem rozchyliła nogi. Po chwili lekarz wprowadził sondę dopochwową.

– Coś tam widać?

– Całkiem sporo.

– I jak często muszę…

– Tutaj przychodzić? – dokończył, kiedy Chyłka uznała, że sama nie ma zamiaru tego robić. – Właściwie minimum to trzy badania USG. Ale nic nie stoi na przeszkodzie, żeby częściej sprawdzać, czy wszystko jest w porządku. Teraz właściwie potwierdzamy tylko, że ciąża rozwija się prawidłowo, że jest wewnątrzmaciczna oraz…

– Nie chcę znać tych szczegółów – ucięła. – Do pełni szczęścia wystarczy mi świadomość, że mam to coś w sobie.

Lekarz uśmiechnął się poprawnie.

– Kiedy będę wiedziała, czy to pasożyt, czy pasożytnica?

– W jedenastym, może dwunastym tygodniu. Wszystko zależy od tego, jakie będzie ułożenie płodu. – Ginekolog zawiesił głos. – Ale jeśli ma coś po pani, zapewne odwróci się do nas tyłem i tyle z tego będzie.

Joanna doceniła tę uwagę, unosząc kącik ust.

– Mhm – mruknęła. – A stuprocentowa pewność?

– W okolicach dwudziestego tygodnia.

– Świetnie. Mam jeszcze pytanie o ojca.

Doktor odchrząknął niepewnie.

– Tego pytania chyba nie należy kierować do mnie – zauważył.

Chyłka popatrzyła w dół.

– Nie wiem, kto mnie tym zaraził – wyjaśniła. – Chciałabym się tego dowiedzieć jak najszybciej, rzecz jasna. Muszę odwalić masę papierkowej roboty, pozbawić go ewentualnych roszczeń w stosunku do małego szkodnika i tak dalej.

– Ro... rozumiem.

– Normalne rzeczy – dodała. – Kiedy mogę zlecić testy?

– Około dziesiątego tygodnia. Izoluje się wówczas DNA dziecka z krwi matki.

Chyłka jęknęła z niezadowoleniem. Miała nadzieję, że załatwi to już teraz.

– Nie da się szybciej? Przeprowadzacie jakieś kosmiczne zabiegi przezskórnego leczenia niedomykalności mitralnej, a nie możecie wcześniej wyciągnąć DNA z płodu?

Ginekolog wydawał się skołowany, może nawet nie wiedział, o co chodzi. Właściwie Joanna także nie miałaby pojęcia, gdyby nie to, że kancelaria kilka lat temu zajmowała się przypadkiem śmierci pacjenta, który nie kwalifikował się do operacji po kilku zawałach i zamiast niej dostał jakieś zapinki. Tyle pamiętała.

– Może ósmy, dziewiąty tydzień mógłby wchodzić w grę...

– Niewiele lepiej. Przecież to już we mnie siedzi.

– Mimo wszystko...

– Ile się czeka na wyniki?

– Od trzech do pięciu dni roboczych, o ile otrzymamy obydwie próbki i...

– Za długo.

– Można przyspieszyć ten proces do dwudziestu czterech godzin.

– Za dodatkową opłatą, oczywiście.

Skinął niepewnie głową, a potem na powrót skupił się na badaniu. Chyłka wiedziała już właściwie wszystko, czego potrzebowała. Znów zamknęła oczy i skierowała myśli ku sprawie.

Współpraca z Messerem znacznie wszystko komplikowała, ale miała pewien pomysł, dzięki któremu mogła to rozwiązać. Potrzebowała tylko odrobiny szczęścia, którego w ostatnim czasie jej brakowało.

Wyszła z gabinetu, skinęła na Oryńskiego, a potem oboje opuścili budynek.

– Jak było?

– Siadaj za kierownicą – rzuciła, ignorując pytanie. – Nie mam nastroju ani do operowania wózkiem widłowym, ani do popylania kosiarką do trawy.

Kiedy weszli do samochodu, Joanna sprawdziła telefon. Kormak nadal milczał, choć przypuszczała, że do tej pory uda mu się ustalić, kto jest klientem CzMK. Miał swoje źródła, w tym wypadku jednak najwyraźniej także one nie miały dostępu do listy reprezentowanych osób.

Chyłka zerknęła na zegarek.

– Czasu mamy jeszcze trochę.

Kordian pokiwał głową.

– Choć Lipczyńscy są już pewnie na miejscu – dodała. – A w dodatku teraz to ty prowadzisz, więc podróż się wydłuży.

– Więc jedziemy na Białołękę?

– Do kancelarii nie ma już sensu wracać. A ja chcę być przy tym spotkaniu.

Oryński wyjechał z powrotem na Radzymińską, a potem skierował się w stronę Marek. Przez jakiś czas jechali w milczeniu, jakby w powietrzu wisiało niebezpieczeństwo rozmowy na temat, który oboje traktowali jako tabu.

– Myślałaś już nad imieniem?

– Zamknij się.

– To poważne pytanie.

Nie zdążyła odpowiedzieć, bo rozległ się refren znanego obojgu numeru. Chyłka włączyła głośnik i położyła telefon na zielonym gekonie, z którego teoretycznie miał nie spadać. Przypuszczała, że Oryński dostał go w pakiecie z samochodem.

– Mów – rzuciła do Kormaka i spojrzała na podobiznę widniejącą na ekranie komórki. W przeciwieństwie do innych, chudzielcowi nie przypisała prawdziwego zdjęcia. Zamiast tego wybrała Johna Lennona.

– Sprawdziłem wszystkich, którzy w ostatnich tygodniach zgłosili się do CzMK. I muszę przyznać, że biorąc pod uwagę ruch u nich i u nas…

– Ledwo przędą.

– Bynajmniej.

– Mniejsza z tym, na ruskich i rumuńskich targowiskach też jest duży ruch, a nic dobrego tam nie znajdziesz.

– Może i racja – przyznał szczypior. – W każdym razie ja na ich prawniczym targowisku nie znalazłem nikogo, czyje imię lub nazwisko sugerowałoby, że może mieć związek ze sprawą.

– Innymi słowy żadnego Mohameda, Abdullaha, Ahmeda i innych takich.

– Nawet żadnego Omara – potwierdził Kormak. – Pogrzebałem jednak głębiej i namierzyłem Tomasza Kiljańskiego.

– Brzmi jak stuprocentowy Polak.

– Jeśli wierzyć badaniom DNA, nasz Fahad też nim jest – wtrącił Oryński.

Chyłka spojrzała na niego z ukosa.

– Skup się na drodze, Zordon, zanim nas zabijesz.

Kormak odchrząknął, upominając się o uwagę.

– Kontynuuj – powiedziała Joanna, wyglądając za okno. – Co to za Kiljański?

– Na pierwszy rzut oka normalny facet, ale zaciekawiło mnie, że bukuje sporo lotów po Europie. Szczególnie często do krajów na północy.

– Skąd masz takie informacje?

– *Don't ask, don't tell*.

Prawnicy wymienili się nieco zdezorientowanymi spojrzeniami.

– To doktryna armii amerykańskiej, która zakładała, że ignoruje się obecność gejów w jej szeregach, o ile żaden się nie przyznaje – odezwał się z uśmiechem Kordian. – Chcesz w końcu wyjść z szafy, Kormaczysko?

– Tylko jeśli zrobisz to razem ze mną.

– Wyobrażam sobie was na konferencji prasowej, chłopcy, jak ze wzruszeniem opowiadacie o swojej miłości, ale musimy to odłożyć na później – rzuciła Chyłka. – A teraz konkrety.

Kormak przez chwilę rozwodził się nad tym, że Tomasz Kiljański najwyraźniej latał do Oslo, Sztokholmu i Tallina systematycznie, mimo że był tylko szeregowym pracownikiem jednej z warszawskich korporacji. Chudzielec szybko ustalił, że firma nie wysyłała go w żadne delegacje.

– W dodatku loty odbywały się w weekendy – zakończył.

Przez chwilę Chyłka i Oryński milczeli.

– I na tej podstawie twierdzisz, że o tego faceta chodzi? – spytał Kordian. – Może po prostu lubi podróże.

– Tylko w kilka określonych miejsc, najwyraźniej.

– Więc co sugerujesz? Że pomaga tworzyć jakieś siatki terrorystów?

– Nie, ukryłby to znacznie lepiej.

– Przerzuca uchodźców? – podsunęła Chyłka.

– Moim zdaniem tak – przyznał Kormak. – Ale nie takich, którzy trafiali do dżungli w Calais czy innych miejsc. To muszą być ludzie, którzy już uzyskali pozwolenie na pobyt na terenie UE.

– Więc nic nielegalnego.

– Najpewniej nie.

– A mimo to zatrudnił Czymańskiego Messera Krata – burknęła Joanna. – Innymi słowy Kiljański pomagał naszemu Saracenowi dostać się do Polski. A może wcześniej do Oslo.

– Przypuszczam, że tak – potwierdził szczypior. – CzMK boi się, że ich klient oberwie rykoszetem, więc chcą współprowadzić sprawę.

Joanna przez moment się zastanawiała. Jej przypuszczenia były słuszne, ale tylko częściowo. Fakt, który odkrył Kormak, był niewystarczający, by obie kancelarie wchodziły w kooperację. Musiało chodzić o coś więcej.

– Tak czy inaczej odwalili za nas część roboty – odezwał się Kormak. – Z pewnością przemaglowali swojego klienta tak, że miał dosyć żywota.

– Myślisz, że ustalili coś w sprawie Fahada?

– Przypuszczam, że tak. I że podzielą się tym, żeby obaj wyszli ze sprawy obronną ręką.

Mimo iż potencjalnie mógł to być jakiś krok naprzód, Chyłka miała wrażenie, że sprawa staje się coraz bardziej zamglona. Optymista stwierdziłby może, że sytuacja jest jasna – muzułmanin trafił do Polski, wykorzystał jakiś kanał przerzutowy, z którego normalnie korzystali uchodźcy, został namierzony przez służby, a potem zatrzymany, bo ktoś podłożył w jego mieszkaniu niebezpieczne materiały.

Tyle że Chyłka do optymistów nie należała. Doświadczenie zawodowe nauczyło ją, że nic nie jest takie, jakie się wydaje.

W takiej sprawie szczególnie. Jeśli nawet momentami łudziła się, że może być inaczej, szybko przypominała sobie o tym, że Al-Jassam nadal utrzymuje, że nie jest zaginionym szesnaście lat temu chłopakiem. Że milczy w sprawie swojej przeszłości. Że przyleciał z Oslo właściwie jako duch.

I że z tym wszystkim związani są ludzie, którzy ją śledzili. I rąbnęli jej iks piątkę.

Wciąż nie znajdowała odpowiedzi na pytanie, dlaczego Fahad zachowuje się w taki sposób ani skąd w jego mieszkaniu materiały wybuchowe. Tym bardziej nie wiedziała, kim są ludzie odpowiedzialni za kradzież bmw.

Nie, w tej sprawie z pewnością nie było miejsca na żaden optymizm.

– Dowiedziałeś się czegoś jeszcze? – zapytała.

– W sprawie Fahada stoję w martwym punkcie i…

– Miałam na myśli inną sprawę.

W samochodzie przez moment panowała cisza. Chyłka spojrzała na wyświetlacz, chcąc sprawdzić, czy nic nie przerwało połączenia. Obrzeża Białołęki czy Targówka były częścią stolicy, ale miejscami wpadało się tu w dziury komunikacyjne.

– Możesz mówić śmiało – powiedziała. – Zordon już nie takie rzeczy słyszał.

– Okej – odparł bez przekonania chudzielec. – Tak czy inaczej niczego nie ustaliłem.

– Niczego? Kompletnie?

– Mam przepytać wszystkich mieszkańców miasta, których imiona rozpoczynają się na „W"?

– Tylko tych przystojnych – odparła pod nosem. – Poza tym możesz sprawdzić moje bilingi, a potem poszperać na temat właścicieli numerów, którzy do mnie dzwonili.

– Nie mogę ot tak…

– Przed chwilą przyznałeś się do sprawdzania internetowych rezerwacji lotów, Kormak – zauważyła. – Z pewnością nie masz oporów przed rzuceniem okiem na moje połączenia.

– Mam. Kiljański mnie nie zabije, a ty…

Urwał, bo właściwie nie musiał kończyć. Chyłka zapewniła go, że czegokolwiek by nie odkrył, nie narazi się na żadne niebezpieczeństwo, a potem się rozłączyła. Musiała znać tożsamość trzeciego kandydata. Bez jego próbki niczego nie przesądzi, a chciała mieć pewność. Jak najprędzej.

Nawet jeśli wyeliminuje Szczerbińskiego i Messera, nie będzie miała stuprocentowego przekonania, że to „W" jest ojcem. Mogło dojść do czegoś, o czym nie pamiętała. Kiedy była w ciągu, nie raz urwał jej się film.

Schowała komórkę do kieszeni akurat, kiedy Oryński parkował pod głównym wejściem do aresztu śledczego. Tym razem nie mieli zamiaru zatrzymywać się z tyłu.

I słusznie, że tego nie zrobili, pomyślała Chyłka, widząc tłum ludzi, który ustawił się po drugiej stronie ulicy. Początkowo sądziła, że zebrało się kilkadziesiąt osób, ale gdy wyjrzała nieco dalej, przekonała się, że należało je liczyć w setkach.

– O kurwa… – mruknęła pod nosem.

Oryński stał jak słup soli przed samochodem, tocząc wzrokiem po gapiach.

– To legalne? – wykrztusił.

Joanna obróciła się do niego i wsparła pod boki.

– Masz braki nie tylko jeśli chodzi o sygnatury orzeczeń TSUE, ale też polskie ustawodawstwo?

– Wydawało mi się, że…

– Prawo o zgromadzeniach. Artykuł trzeci. Zgromadzenie…

– Stacjonarne.

– Spontaniczne – poprawiła go. – Zwał jak zwał, pozwolenia żadnego nie trzeba.

Przez moment prawnicy przypatrywali się kilkusetosobowej grupie ludzi, którzy bynajmniej nie zjawili się tutaj po to, by zadeklarować swoje poparcie dla wypuszczenia Fahada z aresztu śledczego.

– Znajdzie się kij! – zawołał ktoś.

Pozostali natychmiast podchwycili inicjatywę zapiewajły.

– Znajdzie się kij! Znajdzie się kij na islamski ryj!

Chyłka i Oryński wymienili się spojrzeniami.

– Znajdzie się kij na islamski ryj! – grzmiał tłum.

O ile Joanny nie myliła pamięć, był to pierwszy raz, kiedy żałowała, że środowiska lewicowe nie zorganizowały kontrmanifestacji. Czułaby się nieco pewniej, gdyby widziała choć trochę ludzi z drugiej strony barykady.

Lub policję.

A najlepiej wojsko.

– Ktoś odstawił krecią robotę – bąknęła.

– Co masz na myśli?

– Że ci ludzie skądś dowiedzieli się o wyjściu naszego mahometanina.

– Mogłabyś go tak nie nazywać.

– Dlaczego nie? Brzmi pieszczotliwie.

– No właśnie – odparł Kordian, pocierając tył głowy i przyglądając się tłumowi.

Chyłka przypuszczała, że stara się zliczyć, ile osób stawiło się na wezwanie, ale nie wróżyła mu sukcesów. Zebrani mieszali się ze sobą, nerwowo się kręcili, wymachiwali flagami i co chwilę wznosili okrzyki.

– CzMK? – podsunął Oryński.

– Nie. Nie mieliby w tym żadnego interesu.

– A muszą mieć? Może chcieli po prostu pokazać, jak bardzo ich potrzebujemy.

Pokręciła głową. Druga kancelaria z pewnością nie miała zamiaru kopać dołków pod tą sprawą. Nie teraz, kiedy obie firmy związały ze sobą swój los.

Chyłka nie miała jeszcze pewności, dlaczego do tego doszło, ale zamierzała ustalić to już przy pierwszym spotkaniu z Messerem. Ani przez moment nie wierzyła w tłumaczenia, które Żelazny przedstawił aplikantowi.

Odsunęła tę myśl. Będzie jeszcze czas, żeby się zająć tym problemem. A przy okazji załatwi ten trudniejszy, związany z potencjalnym ojcostwem.

Nabrała głęboko tchu. Nadchodzące miesiące naprawdę zaczynały jawić się jako prawdziwa gehenna.

– Paderborn – odezwał się Oryński.

Zerknęła na niego bez przekonania.

– Papież Franciszek – odparła.

– Co? Dlaczego...

– Kuba Wojewódzki.

Odwrócił się do niej i wsadził ręce do kieszeni.

– Co jest, Zordon? Nie chcesz dalej grać w rzucanie przypadkowymi nazwiskami?

– Pader nie jest przypadkowy.

– Jest równie prawdopodobnym kandydatem jak Muammar Kaddafi.

– On nie żyje.

– Otóż to – odparła na tyle cicho, że nie wiedziała, czy przez skandujący tłum Zordon cokolwiek usłyszał. Wskazała na zebranych z dezaprobatą. – Paderewski nic by w ten sposób nie ugrał. Tylko pogarsza to wizerunek sprawy i potwierdza, że mamy tu żyzne pole do dyskryminacji.

Zamilkli, obserwując tłum. Policja została powiadomiona stanowczo za późno, funkcjonariuszy nie było jeszcze wystarczająco dużo, by powstrzymać motłoch, jeśli ten zdecyduje się na lincz.

A linczować było kogo. Za moment domniemany terrorysta miał opuścić areszt śledczy, wsiąść do samochodu i odjechać. Formalnie pod dozorem, ale w oczach opinii publicznej jako wolny człowiek.

– Zaraz będziemy mieć tu pieprzoną Birmę – burknęła Chyłka.

Kordian wyciągnął rękę z kieszeni i zaczął drapać się po brodzie.

– Wywlekają tam muzułmanów z ich domów, a potem przeganiają na drugi koniec kraju – dodała prawniczka. – Ale to pół biedy. Pozbawiają ich wolności, palą im chaty, mordują na potęgę.

Oryński popatrzył na byłą patronkę i zmarszczył czoło.

– Stałaś się specjalistką od prześladowań muzułmanów?

– Musiałam się jakoś przygotować do sprawy, prawda? – odparowała z pretensją. – W dodatku ONZ cały czas o tym trąbi. Problem polega na tym, że nikt nie słucha. Lepiej wałkować temat Syrii, ewentualnie Jemenu, podczas gdy w krajach takich jak Birma miesięcznie wysiedla się jakieś piętnaście tysięcy osób, Zordon.

Zdawał się nie przykładać większej wagi do jej słów, zupełnie pochłonięty rozwijającą się sytuacją.

– Gdzie twoja empatia? – spytała. – Kilku kafarów z szalikami Polonii sprawiło, że znikła?

– Widzę co najmniej kilkuset, Chyłka. I mają szaliki Legii.

– Bez znaczenia. – Machnęła ręką. – Zaraz opanujemy sytuację.

– W jaki sposób?

Sięgnęła po telefon, a potem wybrała numer Paderborna. Chciała pokrótce zrelacjonować mu, co się dzieje przed białołęcką jednostką, ale prokurator był już na bieżąco. Właściwie się nie dziwiła – na miejscu było jeszcze niewielu mundurowych, za to sporo kamer.

– Pader już działa – oznajmiła, rozłączywszy się.

– I co zdziała?

– Wyprowadzi abdula z tyłu budynku.

– W takim razie…

– Nie, nie ruszamy się stąd. Będziemy sprawiać wrażenie, że nic się nie zmieniło.

– Więc pozwolimy Paderbornowi go odebrać?

Chyłka takiej możliwości nie przewidywała. Najgorszym, co mogliby zrobić, byłoby doprowadzenie do spotkania w cztery oczy z oskarżycielem. Rozejrzała się za Lipczyńskimi, ale nigdzie nie mogła ich dostrzec.

– Widzisz rodziców bisurmana?

– Przed chwilą gdzieś mi mignęli.

Joanna wytężyła wzrok.

– Byli po drugiej stronie tłumu – dodał Kordian.

Przyszło jej do głowy, że mogą wdać się w przepychanki słowne z którymś z zebranych. Właściwie tyle by wystarczyło, żeby rozpętało się tu piekło.

Nie zastanawiając się długo, ruszyła wzdłuż ustawionych w szeregu ludzi.

– Chyłka!

– Zostań na posterunku, Zordon – rzuciła przez ramię.

– Poczekaj, nie możesz ot tak...

– Stój, gdzie stoisz. Zaraz wrócę.

Dopiero po chwili przekonała się, dlaczego Oryński miał zamiar ruszyć za nią. Pierwsi funkcjonariusze lub służby więzienne rozciągnęły już taśmę, która miała odgradzać zebranych od terenu aresztu, ale była to bariera jedynie psychologiczna. W dodatku dość wątła.

– Suka! – krzyknął ktoś.

Chyłka zatrzymała się jak rażona piorunem i odwróciła w kierunku, z którego nadeszło wołanie.

– Islamska dziwka!

Zacisnęła usta i potoczyła wzrokiem po zebranych. Wszyscy skandowali jakieś hasła, wznosili flagi i symbole, które w polskiej historii zapisały się złotymi zgłoskami. Dostrzegła powstańczą kotwicę, symbole husarii, a nawet godło II RP. Przez całe to zamieszanie nie mogła jednak namierzyć mężczyzny, który miał czelność zaatakować ją bezpośrednio.

– Muzułmańska kurwa!

Obróciła głowę w bok, wytężając słuch.

– Spierdalaj do Iranu, znajdź sobie brudasa!

Jeden z zebranych przechylił się przez taśmę w jej kierunku. To nie on wznosił okrzyki, ale w jego oczach pałała taka wściekłość, że równie dobrze mógłby to robić.

– Nie wstyd ci, kurwa, bronić dżihadysty?! – ryknął jak oszalały, a kropelki śliny trysnęły z jego ust.

Chyłka spojrzała na żakiet i przesunęła po nim ręką.

– Dajesz mu dupy na widzeniach?! – dorzucił furiat.

Zignorowała go. Nie było sensu dolewać oliwy do ognia, który rozpalił się już w najlepsze. Na tyle, że gaszenie go wydawało się daremne. Pozostali zgromadzeni szybko podjęli ataki jednego narwańca.

Joanna ruszyła dalej, z obojętnością słuchając niewybrednych sugestii na temat tego, dlaczego pomaga terroryście, jak wielu islamistom się oddała za jednym razem czy też co konkretnie z nimi robiła.

Dla adwokata zajmującego się prawem karnym nie było to nic nowego. Zresztą w takich okolicznościach nie było to nawet specjalnie dotkliwe – sytuacja przedstawiała się znacznie gorzej, kiedy trzeba było wysłuchać podobnych obelg, siedząc twarzą w twarz ze skazanym. Szczególnie jeśli był doprawdy wynaturzoną bestią.

Kiedy zbliżała się do Lipczyńskich, młody chłopak odcharknął głośno i splunął jej pod nogi. To też nie był pierwszy ani ostatni raz, gdy coś takiego się działo. Zignorowała go i przyspieszyła kroku.

Lipczyńscy wyglądali na przerażonych. Nachyliła się między nimi, a potem oznajmiła, że ich syn jest bezpieczny.

– Wyjdzie z tyłu – dodała. – Ale teraz musimy zadbać o państwa bezpieczeństwo. Chodźmy.

Przejście szpalerem nienawiści było dla nich druzgocące. Chyłka zaczynała mieć obawy, że w którymś momencie Tadeusz albo Anna nie wytrzyma i stanie w obronie Al-Jassama. A wtedy tłumu nikt nie powstrzyma.

Kiedy dotarli do Kordiana, stres z pewnością sprawił, że Lipczyńscy byli ubożsi o kilkanaście minut życia. Dla równowagi jednak wzbogacili swój słownik o parę nowych wulgaryzmów.

– Pilnuj ich – powiedziała Joanna, a potem wyciągnęła komórkę i odeszła kawałek.

Wybrała numer, który miała zapisany wyłącznie po to, by wiedzieć, kiedy nie odbierać telefonu. Kiedy wsłuchiwała się w przerywany sygnał, przemknęło jej przez głowę, że ma takich całkiem sporo w kontaktach. Być może więcej niż tych, które należały do ludzi, z którymi była gotowa rozmawiać.

– Nierealne – odezwał się Paweł Messer. – Chyłka?

– Nie, ktoś ukradł mój telefon i los pokarał go w taki sposób, że omyłkowo wybrał twój numer.

Zaśmiał się cicho, wyłącznie z grzeczności.

– Ogarnęłaś temat.

– Co?

– Mówię, że wiesz już wszystko. O naszym partnershipie.

Wzdrygnęła się.

– Nie wszystko – odparła. – Ale mam zamiar dowiedzieć się tego w swoim czasie. I używaj polskiego języka, kiedy do mnie mówisz.

Na moment zamknęła oczy, starając się odegnać od siebie myśl, że Messer jest kwintesencją wszystkiego, co złe w korporacyjnym świecie. Jeśli to on w istocie był ojcem, istniało niebezpieczeństwo, że pierwszym słowem dziecka nie będzie „mama" czy „tata", a jakiś wyraz radości, że wreszcie znalazło się w „ołpen spejsie".

– *No problem*.

Westchnęła.

– Problem jest całkiem spory, Messer. Mamy tu prawdziwy…

– Jestem na bieżąco, dojeżdżam zresztą do skrzyżowania z Żyrardowską.

Ten jeden raz musiała mu oddać, że zachował się dokładnie tak, jak powinien.

– Zajedź od Ciupagi – poleciła. – Wyprowadzą tamtędy klienta. Odbierz go, zawieź do mieszkania, dogadaj wszystko z policją i…

– Chyba się zapędziłaś – wtrącił. – Nie jesteś tu od ustalania assignmentów.

– Rób, co mówię, do kurwy nędzy. Mamy tu młyn.

– *Easy*, Chyłka, wszystko będzie okej.

Nabrała głęboko tchu, starając się przekonać samą siebie, że teraz najważniejsze jest to, żeby klient znalazł się w bezpiecznym miejscu.

– Po prostu to załatw, Messer.

– FYI, zawsze załatwiam to, co wymaga załatwienia.

– Więc załatwisz później inną sprawę.

– Ta?

– Przyjedziesz do mnie, na Argentyńską. Musimy pogadać.

– O kejsie?

– W pewnym sensie.

Rozłączyła się, nie czekając na odpowiedź. Wróciła do Oryńskiego i Lipczyńskich, mając nadzieję, że żadne z nich nie dało po sobie poznać, iż w istocie nie doczekają się tutaj Fahada.

Na dłużej zawiesiła wzrok na Zordonie.

– Wszystko w porządku? – zapytał.

Pokiwała głową, choć właściwie powinna wykonać gest przeciwny. Rozsunęła poły żakietu, skrzyżowała ręce na piersi, a potem rozejrzała się. Jeśli potrzebowała potwierdzenia, że w tej sprawie będzie miała przeciwko sobie pół tego kraju, to właśnie je otrzymała.

Zbliżyła się do Kordiana.

– Messer zaraz go odbierze – poinformowała.

– To roztropne?

– Nie do końca – przyznała. – Ale w końcu gramy do jednej bramki. Zresztą zaraz potem się z nim spotkam i dowiem, dlaczego tak jest.

Przypuszczeń miała sporo. Obawiała się jednak, że żadne nie jest trafne. Sprawa była zbyt zawiła, by w jakiejkolwiek kwestii mogła polegać na swojej dedukcji, nawet jeśli ta zazwyczaj jej nie zawodziła.

15

Autoszrot, Wiązowna pod Warszawą

Brunetka ściągnęła poły płaszcza i wyprostowała się. Widok, który obserwowała wraz ze swoim kompanem, należał do wyjątkowych. Nigdy nie przypuszczała, że tak prozaiczna rzecz, jak kasacja samochodu, może przynieść tyle satysfakcji.

Nie było w tym procederze nic legalnego, choć na dobrą sprawę mogłaby zezłomować iks piątkę nawet w zwykłym zakładzie, niekoniecznie tym, który prowadził opłacony przez nią człowiek.

W schowku było wszystko, czego potrzebowała do legalnej kasacji, a resztę dokumentów mogła dorobić po sporządzeniu fikcyjnej umowy sprzedaży. Nie było jednak takiej konieczności. Tutaj nikt nie wymagał papierów – chyba że chodziło o te z zagranicznych mennic, które drukowały polskie złote.

Nikt nie sprawdzał potencjału odzysku surowców, nikt nie kontrolował stanu technicznego, nikogo nie interesowało, czy pojazd spełnia ustawowy wymóg ważenia mniej niż dziewięćdziesiąt procent wartości zadeklarowanej w dowodzie. Właściwie jedynym, co zrobiono, zanim zabrano się do zezłomowania bmw, było osuszenie płynów.

Niebawem z iks piątki zostaną jedynie odpady. I brunetka sądziła, że będzie to znamienne, tak samo bowiem skończy się kariera Joanny Chyłki. Różnica polegała jedynie na tym, że w przypadku auta tylko dziesięć procent materiału się zmarnuje. Reszta trafi na przetworzenie.

Jeśli chodziło o prawniczkę, niczego nie uratuje.

– Zdjęli tablice? – zapytała swojego towarzysza.

– Tak.

Brunetka pokiwała głową z zadowoleniem.

– Zapakuj je potem do czegoś i wyślij na Argentyńską.

– Myślisz, że to dobry pomysł?

– Najlepszy z możliwych.

– Ale…

– Ale rozsierdzimy ją jak dzikie zwierzę. I o to chodzi.

Mężczyzna zdawał się nieprzekonany.

– Zawiniesz to w jakiś ładny papier, dodasz do tego wstążkę czy kokardkę i tyle. Uważaj tylko na ślady.

– Oczywiście. Sprawdzę potem wszystko.

Mieli dostęp do aparatury kryminalistycznej, nie powinno być żadnego problemu z zadbaniem o to, by kompan nie zostawił żadnego tropu. Zresztą był profesjonalistą w każdym calu, nieraz to udowodnił.

– Ale wciąż uważam, że to błąd – odezwał się.

Brunetka zignorowała jego uwagę.

– Niejedna osoba już się…

– Nie interesuje mnie twoje zdanie.

– A może powinno – uparł się.

Rzadko to robił. Zazwyczaj wiedział, kiedy odpuścić.

– Za każdym razem, kiedy ktoś próbował z nią pogrywać, kończyło się to tak samo.

– Bo miała przeciwko sobie zawodników najwyżej wagi średniej – zauważyła kobieta. – Teraz ma do czynienia z ciężką.

– Ale sama o tym nie wie.

– I?

– I przez to ruszy na nas z całym impetem, nie zważając na nic.

– Niech rusza.

Przez moment milczeli. Mężczyzna uświadomił sobie, że jeśli zabrnie jeszcze dalej, może skończyć się to dla niego nieciekawie. Oboje obserwowali, jak iks piątka jest wciągana w odpowiednie miejsce, a potem zostaje powoli sprasowana. Kiedy metal zaczął giąć się jak suche gałęzie, rozległ się przeraźliwy trzask. Mężczyzna skrzywił się, brunetka trwała w zupełnym bezruchu.

Potem przyglądali się jeszcze, jak strzępiarka tnie na drobny mak większą część karoserii. Skinęli do siebie, zapłacili właścicielowi szrotu, po czym skierowali się w stronę samochodu zaparkowanego na tyłach zakładu.

– Czymański Messer Krat włączył się do sprawy – odezwał się mężczyzna, gdy stanęli przy aucie.

– Wiem.

– Ma to dla nas jakieś znaczenie? Musimy zmienić plany?

– Na tym etapie trudno powiedzieć. Będziemy obserwować sytuację.

Pokiwał głową, zamyślony.

– Ale teraz skup się na Chyłce.

– Oczywiście.

16

ul. Argentyńska, Saska Kępa

Rydwan ognia wyglądał osobliwie, zajmując miejsce zazwyczaj przeznaczone dla iks piątki. Kordian przyglądał się temu widokowi przez jakiś czas, po czym w końcu uznał, że po zdanej aplikacji zainwestuje w inny wóz.

O ile uda mu się sprzedać ten. Miał wrażenie, że okaże się to trudnym zadaniem – może nawet trudniejszym niż uzyskanie wpisu na listę adwokatów.

Choć z pewnością łatwiejszym niż przekonanie Chyłki, że powinien uczestniczyć w spotkaniu z Messerem.

Prawniczka wyszła z auta bez słowa, a potem od razu ruszyła w kierunku klatki schodowej. Już kilka razy wyartykułowała stanowczy sprzeciw wobec jego obecności, mimo to poszedł za nią.

– Oddal się, aplikancie.

– Nie ma mowy.

– Poradziłabym sobie z dziesięcioma takimi Messerami, nie jesteś mi do szczęścia potrzebny.

Musiał przyznać, że akurat to było prawdą. Zarówno jeśli chodziło o pierwszy, jak i drugi człon.

– Nie chodzi o ciebie, ale o mnie – odparł. – Nie możesz ot tak odsuwać mnie od sprawy.

– Nie? A wydawało mi się, że już kilka razy uszło mi to na sucho.

Otworzyła drzwi klatki schodowej, a potem stanęła w progu.

– Idę z tobą – oznajmił.

– Nie.

Zbliżył się o krok.

– Współprowadzę tę sprawę, Chyłka. I to nie w wolnej chwili, bo na razie pochłania cały mój czas. Wiesz, kiedy ostatnio miałem okazję, żeby otworzyć książkę? Obejrzeć odcinek jakiegoś serialu? Choćby któregoś z tych, które trwają dwadzieścia minut?

– Te nie nadają się do oglądania – odparła mimochodem. – Zresztą jeśli chciałeś pracować od godziny do godziny, trzeba było zostać prokuratorem.

– Oni też harują jak woły.

– Więc było iść do sejmu. Zresztą wszystko przed tobą, możesz jeszcze zrobić furorę na Wiejskiej. Masz lepiej dobrany krawat, koszulę i marynarkę od większości parlamentarzystów.

– Chyłka…

– Tyle wystarczy, żeby tam zaistnieć, zapewniam cię – ucięła. – A teraz w tył zwrot, wsiadaj do rydwanu ognia i zamiataj stąd.

– Nie odpuszczę.

– Bo?

– Bo mam zasady.

– Zasady to ma Clint Eastwood. Wiedziałeś, że do dziś nie ma swojej gwiazdy w alei sław w Hollywood?

– Nie.

– To przez to, że trzeba zapłacić trzydzieści tysięcy, żeby się tam znaleźć. Dla niego to pikuś, ale nigdy tego nie zrobił.

– Świetnie, ale…

– Ty wysupłałbyś znacznie więcej, więc nie wyjeżdżaj mi tu z zasadami. Pokazałeś nieraz, ile są dla ciebie warte.

– Znowu wracasz do sprawy Roma?

Posłała mu wrogie spojrzenie, ale znał ją na tyle, by wiedzieć, że to wszystko jedynie teatrzyk. Chciała się go pozbyć i zdawała sobie sprawę, że jedyną metodą, dzięki której może to osiągnąć, jest doprowadzenie do kłótni.

– Załatwmy szybko tę sprawę z Messerem, a potem zajmiemy się konkretami.

– Zajmiesz się nimi już teraz.

– Nie.

Chyłka rozłożyła bezradnie ręce.

– Czasem naprawdę mam wrażenie, że dogadałbyś się z moim ojcem – zauważyła. – Jesteście równie upierdliwi. Może zresztą macie więcej wspólnych cech.

Zrobił krok w jej stronę, a ona zaparła się o futrynę. Przez długą chwilę mierzyli się wzrokiem. Nie miało to jednak nic wspólnego ze spojrzeniem, które można było określić egzotycznym jagańskim terminem.

– Nie dam się podpuścić – odezwał się Kordian.

– W takim razie wyekspediuję cię stąd w inny sposób.

– Powodzenia.

– Chcę pogadać z Messerem w cztery oczy, bo może być ojcem dziecka.

– C-co?

– Tej bakterii w moim brzuchu.

– O czym ty…

– Znowu mam ci tłumaczyć, jak się tam znalazła? Otóż w pewnych okolicznościach jajeczko spotyka się z plemnikiem, a rezultatem ich małego *randez-vous* jest powstanie zygoty.

Cofnął się o krok. Jej słowa właściwie do niego nie docierały.

– Co ty pieprzysz, Chyłka?

– Zygota jest podróżnikiem, który rozpoczyna swoją przygodę w jajowodzie, a kończy w macicy, konkretnie w błonie śluzowej.

Ściągnął gniewnie brwi.

– Jesteś nienormalna – rzucił.

Gdyby zastanowił się chwilę dłużej, być może ugryzłby się w język. Zaraz jednak uznał, że Chyłka nie należy do osób, które poczułyby się urażone taką uwagą. Jej lekki uśmiech zdawał się to potwierdzać.

– Zważywszy na to, że ta zygotyczna przygoda mogła rozpocząć się od spotkania z Messerem, jestem skłonna przyznać ci rację.

Wyraźnie zmieniła ton. Stała się znacznie bardziej koncyliacyjna.

– Jak... jak to się stało?

– Opowiem ci w swoim czasie. O ile rzeczywiście chcesz wiedzieć.

Nie musiał się długo głowić nad odpowiedzią. Potrząsnął głową i uniósł rękę, jakby w ten sposób mógł zatrzymać wzbierającą falę myśli.

– Nie, nie chcę.

– Tym lepiej, bo niewiele pamiętam.

Jej uśmiech powoli rzedł. Wciąż patrzyli sobie w oczy, ale teraz robili to w zupełnie inny sposób niż przed momentem.

Minęło kilka chwil, a oni nadal trwali w zupełnym bezruchu. Chyłka poruszyła się dopiero, gdy rozległ się sygnał informujący o nadejściu SMS-a.

Spojrzała na komórkę.

– Messer jest na miejscu. Czeka przed bramą na osiedle.

Oryński odpowiedział milczeniem.

– Nadal chcesz uczestniczyć w spotkaniu, Zordon?

– Tak.

Chwilę później weszli do mieszkania, po czym Chyłka poinformowała ochronę, by wpuszczono Pawła. Wraz z Kordianem czekała na niego w zupełnej ciszy. Było zbyt wiele rzeczy, o których powinni porozmawiać, by w ogóle podejmować temat którejkolwiek z nich.

Oryński zrobił sobie kawę z ekspresu przelewowego, a Chyłce zaparzył zbożową. Potem postawił dwa kubki na stole w kuchni, usiadł przy jednym z nich i wbił wzrok w jakiś punkt za oknem. Po chwili rozległ się dzwonek do drzwi i Messer wszedł do środka.

Oryński przez moment mu się przyglądał, dochodząc do kilku wniosków. Po pierwsze nigdy nie powiedziałby, że blondyn jest w typie Chyłki. Po drugie Paweł sprawiał wrażenie, jakby „Iron Maiden" stanowiło dla niego synonim ryczących, przeraźliwych dźwięków, których nie da się słuchać.

Jasne włosy miał zaczesane na bok i lśniące, z pewnością używał najdroższej dostępnej na rynku pasty. Cera wyglądała, jakby dopiero co wyszedł z gabinetu zabiegowego – niechybnie używał jednego z tych balsamów reklamowanych przez Beckhama, które kosztowały tyle co cała paleta zwykłych. Zarost miał równo przystrzyżony do linii szczęki, a garnitur, koszulę i krawat najwyższej jakości.

Jego perfumy zdawały się od razu wypełnić całe mieszkanie. Męskie, wyraziste nuty zapachowe były jakby nokautujące, choć nienachalne. Najwyższa półka, Tom Ford albo Giorgio Armani.

Ale czego innego można się było spodziewać po imiennym partnerze jednej z największych kancelarii w kraju? Z pewnością podjechał na Argentyńską swoim mercedesem-benzem SLR, którego łatwo było wypatrzyć, ilekroć odwiedzało się okolicę Domaniewskiej. Bestia rzucała się w oczy.

Kordian pomyślał gorzko o swoim daihatsu stojącym na podziemnym parkingu.

– Wchodź – rzuciła Chyłka do Pawła. – Ale nie rozgaszczaj się.

– Nie miałem zamiaru.

Zajrzał do kuchni i skinął głową Kordianowi. Najwyraźniej na uścisk dłoni nie było co liczyć. Aplikantów w swojej firmie Messer traktował z większą obojętnością niż powietrze, co dopiero mówić o tych z innych kancelarii.

– Siadaj – powiedziała Joanna.

Usiadł tam, gdzie stał kubek z kawą zbożową. Chyłka szybko go odsunęła i zajęła miejsce obok Oryńskiego. Oboje spojrzeli na Pawła, jakby mieli zamiar go przesłuchiwać.

Kordian przypuszczał, że na dobrą sprawę tak na początku będzie. A przynajmniej spróbują do tego doprowadzić.

– *So*? – zapytał Messer. – O co chodzi?

– O powód, dla którego przyłączyliście się do sprawy.

Paweł sprawnym, wystudiowanym ruchem zrzucił marynarkę i zawiesił ją na oparciu krzesła. Odpiął spinki mankietów, wrzucił je do wewnętrznej kieszeni, a potem podwinął rękawy.

– Powód jest prosty – oznajmił. – Lubimy babrać się w gnoju. A wy zadbaliście o to, żeby było go całkiem sporo.

Chyłka przewróciła oczami.

– Nie mamy czasu na takie bzdury.

– Ja mam go nadto – oznajmił z uśmiechem. – Tak to jest, jak się zbudowało zaufany *team*, który robi wszystko, co trzeba.

– A jednak zjawiłeś się tu we własnej osobie – odparła z przekąsem Joanna. – I nie zrobiłeś tego tylko po to, żeby zakasać rękawy i mówić o gnoju.

Paweł pokiwał głową, spoglądając znacząco na ekspres do kawy. Kordian wbijał wzrok w jego oczy, starając się stwierdzić, jak bardzo musiało odbić Chyłce, by wylądować z tym człowiekiem w łóżku.

Dopiero po chwili uświadomił sobie, że Joanna patrzy na niego sugestywnie. Podniósł się niechętnie, podszedł do ekspresu i wcisnął guzik. Stojąc tyłem do dwójki adwokatów, przysłuchiwał się ich rozmowie.

– Tomasz Kiljański – powiedziała Chyłka.

– Co z nim?

– Wiem na jego temat wszystko, co mi potrzebne, żeby zrozumieć wasze zainteresowanie sprawą.

– *Great*.

– Ale moglibyście bronić go sami, a nam zostawić Fahada.

– Moglibyśmy.

Chyłka westchnęła tak głośno, że Oryński bez problemu to usłyszał, nawet stojąc obok pracującego ekspresu. Poczekał, aż filiżanka się napełni, a potem sięgnął po nią niedbale, rozlewając nieco kawy.

Postawił ją przed Messerem i na powrót zajął miejsce. Imienny partner CzMK wciąż go ignorował.

– Skończ pierdolić – wypaliła w końcu Chyłka.

Najwyższa pora, uznał Kordian.

– Po co wam sprawa Al-Jassama?

– *Well*...

– Skończ też z tymi angielskimi wtrętami.

– Robię to nieświadomie. Na co dzień załatwiam sporo międzynarodowych deali, w dodatku przez większość czasu przebywam za granicą... sama rozumiesz.

Jeśli nawet rozumiała, to nie miała zamiaru dać tego po sobie poznać. Patrzyła na niego gniewnie, czekając, aż będzie kontynuował. Jeszcze przez chwilę rozwodził się nad zupełnymi głupotami, starając się ją poirytować. Ostatecznie jednak dał za wygraną, widząc, że Chyłka nie ma zamiaru się odzywać, dopóki nie przejdzie do rzeczy.

Pociągnął łyk kawy i odstawił filiżankę, z dezaprobatą patrząc na ciemne zacieki. Spoważniał nieco.

– *All right* – rzucił. – Prędzej czy później i tak sama to zrozumiesz.

Liczba pojedyncza, której używał w tej rozmowie, miała zapewne rozsierdzić Oryńskiego, ale właściwie podejście Pawła było mu obojętne. Chciał tylko dowiedzieć się w końcu czegoś konkretnego, a potem... cóż, zobaczyć reakcję Messera na wieści, które miała dla niego Joanna.

– Kiljański oczywiście zorganizował transport do Europy dla waszego klienta – podjął Paweł. – W dodatku załatwił mu lewe dokumenty. A razem z nimi nową tożsamość.

– Jaką?

– Fahada Al-Jassama właśnie. To typowy *fake*.

Oryński pochylił się lekko. Najwyraźniej nie docenił informacji, które mógł mieć Messer. Jeśli to rzeczywiście jego klient za to odpowiadał, Paweł mógł znać fakty, które pozostawały poza zasięgiem Kormaka i prawników od Żelaznego & McVaya.

– Więc wie, kim naprawdę jest Fahad.

– Nie – odparł Messer. – Nie znali się wcześniej.

– W takim razie niewiele nam pomożesz.

– Pomogę – zapewnił Paweł, uśmiechając się lekko. – Bo mój klient doskonale wie, skąd przybył wasz.

– Nasz – poprawiła go niechętnie Chyłka.

– No tak.

Oryńskiemu przeszło przez myśl, że nie było to zwykłe przejęzyczenie, a podświadome odkrycie kart. Może Messer i jego współpracownicy zaangażowali się w sprawę nie dlatego, że liczyli na głośne zwycięstwo? Może chcieli ugrać coś dla swojego klienta kosztem Fahada?

– Przypuszczam, że ten wasz Kojak usilnie szukał tropu – kontynuował Paweł. – Ale…

– Kormak – odezwał się Oryński.

Messer popatrzył na niego przelotnie.

– Naprawdę? – jęknął. – Może jeszcze z planety Melmac?

– To od…

– Nie zagłębiajmy się w to teraz – uciął Paweł, przenosząc wzrok na Chyłkę. – Dążę do tego, że ten wasz Alf niczego nie znalazł, bo nie ma żadnego tropu prowadzącego z Oslo. Tożsamość Al-Jassama powstała właśnie tam.

– Do rzeczy – ponagliła go Joanna.

– *Okay*, *okay*. Spokojnie.

– Jestem spokojna. Wyjątkowo spokojna, zważywszy na okoliczności i twój udział w sprawie.

– Mój udział może ci tylko pomóc.

– Twój udział jest wart tyle, co ptasie gówno lecące w moim kierunku. Trafi mnie, pójdę do najbliższego kibla je zmyć. Zrobię unik, to nigdy więcej już o nim nie pomyślę.

Messer sprawiał wrażenie, jakby nie bardzo wiedział, jak odpowiedzieć na taką analogię. Sięgnął do kieszeni marynarki i wyjął paczkę marlboro, patrząc pytająco na Joannę.

– Fajka pokoju?

– Zapal, a potem zgaś ją sobie w oczodole – odparła. – Ale najpierw wyłóż na stół wszystkie karty.

– Właśnie to robię – odpowiedział z zadowoleniem, szukając zapalniczki.

Kordian musiał przyznać, że chętnie sam by zapalił. Przypuszczał jednak, że Chyłka zaraz potem urwałaby mu łeb.

– Nie trudź się – powiedziała. – U mnie się nie smrodzi.

– Co takiego?

– Nie pali się u mnie w mieszkaniu.

– Coś ci się stało?

– Można tak powiedzieć.

– Dostałaś w końcu raka?

– Gorzej – odparła, a potem głośno nabrała tchu. – Wrócimy jeszcze do tego. Teraz gadaj, co wiesz o naszym kliencie.

Messer pokiwał głową, jakby dopiero teraz tak naprawdę był gotów to zrobić. Sytuacja z pewnością dostarczała mu niemałej satysfakcji. I być może na jego miejscu prawnicy z konkurencyjnej kancelarii zachowywaliby się podobnie.

– Znalazł się w Norwegii dzięki znanemu szlakowi przerzutowemu – powiedział Messer.

– Rowerowemu?

– Nie inaczej.

Kordian słyszał o tej trasie. Wykorzystywali ją uchodźcy z Syrii, robiąc użytek z luki prawnej, która pozwalała w ten sposób legalnie przekraczać granicę rosyjsko-norweską. Prawo zabraniało robić to pieszo, ale nie było w nim wzmianki o przejeżdżaniu na jednośladzie.

Skutek był taki, że w przygranicznych wioskach zaczynało brakować rowerów. I to bynajmniej nie na podwórkach Rosjan – uchodźcy nie ryzykowali kradzieży. Rozwijał się zupełnie nowy rynek najtańszych, najnędzniejszych składaków.

Norwegia zaś musiała zmagać się nie tylko z napływem ludzi, których niekoniecznie chciała przyjmować, ale także z całymi tonami jednośladów, które porzucano zaraz po przekroczeniu granicy.

Fahad mógł przemknąć tamtędy bez problemu, o ile tylko jego dane nie znajdowały się w żadnej bazie gromadzącej informacje o potencjalnie niebezpiecznych osobach.

– Skąd Kiljański wie, jak Al-Jassam dotarł do Norwegii? – zapytała Joanna.

– Wydusił to z niego.

– Jak?

– Ma jasne zasady. Albo klient zdradza mu wszystko, co go interesuje, albo Kiljański nie wydaje papierów.

– Taki jest szlachetny?

– Raczej pragmatyczny. Nie chce wchodzić w żaden *deal* z dżihadystami, bo ściągnąłby uwagę służb. Czy może raczej nie chciał.

– Nawet jeśli Fahad chętnie się z nim wszystkim podzielił…

– Nie powiedziałem, że chętnie.

– ...to Kiljański nie mógł tego zweryfikować.

Messer zaśmiał się protekcjonalnie.

– *Yeah, right* – powiedział. – Zapominasz, że ten człowiek to zaradny biznesmen, a nie funkcjonariusz ze związanymi przez państwo rękoma. Ma swoje sposoby, żeby sprawdzić wszystko, co słyszy.

Chyłka założyła ręce na karku i czekała na wyjaśnienia.

– Kiljański zawsze stawia warunek poręczenia – odezwał się po chwili Paweł. – Co najmniej trzy osoby muszą potwierdzić, że dana osoba szła z uchodźcami z miejsca, które podała Kiljańskiemu. I jedna osoba musi potwierdzić przeszłość potencjalnego klienta. Jeśli okazuje się, że wziął się znikąd w którymś punkcie na trasie albo istnieją inne niewyjaśnione okoliczności, Kiljański nie wydaje papierów.

Oryński miał tego dosyć. Właściwie wystarczała mu wiedza, że facet sprawdził Fahada i uznał, że gra jest warta świeczki, a ryzyko trafienia na radar służb niewielkie.

– Mniejsza z tym – zabrał głos. – Skąd Al-Jassam trafił na granicę z Norwegią?

– Z Iraku.

Chyłka syknęła z dezaprobatą, jakby nieopatrznie dotknęła czegoś gorącego. Jej reakcja była dla Kordiana całkowicie zrozumiała. Irak nie będzie brzmiał dobrze w mediach, szczególnie ze względu na chaos, który nadal tam panuje. Mimo nieustającej ofensywy sprzymierzonych sił część terenów nadal była opanowana przez dżihadystów z ISIS.

– Ruszył szlakiem przez Turcję i Gruzję, w ten sposób dostał się do Rosji – dodał Paweł.

– I przebił się przez cały ten czerwony kraj?

– Nie on jeden.

Messer miał rację. O ile Oryńskiego nie myliła pamięć, ostatnie szacunki mówiły, że w ciągu paru miesięcy w taki sposób przez granicę rosyjsko-norweską przedostawało się kilka tysięcy osób. W dodatku Rosjanie ani myśleli, żeby przyjmować kogokolwiek z powrotem.

Właściwie tajemnicą poliszynela było, że nie robili problemów tym, którzy chcieli po prostu wydostać się z Rosji. Problem z głowy bez przelania choćby kropli krwi. W pewnym sensie był to niewątpliwy postęp w polityce rosyjskiej, uznał Oryński.

– Macie więc dla Kojaka trop do sprawdzenia – dodał Paweł.

– Wy go nie sprawdziliście?

– Po co?

Chyłka zmierzyła go wzrokiem. Przez chwilę zdawała się namyślać, jaka odpowiedź będzie najsłuszniejsza. W końcu skinęła lekko głową, jakby doszła do porozumienia z samą sobą.

– Serwujesz mi typową gówno prawdę, Messer – oznajmiła. – Sprawdziliście, ile mogliście, bo między innymi od tego zależała sytuacja prawna waszego klienta. I najwyraźniej do niczego nie dotarliście, dlatego zrzucasz to na barki Kormaka.

Paweł trwał z obojętnym wyrazem twarzy. Nie musiał potwierdzać.

– I tym samym przyznajesz, że nie macie nic, by wybronić Kiljańskiego, jeśli Fahad zacznie sypać.

– Mamy mnóstwo argumentów.

– Taa... – mruknęła. – I wszystkie są o kant dupy potłuc, jeśli tylko Al-Jassam postara się w sądzie.

Spojrzała na Oryńskiego, potem wskazała Messera i zaśmiała się cicho.

– Dlatego chcą babrać się z nami w tym bagnie, Zordon.

Kordian odpowiedział jej pytającym spojrzeniem.

– Chcą reprezentować obydwu, żeby Fahad nie wsypał Kiljańskiego. – Na moment urwała, sięgając po kawę. – Teoria gier.

– Co? – odezwał się Oryński.

– Dylemat więźnia.

– A, to.

Klasyczny scenariusz dylematu był znany właściwie każdemu. Policja zatrzymuje dwóch przestępców, choć nie ma żadnych dowodów na winę któregokolwiek z nich. Potem stopniowo zaczyna przekonywać jednego, że drugi zaczął na niego donosić, i odwrotnie.

Jeśli obaj będą milczeć, wyjdą wolni. Jeżeli jednak jeden wsypie wspólnika, drugi pójdzie siedzieć. Jeśli obaj oskarżą się wzajemnie, obaj trafią za kratki.

W tym wypadku prawnicy z CzMK nie mogli być dobrej myśli. Fahad Al-Jassam na razie milczał, ale taki stan nie mógł trwać w nieskończoność. To tłumaczyło, dlaczego gotowi byliby stanąć na głowie, by współprowadzić sprawę.

Ale dlaczego Żelazny się na to zgodził?

Kordian nie miał wątpliwości, że Chyłka również się nad tym głowi. Musiał coś ugrać. Coś dużego.

– To by było na tyle z mojej strony – oświadczył Messer, podnosząc się. – Mój *team* jutro przyjdzie do Skylight. Uzgodniliśmy z Arturem, że będziemy pracować u was.

– Z Zordonem pracujemy sami.

– Czas przeszły. Pracowaliście.

Joanna również wstała.

– Czas przeszły będzie odnosił się do twojej egzystencji, jeśli będziesz wchodził mi w paradę. Jestem partnerem w tej kancelarii, nie zapominaj o tym.

– Jednym z wielu – zauważył. – Co wyjątkowo ważne, bo cała reszta opowiedziała się za współpracą z nami.

Chwilę później skierował się do drzwi, a Chyłka odprowadziła go wzrokiem. Oryński przypuszczał, że zatrzyma go w porę, by rozmówić się w sprawach niezwiązanych z prawem. Nie odezwała się jednak słowem, a kiedy wyszedł, opadła ciężko na fotel w salonie.

Kordian stanął obok i potoczył wzrokiem po rozłożonych materiałach.

– Nie miałaś mu przypadkiem o czymś powiedzieć?

– Miałam.

– Co się zmieniło?

– To, że nie wierzę, żebym miała aż takiego pecha w życiu, Zordon. On nie może być ojcem.

Uśmiechnął się pod nosem.

– A teraz dzwoń do Kormaka – powiedziała, odginając się i masując skronie. – Niech zacznie sprawdzać ten trop z Iraku. Czas dowiedzieć się, kim jest Fahad i dlaczego zjawił się w Polsce.

17

Skylight, ul. Złota

Czwarta trzydzieści rano nie była dobrą porą, by przyjść do pracy. Mimo to Chyłka wpadła jak burza na korytarz, przemierzyła go szybkim krokiem i bez pukania weszła do Jaskini McCarthyńskiej.

Kormak natychmiast poderwał głowę z biurka i rozejrzał się przerażony, jakby właśnie wyrwała go z koszmaru.

Joanna rzuciła na biurko pogiętą tablicę rejestracyjną.

– Skurwysyny zezłomowały mi samochód!

– Al… ale…

– Banda zasranych kakalarzy!

– Co?

– Złamane kutasy, Kormak, ot co!

– Zaraz…

– Skasowali mi… – Potrząsnęła głową. – Skasowali moje, kurwa, bmw! – ryknęła tak głośno, że mogłaby obudzić całe Śródmieście.

O ile ktoś jeszcze spał. Jadąc na Złotą, Joanna miała wrażenie, że świat zupełnie zwariował i teraz wszyscy zaczynali pracę o tak nieludzkiej godzinie. Nie tylko taksówkarz, który musiał przez całą drogę wysłuchiwać podobnych wyrzekań.

– Sukinsyńskie pomioty! – krzyknęła. – Jak ich dorwę… przysięgam, Kormak, przysięgam, zesrają się na kwadratowo.

Chudzielec rozejrzał się niepewnie. Zamknął książkę, którą przed momentem nieświadomie wykorzystywał jako poduszkę, a potem z trudem przełknął ślinę.

– Co? No co?

– Nic, po prostu…

– Suszy cię? – zapytała, ale nie dała mu czasu na odpowiedź. – Nie, ty nie pijesz. Ciągniesz za to gandalfa białego, jakbyś był pieprzonym odkurzaczem. Musisz odstawić to gówno, rozumiesz?

Najwyraźniej nie spodziewał się, że Joanna o wszystkim wie.

– Możesz harować jak wół bez niego, spójrz na mnie.

Usiadła przed biurkiem i wściekle rozpięła żakiet. Dopiero po fakcie przyszło jej na myśl, że niewiele brakowało, a oderwałaby guzik. Spojrzała na tablicę rejestracyjną. Potem na gospodarza Jaskini McCarthyńskiej.

– Widzisz to?

– Wi…

– Niech zobaczę gdzieś tę capiącą flądrę, Kormak! – rzuciła. – Rozkurwię jej czerep o najbliższy słup uliczny.

– S-słup?

– O cokolwiek, co będzie w odległości przywalenia o to jej łbem!

Wstała, przeszła od jednej ściany do drugiej, potem znowu usiadła. Kormak sięgnął niepewnie do jednej z szuflad i wyjął butelkę wody. Napił się i poczuł nieco lepiej. Może jednak coś było w tych wszystkich serialach i filmach, w których w stresujących momentach proponowano ludziom wodę.

– Może powinnaś zadzwonić do Zordona…

– Dzwoniłam.

Chudzielec otworzył usta, ale znów nie miał okazji, by się odezwać.

– Śpi w najlepsze, cholerny gałgan – powiedziała przez niemal zaciśnięte usta. – I wyciszył dzwonki. Wiem, bo próbowałam dobić się z dziesięć razy.

Wyprostowała się i nabrała głęboko powietrza. Przytrzymała je w płucach, a potem powoli wypuściła, zupełnie jakby samo wspomnienie o Kordianie w jakiś sposób trochę ją uspokoiło.

Dopiero teraz popatrzyła Kormakowi w oczy.

– Odstaw tego speeda, szczypiorze – powiedziała. – Nie wyglądasz najlepiej.

– Nie wyspałem się.

Nadal zerkał na tablicę, jakby była ładunkiem wybuchowym z opóźnionym zapłonem. Chyłka szybko chwyciła za kawałek pogiętej blachy i cisnęła go w róg pokoju. Rozległ się metaliczny odgłos, Kormak drgnął niepewnie, ale Joanna się nie poruszyła.

– Odkryłeś coś? – spytała. – W sprawie tego zasranego abdula?

Wskazał na leżącą na podłodze tablicę.

– Nie chciałabyś, żebym najpierw…

– Nie – ucięła od razu. – Ci ludzie nie zostawili żadnych śladów, nie namierzysz ich i nie warto tracić czasu. Dojdziemy prawdy w sprawie Al-Jassama, dowiemy się, kim są.

– Jesteś pewna?

– Nie – przyznała. – Ale jestem absolutnie przekonana, że w taki czy inny sposób dobiorę im się do dupy. I pożałują, że kiedykolwiek spojrzeli na moją iks piątkę.

Kormak najwyraźniej uznał, że wymaga to minuty ciszy, bo długo się nie odzywał.

– Trop – rzuciła Joanna. – Co z nim?

Szczypior odchrząknął i poszukał wzrokiem laptopa, jakby w przeciągu ostatnich kilku minut miał samoczynnie zmienić miejsce. Stał na skraju biurka, przekrzywiony, jak gdyby Kormak przed zapadnięciem w sen w ostatniej chwili go odsunął i legł na książce zamiast na nim.

– W Rosji Fahad zostawił trochę śladów – odezwał się. – Udało mi się prześledzić jego trasę od obwodu murmańskiego, przez Karelię, aż po…

– Nie interesuje mnie jego dziennik podróży. Chcę wiedzieć, skąd dokładnie się wziął i po co.

– Więc mam pominąć wszystko, nad czym spędziłem ostatnie godziny? I te wszystkie rozmowy, które odbyłem z niezbyt uprzejmymi ludźmi z CzMK?

– Tak.

Normalnie może by polemizował, ale w tym wypadku słusznie uznał, że mogłoby się to okazać niebezpieczne.

– Ostatni trop, jaki po nim odkryłem, znajduje się w mieście Alkusz w Iraku. Kiljański dotarł nawet do jednego z mieszkańców, który miał poręczyć za Fahada.

– I poręczył?

– Tak, ale teraz nie ma po nim śladu.

– Rozpłynął się w powietrzu?

– Raczej był wydmuszką, dzięki której Al-Jassam mógł potwierdzić swoją tożsamość. Zapewne nigdy nie istniał, tak jak sam Fahad.

Chyłka potarła nerwowo czoło, zrobiła kilka szybkich, krótkich wdechów, a potem obejrzała się przez ramię. Miała wrażenie, że usłyszała głos Zordona na korytarzu, ale było chyba jeszcze zbyt wcześnie, by zjawił się w Skylight.

– Dotarłem do ściany – odezwał się Kormak.

– Tak przypuszczałam.

Popatrzył na nią z niewypowiedzianym pytaniem w oczach.

– Inaczej nie przysnąłbyś na biurku, Kormaczysko – dodała, po czym westchnęła i przesunęła dłonią po włosach. – Jechałbyś na oparach, ale dotarłbyś do celu.

Znów wstała i podeszła do drzwi. Powoli się uspokajała.

– Musisz poprosić o pomoc Paderborna – odezwał się Kormak.

– Coś ty, kurwa, powiedział?

I tak po prostu cała namiastka spokoju nagle znikła.

– To znaczy… nie musisz i… i nie o pomoc, ale…

Wróciła do biurka, oparła się o nie i spojrzała spod oka na chudzielca. Ten sięgnął po butelkę, ale nie napił się, zupełnie jakby chciał użyć jej do obrony własnej.

– Miałem na myśli…

– Znajdziesz dalszy trop – powiedziała Joanna. – Dotarłeś do szemranego towarzystwa, to twój teren. Sprawdzasz się na nim najlepiej.

– Ale to Irak…

– I co z tego? Żyjemy w globalnym świecie. Zmobilizuj swoich Anonimowych czy jak ich tam, przypuśćcie szturm na irackich paserów, dżihadystów, terrorystów… czy Bóg wie kto tam pomagał Fahadowi… i dowiedzcie się wszystkiego.

Kormak sprawiał wrażenie generała, który miał właśnie oświadczyć szalonemu dyktatorowi, że jego wojska nie mogą posunąć się ani o metr naprzód. Z trudem przełknął ślinę, a potem odstawił butelkę.

– Próbowałem się czegoś dowiedzieć, ale poległem – oznajmił. – I wierz mi, nie mówiłbym ci tego, gdyby istniała szansa, że uda mi się ustalić coś jeszcze. To koniec. Stacja, na której muszę wysiąść.

– Nigdzie nie wysiadasz, Kormak. Choćbym musiała przytrzymać cię w tym pociągu siłą.

Odsunęła sobie krzesło, usiadła, a potem czekała cierpliwie, aż oznajmi jej, że zgadza się na ten scenariusz. Szczypior jednak milczał. W dodatku powaga na jego twarzy kazała jej sądzić, że naprawdę nie jest w stanie nic zdziałać w irackiej sieci.

Miała ochotę wyrzucić z siebie ciąg przekleństw, ale ostatecznie uznała, że wystarczająco splugawiła język, i zaklęła niewybrednie jedynie w myśli.

– Co proponujesz? – bąknęła.

– Zaangażować Paderborna – uparł się Kormak. – Tylko w ten sposób dotrzesz do czegokolwiek w Iraku.

– Pader może mniej niż ty.

– Żartujesz? Ma na celowniku potencjalnego dżihadystę, może wszystko.

– W jakim sensie?

– Do jakich służb zagranicznych by się nie zwrócił, pomogą. Szczególnie irackie, które chcą pokazać całemu światu, jak sprawnie działają. Zrobią wszystko, żeby namierzyć człowieka, który poręczył za Al-Jassama.

Właściwie było to dość logiczne założenie. I być może skuteczniejsza droga niż angażowanie sił w świecie wirtualnym. Czasem jedynym wyjściem było po prostu zapukanie do jakiejś podupadłej chaty na obrzeżach Bagdadu i wyciągnięcie informacji z domowników.

Wejście na tę drogę wiązało się jednak z pewnymi trudnościami.

– Nie jestem przekonana – odezwała się Joanna, zawieszając wzrok w rogu pokoju. – To cholernie ryzykowne.

– Nic na tym nie stracisz.

– Nic?

– O ile oczywiście...

– O ile bronimy niewinnego człowieka – dokończyła. – Jeśli jest inaczej, przekazanie tych informacji Paderewskiemu będzie naszym gwoździem do trumny.

Łatwo mogła wyobrazić sobie błysk, jaki zobaczy w oczach Paderborna, gdy tylko wspomni mu o irackim tropie. Prokurator natychmiast skontaktuje się z ambasadą, a może bezpośrednio ze swoimi odpowiednikami w Iraku.

Nie będzie zwlekał, przekonany, że dzięki temu uda mu się potwierdzić, iż Fahad jest islamskim ekstremistą i bojownikiem ISIS.

– Nie masz innego wyboru – zauważył Kormak.

– Brak wyboru oznacza tylko jedno, szczypiorze. Że trzeba iść naprzód.

Chłopak pokiwał głową.

– W takim razie zaangażujesz Paderborna?

– Nie wiem. Ale jedno jest pewne: nie wycofam się. Nie teraz.

Popatrzyła przelotnie na pogięty kawałek metalu. Jeszcze przez chwilę w pomieszczeniu zalegała cisza, która zdawała się sprawiać, że powietrze gęstniało. W końcu Chyłka uznała, że najwyższa pora, by pójść do siebie.

– Prześpij się – rzuciła na odchodnym. – I odstaw gandalfa białego.

Kormak podniósł się zza biurka, kiedy złapała za klamkę.

– Zostawiasz to tutaj?

Nie musiała się obracać, by wiedzieć, że wskazuje na tablicę.

– Tak.

– Ale na co mi to?

– Na pamiątkę – odparła, a potem wyszła na korytarz i zamknęła za sobą drzwi.

Skierowała się do pokoju socjalnego, przekonana, że o tej porze nikogo w nim nie zastanie. Okazało się jednak, że wszystkie ekspresy do kawy są już oblegane, a ludzie krzątają się wokół. Większość wyciągała z toreb i plecaków lunch boxy, a potem upychała je do przepełnionej lodówki.

Kiedy pracownicy kancelarii zorientowali się, że Chyłka stoi w progu, stopniowo zaczęli zamierać. W końcu wszyscy obrócili się w jej kierunku.

– Co to ma być? – zapytała, wskazując na otwartą lodówkę. – Jakiś odpowiednik akwakultury?

Nikt jej nie odpowiedział.

– Czy może hodowla glonów i wodorostów?

Przenieśli wzrok na przezroczyste pudełka, w większości wypełnione zieleniną.

– Nikt już nie je jak człowiek? – dodała.

Zanim którykolwiek z młodych prawników odpowiedział, odwróciła się i skierowała do swojego gabinetu. Zgłodniała, ale nie miała zamiaru tracić czasu na jedzenie. Nie teraz, kiedy przeciwnicy rzucili jej bezpośrednie wyzwanie.

Otworzyła drzwi do biura, ale nie weszła do środka, dostrzegając, że winda zatrzymała się na dwudziestym pierwszym piętrze. Sprawdziła godzinę i uznała, że o tej porze Zordon właściwie powinien być już na miejscu.

Może nie miała racji, mówiąc wcześniej Kormakowi, że jeszcze śpi. Bardziej prawdopodobne było, że brał wówczas prysznic, układał włosy czy pryskał się perfumami od Armaniego.

Gdy drzwi się rozsunęły, zobaczyła Oryńskiego z kubkiem karmelowego latte macchiato w ręku.

Spojrzała na kawę, a potem na niego. Natychmiast schował napój za plecami.

– Co ty… co ty tu robisz o tej porze? – zapytał.

– Przekonuję się, że to miejsce wymaga gruntownego remontu personalnego.

– Hm? – mruknął.

– Jedni hodują w lodówce jakieś pnącza, inni ciągną amfetaminę, a najgorszy element pojawia się w pracy z czymś, co jest kawą tylko z nazwy.

Kordian ruszył w jej stronę.

– Nie wstyd ci? – zapytała. – Kupiłbyś sobie lepiej tubkę tej… pasty…

– Jakiej pasty?

– Tego kremu czy co to jest… krówki w płynie, sama nie wiem – odparła, marszcząc czoło. – Zresztą nieważne, mamy istotniejsze sprawy.

– Jakie?

– Zamordowali iks piątkę.

– Że co zrobili?

– Za mną, Zordon – poleciła, po czym weszła do gabinetu.

Chwilę zajęło jej wytłumaczenie, co się stało. Zachowała względny spokój, choć raz po raz wzbogacała relację o kilka określeń związanych z matkami dwojga osób, które dopuściły się zbrodni na bmw.

Kiedy skończyła, Oryński milczał.

– Powiesz coś?

– Tylko jedno przychodzi mi na myśl.

Liczyła na jakiś odpowiednik wojennego zawołania, ale właściwie powinna wiedzieć, że się go nie doczeka.

– Wieczny odpoczynek racz… – zaczął.

– *Hola, hola*. Tu się nie robi jaj z religii.

– W porządku – odparł i dopiero teraz rozpiął marynarkę. Pochylił głowę na bok i przez moment przyglądał się Joannie.

W pierwszej chwili nie wiedziała, co to ma znaczyć, ale szybko sobie uświadomiła.

– Błagam cię, Zordon.

– Nic nie mówię.

– Chcesz zapytać, czy piłam.

– W żadnym wypadku.

– I czy paliłam.

– To też mi przez myśl nie przeszło.

Postanowiła nie podejmować tematu. Uznała, że najwyższa pora, by sam się zreflektował, że wszystkie głupstwa, których się w życiu dopuściła, zawsze wyrządzała tylko sobie. Tym razem sytuacja była diametralnie inna.

Milczeli przez kilka chwil. Kordian niepewnie popijał macchiato, Chyłka co jakiś czas patrzyła na nie z niezadowoleniem. W końcu aplikant zgniótł kubek i wrzucił go do niewielkiego kosza w kącie pokoju.

– Co teraz? – zapytał.

– Będę musiała zrobić rundkę po salonach samochodowych.

– Miałem na myśli sprawę.

– Ja też – zaoponowała. – Odpowiedni środek lokomocji dobrze mnie nastraja do działania, a oprócz tego to czasem także mój oręż.

– Aha.

Podniosła się z krzesła.

– Mam na myśli, że niezbyt dobrze będę się czuła, jadąc na spotkanie z Paderbornem żółtym samochodem rodem z kreskówki.

– A więc jednak…

– Nie, jeszcze nie postanowiłam.

– Widzisz inne wyjście niż współpraca z nim? – zapytał z powątpiewaniem Oryński. – Trop nam się urwał, niczego sami nie ustalimy.

– A jeśli trop prowadzi do ISIS, Zordon?

– To mamy problem.

– Nie, to będziemy mieć – poprawiła go. – Bo w tej chwili Paderewski nie ma pojęcia, gdzie szukać.

– Prędzej czy później się dowie.

– W jaki sposób?

Kordian przygryzł dolną wargę i przez moment zawieszał wzrok gdzieś za oknem. Z tej perspektywy widać było górne piętra PKiN-u, i to właściwie wszystko. Niebawem miało się to jednak zmienić. Pracownicy Żelaznego i McVaya przypuszczali, że ani się obejrzą, a cały plac Defilad zostanie zagospodarowany przez kolejne wieżowce.

– Jedyną osobą, która mogłaby coś zdradzić, jest Kiljański – dodała Chyłka. – I pewnie w końcu by to zrobił, szczególnie gdyby wcześniej Fahad zaczął sypać.

– Ale dzięki Messerowi takiego zagrożenia nie ma.

– Ano nie – przyznała Joanna. – Obaj są reprezentowani przez te same podmioty. W razie czego będą bronić się razem.

Oryński wyglądał, jakby bił się z myślami, a w dodatku przegrywał to starcie.

– Jeśli więc nie przekażemy Paderbornowi informacji, nigdy do nich nie dotrze.

Chyłka nic nie odpowiedziała.

– Dotychczas wydawało mi się, że praktykowanie prawa to poker – dodał Kordian. – Ale właściwie bardziej pasowałoby porównanie z jakąś loterią. Totalny hazard.

– Mhm.

– Przy odrobinie szczęścia możemy sprawić, że Paderborn sam wycofa akt oskarżenia. Przy odrobinie pecha...

– Skażemy Al-Jassama na dożywocie.

– I narazimy się na zarzut o działanie na niekorzyść klienta.

– Co to, to nie – zaprotestowała Joanna. – Wiem, że moje sukcesy na salach sądowych mogą sugerować, że mam zdolność jasnowidzenia, ale to tylko plotki.

Przez moment się nad tym zastanawiał.

– Więc może warto zaryzykować?

– Zawsze warto. Pytanie, czy w tym wypadku trzeba.

– To znaczy?

Chyłka głęboko westchnęła. Nie miała zamiaru się nad tym rozwodzić, bo w istocie rzecz była oczywista – przed ewentualnym spotkaniem z Paderbornem wystarczyło ustalić, jak prawdopodobne było to, że Fahad naprawdę organizował zamach.

Służby z pewnością inwigilowały go na granicy prawa, a może nawet poza nim, jednak samo w sobie niczego to nie dowodziło. Pewność siebie Padera także nie. Podobnie pozbawione znaczenia były zapewnienia Al-Jassama, że nie ma nic wspólnego z Przemkiem Lipczyńskim.

Joanna uderzyła dłonią w biurko, Kordian aż się wzdrygnął.

– Dosyć tego – rzuciła. – Zbieramy się.

– Dokąd?

Wstała, a aplikant zrobił to samo z wyraźną ulgą. Najwyraźniej cieszyło go, że decyzja zapadła bez jego udziału.

– Do Lipczyńskich.

Oryński przełknął ślinę.

– Chcesz przycisnąć Fahada?

– Chcę go wycisnąć jak grejpfruta w imadle, Zordon. Koniec z tymi unikami.

Dojechanie na niewielkie mokotowskie osiedle zajęło im stanowczo zbyt wiele czasu. Chyłka czuła, że gotuje się w środku. Tylko częściowo sobie to uświadamiając, skanalizowała wszystkie swoje emocje w kierunku Al-Jassama. To w nim zaczęła upatrywać winnego nie tylko zniszczenia iks piątki, ale i wszystkiego innego, co się działo.

Kiedy wpadła do mieszkania Lipczyńskich, była gotowa rozerwać go na strzępy. Tadeusz natychmiast odsunął się o krok, przepuszczając ją, i dopiero Anna zatrzymała prawniczkę w progu pokoju.

– Co też pani…

– Gdzie on jest?

Joanna spojrzała jej przez ramię i zobaczyła Fahada podnoszącego się z kanapy. Kawałek przed nią stał telewizor, włączony był jeden z kanałów, gdzie bez ustanku emitowano programy z gwiazdami mającymi radzić sobie w ekstremalnych sytuacjach. Zarówno w dżungli, jak i w kuchni.

– Pieprzony gnój... – mruknęła Joanna.

– Słucham? – spytała Lipczyńska.

– Twierdzi, że nie ma nic wspólnego z waszym synem, ale jak przychodzi co do czego, korzysta z domowego ciepełka.

Kordian stanął obok niej i posłał jej ostrzegawcze spojrzenie. Wchodziła na grunt, na którym postawienie każdego kolejnego kroku wiązało się z pewnym ryzykiem.

– Jak pani śmie? – obruszyła się Anna. – Wie pani, co przechodzimy?

– Mniej więcej.

– Przed momentem otrzymaliśmy kolejny telefon z pogróżkami, to już... – Urwała i popatrzyła na męża.

– Piętnasty, może nawet dwudziesty – odparł ciężko Tadeusz. – Wydzwaniają do nas nieznajomi, nie wiem, skąd mają numer. Grożą nam, obrażają nas i...

– Tego się trzeba spodziewać – ucięła Chyłka. – Zmieńcie numer.

Fahad stanął za kobietą, a potem cierpliwie poczekał, aż ta się odsunie. Po chwili mierzyli się z Joanną wzrokiem, jakby mieli znaleźć się po przeciwnych stronach w zbliżającym się procesie.

– Tomasz Kiljański – rzuciła Chyłka.

Al-Jassam wzdrygnął się, jakby usłyszał gorszące go bluźnierstwo.

– Mam dodawać coś więcej? – zapytała prawniczka.

– Jeśli chcesz się czegoś dowiedzieć, tak.

– Nie wystarczy ci sam fakt, że do niego dotarliśmy?

Fahad wycofał się do pokoju, wyłączył telewizor i usiadł na kanapie. Poczekał, aż prawnicy do niego dołączą, a potem poprosił Lipczyńskich, by poczekali w innym pomieszczeniu. Małżeństwo nie miało jednak zamiaru się na to godzić, nie teraz, kiedy oboje byli przekonani, że odzyskali swojego syna.

Zwracali się do niego polskim imieniem, a on nie protestował. Chyłka starała się zrozumieć, co tu się właściwie dzieje, ale uznała, że na własną rękę tego nie rozszyfruje.

– Mam dosyć – poinformowała. – Albo powiesz mi, co jest grane, Fahad, albo przekonam Kiljańskiego, że najlepiej będzie, jeśli zacznie sypać.

Al-Jassam uśmiechnął się nieznacznie, ale z wyraźną pobłażliwością.

– Coś cię cieszy?

– To, że on nie może mi zaszkodzić.

– O, zapewniam cię, że przedstawi wszystko w takim świetle, by...

– Mecenas Messer zapewnił mnie, że teraz obaj jedziemy na tym samym wózku.

Chyłka zaklęła bezgłośnie. Powinna była się spodziewać, że Paweł zrobił już, co trzeba, żeby żadnemu z oskarżonych nawet przez myśl nie przeszła rozmowa z Paderbornem.

– Wytłumaczył mi też, dlaczego zależy mu na bronieniu mnie. I dał mi do zrozumienia, żebym nie przejmował się twoimi reakcjami.

– Co takiego?

– Wiem, że występowanie w moim imieniu to dla ciebie wymarzona sprawa. Większość z was podczas całej długiej kariery nie może liczyć na coś takiego.

– Chyba żartujesz…

– Nie. Mimo że sprawa nie jest intratna pod względem finansowym, rozsławi obydwie kancelarie. A w szczególności nazwisko prawnika, który przewodzi obronie. Czyli twoje.

Joanna zrozumiała, że przyjeżdżając tutaj, popełniła błąd. Messer przygotował już ich klienta i ten nie zdradzi niczego, co mogłoby się jej przydać.

– To może być proces twojego życia – dodał. – Więc czegokolwiek byś nie powiedziała, wiem, że i tak będziesz robić wszystko, żeby go wygrać.

– Łatwo dałeś się urobić, muzułmaninie.

– Nie. Wiem, że trafiam w sedno. I przypuszczam, że może nawet chcesz zbudować na mojej sprawie swoją własną kancelarię – dodał Fahad, po czym spojrzał na Oryńskiego. – O to chodzi? Dlatego się jej podjęłaś?

Chyłka wzruszyła ramionami, nie mając zamiaru wdawać się w dalsze rozmowy.

– Kiedy teraz o tym myślę, nie mam pojęcia, dlaczego to zrobiłam – odparła.

Chwilę później wraz z Zordonem opuścili mieszkanie Lipczyńskich, żegnani długimi i nieprzychylnymi spojrzeniami. Joanna zdawała sobie sprawę, że niepotrzebnie zantagonizowała ludzi, którzy płacili rachunek za obronę, ale jeszcze przed momentem wydawało się, że nie ma innego wyjścia.

Teraz jednak zmieniła zdanie. Wyjście było. Cały czas to samo, niezmienne.

– Jedziemy na Chocimską, Zordon – oznajmiła.
– Jednak?
– Jesteśmy pod ścianą.
– Zazwyczaj w takiej sytuacji przebijasz ją głową.
– I teraz też mam zamiar to zrobić – zapewniła. – Tyle że wykorzystam Paderborna jako taran.

Kordian pokiwał głową bez przekonania. Po prawdzie ona też nie była pewna, czy robią dobrze.

Prokurator przyjął ich niechętnie, ale kiedy tylko dowiedział się, w jakim celu zjawili się w siedzibie prokuratury okręgowej, oczy mu się zaświeciły. Prawnicy zreferowali mu wszystko, co wiedzieli, a Olgierd słuchał w milczeniu.

Zapisał tylko kilka najważniejszych rzeczy, po czym na jakiś czas się zamyślił. Ostatecznie podziękował i zapewnił, że niebawem skontaktuje się z dwójką obrońców. Po pierwszym wybuchu entuzjazmu zdał sobie sprawę, że zapewne nic dobrego z tego nie będzie.

Trop musiał sprawdzić, było to jego obowiązkiem. Ale musiał też uznać, że skoro otrzymał go od obrony, wszelkie ustalenia będą świadczyć na jej korzyść.

Po kilkunastu dniach okazało się, że niepotrzebnie się martwił.

Irackie służby dotarły do prawdziwej tożsamości człowieka, który poręczył za Fahada. Był to znany w kraju terrorysta, członek ISIS i osoba podejrzewana o współudział w zamachu przeprowadzonym w jednym z irackich miast.

W jednej chwili wszystko się zmieniło. Chyłka i Zordon zrozumieli, że będą bronić winnego człowieka. I że jeśli odniosą sukces, ich klient na wolności może dokończyć to, co zaczął.

Rozdział 2
Cichy morderca

1

Salon BMW, ul. Czerniakowska

Kordian czuł się w takich miejscach jak intruz. Badawcze spojrzenia sprzedawców z pewnością nie poprawiały sytuacji. Na Chyłkę patrzyli, jakby spodziewali się, że za moment sięgnie do torebki, wyłoży na stół całą cenę auta, a potem wyjedzie z salonu. Na niego zaś, jakby przyszedł jedynie pooglądać najnowsze modele, być może naciągnąć dealera na jazdę próbną.

Dwójka prawników kręciła się między nowościami, ale na wszystkie Joanna patrzyła z rezerwą.

– Sama nie wiem, Zordon.

Oryński uznał, że najlepszym rozwiązaniem będzie powściągliwość w podejmowaniu tematu.

– Iks piątka wyglądała jak czołg – dodała Chyłka, drapiąc się po karku. – I to mi się podobało. Dobrze się czułam. Jak piąta pancerna.

Kordian nadal nic nie odpowiadał.

– Iks szóstka jest jakaś taka... bardziej zaokrąglona.

– Mhm.

– Nie żeby mniej agresywna, ale ma te wszystkie elementy, które... sama nie wiem...

Oryński pokiwał głową.

– Dodają jej pewnej gracji – dokończyła po chwili Chyłka. – A ja lubię surowość.

– Doprawdy?

Zdawało mu się, że była tak pogrążona we własnych myślach, iż nawet go nie usłyszała. Czuł za to, że przykuwa uwagę jednego z pracowników salonu, który od kilku chwil wodził za nimi wzrokiem.

– Cenię sobie pewne, jak by to ująć... nieokrzesanie w stylu.

– Coś takiego?

– W jakimś sensie pierwotność motoryzacyjną. Może nawet brutalność.

– Nigdy bym nie powiedział.

Joanna potrząsnęła głową, jakby dopiero teraz przypomniała sobie, dlaczego w ogóle pojawili się w salonie. Jej wzrok, dotychczas jakby lekko zamglony, stał się wyraźny. W oczach byłej patronki Oryński dostrzegł agresywny błysk.

Odwróciła się i spojrzała na niego, jakby dopiero się tu zjawił.

– Wiesz, kogo dostaliśmy?

– Hm? – mruknął Kordian.

– Mam na myśli sędziego.
– Tatarka.
Chyłka pokiwała głową, jakby rozmawiali o śmierci bliskiej osoby, a nie sędzim, który będzie prowadził sprawę Fahada w sądzie okręgowym.
– Co o nim wiesz? – spytała.
– Właściwie nic.
– W takim razie czeka cię ciekawe przeżycie, Zordon.
– Bo?
– Bo Tatarek to jeden z najbardziej pokrętnych sukinsynów judykatury, jakich znam.
Zanim Kordian zdążył o cokolwiek dopytać, obok nich znikąd pojawił się pracownik salonu. Uśmiechnął się przyjaźnie do Joanny, pobłażliwie do Oryńskiego, a potem zapytał, w czym może pomóc.
– W walce z kalkami językowymi – odparła Chyłka.
Mężczyzna uniósł brwi.
– Coś nie tak? – spytała prawniczka.
Sprzedawca wyraźnie nie wiedział, jak odpowiedzieć. Kordian współczuł mu, przewidując, że nieszczęśnika czeka wysłuchanie monologu na temat tego, że angielskie „can I help you?" niespecjalnie nadaje się do bezpośredniego przełożenia na polski.
Tak też się stało, a na koniec Joanna poinformowała go, że zamiast tego może zapytać, czy może doradzić w wyborze, przybliżyć ofertę, zainteresować którymś z modeli *et cetera*.
– Ale jeśli chce mi pan w czymś pomagać, to już zupełnie inna sprawa.
– Oczywiście – odparł uprzejmie mężczyzna.
– A teraz wybierzemy się na jazdę testową.

Chwilę trwało, nim dopełnili formalności. Joanna ostatecznie zdecydowała się na sprawdzenie iks szóstki, choć nie wyglądała na przekonaną. Oryński usiadł z tyłu, zapiął pas i na moment zamknął oczy.

Nie wyspał się. I przypuszczał, że deficyt snu będzie się tylko pogłębiał.

Fahad Al-Jassam szybko wrócił do aresztu śledczego, media właściwie pożarły go żywcem, a przy okazji wylały pomyje na prokuratora, który pozwolił, by domniemany terrorysta wyszedł na wolność. Oberwało się także kancelarii Żelazny & McVay.

W Internecie mnożyły się ataki na Chyłkę, anonimowi hejterzy folgowali sobie, wymyślając coraz to nowe określenia na prawniczkę. Wszystkie miały jednak wspólny mianownik – komentujący byli zgodni, że w taki czy inny sposób oddaje się Romom i muzułmanom.

Joanna ignorowała te wpisy, większości nawet nie czytała. Nie ruszały jej też telefony z pogróżkami, które od pewnego czasu otrzymywała. A przynajmniej twierdziła, że nie robią na niej wrażenia. Kordian nie był tego taki pewny.

Kiedy wyjechali na Gagarina, Chyłka zaczęła kluczyć między samochodami, korzystając z możliwości, jakie dawała trzypasmówka. Sprzedawca zdawał się lekko zaniepokojony, Oryński zaś relaksował się w najlepsze.

Brakowało mu tylko nieodłączonych dźwięków Iron Maiden, by poczuł się jak w domu.

– Szybko pani jeździ – zauważył pracownik salonu.

Chyłka szarpnęła kierownicą, iks szóstka natychmiast zmieniła pas, wciskając się między czarne volvo a autobus komunikacji miejskiej.

– Jeśli chodzi o ograniczenia prędkości, zawsze wyrabiam dwieście procent normy – rzuciła, po czym nacisnęła pedał gazu.

Z każdą kolejną chwilą za kółkiem wyglądała na coraz bardziej zadowoloną i Oryński przypuszczał, że podjęła już decyzję. Mimo to po powrocie do salonu okazała rozczarowanie i zanim sprzedawca zdążył o cokolwiek zapytać, wyszła z budynku. Niechętnie skierowała się do zaparkowanego nieopodal daihatsu.

– Humorki ciążowe? – rzucił Kordian.

– Pozory, Zordon, pozory – odparła. – To technika negocjacyjna. Jak wrócę, facet będzie przekonany, że musi mnie przekabacić dobrym rabatem.

Oryński nie był co do tego przekonany, ale postanowił zatrzymać wszelkie uwagi dla siebie.

– Powątpiewasz, aplikancie?

– Gdzieżby.

Otworzyła drzwi pasażera i oparła się o dach.

– Zainspirowała mnie kultura muzułmańska – powiedziała. – Nietargowanie się uważają za splunięcie w twarz.

– Stajesz się powoli specjalistką.

– Ba. Zapytaj mnie, co wydarzyło się w jaskini Al Hira na trzynaście lat przed hidżrą, kiedy Mahomet dobijał czterdziestki, a będę terkotała jak twój rydwan ognia na mrozie.

– Obejdzie się – odparł Kordian, siadając za kierownicą. Poczekał, aż Joanna umości się na siedzeniu obok i zapuścił silnik. – Poza tym wolałbym dowiedzieć się czegoś o sędzim.

– W takim razie bierz się do roboty, jak tylko przyjedziemy do kancelarii. – Spojrzała na zegarek. – ETA: pół dnia.

Pokręcił głową z niedowierzaniem.

– Mówię poważnie, Zordon – zastrzegła.
– Wyrobimy się znacznie szybciej…
Przewróciła oczami.
– Mam na myśli, że prawdziwa praca prawnika polega na poznaniu sędziego. Nie zawsze istotna jest argumentacja, rzadko kiedy liczą się przepisy prawa, ale za każdym razem znaczenie ma to, jak dobrze znasz tego, kto orzeka.
– I jak mam go niby poznać?
– W prosty sposób. Masz do dyspozycji przepastne bazy wyroków.
– To nie Sąd Najwyższy.
Spojrzała na niego z ukosa.
– Nie szkodzi, inne wyroki też są dostępne – zauważyła. – Pewnie, najwięcej jest tych z apelacji i SN, ale te z pierwszych instancji też znajdziesz. A potem wystarczy, że wczytasz się w to, jak orzekał dany sędzia. Każdy ma jakąś linię interpretacji, każdy decyduje wedle pewnego schematu. Oni nie biorą swoich poglądów z powietrza.
– Mhm.
– Poza tym są konsekwentni. Prawie jak krowy.
Oryński nie był pewien ani tego, czy to dobra analogia, ani tym bardziej, czy tkwi w niej ziarno prawdy.
– Mam na myśli te w Indiach, rzecz jasna. Święte – dodała Chyłka. – Ale dążę do tego, że w podobnych stanach faktycznych decydują w zbliżony sposób. Ot i cała tajemnica. Jeśliby robili inaczej, narażaliby się na zarzuty, że ta czy inna decyzja została podjęta błędnie.
– Może i masz rację.
– Może? Powinni tego uczyć na studiach, Zordon. I nazwać przedmiot chyłkologią stosowaną.

– Jeszcze jakieś złote myśli? – zapytał, przejeżdżając przez skrzyżowanie Czerniakowskiej z Gagarina.

– Nie, ale mam dla ciebie kilka wstępnych informacji o Tatarku.

– Zamieniam się w słuch.

– Przede wszystkim to ekscentryk. Nosi czerwoną, ozdobną poszetkę, którą układa tak, jakby uczestniczył w konkursie na najbardziej fikuśny kształt tej wątpliwej ozdoby garnituru.

– To rzeczywiście przydatna informacja.

Chyłka zbyła to milczeniem.

– Oprócz tego niespecjalnie przejmuje się literalnym brzmieniem przepisów ani zasadami, które normalny sędzia uznaje za świętość.

– To znaczy?

– Powiedzmy, że jeśli stawisz się w tej swojej imitacji togi bez lamówki, nie zrobisz na nim żadnego wrażenia – odparła i zawiesiła wzrok gdzieś za oknem. – Czasem wydaje mi się, że nie obruszyłby się nawet, gdyby któraś ze stron nagle zgłosiła sprzeciw, powołała się na piątą poprawkę, zaczęła przesłuchiwać oskarżonego w charakterze świadka i tak dalej.

– I taki gość ma orzekać w sprawie Fahada?

Joanna wzruszyła ramionami.

– Ma dobre układy z prezesem, jest medialny, lubi głośne sprawy. I w sumie nie najgorzej się sprawdza, jeśli wziąć pod uwagę liczbę apelacji, które w jakikolwiek sposób podważały jego wyroki.

– Ile razy do tego doszło?

– Dwa.

– Dwa?

– Mówię ci, że rzadko się myli. Ale to popierdoleniec, Zordon, nie zapominaj o tym.

– Będę mieć to na względzie.

– Prawdziwy oryginał – dodała.

– W takim razie powinniście się wzorowo dogadać.

Nadal wbijała wzrok w jakiś punkt w oddali. Kordian odniósł wrażenie, że na rzeczy jest coś więcej niż tylko dylemat związany z nowym samochodem.

– Występowałaś kiedyś przed nim?

– Dwa razy.

– I w ilu przypadkach wygrałaś?

W końcu odwróciła się do niego.

– Pierwotnie w żadnym – odparła. – Ale po apelacji oba wyroki zmieniono.

Kordian miał wrażenie, że cała krew odpłynęła mu z twarzy. I być może tak było, bo Joanna spojrzała na niego z niejakim zaciekawieniem.

– Co jest, Zordon? Przeprowadzasz w myśli skomplikowane rachunki arytmetyczne?

– Chyba nie muszę…

– Chyba nie – przyznała i westchnęła. – Tatarek dwa razy w życiu dostał po łapach od sądu apelacyjnego. I za każdym razem dzięki mnie.

– Więc mamy przesrane.

– Można tak powiedzieć – odpowiedziała, a potem zamilkła, znów spoglądając za okno.

Nie brzmiało to wszystko najlepiej. Nie dość, że bronili człowieka, który miał zamiar wysadzić się w powietrze wraz z bliżej nieokreśloną liczbą ludzi, to jeszcze przeciwko nim występował fachowy prokurator i nieprzychylny Chyłce sędzia.

Do tego dochodziła obowiązkowa współpraca z Messerem, który zdawał się realizować własny cel.

Kiedy wrócili do kancelarii, Chyłka bez słowa skierowała się do swojego gabinetu. W pewien sposób stanowiło to ukoronowanie tego, co się działo. Kordian przez moment patrzył na plakietkę z jej nazwiskiem, a potem poszedł do swojego biura.

Zagłębił się w uzasadnieniach wyroków wydawanych przez Wiesława Tatarka. Nie zawsze były zgodne z utartą interpretacją przepisów, ale rzeczywiście rzadko zdarzało się, by wyższa instancja zmieniała jego decyzje.

Od czasu do czasu za to zwracano mu sprawę do ponownego rozpatrzenia. Tylko dwukrotnie postanowiono, że nie warto tego robić i sąd apelacyjny orzekał sam.

Po przeczytaniu kilku wywiadów z sędzią Tatarkiem Kordian był przekonany, że człowiek ten powinien brać udział raczej w inscenizacjach procesowych w szpitalu psychiatrycznym, niż orzekać w sądzie okręgowym. Oprócz tego wydawało się niemal pewne, że ma w domu tarczę z podobizną Chyłki, w którą celuje co rano rzutkami.

W dwóch czy trzech wywiadach wspominał ją nawet z imienia i nazwiska. Kontekst niestety nie był najlepszy, Tatarek rozwodził się bowiem nad tym, jak dalece członkowie dzisiejszej palestry odeszli od chlubnej tradycji swoich poprzedników, jak zależy im jedynie na sławie i pieniądzach i tak dalej.

Około południa Kordian miał serdecznie dosyć. Nie spotkał jeszcze Tatarka, a już czuł, że będzie śnił mu się po nocach.

Podczas pierwszego spotkania w sali sądowej utwierdził się w tym przekonaniu. Sędzia zdecydował, że ze względu na głośny wydźwięk sprawy i jej zawiłość należy zacząć od posiedzenia organizacyjnego.

Zamiast więc przeprowadzać dowody, uczestnicy musieli poświęcić czas na ustalenie kolejności, sposobu i organizacji poszczególnych czynności procesowych. Kordian miał wrażenie, że wszystko to odbywa się tylko po to, by Tatarek pokazał, kto tu rządzi.

Z zasady strony miały co nieco do powiedzenia w sprawach organizacyjnych, ale tym razem sędzia wyraźnie dał im do zrozumienia, że tak nie będzie.

– Życzyłbym sobie, żeby rozprawa była jawna – oznajmił Wiesław.

Oryński nie miał co do tego wątpliwości. Już teraz media miały używanie, a Tatarek zdawał się pławić w blasku kamer.

– Towarzyszą mi jednak pewne obawy – dodał sędzia i spojrzał na Chyłkę.

– Jakiej natury? – burknęła.

Tatarek skrzywił się i mlasnął z dezaprobatą. Joanna zaklęła na tyle cicho, że słyszeli ją jedynie siedzący obok Messer i Oryński.

– Jakiej natury, Wysoki Sądzie? – poprawiła się.

– Cóż... natury określonej w artykule trzysta sześćdziesiątym Kodeksu postępowania karnego.

– *No shit* – rzucił szeptem Messer.

Kordian nie musiał znać na pamięć numeracji przepisów, by wiedzieć, że chodzi o artykuł, który oględnie reguluje kwestie wyłączenia jawności. O ile go pamięć i intuicja nie myliły, w tym wypadku mogłoby chodzić o zakłócenie spokoju publicznego lub ujawnienie okoliczności, które ze względu na ważny interes państwowy powinny pozostać tajemnicą.

– Rozważam jeszcze, w jakiej części należałoby wyłączyć jawność – dodał Tatarek.

Głos sędziego był irytujący, podobnie jak sposób, w jaki się wyrażał. Każde słowo wypowiadał tak, jakby uczestniczył w zajęciach z hiperpoprawnej dykcji. Wydymał usta, wymawiał wyraźnie końcówki i dobitnie akcentował.

– Czy pan prokurator się tej idei przeciwstawia? – zapytał.

Paderborn podniósł się.

– Nie, Wysoki Sądzie.

– W takim razie powezmę decyzję *in concreto* w trakcie rozprawy. Gdyby miał pan obiekcje, zgłosi się pan w stosownym czasie.

– Oczywiście.

Olgierd usiadł.

– A teraz ustalmy kolejność przesłuchań świadków – powiedział Tatarek. – Od kogo zaczniemy?

Chyłka wstała i już otwierała usta, ale sędzia zgromił ją wzrokiem i uniósł dłoń.

– Proponuję zainaugurować ten etap przesłuchaniem państwa Lipczyńskich. Z pewnością skorzystają z odmowy składania zeznań, powołując się na więzy rodzinne.

Spojrzał kontrolnie na Paderborna, jakby oczekiwał, że ten potwierdzi. Prokurator jednak trwał w zupełnym bezruchu, nie skinął nawet lekko głową. Oryński pomyślał, że na jego miejscu skorzystałby z okazji i nawiązał nić porozumienia z przewodniczącym.

– Wysoki Sądzie – odezwała się Joanna. – Rodzice mojego klienta z pewnością…

– Z pewnością nie będą kłamać na mównicy – uciął Tatarek. – A zatem pozostanie im milczenie.

W sali zaległa ciężka cisza. Chyłka odchrząknęła, a Oryński był przekonany, że prawniczka walczy ze sobą, by nie dać się ponieść emocjom.

– Dobrze, że Wysoki Sąd nie feruje…

– Proszę nie kończyć, pani mecenas – wszedł jej w słowo Tatarek. – Bo może się to skończyć niefortunnie.

Chyłka usiadła.

– Chciałbym oczywiście wysłuchać tego, co mają do powiedzenia przedstawiciele służb – dodał sędzia. – W dalszej kolejności pragnę poznać opinię biegłych. Byle nie powoływali ich państwo w nadmiernej liczbie.

Joanna znów się podniosła.

– Obrona chciałaby…

– Ekhm.

– Wysoki Sądzie, obrona chciałaby powołać biegłych zarówno z zakresu…

– Psychiatrii?

– Miałam na myśli…

– Interesuje mnie głównie ocena tego, jakich zniszczeń mógł dokonać ten ładunek wybuchowy. Stan psychiczny oskarżonego jest jasny. Nikt o zdrowych zmysłach nie ma zamiaru wysadzać się w powietrze.

Obrona mogłaby to potraktować właściwie jako przychylną deklarację, ale Oryński wiedział, że to jedynie czcze gadanie w wykonaniu Tatarka. Chyłka uprzedziła go, by większości rzeczy, które usłyszy podczas posiedzenia organizacyjnego, nie brać na poważnie.

– Ale oczywiście mają państwo prawo udowodnić… czy może raczej próbować udowodnić wszystko, co sobie państwo życzą – kontynuował Wiesław. – Grunt, bym się dowiedział, jak niebezpieczny był w istocie ten ładunek. Być może konieczne okaże się przeprowadzenie eksperymentu procesowego. Decyzję podejmę po przesłuchaniu biegłych.

Kontynuowali w tym tonie jeszcze przez dobre dwie godziny. Na zmianę wstawali Chyłka, Paderborn i Messer. Oryńskiemu przywodziło to na myśl małomiasteczkowy cyrk, którego uczestnicy nie występowali razem jeszcze na tyle długo, by wiedzieć, czego się po sobie spodziewać.

– A pan aplikant zawsze taki milczący? – padło w końcu pytanie.

Kordian natychmiast się podniósł i poprawił poły marynarki.

– Tak, Wysoki Sądzie.

– Słyszałem co innego – zadeklarował Tatarek. – Podobno pan wygadany aż nadto. I przychodzi pan na rozprawy w todze.

– Bez lamówki oraz żabotu. I tylko z szacunku dla sędziego.

Wiesław przez moment się namyślał, wydymając i wciągając usta. W końcu westchnął, jakby skomentowanie tego faktu nastręczało mu większych trudności niż podjęcie decyzji w jakiejkolwiek innej kwestii.

– Nie życzę sobie takich rzeczy na mojej sali sądowej – oznajmił. – Rozumiemy się?

– Tak, Wysoki Sądzie.

– Chciałbym również, żeby pan nie był jedynie wymuskanym słupem.

– Słucham?

– Wzięli pana, żeby siedział pan w tej ławie i robił dobre wrażenie. Ociepla pan wizerunek mecenas Chyłki, która… cóż tu kryć… – Tatarek rozłożył ręce. – Wiemy, w czym rzecz.

Oryński spojrzał na prawniczkę.

– Obawiam się, że nie – odparł.

Joanna natychmiast wychwyciła nutę protestu w jego głosie i szturchnęła go lekko. Sędzia przez moment mu się przyglądał, jakby dzięki szybkiemu spojrzeniu mógł ocenić, z jakim człowiekiem ma do czynienia.

– Dążę do tego, że jeśli już pan zajmuje to miejsce, niech się pan wykaże jakąś aktywnością.

– Oczywiście.

– Nie interesuje mnie zapychanie ław słupami.

– Deklaruję, że nie będę słupem, Wysoki Sądzie.

– I w sprawie togi mamy jasność?

– Naturalnie.

– Nie zasłużył pan na nią, panie Oryński. Jeszcze nie. Zresztą nie wiadomo, czy kiedykolwiek się to panu uda, biorąc pod uwagę, kto jest pana mentorem.

Kordian spojrzał na Chyłkę, ale ta zdawała się nie słyszeć uwagi.

– Sądzę, że lepiej nie mogłem trafić, Wysoki Sądzie.

– W takim razie ma pan jeszcze mniejsze szanse na stanie się prawnikiem, niż sądziłem. Proszę usiąść.

Kiedy posiedzenie dobiegło końca, Oryński z ulgą opuścił salę. Wraz z Chyłką w milczeniu wyszli z budynku i wsiedli do daihatsu. Minęła dobra minuta, zanim wymienili się znaczącymi spojrzeniami.

– Mówiłam.

– Ale nie sądziłem, że będzie aż tak źle – przyznał Kordian. – Co robimy?

– Mam pewien pomysł.

– Dobry?

– Trudno przesądzić, jeszcze nigdy tego nie próbowałam.

– I nie powiesz mi, o co chodzi?

– Oczywiście, że nie, Zordon. Pewnych rzeczy lepiej nie wiedzieć – oświadczyła, a potem wskazała na stacyjkę.

Przekręcił kluczyk, silnik zarzęził z pewnym oporem.

– Jak choćby tego, że *Szklana pułapka* to ekranizacja książki – dodała. – To w jakiś sposób ujmuje całej literaturze.

– Hę?

– Tak, tak, aplikancie – odparła, zamyślona. – Powieść napisał niejaki Roderick Thorp. Nazywała się *Nic nie trwa wiecznie*.

– Rzeczywiście nie musiałem tego wiedzieć – przyznał Oryński, wyjeżdżając z parkingu. – Ale jeśli chodzi o strategię sądową…

– Stój!

Nacisnął pedał hamulca, jakby ktoś wskoczył mu na maskę. Przed nimi jednak niczego ani nikogo nie było. Chyłka szybko wskazała w prawo, a on skierował tam wzrok. Zauważył mężczyznę, który celował w nich obiektywem aparatu.

– Jakaś łachudra robi nam zdjęcia – odezwała się Joanna.

Kordian machinalnie zerknął w lusterko, choć nie spodziewał się, by po spotkaniu w McDrivie ktokolwiek ich śledził.

– Może to jakiś dziennikarz.
– Raczej paparazzi – odparła Chyłka, opuszczając szybę. – Hej! – krzyknęła.
Mężczyzna nadal robił zdjęcia, jakby teatralnie chciał pokazać, że nie ma powodu, by chować się przed wzrokiem prawników.
– Podejdź tu! – ryknęła Joanna.
Zrobił jeszcze kilka ujęć, a potem powoli opuścił aparat. Uśmiechnął się szeroko, pokręcił głową, po czym się oddalił. Nie, nie mógł być związany z ludźmi, którzy ukradli iks piątkę. Nie pozwoliliby sobie na taką bezczelność.
– Pudel – rzuciła Chyłka. – Albo Plotek.
– Równie dobrze „Super Express".
– Albo jakiś samozwańczy szafiarz, który potrzebuje materiału.
– Szafiarz?
– A jak inaczej określiłbyś męską szafiarkę?
– Tacy chyba nie istnieją.
– Nie? A Mietczyński?
– Znowu on?
Chyłka pokiwała głową z entuzjazmem.
– Raczej nie wyznacza modowych trendów – mruknął Oryński.
– Mylisz się, Zordon. I mógłbyś wiele się od niego nauczyć, szczególnie jeśli chodzi o drwalowy zarost.
Kordian uśmiechnął się lekko, mając nadzieję, że temat umrze śmiercią naturalną.
– Tak czy inaczej udział paparazzich dowodzi dwóch rzeczy – zauważył. – Po pierwsze sprawa budzi emocje, a po drugie jesteśmy paranoicznie nastawieni.

Popatrzyła na niego z obojętnością.

– To akurat dwie tezy, które nie wymagały udowadniania – odparła ciężko. – Szczególnie jeśli chodzi o tę drugą.

Pokiwał głową, mrużąc oczy.

– Kogo tak naprawdę przeciwko sobie mamy, Chyłka?

– Nas samych.

Zerknął na nią ze zdziwieniem.

– Miałem na myśli proces.

– A – odparła i uniosła brwi.

Nie pierwszy raz zauważył, że w momentach, kiedy prowadzona przez nich sprawa zaczyna przybierać nieciekawy obrót, Joanna pozwala sobie na przemycenie mniej lub bardziej wyraźnego podtekstu związanego z ich relacją. I za każdym razem sprawiało jej to niemałą przyjemność.

– Jeśli o to chodzi, rzecz jest bardziej skomplikowana.

– Bardziej?

W odpowiedzi wzruszyła ramionami.

– Może tak samo – oceniła w końcu. – Po drugiej stronie barykady są z pewnością Paderborn, Tatarek, Fahad i Messer. Być może także Stary.

– Żelazny?

– Coś kombinuje, Zordon. Nie wiem co, ale mam zamiar to ustalić.

Jeden z imiennych partnerów nieraz już dowiódł, że potrafi postawić partykularne interesy nie tylko ponad dobro swoich pracowników, ale także kancelarii. Oryński właściwie nie dziwił się McVayowi, że ten większość czasu spędzał w Krakowie.

– Jedziemy – rzuciła Chyłka. – Facet się oddalił.

Oryński uświadomił sobie, że paparazzi rzeczywiście znikł. O ile w ogóle był to jeden z nich, a nie osoba najęta przez... kogokolwiek, kto zwinął iks piątkę, a potem wysłał pogiętą tablicę rejestracyjną.

– Słyszysz?

– Tak, ale...

– Żadnych „ale". Kierunek: Białołęka. Start.

Kordian spojrzał na nią z powątpiewaniem.

– Rydwan ognia w ruch – dodała. – I prowadź tak, jakbyś go ukradł.

– Co?

– Tak się mówi, Zordon, kiedy chce się kogoś w zawoalowany sposób zachęcić do zapierdalania.

Oryński podrapał się z tyłu głowy.

– Tyle że gdybym ukradł samochód, raczej jechałbym zgodnie z przepisami.

– Nie filozofuj, zapieprzaj.

Wyprowadził YRV na główną ulicę, a potem skierował się na Wisłostradę. Było jeszcze na tyle wcześnie, że nie obawiał się o nadmierne natężenie ruchu. Zresztą nigdzie im się nie spieszyło. Teraz, kiedy pojawił się akt oskarżenia, mogli widywać się z Al-Jassamem właściwie kiedy chcieli.

Choć Kordian nie mógł powiedzieć, że robił to z entuzjazmem. W podejściu Chyłki też zauważył różnicę. Od kiedy odkryto powiązania z dżihadystami, wydawała się przygaszona. Może była to kwestia moralności lub patriotyzmu, z którym nigdy się nie kryła, a może pierwsze efekty zmian hormonalnych. Na wszelki wypadek nie drążył.

Zwolnił nieco w miejscu, gdzie mogli stać policjanci z suszarką, a potem ku aprobacie Chyłki znów przyspieszył.

Nie pochwaliła go wprawdzie werbalnie, ale kątem oka dostrzegł, że zdawkowo kiwnęła głową.

Tak subtelne reakcje były do niej niepodobne i utwierdziły go w przekonaniu, że coś rzeczywiście jest nie w porządku. Uznał, że najwyższa pora o to zapytać, ale kiedy chciał to zrobić, wnętrze samochodu wypełnił dźwięk gitar elektrycznych.

Chyłka sięgnęła po komórkę.

– Dawaj – rzuciła do słuchawki.

Oryński nie musiał pytać, by wiedzieć, kto dzwoni. Kormak od pewnego czasu starał się odkryć nieco więcej faktów z przeszłości Fahada, na razie jednak bezskutecznie. Znając go, należało się spodziewać, że ta sytuacja w końcu się zmieni. I że zadzwoni do nich z dobrymi wieściami.

Te jednak nie mogły do nich należeć. Kordian raz po raz zerkał na Chyłkę i widząc, jak rzednie jej mina, poczuł głęboki niepokój.

– Co się dzieje? – zapytał.

Joanna podniosła rękę i odwróciła głowę, jakby nie mogła pozwolić sobie, by uronić choćby słowo.

Nie odzywała się przez kilka chwil, jedynie słuchała.

– Tak, jestem – odparła w końcu.

Zaraz potem się rozłączyła, nie dodawszy nic więcej. Oryński poczuł jeszcze większy niepokój.

– Coś nie tak? – odezwał się.

– Zawracaj.

– O co…

– Zawracaj, Zordon. I jedź prosto do mieszkania Lipczyńskich.

– Co się stało?

– Nie żyją.

– Co?

Chyłka pokręciła głową, jakby mogła w ten sposób zaprzeczyć temu, co musiała usłyszeć od Kormaka.

– Zakręcaj – dodała. – I nie oszczędzaj paliwa. Może zdążymy przed policją.

2

ul. 29 Listopada, Śródmieście

– Może chcesz poprowadzić? – rzucił Kordian, kiedy Chyłka po raz kolejny zauważyła, że mógłby mieć trochę cięższą nogę.

– Szkoda czasu – odparła, kręcąc się nerwowo na siedzeniu pasażera. – Mundurowi zaraz zaczną oględziny mieszkania.

Wiedziała, że wówczas będzie już nikła szansa na to, by dostać się do środka. Chwilę później pojawi się prokurator, zaczną się wstępne oględziny zwłok i nadzieja na to, by cokolwiek ustalić samemu, przepadnie bezpowrotnie. Prawnicy będą musieli czekać na obszerne, nic niewnoszące epopeje policjantów, których tak naprawdę nikt nie chciał czytać.

W protokołach funkcjonariusze opisywali właściwie wszystko, a czasem Chyłka miała wrażenie, że nawet jeszcze więcej. W niespecjalnie plastyczny sposób charakteryzowali każdy najmniej znaczący element otoczenia, który dostrzegli, od kiedy tylko znaleźli się w pobliżu miejsca zdarzenia.

Kiedy Oryński zahamował gwałtownie pod jednym z budynków przy 29 Listopada, Joanna wiedziała już, co znajdzie się w raportach. Policjanci wspomną o wysprejowanych wulgaryzmach na elewacji, potem opiszą dokładnie klatkę schodową, a zakończą na skrupulatnej deskrypcji każdej ściany w mieszkaniu.

Żaden sędzia tego nie przeczyta, choć formalnie to właśnie ten dokument powinien być podstawą, dzięki której orzekający mógł wyobrazić sobie, jak wyglądało miejsce zdarzenia.

Chyłka popędziła do środka, nie czekając na Kordiana. Wiedziała, że się spóźnili, i nie miała zamiaru tracić ani sekundy więcej. Znalazłszy się przed wejściem do mieszkania Lipczyńskich, stanęła jak rażona piorunem.

Miała przed sobą aspiranta w mundurze, który patrzył na nią tak, jakby dotarła tutaj z innego, obcego świata. Joanna zaklęła bezgłośnie. Powinna spodziewać się, że może trafić na Szczerbińskiego, pracował w Komendzie Rejonowej dla Śródmieścia, a teren między Łazienkami a Czerniakowską znajdował się we właściwości tej jednostki.

Bynajmniej jednak nie sprawiał takiego wrażenia. Niskie popeerelowskie bloki z odrapaną elewacją były pozbawione balkonów, a w oknach miały kraty. Zaniedbane piaskownice i ubrania suszące się na klatkach schodowych przywodziły Chyłce na myśl raczej podupadłe miasteczko niż centrum stolicy.

– Nie powinno cię tutaj być – odezwał się Szczerbiński.

– Na dobrą sprawę nie tylko mnie.

Gdyby nie okoliczności, musiałaby przyznać, że wyglądał całkiem nieźle. Ale faceci w mundurze mieli to do siebie.

Kątem oka dostrzegła, że Kordian do niej dołączył. Spojrzał na aspiranta w podobny sposób, jak ten przed momentem na Joannę. Zaległa cisza.

– Co się stało, do kurwy nędzy? – zapytała Chyłka.

Policjant obejrzał się przez ramię. Taśma została już rozciągnięta, jeden z funkcjonariuszy zapalczywie coś notował.

Zapewne ustalał SPO, stały punkt odniesienia. To właśnie względem niego będzie opisywał wszystko tak, jakby chciał konkurować z charakterystyką przyrody w *Nad Niemnem*.

– No? – dodała Joanna. – Pytam o coś, Szczerbaty.

Oryński usilnie próbował zajrzeć do środka, zaniepokojony i zupełnie zbity z tropu, jakby zmarł ktoś z jego rodziny. Szczerbiński natychmiast zasłonił mu widok i zlustrował go uważnie.

– Obawiam się, że…

– Oboje nie żyją? – weszła mu w słowo Chyłka.

Aspirant lekko kiwnął głową.

– Jak to się stało?

– W tej chwili jest za wcześ…

– Nie serwuj mi tych służbowych formułek – ucięła. – Dobrze wiecie, co się stało. Widziałeś zwłoki.

Nie mogła utrzymać na wodzy wyobraźni, mimowolnie zobaczyła zakrwawione ciała Anny i Tadeusza, leżące gdzieś na podłodze. Z otwartymi oczami, z niemym krzykiem zastygłym na ustach.

Potrząsnęła głową.

– Mów – poleciła. – I tak dowiemy się wszystkiego prędzej czy później.

Zerknęła do środka, spodziewając się, że zobaczy czerwoną smugę w przedpokoju. Aspirant przesunął się nieco, by utrudnić jej zajrzenie do mieszkania.

– Wygląda to na zatrucie tlenkiem węgla.

– Czadem? – spytała z niedowierzaniem. – Chyba żartujesz.

– Nie.

– Skąd wiecie? To dziadostwo jest bezwonne, nie mogliście tak szybko tego ustalić.

– Sprawdziliśmy instalację. To pierwsze, co robimy w takich przypadkach.

Oryński przesunął się nieznacznie w kierunku policjanta.

– W takich? To znaczy? – zapytał.

Szczerbiński westchnął.

– Znaleźliśmy ich w łóżku – oznajmił. – Wygląda na to, że zmarli szybko. Nie ma żadnych śladów świadczących o tym, żeby doszło do przestępstwa. Typowe zatrucie.

– O tym przesądzi lekarz – odezwała się Joanna.

– Oczywiście, ale…

– Ale nie widzę tu nigdzie nawet straży pożarnej. To oni zazwyczaj pierwsi docierają w takich wypadkach, prawda?

Szczerbiński skinął głową.

– Kto was o tym powiadomił?

– Sąsiad.

– Który?

Aspirant nie miał zamiaru odpowiadać. Dopiero gdy Chyłka przez dłuższą chwilę nie odrywała od niego spojrzenia, zdradził się, patrząc w kierunku drzwi obok.

– Miał się rano spotkać z Lipczyńskimi – powiedział w końcu. – Dobijał się do mieszkania, ale nikt nie otwierał.

– Więc od razu zadzwonił do was?

– Był zaniepokojony. Wiedział, że ci ludzie są teraz narażeni na ataki.

Przez chwilę cała trójka milczała. W lokalu krzątali się policjanci, przywodząc na myśl saperów krążących po zaminowanym terenie.

– Sąsiad miał lekkie zawroty głowy i nudności – ciągnął Szczerbiński. – To potwierdza, że mogło dojść do zatrucia czadem.

Cichy morderca. Jeden z najgorszych seryjnych zabójców w historii. Rocznie atakował mniej więcej osiem tysięcy ludzi w Polsce, zbierał śmiertelne żniwa i w trakcie ochłodzeń miał stałe miejsce w serwisach informacyjnych. A mimo to ponad czterdzieści procent społeczeństwa nadal było przekonane, że tlenek węgla da się wyczuć.

– Nie mieli w domu czujki – dodał aspirant.

Chyłka znów próbowała zajrzeć do środka.

– Sprawdziliśmy już instalację – zastrzegł Szczerbiński. – I potwierdziliśmy, że była nieszczelna. Niewiele trzeba.

– Szczególnie kiedy ktoś cichemu mordercy pomaga.

Funkcjonariusz zbył tę uwagę milczeniem.

– Słyszysz, co mówię?

– Aż za dobrze.

Joanna wymierzyła palcem w kierunku mieszkania.

– To nie jest przypadkowa śmierć.

– Po czym wnosisz?

– Po tym, że mogę wymienić kilkadziesiąt osób, które mogłyby jej sobie życzyć.

– W przypadku Stalina mogłabyś wymienić nawet kilkaset tysięcy – zauważył Szczerbaty. – Co nie zmienia faktu, że nikt nie przyłożył ręki do jego śmierci.

Joanna zbliżyła się nieco.

– Muszę tam wejść.

– Nie ma mowy.

– Skoro nie było udziału osób trzecich, to nie miejsce przestępstwa. Zwijajcie się stąd.

– Spokojnie – odparł Szczerbiński, nie ustąpiwszy ani o centymetr. – Musimy zbadać każdy przypadek śmierci gwałtownej, dobrze o tym wiesz. Zaraz będzie prokurator, ustali wszystko, co trzeba, a potem…

– A potem będziemy czekać na opinie biegłych. Ja tymczasem muszę tam wejść.

– Po co?

Nie chciała odpowiadać na to pytanie.

– Zostawiłaś tam coś? – dodał aspirant. – Może odciski palców?

– Byłam ich adwokatem, Szczerbaty. Oczywiście, że są tam moje odciski.

– Wszystkie pobierzemy i przebadamy.

Przyglądała mu się przez moment, starając się stwierdzić, czy w tej uwadze nie kryła się jakaś sugestia. Ostatecznie uznała, że nie. A jeśli było inaczej, niedługo zapewne się o tym przekona.

Ostatni raz zerknęła do środka. Funkcjonariuszy było zbyt wielu, by Szczerbiński poszedł na jakikolwiek układ. Gdyby był ze swoimi najbardziej zaufanymi kumplami, a prokurator nie zmierzałby jeszcze na miejsce zdarzenia, być może by ustąpił. W tej sytuacji nie było jednak na co liczyć.

Joanna skinęła na Oryńskiego, a potem bez słowa się oddaliła. Dopiero po kilku krokach uświadomiła sobie, że aplikant za nią nie poszedł. Zatrzymała się.

– Zostajesz, Zordon?

– Nie.

Dołączył do niej po chwili. Zeszli na dół w milczeniu, a potem oboje odetchnęli z ulgą, wychodząc na świeże powietrze.

– Ociągałeś się – napomknęła Chyłka.

– Mhm.

Złapała go za rękę i obróciła ku sobie. Szybko puściła.

– Wszystko w porządku? – zapytała.

Nie pamiętała, kiedy ostatnio zadała mu tak zwyczajne, a jednocześnie tak bezpośrednie pytanie. Przez chwilę patrzyli na siebie w milczeniu i wydawało się, że oboje mają coś na końcu języka. Żadne jednak się nie odezwało.

Zrobił to dopiero Zordon, kiedy poszli w stronę daihatsu.

– *Mamihlapinatapai.*

Chyłka uniosła brwi.

– Zapamiętałem.

– Słyszę. I jestem pod wrażeniem – przyznała. – Gdybyś tak sprawnie przyswajał przepisy kapeku, być może istniałaby szansa, że zdasz aplikację.

Wsiedli do auta, ale Oryński nie włożył kluczyka do stacyjki. Żadnemu z nich nie było do śmiechu i żadne słowne uszczypliwości nie mogły poprawić atmosfery. Znów zaległa cisza.

– Dlaczego chciałaś tam wejść? – zapytał w końcu Kordian.

– Bo jestem przekonana, że coś tam na mnie czeka.

– Co?

– Odpowiednik pogiętej tablicy rejestracyjnej.

Popatrzył na nią bez przekonania.

– Skąd ta pewność?

– Z mojej niezawodnej intuicji, Zordon.

Kąciki jego ust nadal nawet nie drgnęły. Musiała przyznać, że jej też niełatwo było zebrać myśli, ale zdawała sobie sprawę, że albo będzie zachowywała się, jak na Chyłkę przystało, albo sama pogrąży się w takim marazmie, jak Oryński.

– Sam nie wiem… – odezwał się po chwili.

– Chcesz się łudzić, że to wypadek?

Wbijał wzrok gdzieś przed siebie.

– Może tak jest? – powiedział.

Miała wrażenie, że to pytanie nie było skierowane do niej.

– Przy takiej sprawie… kiedy wszyscy są przeciwko nam, łatwo popaść w paranoję – dodał.

– Nie jestem znana z popadania w cokolwiek.

– Oprócz skrajności.

– W tym przypadku balansuję w bezpiecznym rejonie, Zordon.

– Nie jestem przekonany.

– Bo?

W końcu się otrząsnął i obrócił do niej, zakładając rękę za oparcie fotela pasażera.

– Ktoś miałby włamać się do ich mieszkania, rozszczelnić instalację i wyjść, nie zostawiając żadnych śladów?

– A co w tym trudnego?

– Choćby to, że te przewody są konstruowane tak, by nie dało się ich łatwo uszkodzić. Nie wspominając już o tym, że technicy znaleźliby jakieś ślady prędzej czy później.

Właściwie miał rację. Większość tych, którym mogłoby zależeć na śmierci Lipczyńskich, musiała zdawać sobie sprawę, że nawet przy zachowaniu ekstremalnych środków ostrożności zostawi coś na miejscu zdarzenia. Jeśli nie w mieszkaniu, to na klatce. Jeśli nie na niej, to gdzieś na ulicy. Nie udałoby się długo utrzymać fasady nieszczęśliwego wypadku, tym bardziej, że prokuratura będzie sprawdzać tę sprawę wyjątkowo skrupulatnie. I w końcu coś znajdzie.

Chyba że mieli do czynienia z prawdziwymi profesjonalistami. Chyłka miała ochotę podzielić się tą myślą z Oryńskim, ale odniosła wrażenie, że zabrzmi… właściwie jak on. Jakby była gotowa rozwijać teorie spiskowe.

– Czasami cygaro jest po prostu cygarem – odezwał się.

– Co?

– No wiesz, cytat z Freuda.

– O fallicznych skojarzeniach? – spytała z powątpiewaniem. – Przede wszystkim nie chcę nawet wiedzieć, dlaczego teraz przyszedł ci na myśl. A oprócz tego nigdy nie potwierdzono, że Freud to powiedział.

– Co nie zmienia faktu, że…

– To mogły być służby, Zordon.

Nie odzywał się, co właściwie było najbardziej wymowną odpowiedzią.

– Mogli to być też dżihadyści. Fahad z pewnością nie działał sam.

Wzdrygnął się, słysząc to.

– I w końcu mogli być to po prostu jacyś idioci, którzy nie wiedzą, że technicy prędzej czy później odkryją ślady zostawione przez morderców – dokończyła Joanna. – Ale moim zdaniem ten ostatni scenariusz jest mało prawdopodobny.

Kordian przez chwilę się zastanawiał.

– Załóżmy, że nie jesteś zupełnie szalona – powiedział.

– Załóżmy.

– Po co służby miałyby usuwać Lipczyńskich? W innej sytuacji mogłyby liczyć na odcięcie finansowania obrony, ale Fahad odziedziczy przecież cały majątek.

– Mhm.

– Nic w ten sposób nie zyskują.

– Nic, co moglibyśmy dostrzec.

– Dżihadyści też nie – ciągnął Kordian. – Im to nawet nie na rękę, bo przyciąga większą uwagę do sprawy Fahada.

Mimo tego, co mówił, w jego głosie wyczuwała głęboki niepokój. Dopiero po chwili zrozumiała, skąd się bierze. Owszem, Zordon trafił w tryby korporacyjnej machiny, które odcisnęły na nim piętno, ale w głębi ducha nadal pozostawał idealistą. Przynajmniej w pewnym stopniu.

– Uwiera cię coś – zauważyła Chyłka.

Poprawił krawat i popatrzył na nią, jakby trafiła w sedno.

– W duszy – sprecyzowała.

– Może. Ale to nie pierwszy i nie ostatni raz.

– Nie obchodzą mnie poprzednie ani następne razy, tylko ten.

– Wiem.

Łudziła się, że umieści kluczyk w stacyjce, przekręci, a dalsza rozmowa tym samym zostanie przez oboje uznana za niepotrzebną. Kordian trwał jednak w bezruchu.

– Nie chcesz bronić zamachowca, jasna sprawa – odezwała się Joanna. – Szczególnie jeśli to on miał coś wspólnego ze śmiercią Lipczyńskich.

– To byli porządni ludzie, Chyłka.

Pokiwała głową. Co do tego nie miała najmniejszych wątpliwości. Przypuszczała, że nigdy nie będzie tak dobrą matką jak Anna, która była gotowa zostawić wszystko, byleby po raz kolejny polecieć na tydzień lub dwa do Egiptu i szukać dziecka, które adoptowała.

Chyłka nie czuła się jednak z tego powodu źle. Przeciwnie, nie miała ambicji, by kiedykolwiek zostać matką roku.

– Byli – przyznała. – Wyjątkowo porządni.

– Ale nie to mnie najbardziej uwiera.

– No – potwierdziła pod nosem. – Zastanawiam się tylko, czy koniecznie musimy to przegadać.

– Nie, nie musimy.

W końcu odpalił silnik. Chwilę później jechali już w kierunku Skylight, nie odzywając się do siebie. Joanna odczekała jeszcze moment, po czym uznała, że nic dobrego z tego nie będzie. Znała Kordiana na tyle dobrze, by wiedzieć, że odłoży swoje przemyślenia gdzieś na dno umysłu, a potem poczeka, aż zrobi się ich za dużo, i wszystkie na raz będzie musiał z siebie wyrzucić.

– Mów – bąknęła.

– Co?

– Wylej swoje żale.

– Nie czuję potrzeby – odparł. – A ty nie chcesz ich słuchać, więc tym bardziej…

– W porządku, wyleję je za ciebie – wpadła mu w słowo. – Czujesz wewnętrzny sprzeciw, bo wiesz, że gdyby służby nie wpadły na trop Al-Jassama, ten najpewniej zabiłby się gdzieś w centrum miasta, zabierając ze sobą w zaświaty Bóg jeden wie ile niewinnych osób. Nie chcesz prowadzić jego sprawy, ale przełknąłbyś to, gdyby nie świadomość, że podobne gówno czeka cię w przyszłości.

Popatrzyła na niego. Nie zaoponował.

– Witaj w świecie obrońców, Zordon – dodała i rozłożyła ręce. – Przez większość czasu musimy wstawiać się za największymi szumowinami, jakie widział świat.

– Tak, zdążyłem zauważyć.

– Zauważ więc też, że gdyby pieprzony Fahad wyleciał w powietrze nie całkowicie, ale jedynie częściowo, raniąc przy tym nie tylko siebie, ale i sto innych osób, trafiłby do szpitala. A tam któryś lekarz zająłby się nim dokładnie w taki sam sposób, w jaki potraktowałby dziewięćdziesiąt dziewięć pozostałych ofiar.

– Tak, tak…

– Bronimy zazwyczaj ludzi winnych, Zordon. Niekoniecznie tego, co im zarzucają, niekoniecznie w całej rozciągłości. Ale winnych.

– Zdaję sobie…

– Wiem – ucięła. – Ostatecznie nie jesteś idiotą.

– Dzięki – mruknął.

– Przynajmniej nie kompletnym. I zdawałeś sobie z tego wszystkiego sprawę, kiedy wybrałeś aplikację adwokacką, więc nie jojcz teraz.

Zamilkł, jakby oprócz jojczenia nie miał nic innego do wyartykułowania. Nie na to liczyła Chyłka. Chciała zmniejszyć złoża przygnębiających refleksji, które Zordon będzie stopniowo odkładał, a nie odwrotnie.

– Kurwa mać… – jęknęła.

– Co?

Kiedy na niego spojrzała, zrozumiał, że to komentarz do jego zachowania.

– Wiesz, jak ja na to patrzę? – spytała.

– Nie. I nie jestem pewien, czy chcę wiedzieć.

– Oczywiście, że chcesz – odparła bez wahania. – Wszystko sprowadza się do tego, że broniąc takich skurwieli, szukam w nich jakiegoś ułamka człowieczeństwa.

Patrzył na nią nieco za długo, więc skinęła nerwowo przed siebie, by skupił się na jeździe.

– To cię przyciąga do takich spraw?

– W pewnej mierze – przyznała.

Niejeden prawnik na świecie zastanawiał się, dlaczego decyduje się na obronę ludzi, którzy właściwie na to nie zasługują. Chyba każdy chciał być jak Atticus Finch u Harper Lee i występować w imieniu tych, którzy rzeczywiście byli niewinni. Ale takich można było policzyć na palcach jednej ręki.

Cała reszta głowiła się nad tym, dlaczego pomaga najgorszym przestępcom. Patrzyła na osoby siedzące po drugiej stronie sali sądowej, na poszkodowanych, na ofiary gwałtów i innych ohydnych przestępstw, na ich rodziny. I część musiała dojść do podobnego wniosku jak Chyłka.

– W gruncie rzeczy jestem optymistką – dodała Joanna. – Wypatruję w zwyrolach czegoś pozytywnego.

– A może raczej starasz się sprawdzić, czy przypadkiem nie macie czegoś wspólnego?

– Nie przeginaj, Zordon. Nie kiedy serwuję ci prawnicze mądrości.

– Właściwie zebrałem ich już wystarczająco dużo.

– Najwyraźniej nie. Bo zakładasz, że jeśli ktoś popełnił zbrodnię lub zamierzał to zrobić, jest z gruntu zły.

– Zły to chyba niedopowiedzenie.

– Może – przyznała. – W każdym razie sam fakt dopuszczenia się przestępstwa nie oznacza, że sprawca jest inkarnacją samego Lucyfera. Rozumiesz?

– Na gruncie logicznym tak. Na emocjonalnym nie.

– Choć tyle dobrze.

Westchnął głośno.

– Zastanawiam się nad tym wszystkim – powiedział po chwili.

– Więc przestań.

Widziała, że nie miał zamiaru posłuchać jej porady. Przeciwnie, chciał przetrawić wszystko, co ewidentnie leżało mu na żołądku. Kiedy podjeżdżali pod Skylight, Chyłka przypuszczała, że niebawem usłyszy ciąg dalszy.

Kordian zaparkował pod PKiN-em, ale na tyle daleko od Żelaznego, że ten z pewnością nie zwróci uwagi na to, do której rydwan ognia będzie stał na parkingu.

– Pamiętasz Pruszkę? – odezwał się Oryński, gdy wyszli z samochodu.

– Co to za pytanie?

– Mające dać podwaliny pod…

– Nie pierdziel, Zordon, tylko mów wprost.

Kordian kiwnął głową, a jego mina mówiła właściwie więcej niż milion słów. Joanna uniosła rękę, zanim zdążył się odezwać. Uznała, że nie musi tego słyszeć.

– Złożył ci mniej lub bardziej oględną propozycję – powiedziała. – Początkowo nawet się nad tym nie zastanawiałeś, teraz to robisz. Tak?

– Tak.

– W takim razie potwierdziłeś właśnie swój status pacana.

Oryński nie zareagował. Toczył wzrokiem po elewacji biurowca, w którym mieściła się siedziba kancelarii. W końcu włożył ręce do kieszeni i potrząsnął ramionami.

– Nie wiem, czy to miejsce dla mnie – odezwał się.

– W tej chwili tak. Chodź.

Ruszył za nią bez przekonania. Joanna uznała, że najlepszym wyjściem w tym wypadku będzie wrzucenie go w wir roboty.

– Musisz z Kormakiem wykonać tytaniczny *research* – dodała. – Dowiecie się wszystkiego, co się da, na temat zatrucia tlenkiem węgla, a potem udowodnicie, że do śmierci Lipczyńskich nie doszło przypadkiem.

Zatrzymał się nagle.

– Widzisz? – spytał. – Właśnie o tym mówię. Najpierw zakładamy wersję, a potem…

– A prokurator, twoim zdaniem, co niby robi?

Odpowiedział milczeniem.

– Mam ci przypomnieć, czym jest sprawiedliwość?

– Jeśli masz na myśli to twoje porównanie z tańczącymi „pieprzonymi Indianami", nie.

– Właśnie je. Bo najwyraźniej o nim zapomniałeś.

– Pamiętam doskonale.

– W takim razie weź je sobie do serca. I zasuwaj do Jaskini McCarthyńskiej. Czas brać się do roboty.

Popatrzył na nią bezsilnie, jakby próbował przebić się przez jej skorupę z czymś ważnym, ale poniósł fiasko.

– A ty co w tym czasie zamierzasz robić?

– Pisać moją mowę początkową.

– Która w polskim porządku prawnym nie istnieje.

– Mylisz się, Zordon – odparła z lekkim uśmiechem. – Istnieje, jak najbardziej. Tyle że w moim imieniu wygłosi ją Fahad, składając wyjaśnienia tuż po odczytaniu aktu oskarżenia.

Widziała, że miał ochotę z przekąsem życzyć jej szczęścia. Właściwie ona sama sobie także. Czekało ją niełatwe zadanie, ale jeśli wszystko pójdzie po jej myśli i uda jej się przekonać Al-Jassama, by postąpił tak, jak to sobie zamierzyła, efekt mógł być zadowalający. Przynajmniej na początek.

Potem wytoczy ciężkie argumenty, którymi zmiażdży Paderborna. I pokaże raz, ale porządnie, kto jest lepszym prawnikiem.

Gdy pod koniec dnia wróciła na Argentyńską, nadal była w bojowym nastroju. Choć w sprawie pojawiło się wiele kłód, była pewna, że uda jej się zbudować schody, którymi zajdzie na sam szczyt.

Stanęła przed drzwiami mieszkania, włożyła klucz do zamka, a potem obejrzała się przez ramię. Odniosła zupełnie irracjonalne wrażenie, że ktoś ją obserwuje.

Przez moment trwała w bezruchu, nasłuchując. Spodziewała się, że jeśli ktoś rzeczywiście czeka na nią na klatce, będzie to Filip. Nie wierzyła, by tak łatwo odpuścił. W ostatnim czasie ojciec nieraz udowodnił, że z jakiegoś powodu za punkt honoru stawiał sobie powrót do jej życia.

Nikogo jednak nie usłyszała. Otworzyła drzwi, weszła do środka, a potem zamknęła je za sobą. Zastanowiwszy się przez moment, przekręciła także drugi zamek.

Odwiesiła płaszcz i spojrzała na siebie w lustrze przedpokoju. Nieuzasadnione podenerwowanie było do niej zupełnie niepodobne, ale najwyraźniej obecność pasożyta już powodowała jakieś zmiany hormonalne.

Uśmiechnęła się do siebie z niedowierzaniem, a potem obróciła w kierunku kuchni.

W tym samym momencie poczuła uderzenie czymś tępym w tył głowy.

Zagrzmiało jej w uszach, jakby tuż obok właśnie rozpętała się burza. Chyłka zatoczyła się w bok, robiąc wszystko, by nie stracić równowagi.

Drugi cios sprawił jednak, że upadła nieprzytomna na podłogę.

3

ul. Emilii Plater, Śródmieście

Sobotni poranek był idealnym momentem, by wybrać się z Kormakiem na partyjkę squasha. Od kiedy Oryński dostał awans i zaczął zarabiać przyzwoite pieniądze, mogli przychodzić właściwie o każdej porze – Kordian za kilkaset złotych wykupił otwarty karnet w Squash City przy Alejach Jerozolimskich.

Problem polegał jedynie na tym, że żaden z nich specjalnie nie palił się do gry. W piątkowe wieczory obaj zapewniali się wzajemnie, że z samego rana pojadą na Ochotę, ale kiedy przychodziło co do czego, jeden ani drugi nawet nie zbliżył się do telefonu, by ustalić konkretną godzinę.

Tego dnia było inaczej. Oryński obudził się z myślą, że najwyższa pora dać sobie trochę wytchnienia od nurkowania w papierach dotyczących sprawy. Umówił się z Kormakiem na dziesiątą, spakował wszystko do niewielkiej sportowej torby i wyszedł z mieszkania.

Kiedy szedł w stronę daihatsu, był przekonany, że na tym etapie nic już nie przeszkodzi mu w tym, by w końcu wykorzystać jedną z dziesięciu godzin, które przysługiwały mu w ramach karnetu.

Ledwo jednak wsiadł do samochodu, przekonał się, że był w błędzie. Wyłowił z torby dzwoniącą komórkę i spojrzał na wyświetlacz. Chyłka rzadko kontaktowała się o tej porze w sobotę.

Zazwyczaj wynikało to z tego, że odsypiała piątkowe chlanie. Teraz być może powinien się spodziewać, że sytuacja ulegnie zmianie.

– Mam wrażenie, że widzieliśmy się raptem godzinę temu – powiedział. – Nie za dużo ze sobą przebywamy?

Nie odpowiadała.

– Chyłka?

Spojrzał na wyświetlacz i zupełnie niepotrzebnie sprawdził, czy ma zasięg. Pod PKiN-em raczej się go nie gubiło.

– Halo? – spytał.

Zanim zdążył powiedzieć coś więcej, usłyszał sygnał świadczący o przerwaniu połączenia. Podrapał się po głowie, przez moment zastanawiając. W końcu uznał, że może wybrała numer przez przypadek.

Odpalił silnik i wyjechał z parkingu. Właściwie mógł dotrzeć do Squash City na piechotę, byłby to czterdziestominutowy spacer wzdłuż Alei, ale pogoda niespecjalnie nastrajała do jakichkolwiek eskapad. Samochodem dotarł do Blue City w niecałe dziesięć minut, zaparkował w centrum handlowym, a potem wsiadł do windy.

Zerknął na komórkę, by sprawdzić, czy Chyłka nie dzwoniła jeszcze raz. Nie miał żadnych nieodebranych połączeń.

Wysiadłszy na piętrze, ruszył w kierunku kortów. Dopiero przed samym wejściem do klubu pomyślał, że nie zaszkodzi sprawdzić, czy Joanna aby na pewno wybrała numer omyłkowo.

Zadzwonił, a potem przez chwilę słuchał przerywanego sygnału. W końcu ucichł. Głosu Chyłki jednak nie usłyszał.

– Halo? – zapytał. – Jesteś tam?

Odpowiedział mu cichy pomruk, w jakiś sposób niepokojący. Kordian postawił torbę przed drzwiami, a potem obrócił się w stronę windy.

– Chyłka?

– Jestem…

Jej głos brzmiał słabo, niewyraźnie. Coś było nie w porządku.

– Co się dzieje?

– F sumie…

Dopiero teraz uświadomił sobie, że mówi bełkotliwie.

– Kurwa mać – jęknął. – Jesteś pijana?

– Nie… to znaszy…

Kiedy urwała, zamknął oczy i opuścił głowę. Przez moment się nie ruszał, klnąc w duchu. Potem chwycił torbę i wrócił do windy.

– Jesteś w domu? – spytał.

– T-tak…

Rozłączył się, nie czekając, aż cokolwiek doda. Nie miał żadnych wątpliwości, że jest porządnie wstawiona. Ostatnim razem słyszał ją mówiącą tak niewyraźnie, kiedy była w stanie kwalifikującym ją do wizyty w izbie wytrzeźwień.

Zjeżdżając na parking, zamachnął się torbą i uderzył nią w ścianę windy. Potem nabrał głęboko tchu.

Nie spodziewał się tego. Owszem, Chyłka nieraz udowodniła, że potrafi mieć w głębokim poważaniu wszystko i wszystkich, ale sądził, że dziecko coś zmieniło. Szczególnie po jej deklaracjach, w których stanowczo wykluczyła możliwość aborcji.

Wsiadł do auta i pojechał prosto na Argentyńską, po drodze dzwoniąc do Kormaka. Chudzielec był niepocieszony odwołaniem treningu.

– Teraz? – zapytał pod nosem. – Kiedy już jestem na miejscu? Zwarty i gotowy?

– Po prostu nie mogę, Kormaczysko. Nie tym razem.

– Jak zwykle.

– Coś ważnego mi wypadło.

– Jasne.

Oryński nie odpowiedział. Wyszedł z założenia, że w rozmowie dwóch facetów cisza czasem wystarczy, by wszystko powiedzieć.

Po chwili przekonał się jednak, że w ich wypadku tak nie jest.

– No, słucham – upomniał się o uwagę Kormak. – Co jest ważniejsze od partyjki squasha z…

– Chyłka.

– Co?

– Nie dosłyszysz?

– Słyszę wyraźnie, tylko… – Urwał, a ostatecznie cisza, jaka zaległa na linii, okazała się dostatecznie wymowna. – W porządku. Jakby co, zagramy później.

Kordian zapewnił go, że da mu znać. Sądził, że kiedy upora się z kryzysem u Joanny, będzie jeszcze bardziej potrzebował odreagowania.

Po tym jednak, jak wszedł do jej mieszkania, wiedział już, że tego dnia nie ma co liczyć na squasha ani żadne inne rozrywki. Drzwi były otwarte, już w przedpokoju unosił się zapach przywodzący na myśl gorzelnię. Chyłka leżała na kanapie w pokoju, na stoliku obok znajdowała się przewrócona pusta butelka po tequili. Na podłodze Oryński dostrzegł zgniecione puszki po piwie.

Przez chwilę po prostu stał i przyglądał się temu wszystkiemu.

– Niewiarygodne – powiedział.

– Su... suchaj, Sordon...

Obróciła głowę w jego stronę, ale nie potrafiła jej utrzymać w jednej pozycji. Miała też problemy z zapanowaniem nad wciąż opadającymi powiekami. O wstaniu z kanapy nie było mowy, choć próbowała to zrobić, kiedy go zobaczyła.

Szybko do niej podszedł i ją powstrzymał. Ułożył ją na boku, a potem przysiadł na skraju kanapy.

Mamrotała coś pod nosem, jednak nie mógł zrozumieć co. Potarł nerwowo czoło, zastanawiając się, co powinien w tej sytuacji zrobić. Była właściwie beznadziejna, ale nie była niestety nietypowa. Kordian miał w głowie wiele gorszych przypadków, o których głośno było w mediach.

Ile kobiet chlało na umór przez cały czas trwania ciąży? Z pewnością sporo, a nie wszystkie rodziły chore dzieci. Chyłka zrobiła to tylko raz. Może nie będzie tak źle, powiedział sobie w duchu.

Kiedy dowiedział się o dziecku, zaczął sprawdzać statystyki. Na FAS chorowało rocznie mniej więcej tysiąc noworodków. Na nieco mniej niebezpieczne zaburzenia, FASD, dziesięć razy więcej.

A przynajmniej tak się szacowało. Ile osób dotykało to naprawdę? Nie sposób było ustalić. Niektóre matki trafiały na porodówkę trzeźwe, mimo że piły w czasie ciąży. Lekarze zaś nie zawsze mogli od razu rozpoznać alkoholowy zespół płodowy, często byli przekonani, że objawy świadczą raczej o wcześniactwie czy innych problemach.

Czasem symptomy zresztą zaczynały się pojawiać dopiero później. O ile nadwrażliwość na bodźce widoczna była dość szybko, o tyle zaburzenia pamięci lub uwagi uwidoczniały się z czasem. Nie wspominając już o wielu innych problemach.

Oryński naczytał się o tym stanowczo za dużo. Niepotrzebnie zaczął szukać informacji, ale zdawał sobie sprawę, że nawet jeśli Chyłka przestała pić od razu, gdy dowiedziała się o ciąży, wlała w siebie wystarczająco dużo alkoholu, by zaszkodzić dziecku.

A teraz okazało się, że to nie koniec. Pokręcił głową, słysząc, że nadal próbuje mu coś powiedzieć. Obrócił się do niej, położył jej rękę na ramieniu, a potem rozejrzał się po pokoju.

Widok właściwie był mu doskonale znany. Brakowało tylko jednego – popielniczki pełnej papierosów.

W tej sytuacji na dobrą sprawę było to dość dziwne. Westchnął i poczuł, że sam musi zapalić. Poklepał kieszeń, szybko jednak sobie przypomniał, że nie zabrał papierosów na squasha. Nie chciał, żeby go kusiło.

Poszedł do sypialni, rozejrzał się, ale tutaj także nigdzie nie dostrzegł paczki. Uświadomił sobie też, że nie czuje dymu.

Wydawało się to niemożliwe. Pijana Chyłka z pewnością nie zrezygnowałaby z wypalenia choćby połowy paczki. Otworzył szafę, wyjął z niej koc, a potem wrócił do salonu. Przykrył Joannę, po czym znów usiadł obok.

– Gdzie masz fajki? – mruknął.

Obróciła się na drugi bok i nie odpowiedziała. Kordian odczekał chwilę, upewniając się, że zasnęła, a nie straciła przytomność, a potem przeszedł do kuchni. Sprawdził kilka szafek, nie znajdując nigdzie ani marlboro, ani nawet popielniczek.

Zrobił sobie kawę, myśląc o tym, że Chyłka najwyraźniej ustaliła nieprzekraczalne granice przynajmniej w wypadku nikotyny. Nie współgrało to jednak z obrazkiem w salonie.

Usiadł przy stole i powoli sączył kawę. Przypuszczał, że spędzi tu trochę czasu, nim była patronka się ocknie. Czy mógł coś zrobić do tego momentu? Chyba nie, było już za późno, alkohol wsiąknął w jej organizm jak w gąbkę.

Dopił w zupełnej ciszy, a potem poszedł do salonu. Sprawdził, czy z Joanną wszystko w porządku i usiadł między rozłożonymi na podłodze materiałami. Wydawało mu się, że niektórych brakuje.

W pierwszej chwili pomyślał, że to nic dziwnego – pewnie w alkoholowym zamroczeniu nie odłożyła kilku dokumentów czy zdjęć na miejsce. Potem zaczął jednak układać wszystko tak, jak być powinno, i zreflektował się, że paru rzeczy w istocie nigdzie nie ma.

Spojrzał na odwróconą plecami Joannę. Przyszło mu do głowy, że coś jest tutaj naprawdę nie w porządku.

4

ul. Argentyńska, Saska Kępa

Obudziła się z przekonaniem, że to nie wydarzyło się naprawdę. Dopiero po chwili dotarła do niej bolesna świadomość, że zawroty głowy i smak alkoholu w ustach to rykoszety rzeczywistości.

Zerwała się z kanapy, ale natychmiast tego pożałowała. Zatoczyła się w przód, szukając jakiegokolwiek punktu podparcia. Bezskutecznie. Runęła na podłogę i jęknęła z bólu.

– Chyłka?

Podniosła wzrok i zobaczyła stojącego w progu kuchni Oryńskiego. Potrząsnął głową, po czym szybko się nad nią pochylił.

– Kibel... – wyrzuciła z siebie.

Pomógł jej wstać i poprowadził ją do toalety. Kiedy weszli do środka, odtrąciła jego rękę, a potem usiadła na podłodze, przy muszli. Nachyliła się i włożyła dwa palce do gardła. Odruch wymiotny wywołała bez najmniejszego problemu, miała w tym wprawę.

Nigdy jednak nie zwróciła tyle, ile teraz. Powtarzała czynność kilkakrotnie, z umysłem wciąż tak zamroczonym, że nie była do końca pewna, co robi. Dopiero po chwili uświadomiła sobie, że Kordian odgarnął jej włosy i przytrzymywał.

Po wyrzuceniu wszystkiego z żołądka popatrzyła na niego niepewnie. Podał jej ręcznik, chwilę wcześniej namoczywszy końcówkę pod kranem. Otarła usta i skinęła głową z wdzięcznością.

– Wywalaj stąd – powiedziała słabo.

Wstał, przez moment jakby na coś czekał, a potem wyszedł i zamknął za sobą drzwi. Chyłka jeszcze raz spuściła wodę i oparła się plecami o muszlę. Odgięła głowę, oddychając ciężko.

Nie miała zamiaru tracić czasu na doprowadzanie się do stanu użyteczności. Zresztą i tak nie było na to wielkich szans. Ochlapała wodą twarz, przepłukała usta mocnym miętowym płynem, a potem wyszła z łazienki, nie zerkając nawet w lustro.

Oryńskiego zastała w kuchni. Przygotował jej herbatę i kawę zbożową, najwyraźniej niepewny, co może w tej sytuacji pomóc.

– Żyjesz? – spytał.

– Można tak powiedzieć...

Przez moment milczał, przyglądając się jej. W końcu odsunął krzesło, pomógł jej usiąść, a po chwili zajął miejsce naprzeciwko. Długo patrzył na nią z niewypowiedzianym wyrzutem.

– Widziałaś się w lustrze? – zapytał.

Miała wrażenie, że wbrew pozorom nie ma na myśli tego, jak wygląda.

– Tak – skłamała. – *Sic!*, Hey.

– Mhm. Może da ci to do myślenia.

– Daje mi od lat – odparła i napiła się herbaty. – Ale nie podobam się samej sobie nie dlatego, że wyglądam źle, tylko dlatego, że nie jestem w swoim typie.

Odstawiła kubek i spróbowała kawy. Już po pierwszym, niewielkim łyku zabełtało jej się w brzuchu.

– Zwariowałaś kompletnie?

– Nie.

– Wiesz, co alkohol robi z… – Urwał, a potem rozłożył ręce, jakby wyszedł z założenia, że pewne rzeczy są tak oczywiste, że aż nie wypada o nich wspominać.

– Wiem, do kurwy nędzy – odparła przez zęby Joanna. – Nie musisz mówić mi o FAS, Zordon. Naczytałam się aż nadto.

– Najwyraźniej nie.

Naoglądała się też stanowczo za dużo zdjęć. Widziała te wszystkie dzieci z nienaturalnymi zmarszczkami w kącikach oczu, szeroko rozstawionymi oczami i innymi deformacjami twarzy. Czytała o anomaliach i opóźnieniach w rozwoju dziecka, o zaburzeniach napięcia mięśni i całej masie problemów z ośrodkowym układem nerwowym.

Wyłaniał się z tego dość klarowny obraz i tylko jeden wniosek – dla płodu alkohol wydawał się niebezpieczniejszy od jakiegokolwiek narkotyku.

Czasu cofnąć nie mogła, ale miała zamiar zrobić wszystko, by bardziej już dziecku nie zaszkodzić. Spojrzała na Oryńskiego z myślą, że powinien o tym wiedzieć. Znał ją dostatecznie dobrze.

Czekała, aż podejmie temat, ale milczał.

– No – odezwała się.

– Co?

– Wylej z siebie cały jad, Zordon.

– Nie mam zamiaru.

– Szkoda – odparła i przysunęła kubek z herbatą. – Bo czerpałabym niewypowiedzianą satysfakcję z tego, jak byś się później krygował.

– Dlaczego miałbym to robić?

W jego głosie nie usłyszała pretensji czy niedowierzania, a raczej troskę. Być może go nie doceniła. Być może rzeczywiście znał ją na tyle dobrze, by spodziewać się, że wydarzyło się coś niezależnego od niej.

Zatoczyła ręką krąg.

– Jak myślisz, Zordon, co tu się stało?

– Nie wiem. Czekam na jakieś wyjaśnienia.

– A ja na twoje domysły.

– Na próżno, bo nie mam zamiaru ich snuć.

Patrzyli na siebie, czekając, aż któreś pociągnie temat. Żadne jednak się do tego nie paliło. Joanna czekała, by przekonać się, za kogo tak naprawdę ją ma. Oryński zaś był przekonany, że to jemu należą się wyjaśnienia.

I może miał rację, przyznała w duchu. Zawiesiła wzrok za oknem, a potem głęboko nabrała tchu. Nadal miała wrażenie, jakby była obca we własnym ciele. Powoli jednak mogła coraz sprawniej zebrać myśli.

– Drzwi były zamknięte – zaczęła. – Ktokolwiek to zrobił, był profesjonalistą. Nie zauważyłam, żeby…

– O czym ty mówisz?

Westchnęła, nie odrywając wzroku od okna.

– Weszłam do środka i ktoś przywalił mi w łeb, Zordon – powiedziała, wskazując tył głowy.

Szybko się podniósł i stanął za nią. Poczuła, jak rozgarnia jej włosy.

– Pierwsze uderzenie było prawie nokautujące.

– Ale…

– Po drugim wyciągnęłam się jak długa na korytarzu.

Kiedy dotknął miejsca, w które oberwała, poczuła ukłucie bólu. Nie dała jednak tego po sobie poznać.

– Co stało się później, mogę się tylko domyślać – dodała. – Skurwysyny coś mi podały, wstrzyknęły, wlały we mnie alkohol… cholera wie.

– Kto? Kto to zrobił, Chyłka?

Stanął obok niej. Czuła na sobie jego zaniepokojone spojrzenie, ale nie zwróciła ku niemu oczu.

– Nie wiem.

– Kto mógłby chcieć to zrobić?

– W obecnej sytuacji? Wiele osób.

– Ale… dlaczego?

Kiedy na powrót siadał po drugiej stronie stołu, widziała, że z trudem utrzymuje nerwy na wodzy. Ona właściwie nie miała z tym problemu, jeszcze nie teraz. Prawdziwa złość nadejdzie, kiedy wrócą jej siły.

– Chcieli mnie wystraszyć? Nie wiem, Zordon, nie pytałam.

Obrócił się w kierunku salonu.

– Brakuje kilku twoich dokumentów.

– Co? Jakich?

Podniosła się stanowczo za szybko, ale w porę chwyciła się stołu. Uniosła uspokajająco dłoń, po czym oboje przeszli do pokoju obok. Joanna powiodła wzrokiem po podłodze, przekonując się, że aplikant ma rację. Rzeczywiście brakowało kilku rzeczy, ale nie mogła sobie przypomnieć jakich.

Nie musiała tego mówić, Oryński po jej minie wszystkiego się domyślił.

– Nie zrobiłaś zdjęć?
– Nie. Po co miałabym je robić?
Przysiadł na podłokietniku fotela i pokiwał głową.
– I nie masz nawet oględnego pojęcia, co mogło zginąć?
Nie odpowiedziała, wiedząc, że i tym razem nie musi werbalizować swoich myśli. Oczami wyobraźni zobaczyła niewyraźne postacie snujące się jak cienie po jej salonie. Zaraz potem zwizualizowała sobie siebie, leżącą na kanapie. Nieprzytomną, bezbronną.
Wzdrygnęła się na myśl, że mogli zrobić z nią wszystko, co im się żywnie podobało. Kim byli ci ludzie? Kimś ze służb? A może to ci sami, którzy przysłali jej tablicę rejestracyjną? Współpracownicy Fahada? Lub jeszcze ktoś inny? Ktoś, kogo jak dotąd nie potrafiła zidentyfikować?
Możliwości było zbyt wiele, by gdybać. Usiadła obok Kordiana i przez kilka chwil oboje spoglądali na rozrzucone materiały.
– Musisz złożyć zawiadomienie o możliwości popełnienia przestępstwa – zauważył.
– Po jaką cholerę?
Zaśmiał się w odpowiedzi. Nie, właściwie nie zaśmiał, a głośniej niż zwykle wypuścił powietrze nosem.
– Po taką, że ktoś cię napadł we własnym mieszkaniu – odparł. – W takiej sytuacji nie ma znaczenia twoje podejście do prokuratury. Ktoś musi się tym zająć.
– My.
– My jesteśmy od bronienia ludzi. Ale nie wiem, czy nie za często o tym zapominasz.
Skrzyżowała ręce na piersi i poczuła się nieco pewniej.
– W tym konkretnym przypadku będziemy od wymierzania sprawiedliwości, Zordon.

– Nie.

– Niewiele masz do gadania.

– Więcej niż zwykle – odparował i obrócił się w jej stronę. – Bo to dotyczy nie tylko ciebie, ale też naszej sprawy. Ktoś ukradł część dokumentacji.

– Ktoś ukradł też iks piątkę, a potem wedle wszelkiego prawdopodobieństwa wysłał ją do samochodowego raju… lub piekła, w zależności od tego, jak na notoryczne łamanie zakazów spojrzy motoryzacyjny bóg – zauważyła. – I ile w tej sprawie zrobiła policja?

Podniósł się i zmierzył ją wzrokiem.

– Kradzież samochodu a napadnięcie cię w domu to dwie różne sprawy.

– Jedno i drugie zdarzenie jest równie traumatyczne.

– Nie rób sobie jaj.

– Nie robię. Zresztą wolę chyba oberwać w łeb, niż…

– Jesteś w ciąży.

– Naprawdę?

Rozłożył ręce i uniósł wzrok.

– Mam tego dosyć – zadeklarował, a potem przesunął ręką po sportowej koszulce, jakby jego dłonie machinalnie szukały krawatu. – Jeśli wszystko z tobą w porządku, zbieram się.

– Ze mną zawsze wszystko jest w porządku, Zordon.

– Świetnie. W takim razie radź sobie sama.

– W tym także mam czarny pas.

Chwilę później stał już w progu, gotowy do wyjścia. Obejrzał się jeszcze, spodziewając się chyba, że go zatrzyma.

– Na dobrą sprawę mam ci tylko jedno do powiedzenia – rzucił.

– I muszę tego wysłuchać?

– Tak.

– Więc załatw to szybko i spływaj, Zordon.

Nie było mu do śmiechu. Stał z ręką na klamce, świdrując ją wzrokiem.

– Nie palisz za sobą mostów – powiedział. – Ale stopniowo piłujesz wszystkie przęsła, licząc na to, że wszystko samo się zawali.

– Długo nad tym myślałeś?

– Nie.

Wyszedł na korytarz, ale zanim zamknął za sobą drzwi, Joanna podniosła się i podeszła do progu.

– Poczekaj chwilę – odezwała się.

– Mam wrażenie, że czekam już wystarczająco długo.

Zbyła tę uwagę milczeniem, doskonale wiedząc, co ma na myśli.

– Po prostu tu zaczekaj.

Kiedy skinął lekko głową, wróciła do toalety. Tym razem spojrzała na swoje odbicie w lustrze. Oryński miał trochę racji. Może nawet więcej niż trochę.

Mimo to nie miała zamiaru kontaktować się z prokuraturą. Było inne rozwiązanie.

Szybko doprowadziła się do stanu, w którym nie wstyd było wyjść z mieszkania, a potem oboje skierowali się do daihatsu zaparkowanego pod budynkiem. Kordian nie musiał pytać, dokąd ma jechać.

Nie musiał także się upewniać, co Chyłka zamierza zrobić. Wszystko wydawało się jasne.

Przynajmniej dopóki nie weszli na komendę i nie okazało się, że to dopiero początek problemów.

5

ul. Wilcza, Śródmieście

Wszystko poszło zupełnie nie tak, jak powinno. Problemy zaczęły się już, kiedy Kordian szukał miejsca parkingowego. Krążył w kółko po jednokierunkowych śródmiejskich uliczkach, od Wilczej przez Hożą aż do Mokotowskiej. W końcu udało mu się znaleźć miejsce pod urzędem wojewódzkim na Kruczej, kilkaset metrów od komendy policji.

Dwójka prawników wysiadła z samochodu i spojrzała na siebie niepewnie.

– Wcisnęłabym się w co najmniej trzy miejsca, Zordon.

– Na pewno nie iks piątką.

– Nawet nią – odparła i uniosła wzrok, jakby miała zamiar zmówić modlitwę.

Zakupiwszy bilet parkingowy, Oryński ruszył w stronę najbliższego skrzyżowania, ale szybko uświadomił sobie, że Joanna wciąż stoi przy samochodzie.

Właściwie specjalnie go to nie zdziwiło, spodziewał się, że Chyłka będzie robić problemy. Praktyka zawodowa nauczyła ją, że z formacjami takimi jak policja czy prokuratura wiążą się jedynie kłopoty.

Kordian nie spodziewał się jednak, że w tym wypadku okażą się tak duże. Kiedy w końcu weszli do gmachu przy Wilczej, musieli odczekać dobre pół godziny, nim zjawił się Szczerbiński. Poprowadził ich do gabinetu, zaproponował coś do picia, a potem w milczeniu wysłuchał wszystkiego, co Chyłka niechętnie mu przekazała.

Nie skwitował tego w żaden sposób. Nie okazał ani służbowego zainteresowania, ani prywatnego niepokoju. Podniósł się, podszedł do okna, a potem przez kilka chwil się nie odzywał.

Obrońcy spojrzeli po sobie nieco zdezorientowani.

– Niewiarygodne – odezwał się Szczerbaty.

Oryński spodziewał się innego komentarza.

– Jesteś naprawdę jedyna w swoim rodzaju – dodał aspirant.

Rozległo się nieprzyjemne skrzypnięcie, kiedy Joanna gwałtownie odsunęła krzesło. Wstała i wbiła wzrok w Szczerbińskiego. Trwała tak dopóty, dopóki policjant na nią nie spojrzał. Wytrzymał jej spojrzenie.

– To nie czas na pieprzone gierki, Szczerbaty.

– Gierki? Jeśli ktokolwiek je prowadzi, to właśnie ty.

Zacisnęła usta. Kordian czuł się trochę nie na miejscu, jakby znalazł się pomiędzy dwiema osobami, które znają się znacznie lepiej, niż dotychczas przypuszczał. Być może w istocie tak było.

– Ale czego innego można się spodziewać po adwokacie? – dodał Szczerbiński.

– Mów wprost, co masz na myśli.

– Że to jedna wielka bzdura.

Oryński podniósł się.

– Spokojnie – rzuciła do niego Chyłka, a potem przeniosła wzrok na policjanta. – Jedna wielka bzdura? – spytała. – Naprawdę miałeś czelność to powiedzieć?

– I mogę to powtórzyć – zapewnił, zbliżając się. – Schlałaś się, jak masz to w zwyczaju.

Kordian drgnął nerwowo, ale karcący wzrok dawnej patronki sprawił, że nie zrobił nawet kroku w stronę aspiranta.

– I jako prawniczka doskonale wiedziałaś, co to oznacza.

– Ty bezczelny knurze… – mruknęła.

– Ułożyłaś więc szybko wersję z włamaniem.

Prychnął z niedowierzaniem, a potem obrócił się z powrotem do okna.

– Nie odwracaj się do niej tyłem – syknął Oryński.

Szczerbiński obejrzał się i obrzucił go krótkim spojrzeniem.

– Spokojnie, Zordon – powtórzyła Joanna. – Najczęściej widuję policjantów od tyłu, zanim się za nich zabiorę. Jeśli wiesz, co mam na myśli.

Obaj mężczyźni w jednej chwili popatrzyli na nią z niedowierzaniem. W jakiś sposób udało jej się sprawić, że napięcie przynajmniej częściowo znikło.

Oryński przypuszczał jednak, że tylko na moment.

– Składam zawiadomienie o popełnieniu przestępstwa, aspirancie – dodała Chyłka. – Twoim, nomen omen, psim obowiązkiem jest jego przyjęcie.

Pokręcił głową.

– A ponieważ zrobiłam to w formie ustnej, prawo nakazuje, żebyś usiadł na dupie i sporządził protokół.

– Nie mam zamiaru.

– Nie obchodzi mnie, co zamierzasz lub czego nie zamierzasz. Zrobisz to, czego wymaga od ciebie ustawa, Szczerbaty.

– Nie.

– Siadaj i pisz. Potem dołączę do tego zaświadczenie lekarskie.

– Tak? I co w nim będzie? – spytał kpiąco. – Lakoniczna informacja, że uderzyłaś się w tył głowy, być może upadając w trakcie nocnej libacji? Czy może wynik badania krwi, wskazujący, ile promili miałaś w organizmie?

– Będzie wszystko, co potrzeba.

– W takim razie dostarcz mi ten dokument.

– Dostarczę ci pięść, Szczerbaty. I sprawię, że twoje przezwisko nabierze dosłownego znaczenia.

Nie zareagował w żaden sposób.

– Masz obowiązek przyjąć zawiadomienie.

– Nie obchodzi mnie to.

– Możesz nie wszczynać dochodzenia, ale musisz sprawę zbadać i sprawdzić. Nie masz prawa się od tego uchylić.

Usiadł przy biurku i wsparł brodę na dłoni, jakby był głęboko zafrasowany uporem, z którym przyszło mu się zmierzyć.

– Nie dam się na to złapać, rozumiesz?

– Pisz.

– Nie. Jeśli naprawdę chcesz w to brnąć, złóż pisemne zawiadomienie do prokuratury. Ja niczego nie przyjmę, bo w moim przekonaniu nie doszło do przestępstwa. Przynajmniej nie takiego, które ściga się z urzędu.

– Słuchaj…

– A jeśli rzeczywiście doszło do złamania prawa, to sprawczynią jesteś ty – dodał, wskazując na jej brzuch. – I doskonale o tym wiesz.

Kordian widział, że miała ochotę zaoponować, ale ostatecznie musiała uznać, że nie ma to sensu. Opuścili gabinet

Szczerbińskiego chwilę później, przekonani, że w istocie nic nie wskórali. Gdyby nie sytuacja osobista Chyłki i aspiranta, być może byłoby inaczej. W takim układzie jednak należało się spodziewać właściwie wszystkiego.

Także tego, że Szczerbiński ostatecznie zmieni zdanie. Niecałą godzinę później wysłał na Argentyńską dwóch funkcjonariuszy, którzy mieli sprawdzić, czy w twierdzeniach Joanny jest choć cień prawdy.

Pobrali odciski palców, sprawdzili mieszkanie, po czym obaj zgodnie uznali, że nic nie wskazuje na to, by ktokolwiek się do niego włamał. Chyłka pożegnała ich niewybrednymi komentarzami.

Po tym, jak trzasnęła za nimi drzwiami, wróciła z Kordianem do salonu i wspólnie starali się ustalić, czego brakuje. Wydawało się, że dokumenty nie mogły być przesadnie istotne, inaczej Joanna z pewnością od razu odnotowałaby ich brak. A jednocześnie z jakiejś przyczyny to właśnie one znikły.

I z jakiejś przyczyny nie tylko policja okazała się niechętna podjęciu sprawy. Ostatecznie Chyłka złożyła pisemne zawiadomienie także w prokuraturze. Wyjątkowo szybko otrzymała postanowienie o odmowie wszczęcia śledztwa.

Mogła złożyć zażalenie do sądu, ale po wstępnym rozeznaniu się w środowisku ustaliła, że nic w ten sposób nie wskóra. Każdy, z kim rozmawiała, przestrzegł ją, że zażalenie zostanie pozostawione bez rozpatrzenia.

Oznaczało to ni mniej ni więcej, że sprawa na tym się zakończy. Pokrzywdzonemu w takiej sytuacji nie pozostawał żaden inny środek odwoławczy.

Oryński nie mógł opędzić się od myśli, że ktoś steruje tym wszystkim. I że momentami robi to na tyle sprawnie, że sam zaczynał mieć wątpliwości, czy Chyłka nie konfabuluje. Na dobrą sprawę byłaby do tego zdolna, nieraz udowodniła, że potrafi układać wiarygodne, choć niekoniecznie prawdziwe scenariusze.

Tym razem jednak było inaczej. Nie chodziło już bowiem tylko o nią.

W momentach zawahania wystarczyło w zupełności, by Kordian sobie o tym przypomniał. Od razu stawał się przekonany, że ktoś naprawdę napadł na nią w mieszkaniu, a potem doprowadził do stanu, który zagrażał nie tylko jej samej.

Mimo to nie udało im się niczego udowodnić. Odpuścili, skupiając się przede wszystkim na zbliżającym się procesie, zaginionych materiałach i Fahadzie. Joanna doszlifowała jego przemówienie, ale był to jedyny front, na którym odnieśli jakikolwiek sukces.

Wszystko inne kryło się za mgłą niewiedzy. I Oryński przypuszczał, że uda im się rozpędzić ją dopiero, gdy Al-Jassam zacznie mówić.

6

Autonomia, plac Trzech Krzyży

W Autonomii przesiadywali głównie politycy, ale od czasu do czasu zdarzało się, że zjawiali się tutaj również prawnicy. W szczególności ci, którym zależało na dyskrecji, lokal bowiem słynął z tego, że wszystko tutaj było *off the record*. W dodatku właściciele za punkt honoru postawili sobie, by dbać o prywatność bywalców – ci właściwie mieli gwarancję, że żaden podsłuch im tutaj nie grozi.

Chyłka nie przepadała za tym miejscem. Szczególnie że menu było dla niej zupełnie abstrakcyjne. Nie miała pojęcia, czym jest „antrykot baraniej demokracji", a już zupełnie nieodgadniony był deser o nazwie „NATO na bogato".

Mimo to miejsce było odpowiednie, by spotkać się z Paderbornem. Zależało jej nie tylko na dyskrecji, ale także na tym, by nie musiał obawiać się, że ktokolwiek go nagra.

Olgierd stawił się dokładnie o umówionej porze, niemal co do sekundy. Dzięki wydatnej muskulaturze i dobrze skrojonej marynarce robił wrażenie znacznie lepsze od większości polityków, ale nikt nie zwrócił na niego uwagi. Niepisaną zasadą w Autonomii było to, że nikt nikogo nie zaczepiał, nawet jeśli miał ku temu powód.

Prokurator usiadł przy stole i zamówił kawę. Najwyraźniej nie planował zostawać długo.

– To coś ważnego? – zapytał. – Czy po prostu chcesz mnie postraszyć przed rozprawą?

– Gdybym chciała, mogłabym załatwić to przez telefon.

– Mogłabyś próbować – odparł, uśmiechając się lekko. – Ale raczej z marnym skutkiem.

Joanna zdecydowała się na deser o NATO-wskiej nazwie. Nie miała apetytu, ale uznała, że skoro nie może się napić ani zapalić, wtłoczy w siebie chociaż trochę cukru. Zawsze to jakaś namiastka niszczenia zdrowia za pomocą alkoholu czy nikotyny.

Oddała kartę kelnerowi, a potem wbiła wzrok w Paderborna.

– Chyba że w jakiś sposób zmusiłabyś mnie do spotkania z Messerem – dodał. – Wtedy… cóż, bez dwóch zdań byłbym przerażony. Ten facet sprawia wrażenie, jakby chodził na zabiegi upiększające. I Bóg jeden wie, czego mógłby próbować przy spotkaniu w cztery oczy.

– Zapewniam cię, że jest hetero.

– Jesteś tego pewna?

– Niestety – odparła pod nosem, a potem uniosła wzrok. – Ale nie o nim chcę rozmawiać, tylko o mnie.

Olgierd zdawał się zaciekawiony. Skrzyżował ręce na stole i przechylił głowę na bok.

– O tobie?

– Mam pewne problemy ze złożeniem zawiadomienia o…

– Słyszałem – uciął. – I dlatego chciałaś się ze mną spotkać?

Chyłka przyjęła najpoważniejszy wyraz twarzy, jaki miała w zanadrzu. Rzadko z niego korzystała, ale Olgierd nie mógł mieć o tym pojęcia.

– Uważam cię za jednego z tych porządnych prokuratorów, Pader. I to nie tylko dlatego, że wyglądasz jak Kurt

Cobain – odezwała się. – Mogę policzyć was na palcach jednej ręki, więc potraktuj to jako wyjątkowy komplement.

Popatrzył na nią z uznaniem.

– Tego się nie spodziewałem. Może też powinienem zamówić sobie deser, żeby uczcić to wyznanie?

– Zamknij się i słuchaj.

Znów się uśmiechnął.

– Ktoś rąbnął mi samochód, w którym znajdowały się klucze do mieszkania. Tego samego, w którym jakiś czas później mnie zaatakowano.

Dostrzegła w jego oczach, że nie wiedział o kluczach.

– Nie zmieniłaś zamków?

– Nie.

Odczekała chwilę, licząc na to, że zada jej jeszcze kilka innych pytań. Olgierd jednak się do tego nie kwapił.

– Wynika z tego dla ciebie jakiś logiczny wniosek? – zapytała.

– Nie bezpośrednio.

– Ale racjonalnie rzecz biorąc, tyle by ci wystarczyło, żeby zająć się sprawą, prawda?

– Być może.

– A jednak twoi kumple ukręcili jej łeb bez sprawdzania czegokolwiek.

– Zapewniam cię, że musieli wszystko…

– Wedle ustawy, owszem, musieli – przerwała mu. – Ale w praktyce nie kiwnęli nawet palcem. Wysłali kilku parobków, żeby obejrzeli mieszkanie i ślady, i na tym się skończyło. Tymczasem…

– Tymczasem co? Powinni być na każde twoje zawołanie?

– Nie. Ale powinni zająć się sprawą, która już na pierwszy rzut oka jest podejrzana. Chyba że kradzież auta z kluczami do mieszkania, a potem wejście do niego bez żadnych śladów przestępstwa uznamy za zupełny przypadek.

Olgierd pociągnął łyk kawy i otarł usta wierzchem dłoni.

– Żeby uznać tak lub inaczej, należałoby najpierw potwierdzić, że do kradzieży i włamania doszło.

Joanna uniosła brwi, nie dowierzając. O ile w przypadku ataku na nią mogła zrozumieć wątpliwości prokuratury, o tyle w przypadku zwinięcia iks piątki – nie. Zresztą do tej pory nie otrzymała żadnych sygnałów świadczących o tym, że śledczy wątpią w przedstawioną przez nią wersję wydarzeń.

– To także zanegujecie? – zapytała i zaśmiała się.

– Nie ode mnie to zależy.

– Nie, nie od ciebie. Decyduje ktoś znacznie wyżej postawiony.

– Decyduje prawda.

– Z przedrostkiem „gówno-".

Paderborn dopił kawę jednym haustem.

– To by chyba było na tyle – powiedział, wstając od stolika. – Wchodzimy na teren, po którym nie chcę się poruszać.

– Pewnie. Rozumiem, jak niewygodne jest dla ciebie mówienie o...

– O spisku? – dokończył za nią. – Bo to sugerujesz, tak?

– Sugeruję, że ktoś się na mnie uwziął. I nie bez powodu służby odmawiają wszczęcia dochodzenia.

Olgierd rozpiął marynarkę i sięgnął po cienki, skórzany portfel. Wyciągnął z niego dziesięciozłotowy banknot i położył go na stole.

– Odmawiają, bo dałaś się nam wszystkim poznać z najgorszej strony – zauważył. – Nie ma żadnej konspiracji, nikt się na ciebie nie uwziął. A jeśli chcesz podnosić te argumenty w sądzie, skompromitujesz się.

Chyłka również wstała. Sięgnęła po banknot, a potem gwałtownie upchnęła go do brustaszy w klapie marynarki Olgierda.

– Jedynymi osobami, które się skompromitują, będziecie wy – odparła. – Prokuratura, służby i wszyscy inni zamieszani w tę sprawę.

– Sprawę? – zapytał, a potem znów prychnął. – Jaką sprawę, Chyłka? Naprawdę sądzisz, że…

– Nic nie sądzę. Utwierdzam się w przekonaniu, że ktoś wrabia mojego klienta.

– Twój klient ma powiązania z ISIS, do cholery.

– I to powinno wam wystarczyć – powiedziała. – Fakt, że nie wystarcza i musicie uciekać się do atakowania adwokatów, każe mi sądzić, że coś więcej jest na rzeczy. Coś dużego, Pader. I coś, co zamierzam pokazać całemu światu.

– Pokażesz jedynie swoją własną paranoję.

– Przekonamy się.

Pokręcił głową, zaśmiał się pod nosem, a potem odwrócił się i powolnym krokiem opuścił Autonomię. Stanowczo zbyt powolnym. Zupełnie jakby chciał dać do zrozumienia, że nie ma najmniejszego powodu do nerwów. I że nie musi uciekać.

Było to jednak tak teatralne, że przeczyło wszystkiemu, co mówił.

Chyłka usiadła przy stoliku i uśmiechnęła się. Wszystko wskazywało na to, że nie trafiła jej się tak prosta sprawa, jak po ostatnich odkryciach w sprawie Fahada wszyscy sądzili. I zamierzała to wykorzystać.

7

Sąd Okręgowy w Warszawie, Wola

Ostatnimi czasy w sądowym gmachu bywali raczej osobno niż razem. Fakt, że dziś stało się inaczej, powinien zadziałać na Oryńskiego uspokajająco, ale tak nie było. Od rozmowy między nim a Chyłką na parkingu pod Pałacem Kultury minęło sporo czasu, w dodatku od tamtej pory Kordian skupiał się niemal wyłącznie na sprawie. Wciąż jednak towarzyszyło mu poczucie, że może nie jest tam, gdzie być powinien.

Teraz ta refleksja wróciła ze zdwojoną mocą. W pamięci nie zatarła mu się jeszcze wymiana zdań z krakowskim prokuratorem, do której doszło jakiś czas temu w tym budynku.

– Zordon?

Oderwał wzrok od prawniczych paremii widocznych na fasadzie i popatrzył na Chyłkę. Wyglądała osobliwie, zważywszy, że niebawem miał rozpocząć się proces, a ona nie miała papierosa między palcami.

– Mówiłaś coś?

– Nic takiego. Poruszałam sprawy związane z obroną klienta.

– Aha.

– Ze strategią sądową, podejściem do przewodniczącego, do ławników, do przesłuchiwanych, do oskarżyciela publicznego i tak dalej. Same bzdury.

– Rozumiem.

– Nic, co powinno interesować obrońcę.

Obrócił się do niej i spojrzał jej głęboko w oczy.

– Czujesz presję? – spytał.

– Co proszę?

– Pytam, czy…

– Sugerujesz, że stresuję się przed rozprawą? – obruszyła się. – Dawno w dziób nie dostałeś, pachołku?

– Miałem na myśli tylko to, że… – Rozłożył ręce, a potem wskazał na jej brzuch. – Jesteś w stanie błogosławionym.

– I?

To krótkie pytanie zabrzmiało jak najpoważniejszy zarzut. Kordian przełknął ślinę i rozejrzał się, żałując, że w ogóle podjął temat.

– Pewnie chcesz udowodnić wszystkim, że…

– Nie muszę niczego udowadniać – ucięła. – Zrobiły to już miriady kobiet w historii świata, które nawet w zaawansowanej ciąży potrafiły dokonać rzeczy wykraczających poza zdolności waszej słabej płci.

Oryński pokiwał głową, nie mając zamiaru polemizować.

– Będąc w zaawansowanej ciąży, biegaczki nie przestają biegać, aktorki nie przestają grać, piosenkarki nadal występują na scenie, polityczki rządzą krajem, biznesmenki kierują swoimi firmami, a prawniczki walczą w sądzie.

– No tak.

– Facet z takim bebzolem ledwo jest w stanie zwlec się z łóżka – dodała. – A my po prostu robimy to, co zwykle.

Kordian sięgnął do kieszeni marynarki po paczkę kupionych rano papierosów. Formalnie był to kolejny okres, w którym rzucał, ale uznał, że najrozsądniej będzie zrobić przerwę na czas procesu. Przynajmniej jeśli chodziło o kilka najbliższych posiedzeń.

– Słyszałeś o Danielle Hagaman-Clark?

Odpalił marlboro, wytrzymał karcący wzrok Chyłki, a potem wypuścił dym w bok.

– Nie.

– To prokurator z Michigan. Doprowadziła do skazania mężczyzny, który zastrzelił shotgunem kobietę na swojej posesji dwa lata temu. Dostał siedemnaście lat, a ona podczas procesu miała już taki bandzioch, że Gerard Depardieu wyglądałby przy niej jak myszka.

Oryński utrzymywał strategię milczenia.

– Jak więc widzisz, nie mam się czym przejmować.

– Mhm.

– Nie jestem pierwsza ani ostatnia. Ale zapewniam cię, że będzie się o mnie wspominało znacznie częściej niż o Hagaman-Clark.

– Co do tego nie mam wątpliwości.

Uniósł dłoń i już miał się zaciągnąć, kiedy Chyłka nagle wyrwała mu papierosa spomiędzy palców. Spojrzała na niego, pokręciła głową, a potem cisnęła go na chodnik. Zadeptała peta, po czym wskazała na wejście do gmachu.

– Chodź, śmierdzielu – powiedziała. – Messer i jego przydupasy zapewne są już na miejscu i udają, że to oni są najważniejsi.

W przypadku obrony Kiljańskiego z pewnością byli, jeśli jednak chodziło o Al-Jassama, kancelaria Żelazny & McVay cieszyła się pełną swobodą działania. W ostatnim czasie Kordian odniósł nawet wrażenie, jakby CzMK miała zamiar wycofać się ze sprawy.

W sądzie jednak stawili się całą ekipą. Paweł Messer miał do dyspozycji kilku pomocników, przede wszystkim młodych adwokatów, ale też jednego wyjadacza. Firma najwyraźniej czerpała wzorce z krajów anglosaskich, gdzie było to powszechną praktyką. W Polsce pracowano głównie samodzielnie – w Żelaznym & McVayu natomiast szukano złotego środka. I wydawało się, że tandemy sprawdzały się nie najgorzej.

Zanim dwójka prawników podeszła do ludzi z Czymańskiego Messera Krata, Oryński dostrzegł inną znajomą twarz. Jedną z tych, których nie spodziewał się tutaj zobaczyć.

– Chyłka – rzucił pod nosem, szturchając ją.

Zgromiła go wzrokiem, ale potem spojrzała w kierunku, który wskazał. Kordian zrobił krok w stronę Filipa Obertała, ale Joanna natychmiast go zatrzymała.

– Zostaw.

– Nie ma prawa tu przychodzić. W ogóle nie ma prawa przebywać w pobliżu ciebie.

Przez chwilę przytrzymała jego spojrzenie, a potem uśmiechnęła się z pobłażliwością, ale i pewną sympatią. Właściwie Oryński poczuł się nieswojo, spodziewał się raczej zobaczyć w jej oczach kpinę.

– Sąd to akurat właściwe miejsce dla niego – zauważyła.

– Właściwsza byłaby cela.

– Wszystko w swoim czasie, Zordon. Pamiętaj o *The Wicker Man* Ironsów.

Kordian doskonale wiedział, który fragment miała na myśli.

– Twój czas nadejdzie? – spytał. – To chyba niezbyt adekwatne.

– Hę?

– Refren nie ma takiego wydźwięku, o którym mówisz.

Zmarszczyła czoło i przez moment wyglądała, jakby miała zamiar sięgnąć pod togę, wyjąć skrywaną tam broń i zastrzelić go tuż przed wejściem do sali sądowej.

– Chcesz mnie uczyć o Iron Maiden, Zordon?

– Nie chcem, ale muszem.

Ściągnęła brwi jeszcze bardziej.

– Tu nie chodzi o to, że czas czyjegoś końca nadejdzie – dodał. – Choć rozumiem, dlaczego mogłabyś myśleć o śmierci. Dalej jest wzmianka o Charonie przeprawiającym się przez…

– Zordon.

Oryński odchrząknął i pokiwał głową.

– Dickinson napisał ten refren, myśląc o uczuciu, które towarzyszyło mu, kiedy za młodu chodził na koncerty rockowe. Powtarzał sobie, że jego czas nadejdzie. To optymistyczny akcent.

Joanna przez moment przypatrywała mu się z niedowierzaniem. Kordian wzruszył ramionami.

– Musiałem zrobić mały *research* po tym, jak ostatnio znikłaś.

– Jestem podbudowana.

– Widzę.

Chyłka poklepała się lekko po brzuchu.

– Jak tak dalej pójdzie, być może zaproponuję ci wspólne wychowywanie tego pasożyta.

– Myślisz, że bym się nadawał?

– Jeszcze jedna czy dwie ciekawostki na temat Ironsów, a uznam, że tak.

Kordian zmrużył oczy i pokiwał głową, zamyślony.

– Ślub wchodzi w grę? – spytał.

– Zależy – odparła, unosząc wzrok. – Jeśli oświadczyłbyś się podczas koncertu Maidensów, a zamiast pierścionka zaproponował mi sygnet z podobizną Eddiego, musiałabym to rozważyć.

Chciał dodać, że w takim razie są wstępnie umówieni, ale sprawa została wywołana, a Chyłka natychmiast ruszyła w stronę wejścia. Zwlekał przez moment, zanim poszedł za nią. Pomyślał, że żarty żartami, prędzej czy później będzie musiała się jednak zastanowić, czy naprawdę chce wychowywać dziecko sama.

Na dobrą sprawę nie przypuszczał, by mogło być inaczej. Potrafił wyobrazić ją sobie jako samotną matkę, ale nie jako część pełnej rodziny. Trudno było powiedzieć dlaczego.

Na sali czuł się podobnie jak w salonie bmw. Obok niego w togach siedzieli Chyłka i Messer. On wprawdzie włożył najlepszy garnitur, ale niewiele to pomogło.

Po chwili wszyscy się podnieśli, a sędzia Tatarek powiódł wzrokiem po zebranych. Na dłużej zatrzymał spojrzenie na oskarżonym.

Fahad został dobrze przygotowany przez Joannę, a przynajmniej ona sama tak twierdziła. Formalnie mieli z nim nieograniczony kontakt, ale w rzeczywistości korzystali jedynie z jego namiastki. Al-Jassam wciąż nie chciał zdradzić nic na temat swojej przeszłości, a o Lipczyńskich nie chciał nawet słyszeć.

Teraz nie miało to już jednak wielkiego znaczenia. Kontakty z ISIS dowodziły, że jest winny. Obrońcy potrzebowali jedynie takich informacji, które mogły okazać się przydatne w sądzie.

Tatarek szybko załatwił pierwsze formalności, sprawdzając, czy wszyscy wezwani się stawili i czy nie ma przeszkód do rozpoczęcia rozprawy głównej.

Potem westchnął głęboko, prosto do mikrofonu, jakby chciał pokazać wszystkim zebranym, jak bardzo chciałby być teraz w innym miejscu.

– Świadków proszę o opuszczenie sali – rzucił. – Biegli mogą pozostać.

Kilkoro ludzi opuściło pomieszczenie, Oryński odprowadził ich wzrokiem. Miał poczucie, że wybrali z Chyłką odpowiednie osoby, nie one były jednak kluczowe. Najbardziej liczyło się to, co powie Fahad.

I czy postąpi tak, jak poinstruowała go Joanna. Rzeczywiście ułożyła sobie mowę otwierającą, którą *de facto* miała wygłosić ustami Al-Jassama. Zapewniał, że nie odbiegnie od scenariusza, ale trudno było powiedzieć, czy tak będzie naprawdę.

– Cieszę się, że jednak pan nie pajacuje – odezwał się Tatarek.

Kordian spojrzał w jego kierunku i przekonał się, że sędzia wbija w niego wzrok.

– Tak, tak, o panu mówię.

Oryński natychmiast się podniósł.

– Gdyby przyszedł pan w tej swojej todze, wychodziłby pan teraz ze świadkami.

– Nie postąpiłbym wbrew zaleceniom Wysokiego Sądu – odparł Kordian z lekkim przekąsem.

Tatarek wydawał się tym lekko urażony. Mina mu zrzedła, popatrzył na Chyłkę, jakby chciał, by zestrofowała podopiecznego. Ta jednak trwała w bezruchu, z kamiennym wyrazem twarzy.

– To nie było zalecenie, a polecenie, panie Oryński.

– Oczywiście.

– I mam nadzieję, że jest dla pana jasne, że jest pan tutaj gościem.

– Naturalnie.

– Jednocześnie także nie paprotką – zaznaczył Tatarek.

– Tak, pamiętam.

– To świetnie. A zatem niechże pan coś z tego procesu wyniesie.

– Zrobię, co w mojej mocy.

– Proszę usiąść.

Kordian zajął miejsce obok Chyłki, kątem oka dostrzegając, że ta lekko się uśmiecha. Od początku wiedzieli, że z jakiegoś powodu Tatarek nie zapałał do niego sympatią. Zamierzali to wykorzystać, potęgując to uczucie. Oboje byli zgodni, że lepiej skanalizować niechęć przewodniczącego do któregoś z nich, by drugie mogło skuteczniej działać.

Oryński miał być kozłem ofiarnym. Sędzia i tak nie pozwoli mu na wiele, ale jego obecność może sprawić, że Tatarek rozładuje trochę emocji, które niewątpliwie gromadził.

Chyłka stwierdziła wprost, że Kordian będzie zderzakiem. I właściwie było to trafne określenie.

– Jakieś wnioski? – burknął przewodniczący. – Coś, co sprawi, że będę zmuszony odwlec to, co nieuniknione?

Adwokaci milczeli, Olgierd Paderborn również.

– W takim razie przejdźmy do rzeczy. Panie prokuratorze, czas na pana popis oratorski.

Paderborn podniósł się i poprawił marynarkę. Kordianowi przyszło do głowy, że powinien zainwestować w nieco większy rozmiar, bo ta sprawiała wrażenie, jakby w barkach miała pęknąć. Kiedy ten człowiek znajdował czas, by tak przypakować? Oryński nie mógł wykroić nawet godziny w trakcie dnia na slow jogging. Na jego koncie na Endomondo przebyte kilometry mogłyby pojawić się tylko, gdyby do statystyk włączano dystans przewiniętych na Facebooku postów.

Może naprawdę lepiej było znajdować się po drugiej stronie prawniczej barykady? Ta refleksja towarzyszyła aż do momentu, gdy Olgierd zaczął wygłaszać długi, obowiązkowy monolog. Podał szereg suchych informacji o Fahadzie, potem opisał stawiane mu zarzuty, skutki jego działań, okoliczności rzekomego przewinienia i wszystko, co miało związek z planowanym zamachem.

Później przeszedł do środków zapobiegawczych, referując całe zamieszanie, jakie miało miejsce w związku z tymczasowym aresztowaniem. Na tym etapie powieki Kordiana zaczęły robić się ciężkie.

Pierwszy raz opadły na dłużej, kiedy Paderborn odczytywał uzasadnienie. Rozwodził się nad tym wszystkim, czego wymagały od niego przepisy postępowania, podając argumenty przemawiające za wszczęciem śledztwa, przeprowadzeniem procesu, a ostatecznie ukaraniem Fahada.

Polskie realia sądowe pozbawiały adwokatów sposobności, by odpowiedzieć na to przemówienie, toteż na jego zakończenie prokurator musiał jeszcze napomknąć o tym, co na swoją obronę ma sam oskarżony. Paderborn zrobił to na tyle umiejętnie, że przy okazji skrytykował Al-Jassama.

Tatarek skwitował cały wywód kolejnym westchnięciem.
– Nie ma wniosku o skazanie bez rozprawy?
– Nie, Wysoki Sądzie.
– Szkoda. Wielka szkoda.
Olgierd potwierdził ruchem głowy, a przewodniczący spojrzał wymownie na Fahada.
– Na pewno nie życzy pan sobie załatwienia tej sprawy z prokuratorem? – spytał.
Al-Jassam spojrzał niepewnie na Chyłkę i wstał. Nie przygotowała go na to, że przed złożeniem wyjaśnień sędzia będzie go o cokolwiek pytał.
Fahad uniósł brwi i czekał w milczeniu.
– Możecie się porozumieć – dodał Tatarek. – Ustalić wymiar kary, przedstawić mi wniosek, nad którym się pochylę, a potem cieszyć się, że już po wszystkim.
Al-Jassam się nie odzywał.
– Mówi pan po polsku, prawda? Czy zachodzi konieczność powołania tłumacza?
– Nie, nie zachodzi.
– A zatem?
Fahad zerknął na Paderborna. Ten w końcu rozpiął guzik marynarki, a poły natychmiast się rozchyliły.
– Oskarżenie nie składa wniosku o rozpatrzenie sprawy bez przeprowadzania rozprawy – oznajmił.
Kordian pomyślał, że w tym miejscu nawet rymy nie brzmią dobrze.
– Trudno – odbąknął Tatarek, wciąż skupiając całą uwagę na Al-Jassamie. – W takim razie musi pan wiedzieć, że ma pan prawo złożyć wyjaśnienia. Może pan oczywiście z niego nie korzystać, jak i odmawiać odpowiedzi na poszczególne pytania.

Fahad wyglądał, jakby nie słyszał słów przewodniczącego.

– Zrozumiał pan?

– Tak.

Tatarek bezradnie uniósł wzrok.

– Przyznaje się pan do zarzucanego czynu?

– Nie.

– Chce pan złożyć wyjaśnienia?

– Tak.

– Zatem proszę.

Kiedy sędzia machnął ręką, dał jasno do zrozumienia, jak istotne będą dla niego wywody Al-Jassama. Mimo to musiał ich wysłuchać, podobnie jak wszyscy inni w sali sądowej. On jednak jako jedyny miał obowiązek wziąć je pod uwagę.

Posiadały taką samą moc dowodową jak przesłuchania świadków, ale cieszyły się jedną, ogromną przewagą. Nie podlegały rygorowi mówienia prawdy. Oskarżony mógł kłamać w swojej sprawie, składać fałszywe zeznania i konfabulować do woli – nic mu za to nie groziło.

Fahad miał z tego w pełni skorzystać.

– Może pan zaczynać – ponaglił go Tatarek.

– Dziękuję.

Al-Jassam popatrzył na Chyłkę, a ta skinęła do niego porozumiewawczo. Kordian miał nadzieję, że ich klient zapamiętał wszystko, co prawniczka dla niego przygotowała. I że nic nie przekręci w trakcie przemowy.

Była to właściwie tyrada pod adresem dzisiejszego świata. Zaczynała się od wykazania, że wystarczy, by obywatel poszedł do meczetu, a trafia automatycznie na celownik służb. I podczas gdy były amerykański prezydent upomina wszystkich, by nie traktować wszystkich wyznawców islamu jak ekstremistów, w Polsce idzie się w dokładnie przeciwnym kierunku.

Dalej Chyłka uderzała w służby. W jej ustach brzmiało to dobrze i Oryński przypuszczał, że w wypadku Al-Jassama będzie jeszcze lepiej. O ile uda mu się przybrać maskę poszkodowanego.

– Długo jeszcze musimy czekać? – burknął Tatarek.

Fahad wyprostował się.

– *Allahu akbar* – zaintonował śpiewnie, kierując wzrok w górę.

W sali zaległa cisza.

– *Allahu akbar*! – powtórzył głośniej Al-Jassam.

Oryński poruszył się nerwowo i nachylił do Joanny.

– Co on wyprawia? – szepnął.

– Odpierdala *takbir* – syknęła przez niemal zaciśnięte usta Chyłka.

– Co takiego?

– Oznajmia wszem i wobec, że Bóg jest wielki.

– Ale…

Fahad zamknął oczy.

– *Aszhadu an laa ilaaha ill Allah*!

Kordian słyszał, jak była patronka cedzi pod nosem przekleństwa.

– *Ła aszhadu anna Muhammad ar-Rasulullaah*!

Sędzia rozejrzał się nerwowo, a wśród zebranych jak epidemia przeszedł cichy szmer niepokoju. Kordian obrócił się przez ramię i powiódł wzrokiem po widowni. Wszyscy sprawiali wrażenie, jakby spodziewali się, że zaraz dojdzie do wybuchu ładunku, który Fahad jakimś cudem umieścił w sądzie.

Konsternacja trwała jednak tylko przez moment. Zaraz potem podniosło się larum. Oryńskiemu trudno było ustalić, kto jako pierwszy rzucił niewybredne określenie pod adresem ich klienta. Chwilę później rozległo się tyle głosów naraz, że trudno było wyłowić, kto atakuje Fahada, a kto stara się go bronić.

Tatarek próbował zapanować nad potęgującym się chaosem, ale bezskutecznie. Właściwie wszystkie osoby zajmujące miejsca dla publiczności wstały, część wykrzykiwała obraźliwe hasła, część starała się po prostu zobaczyć, jak zareaguje muzułmanin stojący na miejscu dla świadków.

– Won! – krzyknął ktoś. – Won z Polski, brudasie!

– Skazać go od razu! Bez procesu! – dołączył się ktoś inny.

Z zamętu trudno było wyłowić poszczególne słowa. Kordian był jednak pewien, że wśród nich znalazł się klasyk ostatnich tygodni, fraza „znajdzie się kij na islamski ryj", która robiła furorę w szeregach narodowców. I za którą kilku z nich musiało zapłacić po dwa tysiące złotych grzywny.

– Islam won z Europy! – krzyknął ktoś.

Al-Jassam nie pozostawał obojętny.

– *Allahu akbar*! – zawodził głośno.

Tatarek podniósł się, uniósł otwarte dłonie i zaapelował o spokój. Kiedy to nie przyniosło skutku, zarządził, by służby porządkowe zajęły się sytuacją w sali. Chwilę trwało, nim pracownicy sądu i zewnętrznej firmy ochroniarskiej spełnili jego polecenia. Wyprowadzono parę osób, po czym zamknięto drzwi. Wraz ze zniknięciem prowodyrów z publiczności jakby uszło powietrze. Sędzia z ulgą opadł na krzesło.

Fahad nadal cicho odmawiał modlitwę. Tatarek odczekał jeszcze chwilę, jakby nie chciał się narażać na zarzut, że jego działania godzą w wolność religijnej ekspresji. Ostatecznie jednak zgromił oskarżonego wzrokiem i uniósł rękę, dając jasno do zrozumienia, że dosyć tego.

– To nie miejsce na modły – zauważył.

Al-Jassam zamilkł.

– I biorąc wszystko pod uwagę, naprawdę…

– Już skończyłem, Wysoki Sądzie.

Tatarek głośno wypuścił powietrze.

– Dobrze. A teraz albo przejdzie pan do wyjaśnień, albo proszę siadać.

Fahad nie zastanawiał się ani przez moment.

– Złożyłem już wszystkie wyjaśnienia – zadeklarował, a potem zajął swoje miejsce.

Kordian pokręcił bezradnie głową. Czekał ich znacznie trudniejszy proces, niż sądzili.

8

al. Solidarności, Wola

Chyłka z zazdrością obserwowała, jak Oryński wciąga do płuc dym papierosowy. Raz czy dwa przyszło jej na myśl, że jedno marlboro wiele nie zmieni. Ostatecznie jednak udało się jej powstrzymać przed sięgnięciem do paczki Zordona.

– Powinnam była wiedzieć, że bisurmanin nas wystawi – mruknęła.

Kordian wypuścił dym w drugą stronę, a potem obrócił się do niej.

– Grał świetnie – zauważył.

– Mimo wszystko już nie takich rozpracowywałam.

– Ja też byłem przekonany, że…

– Ty mogłeś być. Jesteś jeszcze prawniczym podlotkiem, którego klient może oszukać. Ja nie.

Przez moment milczeli.

– Ta infekcja osłabia moją czujność – zawyrokowała w końcu Joanna.

– Masz na myśli ciążę, gwoli ścisłości?

– Mhm. Wygląda na to, że działa na mnie gorzej niż alkohol. Kiedy tankowałam, przynajmniej byłam czujna, a teraz… – Wskazała na brzuch i piersi. – Jedyny plus jest taki, że zaczęłam szukać większych staników.

Zaciągnął się głęboko i nie skomentował.

– Nie chcesz gadać o powiększonych i bolących piersiach, Zordon?

– Niekoniecznie.

– Więc może interesuje cię moje rozmiękczenie więzadeł?

– Co proszę?

– Proces już się rozpoczął, hormony we mnie szaleją. A wszystko po to, by moje stawy były maksymalnie rozciągliwe w dziewiątym miesiącu. Możesz się domyślić, jaki jest powód.

Obejrzał się na gmach, jakby chciał zasugerować, by skupili się na prowadzonej sprawie.

– Co teraz? – spytał po chwili. – Mocne otwarcie nam przepadło.

– Niezupełnie.

– Więc co zrobisz?

– Poczekam, aż Paderborn zada swoje pytania Fahadowi, a potem sama przystąpię do dzieła. I wyduszę z niego to, co powinien powiedzieć.

– Nie wróżę ci wielkich sukcesów.

– Nie ty pierwszy i nie ostatni. A mimo to moje życie jest ich nieustającym ciągiem.

– Szczególnie jeśli wziąć pod uwagę wszystkie twoje osiągnięcia alkoholowe.

– One też ostatecznie zakończyły się sukcesem – zauważyła, rozkładając ręce. – Jestem trzeźwa jak świnia, nieprawdaż?

– Tyle że to nie twoja zasługa, ale pasożyta.

Chyłka spojrzała na Oryńskiego z głębokim uznaniem.

– No, no, Zordon – pochwaliła go. – Widzę, że naumiałeś się nazywać rzeczy po imieniu.

Wzruszył ramionami.

– Jest w tym określeniu coś pieszczotliwego. Przynajmniej biorąc pod uwagę twój zwyczajowy zasób słów.

Skorzystała z chwili jego nieuwagi i wyjęła mu papierosa spomiędzy palców. Pstryknęła niedopałkiem w stronę ulicy, a potem wskazała gmach sądu. Po chwili na powrót znaleźli się w sali. Panowała w niej napięta atmosfera, sędzia jednak nie zarządził zamknięcia posiedzenia dla publiczności.

Słusznie, uznała Chyłka. W przeciwnym wypadku naraziłby się na masę zarzutów ze strony wszystkich, którzy poczuwali się do obowiązku, by pilnować praw Al-Jassama.

Tatarek oddał głos prokuratorowi. Paderborn przybrał grobową minę, zerknął jeszcze na ławników, a potem skupił się już wyłącznie na oskarżonym. Typowo prokuratorskie spojrzenie miało nie pozostawiać wątpliwości co do tego, że muzułmanin jest winny.

– Proponuję od razu przejść do rzeczy – odezwał się Olgierd. – Co pan na to?

Fahad nie wyraził sprzeciwu.

– Świetnie – dodał oskarżyciel. – W takim razie zapytam wprost: przygotowywał pan atak terrorystyczny w Warszawie?

Tatarek zagwizdał cicho, zupełnie jakby znajdował się na targu, a nie w sali sądowej.

– Panie prokuratorze, muszę pana upomnieć – rzekł. – Oskarżony nie przyznał się do stawianych mu zarzutów.

Sam sposób sformułowania tej uwagi dawał Chyłce do zrozumienia, że przewodniczący sympatyzuje ze stroną przeciwną. Nie było to jednak żadną niespodzianką.

– Jestem tego świadomy – odparł Paderborn. – Pytanie jest jednak szersze.

– To znaczy?

– Chciałbym dowiedzieć się, czy oskarżony kiedykolwiek snuł takie plany. Niekoniecznie teraz, w tej sprawie czy w tym charakterze, o jakie go posądzamy.

Sędzia przeniósł wzrok na Al-Jassama. Ten nachylił się lekko do mikrofonu.

– Nie – powiedział.

– W porządku... – mruknął Olgierd. – Widzę, że bezpośrednio tego nie załatwimy. Proszę zatem powiedzieć, czy zna pan Tomasza Kiljańskiego?

– Tak.

– Zobowiązał się dostarczyć panu dokumenty, by mógł pan się dostać do Polski?

Fahad znów potwierdził bez wahania.

– Wymagał jednak, by ktoś za pana poręczył?

– Owszem.

– I zrobił to człowiek, który ostatecznie okazał się osobą związaną z ISIS? Osobą współodpowiedzialną za jeden z zamachów w Iraku?

– Nic mi o tym nie wiadomo.

Olgierd przesunął włosy z czoła i pokiwał głową, zamyślony.

– Oczywiście nie grożą panu żadne konsekwencje za składanie fałszywych zeznań – zauważył. – Żaden z nas nie może zmusić pana do mówienia prawdy i...

– Nie kłamię.

Paderborn odczekał moment, by ta deklaracja wybrzmiała w sali. Potem oparł się o stół i spojrzał bykiem na oskarżonego.

– Znał pan tego poręczyciela?

– Oczywiście.

– Jak dobrze?

– Byliśmy znajomymi od kilku lat.

– Znajomymi? – spytał z powątpiewaniem. – Czy określenie „przyjaciele" nie byłoby bardziej adekwatne?

– Może.

– Powiedziałbym, że na pewno – zauważył Olgierd, patrząc kontrolnie na sędziego. Ten zdawał się niewzruszony tym, że prokurator wychodzi nieco ze swej roli. – W końcu takie poręczenie to niemała sprawa. Wiadomo, że w grę wchodzi środowisko, które dość poważnie traktuje wszelkie honorowe zapewnienia. A gwarancja, że jest pan uczciwym człowiekiem, właśnie do tego się sprowadzała.

– Przypuszczam, że tak.

Olgierd wyprostował się i spojrzał po ławnikach, ostatecznie na dłużej zawieszając wzrok na Tatarku. Chciał pokazać, że nie ignoruje pozostałych orzekających, poświęca im uwagę, ale jednocześnie wie, kto jest w tej grupie najważniejszy.

Chyłka musiała przyznać, że radził sobie całkiem nieźle. I prowadził Al-Jassama dokładnie tam, gdzie chciał.

– Chce pan więc, byśmy uwierzyli, że znał pan od lat człowieka związanego z ISIS, który został skazany za zorganizowanie zamachu w jednym z irackich miast, i nigdy nie pomyślał pan nawet o tym, by samemu czegoś takiego spróbować?

Chyłka zaśmiała się pod nosem i pokręciła głową. Był to jedyny odpowiednik anglosaskiego sprzeciwu, na jaki mogła sobie pozwolić. I podziałał o tyle, że wybił Paderborna z rytmu.

– Coś nie tak, pani mecenas? – odezwał się Tatarek.

– Tylko to, że pan prokurator czyni sugestie, zamiast pytać.

– Będzie miała pani okazję przesłuchać oskarżonego za moment.

– I chętnie z niej skorzystam. Może wreszcie dowiemy się czegoś konkretnego, zamiast wysłuchiwać nieustannych bezpodstawnych oskarżeń.

Sędzia nie wyglądał na zadowolonego, a Joanna szybko pożałowała tej uwagi. Zamiast trzymać się planu i robić wszystko, by niechęć Tatarka ograniczyła się do Zordona, pozwoliła sobie na nieco więcej. Nie powinna była tego robić. W tej sprawie na orzekaniu zaważyć mógł kaprys tego człowieka.

– Panie mecenasie, proszę kontynuować.

– Wciąż czekam na odpowiedź – zauważył Paderborn, wskazując na Fahada. – Myślał pan o tym czy nie?

– Nie.

– Nigdy?

– Dlaczego miałbym to robić?

– Bo najwyraźniej żył pan w środowisku islamskich ekstremistów. Chyba że się mylę?

– Myli się pan.

– W takim razie proszę wyprowadzić mnie z błędu. Czy pański poręczyciel nie był bojownikiem?

– Już mówiłem, że o tym nie wiedziałem.

– Niełatwo w to uwierzyć.

– Może panu.

– Nie tylko mnie – odparł Olgierd. – Bo oprócz pańskiego poręczyciela poszukiwanych było także kilkanaście osób z jego otoczenia. Część irackim władzom udało się zlokalizować. Część przepadła jak kamień w wodę.

Właśnie tego Chyłka się obawiała. Paderborn nie miał żadnych dowodów na poparcie swoich tez, ale te były dostatecznie wymowne, by przekonać ławników.

– Można mniemać, że był pan jednym z nich.

– Słucham?

– Panie prokuratorze – w końcu włączył się Tatarek. – Strońmy od insynuacji.

– Oczywiście, przepraszam – odparł Olgierd. – Wydaje mi się jednak nieco niepokojące, że nie znamy przeszłości oskarżonego.

– Test DNA potwierdził jego przeszłość – zauważył sędzia.

– A jednak sam utrzymuje, że nie jest zaginionym chłopakiem.

– Mało mnie to interesuje. Nauka w tym wypadku bierze górę.

Paderborn pokiwał głową, jakby była to jedna z najmądrzejszych uwag, jakie kiedykolwiek słyszał.

– Tak czy inaczej nie wiemy, pod jakim nazwiskiem żył przez te wszystkie lata na Bliskim Wschodzie – zauważył. – Nie wiemy, czy w istocie nie jest jedną z osób poszukiwanych przez Irakijczyków.

W sali zaległa cisza.

– Fakt, że do tej pory nie udało się ustalić, jakimi dokumentami się posługiwał, zanim otrzymał te od Tomasza Kiljańskiego, jest dość zastanawiający.

Ponownie nikt nie zabrał głosu, a Olgierd skorzystał z tego, że na moment uwaga wszystkich zebranych skupiła się wyłącznie na zarzucie, który sformułował. Wymierzył palcem w Fahada i nabrał tchu.

– Czy uważa pan, że nie ma boga prócz Boga Jedynego, a jego prorokiem jest Mahomet?

– Czy… czy uważam? – odparł nieco zdezorientowany Al-Jassam, jakby samo pytanie go uraziło. – Nie muszę niczego uważać.

– Więc odpowiedź brzmi: tak.

Fahad skinął głową.

– Czy jest pan gotów pięć razy dziennie odmawiać modlitwę, tak jak przykazał Mahomet?

– Oczywiście.

– Przestrzega pan czystości rytualnej przez codzienne ablucje?

– Tak, ale nie rozumiem, co to ma do rzeczy.

Al-Jassam doskonale rozumiał, podobnie jak wszyscy inni. Spojrzał na sędziego, jakby spodziewał się, że ten ukróci tę farsę. Tatarek jednak nie miał zamiaru przerywać prokuratorowi.

Chyłka zaklęła cicho. Nastawienie ławników było istotne, ale jeszcze ważniejszy był medialny wydźwięk całej sprawy. Dzięki takim pytaniom stawał się jednoznaczny i korzystny dla Paderborna.

– Pości pan podczas ramadanu?

Fahad znów potwierdził.

– Przestrzega pan zasad związanych z jałmużną?

– Owszem.

– W jaki sposób?

Al-Jassam popatrzył pytająco na Joannę, ale ta mogła jedynie wzruszyć ramionami.

– Na dwa sposoby – odparł Fahad. – Pierwszy to *zakat*, wyrzeczenie się dóbr materialnych i jednocześnie obowiązkowa danina, którą uiszcza się na rzecz społeczności muzułmańskiej. Zazwyczaj to jedna dziesiąta darów natury lub dwa i pół procent dochodów, ale jeśli…

– Nie zagłębiajmy się w szczegóły. Jaki jest drugi sposób?

– *Sadaka.*

– Czyli?

– To dobrowolna ofiara na rzecz biednych.

– Ją również pan uiszcza?

– Tak.

– Można więc uznać, że jest pan gorliwym wyznawcą islamu.

– Wszyscy nimi jesteśmy, *inszallah.*

Paderborn trwał z kamiennym wyrazem twarzy, jakby słowa, które padły, były równoznaczne z deklaracją, że Fahad jest islamskim ekstremistą. Na dobrą sprawę w obecnym klimacie politycznym być może tak było. Widzowie oglądający proces w swoich domach z pewnością odbiorą taki sygnał, jaki wysyłał im Olgierd.

Tym bardziej, że nie zamierzał na tym poprzestać.

– Odbył pan pielgrzymkę do Mekki?

– Oczywiście.

– Nazywa się to *hadżdż*, prawda?

Fahad potwierdził.

– To jeden z obowiązków muzułmanina, piąty filar islamu, prawda? Każdy musi chociaż raz w życiu odbyć tę pielgrzymkę?

– O ile pozwala mu na to sytuacja materialna.

– No tak. A czym w takim razie jest *umara*?

– To dobrowolny odpowiednik *hadżdż*.

– I tę podróż także pan odbył?

Al-Jassam przyznał, że tak – i to nie raz.

Paderborn kontynuował jeszcze przez kilka chwil, wypytując go o inne rzeczy związane z islamem. Z minuty na minutę Fahad jawił się coraz bardziej jako oddany muzułmanin i nie mogło ulegać wątpliwości, że całe jego życie było podporządkowane islamowi.

W połączeniu z publicznymi modłami na początku procesu dla Chyłki była to tragedia.

Zamierzała jednak przekuć ją w sukces.

9

Sąd okręgowy, al. Solidarności

Czasem najtrudniejsze drogi prowadziły do najciekawszych miejsc, ale Kordian miał wrażenie, że tym razem Chyłka ostatecznie trafi na ślepą uliczkę. Robiła wprawdzie dobrą minę do złej gry, wręcz emanowała pewnością siebie, ale Oryński obawiał się, że na tym etapie nic nie może ich już uratować.

Wydźwięk przesłuchania przeprowadzonego przez Paderborna był jednoznaczny. Prokurator nie potrzebował dowodów, by przeciągnąć na swoją stronę zarówno sędziego, jak i ławników.

Opinia publiczna także zdawała się go popierać.

Podobnie jak logika i cały materiał procesowy. Nie dość, że Olgierd korzystał z wszechobecnej niechęci wobec gorliwych wyznawców islamu, to mógł podeprzeć się faktem znajomości Fahada z przynajmniej jednym dżihadystą. Nie wspominając już o odnalezieniu materiałów wybuchowych w mieszkaniu przy Pożaryskiego, tajemniczej śmierci Lipczyńskich, niejasnej przeszłości samego oskarżonego i…

Właściwie Kordian mógłby wymieniać bez końca. Sprawa była przegrana. Nadeszła pora, by zmierzyć się z tą świadomością.

Chyłka jednak sprawiała wrażenie, jakby nie miała zamiaru tego robić. Podniósłszy się, posłała krótkie, wrogie spojrzenie Paderbornowi, a potem skupiła się na oskarżonym.

– Fahad – zaczęła, od razu skracając dystans.

Miała pewnie nadzieję, że tym samym uczłowieczy nieco oskarżonego w oczach osób przyglądających się procesowi. Na tym froncie Kordian nie wróżył jej wielu sukcesów. Dla większości Al-Jassam był teraz spragnionym krwi niewiernych islamistą i niewiele rzeczy mogło zmienić to postrzeganie.

– Możesz powiedzieć, co przed momentem opisałeś prokuratorowi?

Fahad zdawał się nieco zbity z tropu.

– Pięć filarów islamu.

– I czym one są?

– Wyróżnikami.

– To znaczy?

– Charakteryzują nas, muzułmanów. Pokazują, co jest dla nas najważniejsze w religii, którą wyznajemy.

– I co to takiego?

Przez moment się namyślał. Nic dziwnego, uznał Oryński, pytanie właściwie było tak skonstruowane, by mógł udzielić jak najszerszej odpowiedzi.

– Oddanie i wierność filarom – oznajmił w końcu Al-Jassam. – Wypełnianie ich wymaga od nas poświęcenia, wielu wyrzeczeń, czasu, energii, a nieraz także dużych nakładów finansowych. Ponosimy jednak wszystkie te ciężary z zadowoleniem.

– Dlaczego?

– Bo dzięki temu doświadczamy obecności Boga w naszym życiu.

– Co jeszcze?

– Pokazujemy innym muzułmanom, że należymy do jednej rodziny.

Chyłka zmrużyła oczy, jakby ta deklaracja była niezwykle istotna. Spotęgowała to wrażenie, gdy zamiast podjąć od razu temat, zrobiła długą pauzę. Przeciągnęła ją aż do momentu, kiedy Tatarek nerwowo poruszył się na swoim miejscu.

Oryński nie wiedział, dlaczego akurat na to położyła taki nacisk. Nie postępowała zgodnie z wcześniej przyjętą taktyką. Improwizowała w odpowiedzi na to, co przed momentem zrobił Paderborn.

– To dla was szalenie ważne, prawda? – spytała.

– Oczywiście.

– Ta solidarność, wzajemne wsparcie, więzi, poczucie wspólnoty i tak dalej?

– Zgadza się.

– Czy mogę zaryzykować stwierdzenie, że to właśnie dzięki temu otrzymałeś poręczenie od osoby, o której wspomniał prokurator?

Fahad uniósł brwi.

– Czy ten człowiek był oddanym muzułmaninem?

– W jego przekonaniu z pewnością tak. Ale był także…

– Teraz to nieistotne – ucięła Chyłka. – Chcę tylko ustalić, czy poczuwał się do obowiązku, by pomagać współwyznawcom?

– Bez wątpienia.

– Więc wbrew temu, co twierdzi prokurator Paderborn, nie musieliście być bliskimi przyjaciółmi, by za ciebie poręczył?

– Oczywiście, że nie.

Odwróciła się od Al-Jassama i powiodła wzrokiem po członkach składu orzekającego. Każdy z nich zdawał sobie sprawę z konkluzji, wspominanie o niej na głos byłoby właściwie ujmą dla ich inteligencji.

Joanna przeszła więc dalej.

– Czy pobożność w islamie ma cokolwiek wspólnego z terroryzmem?

– Nie.

– A jednak prokurator zdaje się sugerować, że tak jest.

Fahad smętnie pokiwał głową.

– W takim razie ekstremiści odnoszą znacznie większe sukcesy, niż sądzimy – dodała Chyłka. – Nie sądzisz?

– W jakim sensie?

– Skoro potrafili sprawić, że utożsamiamy gorliwe wypełnianie nakazów religii z takimi podejrzeniami, nie muszą podkładać żadnych ładunków wybuchowych. Sami to robimy, umieszczając je przy fundamentach naszej cywilizacji.

Kordian z trudem powstrzymywał uśmiech. Jeszcze niedawno wysłuchiwał tyrad Chyłki na temat tego, że uchodźcy powinni zostać na Bliskim Wschodzie – albo walcząc o swój kraj, albo o prawo wstępu do Arabii Saudyjskiej i innych krajów muzułmańskich, które odmawiały ich przyjęcia. Teraz jednak Joanna zdawała się odpowiednią kandydatką do nagród przyznawanych przez organizacje wspierające wszelkie mniejszości religijne czy etniczne.

Była świetną aktorką, a na deskach tego konkretnego teatru radziła sobie najlepiej. Zapomniał o tym, być może przez jej perturbacje alkoholowe, a być może dlatego, że podświadomie spodziewał się spadku formy z powodu ciąży. Pasożyt jednak bez dwóch zdań jedynie ją wzmocnił.

Była w formie. I była na fali. Widział to w jej oczach, mimice i ruchach rąk. Gestykulowała lekko, nienachalnie, patrzyła na Tatarka i ławników, a jednocześnie zdawała się skupiać na człowieku, którego miała bronić.

Przez chwilę wyglądała, jakby miała zamiar podejść do niego i poklepać go po plecach dla dodania otuchy.

– Dlaczego tu jesteś, Fahad? – zapytała.

Al-Jassam rozejrzał się, na dłużej zatrzymując wzrok na przewodniczącym.

– Pani mecenas... – odezwał się Tatarek. – Pozwoliłem pani na sporo, ale...

– Ale prokuratorowi pozwolił Wysoki Sąd na znacznie więcej.

– Nie wydaje mi się – zastrzegł, marszcząc brwi. – I pani również nie powinno.

Uniosła otwarte dłonie i uśmiechnęła się lekko, przyjaźnie, jak nie ona.

– Mimo wszystko chciałabym, by oskarżony odpowiedział.

Sędzia z namaszczeniem skinął głową, a Fahad wyprostował się i odchrząknął.

– Mogę doprecyzować pytanie – dodała Joanna. – Może zresztą powinniśmy zacząć od początku, by rozwiać wszystkie wątpliwości.

– Będziemy zobowiązani, pani mecenas.

Chyłka znów uraczyła go uśmiechem, po czym spojrzała na klienta.

– W takim razie zacznijmy od tego, dlaczego nie chcesz przyznać, że jesteś synem państwa Lipczyńskich. Mimo że badanie DNA jednoznacznie przesądziło tę kwestię.

Oskarżony otworzył usta, ale się nie odezwał. Chyłka szybko z tego skorzystała.

– Nie nazywasz się Przemysław Lipczyński?

– Nie. Fahad Al-Jassam.

Wydęła usta, patrząc na orzekających.

– Dlaczego uparcie się tego trzymasz?

– Bo to prawda.

– Możesz to wyjaśnić?

– Nie jestem tamtym człowiekiem. Nie mam z nim nic wspólnego.

– Nie rozumiem – odparła. – Koran wymusił na tobie zmianę imienia lub nazwiska?

Fahad nabrał głęboko tchu, jakby fakt, że musi to tłumaczyć, był dla niego czymś zupełnie niespotykanym.

– Allah nie wymaga od nikogo, by po przejściu na islam porzucał więzi rodzinne. W pewnych sytuacjach zaleca się nawet, żeby pozostawić nazwisko ojca i dziadka.

– Ale ty tego nie zrobiłeś?

– Nie.

– Dlaczego?

– Wychowałem się w domu dziecka, nie znałem swoich rodziców.

– Więc porzuciłeś polskie imię i nazwisko, mimo że nie musiałeś tego robić.

– Nic dla mnie nie znaczyły – odparł i wzruszył ramionami. – Określały innego człowieka. Imam mówił, że nie muszę tego robić, bo zmieniać trzeba tylko te imiona, które z jakiejś przyczyny są przez islam zakazane. Które wychwalają kogoś innego niż Allah.

– Ale jednak zmiana jest w dobrym tonie?

– W pewnym sensie. To pokazuje, że wierny nie ukrywa się ze swoją wiarą. Odróżnia go to od tych, którzy jej nie wyznają. Poza tym jest to jeden z czynów godnych pochwały.

– Trzeba to zrobić urzędowo?

– Nie, wystarczy pośród ludzi.

– Więc nie dopełniałeś żadnych formalności.

– Nie.

Chyłka zerknęła na skład orzekający.

– Dlatego teraz państwo polskie postrzega cię jak Przemysława Lipczyńskiego, podczas gdy ty sam w żaden sposób się z nim nie utożsamiasz. I twierdzisz, że nie masz nic wspólnego z tamtym człowiekiem.

– Bo nie mam.

Joanna skinęła głową, jakby sama w końcu zrozumiała, w czym problem.

– W porządku – odparła. – Przejdźmy zatem dalej. Dlaczego cię zatrzymano?

– Bo odnaleziono w moim mieszkaniu niebezpieczne materiały.

– Nie, nie – zaoponowała, kręcąc głową. – To był efekt, a nie powód.

W sali na chwilę zaległa cisza.

– Skąd służby wiedziały, żeby wejść akurat do twojego mieszkania? Dlaczego wybrały ciebie, a nie kogoś innego?

– Nie wiem.

– Obnosiłeś się ze swoją wiarą? Pokazywałeś, że jesteś muzułmaninem?

– Nie obnosiłem, ale…

– Ale jak wspomniałeś, uwydatnianie, że jesteś wierzący, jest… jak to określiłeś?

– Czynem godnym pochwały.

– Właśnie. Więc nie kryłeś się z tym, wręcz przeciwnie, po to zmieniłeś zarówno imię, jak i nazwisko.

Potwierdził lekkim ruchem głowy.

– I zgodnie z tym, co powiedziałeś prokuratorowi, wypełniałeś gorliwie wszystkie nakazy związane z filarami islamu.

– Tak.

– Chodziłeś na modlitwy do meczetu?

– Oczywiście. W Warszawie są dwa, jeden mieści się w Ośrodku Kultury Muzułmańskiej, drugi w Wilanowie.

Kordian doskonale pamiętał to pierwsze miejsce. Znajdowało się naprzeciwko apartamentu, w którym swojego czasu zatrzymał się Sebastian Sendal. Z salonu widać było półksiężyc wieńczący budynek.

Gdyby wtedy ktoś mu powiedział, że jakiś czas później będzie obserwował Chyłkę broniącą jednego z uczęszczających tam ludzi, zaśmiałby się w głos.

A mimo to teraz radziła sobie imponująco. I z przytupem wysuwała kolejne argumenty, tak że te podniesione przez Paderborna stopniowo zdawały się topnieć w świadomości składu orzekającego.

– Myślisz, że któryś z tych meczetów jest pod stałą obserwacją służb, Fahad? – zapytała Chyłka.

Tatarek westchnął głośno.

– Pani mecenas – upomniał ją. – Skąd oskarżony ma to wiedzieć?

– Z własnych obserwacji.

Sędzia skrzyżował ręce na piersi, uprzednio podnosząc łańcuch. Pogniótł sobie końcówkę fioletowego żabotu, ale specjalnie się tym nie przejął.

– Wie pani o czymś, o czym ja nie wiem? – zapytał.

– Staram się tylko ustalić pewne fakty.

– Czy może je wykreować?

Oryński przypuszczał, że Chyłka w środku aż kipi, ale nie dawała tego po sobie poznać.

– Chciałabym, by oskarżony odpowiedział.

Tatarek zmrużył oczy, na chwilę zamarł, a potem łaskawie kiwnął głową.

– Nie wiem, czy służby nas szpiegują – zastrzegł Al-Jassam dokładnie tak, jak poleciła mu to zrobić Joanna. – Ktoś jednak z pewnością to robi.

– Skąd wiesz?

– Od czasu do czasu w okolicy widać te same osoby.

– Ktoś przychodzi pod meczet, obserwuje was?

– Tak.

– Czy w ten sposób ktoś mógł cię zidentyfikować?

– Zidentyfikować? W jakim sensie? Przecież nic nie zrobiłem.

Chyłka znów uniosła otwarte dłonie, tym razem do swojego klienta.

– Wziąć na celownik – poprawiła się. – Upatrzyć sobie.

– Tak, oczywiście, że tak.

Kordian rozsiadł się wygodniej. Na razie wszystko szło po jej myśli, a Al-Jassam pokazał się z dobrej strony. Mimo początkowych wybryków zaczął odgrywać swoją rolę i istniała szansa, że przekona do siebie ławników. O zaskarbieniu sympatii Tatarka nie było nawet co myśleć.

Joanna kontynuowała przez kilkanaście minut, wykazując, że najpierw ktoś wybrał ich klienta spośród grupy muzułmanów, zainteresował się nim, śledził go i szpiegował, a dopiero potem służby wdarły się do jego mieszkania.

Były to oczywiste argumenty i każdy spodziewał się, że Chyłka je podniesie. A zarazem stanowiły elementy absolutnie kluczowe dla dalszego przebiegu procesu – i przesłuchań, które zamierzali przeprowadzić.

Kordianowi niebawem przypadnie okazja do przyszpilenia oficera ABW. Odwoła się bezpośrednio do tego, co teraz mówił Fahad. I jeśli jego zeznania wypadną tak, jak na to liczyli prawnicy z kancelarii Żelazny & McVay, Al-Jassam z pewnością poprawi swoją sytuację.

Ale czy to mogło wystarczyć, by wyszedł wolny? I czy w ogóle powinien?

Słuchając Chyłki, Oryński sam niemal zaczął wierzyć w niewinność ich klienta. Niemal. Kradzież iks piątki, śmierć Lipczyńskich i atak na Joannę nie przesądzały wprawdzie kwestii winy Fahada, ale były to zdarzenia zbyt podejrzane. I choć odpowiadać za nie mogło wiele podmiotów zamieszanych w sprawę, służby mające chronić obywatela wydawały się Kordianowi najmniej prawdopodobnym kandydatem.

Spojrzał na muzułmanina. Nie widział w jego oczach żadnego żalu po rodzicach. Nie dostrzegał też szczerości, ale miał nadzieję, że to jedynie efekt długich przygotowań, podczas których Chyłka nauczyła go, jak i co powinien mówić.

– Na koniec mam jeszcze jedno pytanie – powiedziała, wyrywając Kordiana z zamyślenia. – Kiedy mówię o Bogu… ja, jako chrześcijanka, rozumiesz, co i kogo mam na myśli?

– Doskonale.

– Nic dziwnego. To łączy chyba nas wszystkich, prawda? Chrześcijan, żydów i muzułmanów. Natychmiast rozumiemy, co mamy na myśli, kiedy tylko o Nim wspominamy. W przeciwieństwie do wyznawców wielu innych religii, nie mówiąc już o ludziach niewierzących.

– Tak, przypuszczam, że tak jest.

– Widzisz więc punkty styczne między religiami? Dopuszczasz ekumenizm?

– Tak.

Chyłka uśmiechnęła się lekko i rozłożyła ręce.

– Czy określiłbyś się zatem jako konserwatywny wyznawca islamu? Ekstremista? Dogmatyk?

Fahad przez moment milczał. Potem jednoznacznie zaprzeczył.

– Dziękuję – powiedziała Joanna. – Nie mam więcej pytań.

10

Sąd okręgowy, al. Solidarności

Zakończywszy przesłuchiwanie biegłego, Chyłka usiadła obok Kordiana i poczuła na sobie jego spojrzenie. Zerknęła w jego stronę, a on zastukał palcem w niewielką kartkę leżącą na stole.

Wiadomość była krótka, jak tego wymagały zasady komunikacji między obrońcami podczas procesu. A w dodatku zgodna z kulturą organizacyjną w Żelaznym & McVayu. Czy może raczej w tej części organizacji, w której funkcjonował tandem Chyłka i Oryński.

„¡No pasarán!", brzmiał krótki przekaz.

Joanna skinęła głową z zadowoleniem. Biegłych odpytała jak najszybciej, nie mieli dla niej większego znaczenia. Zeznali, że na miejscu służby odnalazły ponad kilogram substancji wybuchowej, a oprócz tego zapalniki i metalowe elementy, które miały sprawić, że w istocie powstanie ładunek na kształt bomby odłamkowej. Nad jej konstrukcją biegli rozwodzili się dość długo, ale Chyłkę interesowały odpowiedzi wyłącznie na dwa pytania.

Czy cokolwiek każe im sądzić, że to Fahad konstruował bombę?

I czy mógłby to zrobić ktoś bez specjalistycznej wiedzy?

Obydwie odpowiedzi były odmowne, a na nich Chyłka powoli budowała obraz, w którym nie było miejsca dla

Al-Jassama. Przedstawiła go jako osobę, która nigdy nie miała styczności z żadną technologią od kuchni.

Nie to było jednak kluczowe. Najbardziej liczyło się to, co miał zrobić Oryński.

Spojrzała na kartkę, a potem nachyliła się do Kordiana.

– To pochwała dla mnie czy twoja deklaracja waleczności? – szepnęła.

– Pochwała.

– Wolałabym deklarację.

– Domyślam się.

– Bierz się do roboty, Zordon.

Pokiwał głową i uśmiechnął się lekko, jakby nie towarzyszyło mu żadne napięcie. W rzeczywistości jednak siedział jak na szpilkach, doskonale to widziała. Miał świadomość, że niebawem na miejscu dla świadków znajdzie się oficer ABW, który stanowił klucz do całej układanki.

Kiedy podporucznik dopełnił wszystkich formalności i odpowiedział na szereg pytań Paderborna, Kordian podniósł się powoli. Przesadzał z okazywaniem spokoju, przez co robił nieco flegmatyczne wrażenie. Joanna szturchnęła go lekko w udo.

Spojrzał na nią kątem oka.

– Nie bądź taki nieruchawy – powiedziała cicho.

Zapiął guzik marynarki i odchrząknął, przenosząc wzrok na oficera. Wyprostował się jak struna, co zapewne miało mu dodać nieco pewności siebie. Przeciwnik nie należał do zawodników wagi lekkiej. Ludzie z ABW byli zaprawieni nie tylko w czynnościach terenowych, ale także tych sądowych. Szczególnie kiedy mieli przeciw sobie prawników starających się oczyścić z zarzutów osoby, wobec których Agencja prowadziła postępowanie.

Kordian nabrał głęboko tchu, a podporucznik uśmiechnął się lekko, jakby spodziewał się łatwej przeprawy. Mylił się.

– Wie pan, ilu skazanych za terroryzm ostatnio wyszło na wolność w Wielkiej Brytanii? – spytał Oryński.

Oficer zdawał się zdziwiony pytaniem. Popatrzył na sędziego, być może spodziewając się, że Tatarek poleci mu nie odpowiadać. Przewodniczący jednak milczał. I Chyłka dobrze wiedziała, że tak będzie.

Przy Tatarku można było pozwolić sobie na nieco więcej. Wystarczyło tylko okazać mu mniej lub bardziej należny szacunek i unikać nadmiernego szarżowania.

– Nie wiem – odpowiedział funkcjonariusz ABW.

– Czterysta osób.

Świadek wzruszył ramionami.

– I co w związku z tym?

– Pozwoli pan, że to ja będę zadawał pytania.

Oficer prychnął cicho, co właściwie było miodem na serce Chyłki. Miała nadzieję, że jeszcze nieraz pokaże, iż uważa się za lepszego od młodego aplikanta. I że ławnicy to zapamiętają.

– Skazano ich w 2001 roku, kiedy to Brytyjczycy z oczywistych względów wyjątkowo obawiali się muzułmanów – dodał Kordian. – Maksymalny wymiar kary wynosił wówczas piętnaście lat. Teraz ci ludzie opuszczają mury więzień.

Oryński zawiesił głos. Liczyli, że oficer wykorzysta chwilową pauzę, by powiedzieć to, co miało dla niego największe znaczenie. I nie pomylili się.

– Prawo jest prawem – odezwał się podporucznik.

Kordian przyjrzał mu się uważnie.

– Co pan ma na myśli?

– To, że nic na to nie poradzimy, skoro ustawa w chwili orzekania była skonstruowana tak a nie inaczej.

– Właściwie orzekano w oparciu o *common law*, ale mniejsza z tym – odparł Kordian i przesunął dłonią po krawacie. – Uważa pan, że ci ludzie powinni zostać dłużej w więzieniu?

– Tak.

Ani nuty zawahania w głosie.

– Większość Brytyjczyków się z panem zgadza – zauważył Oryński. – Podobnego zdania jest także David Blunkett, który niegdyś pełnił urząd sekretarza spraw wewnętrznych. Wie pan, co jeszcze twierdzi ten prominentny polityk?

– Nie.

– Że powinno się monitorować muzułmanów po opuszczeniu murów więzienia.

– Słusznie.

To było zbyt proste, uznała Chyłka. Jej podopieczny nie musiał nawet zadawać pytania, oficer dał im wszystko na tacy.

– Dlaczego pan tak twierdzi?

Podporucznik spojrzał na sędziego i ławników. Wszyscy mu się przyglądali.

– Bo skoro przez piętnaście lat tych ludzi nie wypuszczono, znaczy to, że zostali słusznie skazani. A więc nadal stanowią niebezpieczeństwo.

– Doprawdy?

– Wie pan, jak wielu z nich radykalizuje się w więzieniu? – odparł nieco zbyt ostrym tonem oficer. – Zdecydowana większość, jeśli nie wszyscy. Po wyjściu ci ludzie znów przystąpią do formacji, w których zaczynali.

– Wątpię.

– W takim razie jest pan wyjątkowym optymistą.

– Czy może naiwniakiem?

– Tego nie powiedziałem.

– Rzeczywiście – przyznał Kordian. – Ja zaś nie powiedziałem o tym, co koniecznie powinienem był poruszyć. Otóż po piętnastu latach te... jak pan mówi, formacje, nie istnieją. – Znów zrobił krótką pauzę. – Al-Kaidy, dla której walczyli, już nie ma. Bin Laden nie żyje.

– To nie ma znaczenia.

– Ma. Nie mówimy bowiem o osobach takich jak te, które dziś są w szeregach ISIS. Nie są tak zradykalizowani, zreformowanie się w ich przypadku jest możliwe.

– To pan tak uważa.

– Nie tylko ja – zastrzegł Oryński i uniósł lekko kąciki ust. – Brytyjskie sądy najwyraźniej także, skoro ci ludzie wyszli na wolność. Ale pan jest innego zdania.

Podporucznik skinął zdawkowo głową.

– Pan spodziewa się po nich najgorszych rzeczy.

Tym razem oficer nie odpowiedział. Zrozumiał w końcu, co próbował zrobić obrońca i do czego dążył.

– Jest pan uprzedzony wobec muzułmanów?

– Tylko jeśli są ekstremistami.

– Ci wychodzący z więzień najpewniej już nimi nie są. A jednak od razu zamknąłby ich pan z powrotem.

– Nie powiedziałem tego.

– Ale dał pan to do zrozumienia.

– Nie.

– Więc nie zamknąłby ich pan?

– Wspomniałem tylko, że należałoby ich monitorować.

Kordian uniósł brwi i popatrzył prosto w oczy sędziego. Przez krótką chwilę przytrzymywał jego spojrzenie, a potem zerknął jeszcze na ławników. Było to trochę zbyt teatralne jak na gust Chyłki, ale może tego wymagała sytuacja.

– Śledzić ich? Właściwie bez powodu?

– Powód jest wystarczający.

Aplikant pokręcił głową, jakby usłyszał zupełne głupstwo.

– Nie według prawa, panie poruczniku. Bo jeślibyśmy chcieli je uszanować, należałoby uznać, że ci ludzie odbyli karę. Dopełnili procesu resocjalizacji, wrócili do społeczeństwa jako pełnoprawni i pełnowartościowi obywatele. Ale pan najwyraźniej sądzi inaczej.

Funkcjonariusz wzruszył ramionami.

– Skąd to uprzedzenie? – zapytał Kordian.

Tatarek w końcu zareagował. Najpierw znów skrzyżował ręce na piersi, a potem stanowczo oświadczył, że usłyszał w tym temacie wszystko, co chciał usłyszeć.

Chyłka była zadowolona. Nie dało się już dobitniej uwydatnić podejścia, jakim kierował się mężczyzna znajdujący się na mównicy.

Właściwie poza salą sądową byłaby gotowa go nawet pochwalić, zgadzała się z jego pojmowaniem sytuacji. Wydawało jej się racjonalne.

Ale nie było do końca zgodne z zasadami demokratycznego państwa prawa. A to właśnie one liczyły się teraz najbardziej.

– Przejdźmy zatem dalej – odezwał się Oryński. – Wie pan, czym jest Investigatory Powers Bill?

– Tak.

– Może pan przybliżyć?

– To brytyjska ustawa, która weszła w życie ponad rok temu.

– Czego dotyczy?

– Poszerzenia kompetencji służb specjalnych oraz policji.

– W zakresie inwigilacji obywateli?

– Tak. Ma bronić niewinnych ludzi przed zbrodniarzami, gwałcicielami oraz terrorystami. Przynajmniej tak twierdzą Brytyjczycy, a ja im wierzę.

– Twierdzą znacznie więcej. Jak choćby to, że pozyskiwanie i gromadzenie informacji o obywatelach jest absolutną koniecznością, jeśli mają myśleć o zachowaniu bezpieczeństwa w kraju. Zgadza się pan z tym?

Oficer popatrzył bezradnie na przewodniczącego składu orzekającego.

– Panie Oryński… – mruknął z niezadowoleniem Tatarek. – Ustalił już pan, jakie są poglądy świadka. Czego więcej pan potrzebuje?

– Odpowiedzi na kilka pytań, Wysoki Sądzie. To wszystko.

Sędzia zakręcił ręką w powietrzu i westchnął.

– Proszę je zadawać. Byle szybko.

– Dziękuję – odparł Kordian, a potem skupił się na funkcjonariuszu. – Zna pan raport Andersona dotyczący tej ustawy, panie poruczniku?

– Owszem.

– Może pan powiedzieć coś na jego temat?

Oficer szybko nakreślił sylwetkę Davida Andersona, niezależnego urzędnika, który miał patrzeć władzy na ręce w kwestii przepisów antyterrorystycznych. Inspektor sporządził raport, w którym popierał nową ustawę – raport, który chętnie cytowali Theresa May i jej rząd.

Kordian czekał na dalszy ciąg, ale nadaremno. Uśmiechnął się pod nosem, uznając, że tak być może będzie lepiej.

– Anderson przesądził, że aby zapewnić bezpieczeństwo, państwo musi przechwytywać komunikację na masową skalę – zauważył.

Podporucznik potwierdził ruchem głowy.

– Zgadza się? – dopytał Kordian.

– Tak.

– Uznał, że nie ma żadnej alternatywy. Że to jedyny sposób, by służby mogły skutecznie działać.

– Tak jest.

– Zgadza się pan z tym?

– Cóż…

– Proszę o odpowiedź twierdzącą lub przeczącą.

– Tak, zgadzam się.

– Dziękuję – odparł Kordian, a potem gwałtownie odwrócił jedną z kartek leżących przed nim na stole. – W myśl brytyjskiej ustawy władza może sprawdzać między innymi historię przeglądarki używanej przez obywatela oraz monitorować aplikacje, z których korzysta na smartfonie. Wiedział pan o tym?

– Nie.

– Nic dziwnego. Niewiele osób wie.

Świadek po raz kolejny wzruszył ramionami.

– Dane przechowywane mają być przez rok, dotyczą wyłącznie ICR. Wie pan, co to jest?

– Nie.

– *Internet connection record*. Zapis nadrzędnej domeny, którą odwiedził internauta. To on ma być przechowywany przez rok od momentu wejścia na stronę. Załóżmy na chwilę, że Pudelek to witryna organizacji terrorystycznej. Jeśli kliknie pan link znajdujący się w tej domenie, choćby pokazujący prezydenta otrzymującego kawałek tortu od skąpo ubranej piosenkarki, stanie się pan właściwie osobą podejrzaną o terroryzm. I służby będą mogły inwigilować pana praktycznie bez ograniczeń.

– Nie sądzę.

– A jednak tak skonstruowany jest ten akt prawny. Policja brytyjska uzyskała dostęp do scentralizowanej wyszukiwarki, dzięki której może pozyskiwać takie informacje.

Oficer nie odpowiadał.

– A to tylko kropla w morzu. Można się śmiać z tego, że służby będą wiedziały, ile czasu obywatel spędza na Facebooku, ale sprawdzanie historii to niejedyne nowe uprawnienia. Wie pan, że przyznano władzy *de facto* możliwość hackowania komputerów?

– Nie.

– Tak się stało – odparł Oryński. – Próbowano dokonać tego dwukrotnie od dwa tysiące dwunastego roku, w końcu się udało. Wyjątki dotyczą wyłącznie lekarzy i dziennikarzy. Całej reszcie można bezkarnie zaglądać na dyski twarde.

Kordian odczekał chwilę, by członkowie składu orzekającego mieli czas na przetrawienie tych informacji.

– Tendencja jest dość wyraźna – dodał w końcu. – I być może nie tylko w Wielkiej Brytanii. Uważa pan, że w Polsce również możemy dopatrzeć się podobnego podejścia?

– Nie bardzo wiem, co…

– Mówię o tak zwanej ustawie inwigilacyjnej.

Oficer poruszył się nerwowo. Była to najwyraźniej ostatnia kwestia, o jakiej chciał rozmawiać.

– To akt prawny, który w tamtym roku zmienił szereg innych ustaw. I przeszedł przez sejm w trakcie największych zawirowań politycznych, kiedy wszyscy skupiali się na Trybunale Konstytucyjnym, walkach rządu z opozycją *et cetera*.

Tatarek rozplótł ręce, skupiając na sobie uwagę aplikanta.

– Panie Oryński, to nie trybuna sejmowa. Proszę się trzymać tematu.

– Trzymam się, Wysoki Sądzie – zaoponował Kordian i nim przewodniczący zdążył odparować, ciągnął dalej: – W myśl tej ustawy nie tylko policja czy służby specjalne, ale także żandarmeria wojskowa, celnicy, CBA, a nawet straż graniczna bez problemu mogą uzyskać wgląd w naszą korespondencję elektroniczną, słuchać naszych rozmów telefonicznych czy sprawdzać bilingi.

– Panie Oryński…

– Wspominam o tym, bo chcę poznać stosunek świadka do takich założeń.

– Już go wyraził.

Kordian skinął głową. Znów przewrócił stronę.

– Nadzór nad takimi działaniami operacyjnymi jest według wielu jedynie fikcyjny – podjął. – Kiedyś należało uzyskać zgodę sądu, by je prowadzić. Teraz kontrola dokonuje się dopiero po fakcie. Po sześciu miesiącach sąd dostaje wykaz danych, które zostały sprawdzone, i to jedynie w formie lakonicznych informacji wyszczególnionych w tabelce.

– Do czego pan zmierza?

– Chcę zapytać świadka, czy tak w istocie jest.

Tatarek spojrzał na oficera.

– Owszem, kontrola jest *post factum* – przyznał. – Ale nie zawsze.

– To znaczy?

– W przypadku podsłuchów nadal trzeba uzyskać uprzednią zgodę sądu.

– Tylko jeśli chodzi o miejsce zamieszkania – uściślił Oryński. – W każdym innym przypadku, jak choćby miejsce pracy lub samochód, nie ma takiego obowiązku, prawda?

– Nie, nie ma.

– A obserwacja obywatela?

Funkcjonariusz milczał.

– Śledzenie go? – dodał Oryński. – Wymagają zgody sądu?

– Nie.

– Sprawdzanie bilingów?

– Również nie.

Kordian uśmiechnął się i rozłożył ręce. W zamierzeniu Chyłki na tym etapie miał zacząć jawić się ławnikom i publiczności jak Dawid w starciu z Goliatem. Miał jednoznacznie pokazać, jak wielkie uprawnienia ma państwo w konfrontacji ze zwykłym obywatelem.

I Joanna odniosła wrażenie, że wszyscy ten sygnał odebrali.

– Proszę mi powiedzieć jedną rzecz – dodał Oryński. – Kiedy jeszcze trzeba było występować do sądu o zgodę, ile razy to robiliście?

– Słucham?

– Ile mniej więcej takich wniosków państwo składali? Wniosków o sprawdzenie bilingów, o ustalenie miejsca dokonywania połączeń i tak dalej?

– Cóż…

– To nie żadna tajemnica – zastrzegł Kordian. – Przeciwnie, są to informacje publiczne, podlegające obowiązkowemu ujawnieniu.

Funkcjonariusz był pod ścianą. A Chyłka odczuwała wyjątkową satysfakcję. Uznała, że dziś wieczorem przypadnie jeden z nielicznych dni w roku, kiedy postawi Oryńskiemu karmelowe macchiato.

– Może pana wyręczę, a pan powie mi, czy dobrze szacuję.

– Mhm.

– Rocznie do sądów wpływało około dwóch milionów takich wniosków.

Oficer ABW przez moment marszczył czoło, jakby naprawdę musiał się nad tym zastanawiać. W rzeczywistości dobrze zdawał sobie sprawę z tego, że to trafny szacunek.

– Tak, przypuszczam, że tak – przyznał w końcu.

– Dwa miliony… i to wtedy, gdy istniały jeszcze obostrzenia.

– Nadal istnieją.

– Doprawdy? A mnie się wydawało, że Trybunał Konstytucyjny zakwestionował tamte przepisy, twierdząc, że tak daleko idąca inwigilacja obywateli jest niedopuszczalna. Uchwalono wskutek tego nową ustawę, prawda?

– Nie mnie oceniać ustawodawstwo.

– Ano nie… – zgodził się Kordian. – Trybunałowi najwyraźniej też nie, a przynajmniej tak zdaje się uważać rząd, który nie publikuje jego wyroków. Ot i wszystko, sprawa załatwiona.

– Panie Oryński – zaoponował Tatarek. – Wystarczy tego.

– Przepraszam, Wysoki Sądzie, ale to wszystko…
– Jest nieistotne.
– Przeciwnie. Ma bezpośredni związek ze sprawą.
– Nie dostrzegam go.
– Nie dostrzega Wysoki Sąd wielu rzeczy.
– Co proszę?

Na to Chyłka czekała. Trwała z kamiennym wyrazem twarzy, ale w duchu szeroko się uśmiechała.

Kordian wymierzył w Fahada, a potem spojrzał spode łba na przewodniczącego.

– Nie dostrzega Wysoki Sąd przede wszystkim tego, że w przypadku mojego klienta doszło do takiej inwigilacji. Zupełnie bezpodstawnej, nieracjonalnej i absurdalnej. I to tylko dlatego, że chodził do meczetu. Tyle wystarczyło, by służby wzięły go na celownik, śledziły, obserwowały, a w końcu uznały, że najwyższa pora zrobić z niego kozła ofiarnego. I najgorsze w tym wszystkim jest to, że nie potrzebowały żadnej zgody sądu, bo informacja o prowadzonych czynnościach dopiero do niego dotrze. Za kilka miesięcy, w postaci tabelki, o której…

– Dosyć tego. Proszę siadać, panie Oryński.
– Nie.

Tatarek zacisnął usta. Na jego policzkach pojawiły się delikatne czerwone plamy, zaczął nerwowo oddychać.

– Usiądę, kiedy skończę, Wysoki Sądzie.
– Właśnie pan skończył.
– W żadnym wypadku – zaoponował stanowczo Oryński.

Balansował na granicy. Chyłce zaś zależało na tym, by ją przekroczył.

– Mam kilka bardzo konkretnych pytań do…

– Nie będzie pan miał okazji ich zadać.

– Przeciwnie. Zadam je, bo świadek został wezwany tutaj właśnie po to, by udzielić na nie odpowiedzi.

– Panie Oryński, zapewniam, że jeszcze kilka takich deklaracji, a nałożę karę porządkową.

– Deklaracji? Chcę jedynie zapytać o…

– Niech pan usiądzie, natychmiast. Koniec przesłuchania.

– Nie.

Tatarek uniósł brwi, trwał przez moment jak słup soli, a potem zacisnął dłonie na skraju stołu. Nie widział rosnącego dystansu, z jakim patrzyli na niego ławnicy. Nie miał także pojęcia o tym, że publiczność zaczęła wymieniać się cichymi uwagami. Skupiał się wyłącznie na Oryńskim i jego małym buncie.

– Pożegna się pan z aplikacją – syknął.

– A mimo to muszę zapytać… – odparł szybko Kordian i zwrócił wzrok na oficera ABW. – Gromadzili państwo dane telekomunikacyjne związane z moim klientem?

Funkcjonariusz spojrzał na przewodniczącego.

– Sprawdzali państwo, z kim się kontaktował? Gdzie i jak długo przebywał? Z kim się spotykał? Co robił w internecie? Śledzili go państwo w środkach transportu? Obserwowali i podsłuchiwali w pomieszczeniach? Kontrolowali państwo jego przesyłki, korespondencję?

Sędzia powoli się podniósł i zgromił aplikanta wzrokiem.

– Panie Oryński – powiedział, jakby to samo w sobie mogło go utemperować.

– Pozyskiwali państwo dane z informatycznych nośników danych należących do mojego klienta? – Nie dawał za wygraną Kordian.

– To koniec – fuknął Tatarek. – Niniejszym nakładam na pana…

– Proszę świadka, by odpowiedział.

– Panie Oryński! Ostatni raz…

– Tak czy nie? – brnął dalej Kordian.

Sędzia był bezradny. I uświadomił to sobie, gdy jego spojrzenie spotkało się ze wzrokiem oficera ABW. W oczach funkcjonariusza widać było, że szuka ratunku. A przewodniczący nie mógł mu go udzielić.

Chyłka wstała.

– Wysoki Sądzie, padł szereg zasadnych pytań – zauważyła. – Abstrahując od zachowania mojego współpracownika, nalegam, byśmy poznali na nie odpowiedź.

– Pani też powinna usiąść. Jak najszybciej.

– Wysoki Sądzie…

– Okazują państwo bardzo… bardzo daleko idącą pogardę dla powagi tej instytucji – odparł Tatarek.

Sytuacja wyraźnie go przerastała. Żaden sędzia nie był przyzwyczajony do podobnego zachowania, a ten w szczególności. Zazwyczaj kontrolował wszystko, co działo się w sali sądowej. Tym razem jednak stał się wyłącznie spektatorem.

Owszem, mógł wyrzucić Zordona na korytarz i nałożyć na niego karę, tyle że zrobienie tego w sytuacji, gdy obrońca mówi o represjach ze strony państwa, mogłoby okazać się problematyczne.

– Nalegam, by Wysoki Sąd przymusił świadka do odpowiedzi – dodała Joanna.

Tatarek nerwowo nabrał tchu. Sprawiał wrażenie, jakby dopiero teraz dotarło do niego, na jak wiele pozwolił aplikantowi. I że wszystko to zostało utrwalone przez kamery stojące z tyłu pomieszczenia.

– Niech świadek... – Urwał, a potem syknął coś pod nosem.

Usiadł z powrotem na swoim miejscu.

– Niechże pan odpowie – wydusił w końcu.

Podporucznik zachowywał pełen spokój. Był szkolony, by radzić sobie w znacznie trudniejszych sytuacjach.

– Odmawiam odpowiedzi ze względu na ciążącą na mnie tajemnicę służbową.

Chyłka tym razem pozwoliła sobie na lekki, niemal niezauważalny uśmiech. Wyprostowała się i strzepnęła niewidzialny pyłek z poły żakietu.

– Wysoki Sądzie – odezwała się. – Wnosimy o zwolnienie funkcjonariusza z tajemnicy oraz utajnienie rozprawy w części dotyczącej jego zeznań.

– Ależ...

– To kluczowe pytania – zastrzegła. – Musimy poznać odpowiedzi.

Tatarek przez chwilę się zastanawiał. Wiedział, że wniosek odwlecze dalsze postępowanie, a w dodatku stworzy atmosferę nerwowości, sugerując, że państwo ma coś do ukrycia.

– Wysoki Sądzie? – ponagliła go Joanna.

To w gestii Tatarka było, by zwrócić się do szefa ABW o uchylenie obowiązku utrzymania tajemnicy. Żaden sąd nie miał prawa wyręczyć w tym przełożonego jakiegokolwiek funkcjonariusza, który się nią zasłonił.

Po chwili Tatarek powoli skinął głową.

Chyłka spojrzała z zadowoleniem na Kordiana.

– *Hemos pasado* – szepnęła.

11

Metro Świętokrzyska, Śródmieście

Czekając na skrzyżowaniu z Marszałkowską na zielone światło, Oryński czekał także na pochwałę. Chyłka jednak milczała, najwyraźniej z jakiegoś powodu nie chcąc dawać mu satysfakcji. Dopiero po chwili zrozumiał, dlaczego tak jest. Wolała czyny od słów.

Pokierowała go na Nowy Świat, a potem zaprowadziła do Starbucksa i zamówiła dla niego napój, który zwykła nazywać karmelową imitacją kawy. Ewentualnie mlekiem z cukrem, z lekką domieszką kofeiny.

Usiedli w środku, Kordian spojrzał na napis „Zordon" na kubku i pokręcił głową. Pociągnął duży łyk. Słodki smak macchiato był jak potwierdzenie, że wszystko poszło lepiej, niż zamierzali.

– Wzięłaś z mlekiem sojowym? – zapytał.

Udała, że nie słyszy pytania.

Oryński uśmiechnął się, odstawił kubek, a potem przysunął go do Joanny. Pokręciła głową z dezaprobatą, wciąż wodząc wzrokiem po menu.

– Nie mają nic czarnego jak smoła w wersji dla ciężarnych?

– Mają. Weź Decaf Espresso Roast.

– Dobre to?

– Nie wiem, ale brzmi, jakby było w twoim stylu.

Ostatecznie zdecydowała się na herbatę rooibos, jedną z niewielu, które nie miały kofeiny. Mimo emocji związanych z procesem oboje potrzebowali czegoś gorącego. Ogrzewanie w daihatsu z jakiegoś powodu przestało działać, a temperatura tego dnia nie rozpieszczała.

– Co teraz? – spytał Kordian, jednym łykiem opróżniając niemal pół kubka.

– Teraz, mój drogi Zordonusie, czekamy. Rzuciliśmy bowiem zaklęcie.

– I co z niego będzie?

– Rzecz niebywała. Pojawi się oficer ABW opowiadający o rzeczach, o których nie chce mówić.

– Sądzisz, że zwolnią go z obowiązku dochowania tajemnicy?

– Oczywiście – odparła i napiła się rooibosa. Pokiwała głową z uznaniem. – Wyciągniemy z niego wszystko, co trzeba, a potem obrócimy to przeciwko prokuraturze. Niedługo potem przywitamy Fahada opuszczającego areszt.

Kordian obrócił kubek na stole.

– Jesteś pewna?

– Tak. A jeśli nawet nie udupimy tego na tym etapie, mam inny pomysł. Taki, który zadziała lepiej niż projekt Manhattan w konflikcie z Japonią.

Oryński puścił to porównanie mimo uszu.

– Może nawet lepiej od amerykańskich nalotów dywanowych na Tokio – dodała Chyłka. – Ofiar było więcej niż przy obydwu atomowych atakach na Hiroszimę i Nagasaki, wiedziałeś o tym?

– Nie. Jaki to pomysł?

– Taki, że dowiesz się w swoim czasie.

– Wolałbym, żebyś uchyliła rąbka tajemnicy.

Przez moment się namyślała, mrużąc oczy. Oryński odniósł wrażenie, że w istocie zastanawia się, czy ten jeden raz nie wtajemniczyć go we wszystko, co sobie założyła. Ostatecznie jednak pokręciła głową.

– Niech ci wystarczy kazus Nikoli Tesli.

– Jaki znowu...

– Sprowadza się on do prostej konkluzji, że wszystko zależy od tego, jak to przedstawisz. I od tego, jak postrzegają cię inni.

Kordian skwitował w duchu, że nie brzmi to najlepiej. Przynajmniej jeśli chodziło o przyjęcie takiej strategii w wypadku procesu sądowego.

– W latach trzydziestych Tesla zadłużył się na kilkadziesiąt tysięcy dolarów w jednym z hoteli – dodała. – Nie miał z czego spłacić długu, więc w ramach rozliczenia wręczył właścicielowi paczkę ze śmiercionośnym promieniem.

– Z czym?

– Śmiertelnie niebezpieczną bronią, nad którą pracował.

– Mhm.

– Była warta dziesięć tysięcy dolców.

– Nie obiło mi się o uszy – odparł. – O Tesli wiem tyle, że przyczynił się do wynalezienia radia, pilota do telewizora, do odkrycia promieni rentgena i...

– Przekonał też pracowników Waldorfu-Astorii, że ma tę śmiercionośną broń. I zostawiwszy ją w rozliczeniu, polecił nie otwierać paczki, by nie narażać się na niebezpieczeństwo. Posłuchano go. A pakunek otwarto dopiero po kilkunastu latach. W środku znaleziono same śmieci.

Oryński zmarszczył czoło.

– I to jest twój plan B?

– Mniej więcej.

Pomyślał, że najlepiej będzie, jeśli skwituje to milczeniem. Zaraz potem naszła go refleksja, że na dobrą sprawę nie byłby przesadnie zmartwiony fiaskiem w tym konkretnym postępowaniu.

Owszem, godziłoby w jego ambicję, ale przynajmniej Al-Jassam zostałby tam, gdzie… cóż, tam, gdzie jego miejsce.

– Brzmi świetnie – odparł w końcu, a potem dopił kawę.

Przez jakiś czas milczeli, jakby potrzebowali trochę czasu, by podsumować w myśli dzisiejszą rozprawę. Poszła tak, jak to sobie zamierzyli, ale koniec końców Oryńskiemu trudno było przesądzić, czy zajdzie konieczność sięgania po kazus Tesli, czy nie.

Zamówił jeszcze jedno macchiato, tym razem z mlekiem sojowym. Wróciwszy do stolika, napotkał karcący wzrok Chyłki.

– Świętowanie świętowaniem – burknęła. – Ale to już przesada.

Usiadł naprzeciw niej i zamieszał łyżeczką napój.

– Może i racja – przyznał. – Bo sam nie wiem, czy mam co świętować.

– Hę?

– Dobrze robimy, Chyłka? – Upił łyk. – Broniąc tego faceta?

– Oczywiście.

– I naprawdę wierzysz, że ktoś wybrał go na chybił trafił? I teraz wrabia go w przygotowanie zamachu?

Joanna wyprostowała się i nabrała głęboko tchu.

– *Credo in unum Deum* – odparła. – To tyle, jeśli chodzi o wiarę.

– Czasem trudno mi uwierzyć, że znasz i wyznanie wiary po łacinie, i wszystkie możliwe przekleństwa w języku polskim.

– W łacińskim też.

– No tak.

– Nie mówiłam ci nigdy, że jestem pełna sprzeczności?

– Mówiłaś. A jeszcze częściej to udowadniałaś.

Znów na moment zamilkli.

– Jeśli Fahad… – podjęła w końcu Chyłka. – Kiedy Fahad już wyjdzie, i tak będą go mieli na oku, Zordon. Nie jest głupi, niczego nie będzie planował.

– Więc zakładasz, że…

– Zakładam, że wszystko jest możliwe w świecie, w którym kaczki potrafią myśleć, że są ludźmi.

– Co proszę?

– To nie żadna aluzja polityczna – zapewniła. – Chodzi o to, że nowo narodzona kaczka jest jak *tabula rasa*. Przyjmuje cechy osobnika gatunku, z którym zetknie się jako pierwszym. Jeśli więc zdarzyłoby się, że zobaczy człowieka… – Rozłożyła ręce i wydęła usta. – Wszystko jest możliwe – powtórzyła.

Nie miał zamiaru w to wnikać, uznawszy, że nic dobrego z tej rozmowy nie wyniknie. Dopijali napoje, gawędząc o sprawach zupełnie błahych. Omijali zarówno temat Fahada, jak i wszystkie te, które dotyczyły spraw niezwiązanych z kancelarią.

Oryński odwiózł Joannę na Argentyńską, a potem odprowadził ją wzrokiem. Nie obejrzała się ani na chwilę, co właściwie nie było niczym dziwnym. Westchnął, a potem wycofał.

Zastanawiał się, gdzie po drodze zrobić zakupy. W końcu uznał, że najprościej będzie zatrzymać się na chwilę pod którąś Żabką czy innym mniejszym sklepem. Wizyta w jakimkolwiek centrum handlowym sprawi, że straci dobrą godzinę. Tymczasem był zmęczony, chciał jak najszybciej znaleźć się w swojej kawalerce. Proces mocno dał mu się we znaki, choć dopiero teraz zaczynał to odczuwać.

Już miał odjechać, kiedy rozległo się pukanie w tylną szybę. Zerknął w lusterko.

Chyłka obeszła samochód i zatrzymała się przy drzwiach od strony kierowcy. Kordian opuścił szybę.

– Chodź.

Rozejrzał się niepewnie.

– Co?

– Wejdź na chwilę, Zordon.

– Do ciebie?

– Nie, do nory ziemnej, w której mieszkał pewien hobbit.

Odchrząknął, nadal się rozglądając.

– Szukasz czegoś?

– Chyba powodu, dla którego składasz mi taką propozycję.

Przechyliła się przez otwarte okno i spojrzała mu prosto w oczy. Przypuszczał, że zaraz uraczy go sarkastyczną uwagą, ale się nie odezwała. Kiedy się wycofała, na powrót zaparkował pod blokiem, a potem wszedł za nią na górę.

Nie wiedział, czego się spodziewać. Nie w takiej sytuacji. Gdyby zaprosiła go jeszcze kilka tygodni temu, zanim dowiedziała się o ciąży, być może sprawa byłaby nieco jaśniejsza. Teraz jednak skomplikowała się na tyle, że właściwie trudno było wyciągnąć racjonalne wnioski.

Kordian usiadł na kanapie, Chyłka przez moment stała pochylona nad wieżą. Stary technics nadal sprawdzał się tak, jak powinien. W dodatku od daty jego produkcji minęło wystarczająco dużo czasu, by historia designu zatoczyła koło – teraz sprawiał wrażenie, jakby był nówką wykonaną w stylu retro.

– Tylko nie Stone Temple Pilots – mruknął Oryński.

– To świetny zespół.

– Może i tak – przyznał. – Ale jak puścisz *Big Bang Baby*, wyjdę.

– Znowu?

Nie odpowiedział, bo pytanie zadała z tak dużym przekąsem, że nie było sensu tego robić. Odczekał chwilę, łudząc się jeszcze, że weźmie pod uwagę jego prośbę. Tak się jednak nie stało.

Odwróciła się zadowolona, gdy Piloci zaczęli śpiewać o dziurze w głowie. Oryński spojrzał na Joannę z niedowierzaniem.

– Naprawdę musiałaś?

– Ostatnio w tym momencie przerwaliśmy, Zordon. A to soundtrack naszego życia.

– Tak?

– W pewnym sensie każdy numer się na niego składa.

– Ten akurat najchętniej bym…

– Po latach będziesz go wspominał z rozrzewnieniem.

Właściwie mogła mieć rację – o ile cała ta sytuacja zakończy się tak, by po latach w ogóle chciał wracać do tego czasu myślami. Chyłka zrobiła trochę głośniej, a potem usiadła obok niego.

Przez moment oboje patrzyli na wyłączony telewizor. I oboje widzieli w nim swoje odbicie.

– Niedługo wszyscy zaczną gładzić cię po brzuchu – odezwał się Kordian.

Skierowała na niego pełne dezaprobaty spojrzenie.

– Życzę im powodzenia – powiedziała. – Oberżnę łapę każdemu, kto spróbuje.

– Nawet mnie?

– Tobie szczególnie. Wujek Zordon wejdzie w kontakt z pasożytem dopiero, kiedy ten się wykluje.

– Ten lub ta.

– No tak – przyznała Chyłka i zamyśliła się. – Na dobrą sprawę spodziewam się córki.

– Raczej nie masz w tej kwestii wiele do powiedzenia.

– Wręcz przeciwnie.

– Chyba że…

– Nie wyznaję ideologii gender – zastrzegła szybko i skrzywiła się. – Całe to zamieszanie płciowe zbija mnie z pantałyku bardziej niż różnice między szyicką a sunnicką odmianą islamu.

Oryński uniósł brwi.

– Zgłębiałaś je?

– Musiałam co nieco poczytać.

– I co z tego wynikło?

– Niewiele – powiedziała i osunęła się niżej, sięgając jednocześnie po pilota. – Zrozumiałam tyle, że na świecie jest jeden przecinek sześć miliarda muzułmanów, z czego jakieś dziewięćdziesiąt procent to sunnici, a reszta szyici.

– To rzeczywiście istotna różnica – burknął.

– Oprócz tego wiem, że kłócą się o to, kto przejął pałeczkę po Mahomecie. I nie pytaj mnie o nic więcej.

– Nie mam zamiaru.

Kordian też usiadł wygodniej. Potem oboje w milczeniu oglądali popołudniowe podsumowanie dnia na antenie jednej ze stacji informacyjnych. Chwilę później Joanna przełączyła na NSI. Obejrzeli „Zygzakiem do celu", w którym występował jeden z posłów Pedepu.

Po wieczornych wiadomościach Kordian oznajmił, że pora się zbierać.

Na tym ich spotkanie się zakończyło. Żadne nie kwapiło się, by poruszać tematy, które obojga interesowały najbardziej. Oryński uznał, że to właściwie stanowi najlepsze potwierdzenie, iż rozmowa do łatwych by nie należała.

Wsiadł do daihatsu niezadowolony, z poczuciem, że w sprawach zawodowych dokonał tego dnia znacznie więcej niż w tych, które liczyły się naprawdę. Ale co właściwie miał zrobić? Nie mógł wrócić do momentu sprzed pierwszego odsłuchania *Big Bang Baby*. Nie mógł też zacząć rozmowy o przyszłości, nie z Chyłką.

Skończyłoby się to w najlepszym wypadku kpinami, a w najgorszym stopniowym zbliżaniem się do kłótni, która w końcu musiała między nimi wybuchnąć.

Obracał to wszystko w głowie, jadąc ku Emilii Plater. Minął Stadion Narodowy i wjechał na most Poniatowskiego. O tej porze ruch był znikomy, patrolu policyjnego nie wypatrzył. Przyspieszył nieco, chcąc już znaleźć się w domu i napić piwa. Należało mu się po dzisiejszych wyczynach w sądzie.

Nie, nie dlatego. Należało mu się po nieodbytej rozmowie, której ciężar był znacznie większy niż jakiejkolwiek, która doszłaby do skutku.

Nagle rozległ się krótki sygnał dźwiękowy. Kordian niemal podskoczył na siedzeniu i natychmiast spojrzał w tylne lusterko.

Wycedził cicho przekleństwo, widząc czerwono-niebieskie mrugające światła i jaśniejący napis „POLICJA".

Pokręcił głową, wbił kierunkowskaz, a potem zjechał na prawo. Czarny opel vectra zrobił to samo.

Nadal klnąc w duchu, Oryński opuścił szybę, a potem przepisowo położył dłonie na kierownicy, czekając, aż któryś z dwóch funkcjonariuszy podejdzie. Policjantowi jednak najwyraźniej się nie spieszyło.

W końcu stanął obok, skrzyżował ręce na brzuchu i przyjrzał się Kordianowi.

– Spieszymy się dokądś, panie kierowco?

Ilekroć Oryński słyszał to pytanie, zastanawiał się, jak to możliwe, że jeszcze nie zbrzydło funkcjonariuszom.

– Do domu – odparł Kordian. – Ciężki dzień w sądzie.

Policjant zagwizdał cicho.

– Proszę, proszę, czyżby prawnik?

– Niestety.

– Dlaczego niestety? To dobry zawód.

Gadka była uwłaczająca, jak zawsze, kiedy jakiś gadatliwy mundurowy zatrzymywał kierowcę stawiającego sobie za punkt honoru, by nawiązać nić porozumienia.

– Prokurator?

– Nie, druga strona barykady.

– Więc lepiej było się nie przyznawać – odparł z uśmiechem policjant, a potem się pochylił. – Poproszę prawo jazdy i dowód rejestracyjny. I zapraszam do radiowozu.

Jedynym pozytywnym akcentem wydawało się to, że funkcjonariusz najwyraźniej chciał załatwić sprawę szybko. Wlepi mandat, wypisze kilka stów i parę punktów karnych, a potem Kordian pojedzie dalej. Za dziesięć minut usiądzie z piwem przy laptopie.

Wysiadł z samochodu, gdy policjant zerkał na prawo jazdy.

– Kordian Oryjski.

– Oryński.

Mundurowy podniósł wzrok i cofnął się nieznacznie.

– Spokojnie – powiedział, kładąc dłoń na kaburze pistoletu.

Kordian nie wiedział, czy ma się roześmiać, uśmiechnąć, czy może zignorować tę reakcję. Rozejrzał się niepewnie.

– Proszę zachować spokój – dodał funkcjonariusz.

– O czym pan mówi? Przecież tylko…

– Bez nerwowych ruchów.

– Ale…

– Jeszcze raz do pana zaapeluję: proszę zachowywać się tak, bym nie miał powodu tego użyć.

– Słucham?

Kiedy rozmówca odpiął kaburę i cofnął się o krok, Oryński miał wrażenie, że uczestniczy w jakimś absurdalnym przedstawieniu.

– Przecież nic nie robię – odezwał się. – Kazał mi pan wyjść, więc…

– Bez żadnych nerwowych ruchów!

Nie minęła sekunda, a Kordian uświadomił sobie, że coś jest naprawdę nie w porządku. Szybko uznał, że najlepszym wyjściem będzie, jeśli uniesie ręce i zastygnie w bezruchu. Skierował wzrok na vectrę, licząc na to, że kamera na desce rozdzielczej wszystko nagrywa.

Kierowca zaparkował jednak tak, że daihatsu zasłaniało właściwie cały obraz.

Aplikant z trudem przełknął ślinę, po czym powoli zaczął unosić otwarte dłonie.

– Spokój!

Natychmiast przekonał się, jak duży błąd popełnił. Z perspektywy kamery widać było, że wykonał jakiś nieznaczny ruch. Na nic więcej funkcjonariusz mu nie pozwolił. Dopadł do niego, szybko obrócił go o sto osiemdziesiąt stopni, a potem popchnął z całej siły. Kordian rozpłaszczył się na własnym samochodzie, uderzając dłońmi o dach.

– Rzuć ten nóż!

– Co… co?!

Funkcjonariusz szarpnął za marynarkę, a potem jeszcze raz grzmotnął Oryńskim o karoserię. Krzyknął mu kilka razy prosto do ucha, by był spokojny i się nie ruszał.

– To jakaś kpina!

Więcej Kordian nie zdążył powiedzieć. Poczuł, jak opaska zacieśnia się na jego nadgarstkach. Zupełnie odebrało mu mowę.

Co tu się działo, do cholery?

Policjant obrócił go do siebie i przycisnął do samochodu.

– Z nożem na mnie, sukinsynu? – zapytał.

– Człowieku, o czym ty…

Funkcjonariusz wyciągnął z kieszeni niewielki nożyk i zanim Oryński zdążył się zorientować, umieścił go w jego ręce. Potem chwycił za ostrze i odrzucił go na ziemię.

– Czynna napaść na funkcjonariusza – powiedział policjant. – Wiesz, ile za to grozi?

Kordian przez moment miał wrażenie, jakby znalazł się w innym świecie. Wodził wzrokiem wokół, starając się zrozumieć, jak wrócić do rzeczywistości. I jakim cudem ktoś go z niej wyrwał.

– Wiesz czy nie?! – ryknął mundurowy.

Wiedział doskonale. Artykuł dwieście dwudziesty trzeci Kodeksu karnego. Przestępstwo zagrożone karą od roku do dziesięciu lat pozbawienia wolności.

– Mówię do ciebie!

– Tak, tak… wiem.

Kordian zrozumiał, że jeśli cokolwiek może go uratować, to jedynie chłodny umysł. Uspokoił się, powtarzając sobie w duchu, że nikt go nie wrobi w żadne przestępstwo. Nie jego. Orientował się w prawie karnym, praktykował je. Nie pozwoli, by tak łatwo ktoś się do niego dobrał.

– No, no, skurwysynu – syknął policjant. – Widać są jakieś plusy bycia aplikantem.

– Co takiego? Skąd…

– Ale na tym koniec – dodał funkcjonariusz. – Jako skazany chyba aplikacji nie dokończysz, co?

Kordian z trudem zrobił głębszy wdech. Był zupełnie zdezorientowany, a w głowie rozbrzmiewała mu tylko jedna myśl, głośna jak huk wystrzału z armaty. Jedyna składna prawnicza myśl.

Rozporządzenie Rady Ministrów z 2005 roku w sprawie sposobu postępowania przy wykonywaniu niektórych uprawnień policjantów.

– Pytam o coś! – krzyknął funkcjonariusz.

– Sto... stopień służbowy.

– Co?

– Musi pan podać stopień, imię... nazwisko... podstawę prawną i przyczynę podjęcia czynności służbowych – wyrecytował. – I to w sposób umożliwiający...

Policjant docisnął go do samochodu.

– Umożliwiający odnotowanie tych danych – dokończył Oryński.

– Zamknij ryj!

Kordian przypuszczał, że w notatce służbowej, którą funkcjonariusz sporządzi po tym zatrzymaniu, znajdzie się wszystko, o czym wspomniał. A być może jeszcze więcej.

Znacznie więcej.

– A teraz sprawdzimy, dlaczego mnie zaatakowałeś – powiedział policjant, znów go szarpiąc. – Chowasz coś w aucie? Może w bagażniku?

Oryński wiedział już, że łatwo się z tego nie wywinie.

12

Komenda Rejonowa Policji Warszawa I, ul. Wilcza

Chyłka wpadła do budynku przy Wilczej jak huragan. Trzasnęła za sobą drzwiami, spiorunowała wzrokiem każdego, kto miał odwagę podnieść oczy, a potem ruszyła w stronę dyżurnego.

– Gdzie jest, kurwa, mój aplikant?

– A pani to…

– Mecenas Joanna Chyłka.

Policjant zdawał się niewzruszony, zupełnie jakby co noc musiał zmagać się z podobnie niezadowolonymi obywatelami. Opuścił wzrok na leżące przed nim papiery, przesunął kilka, a potem nagle się wzdrygnął, gdy Joanna przywaliła dłonią o kontuar.

– Oryński! – krzyknęła. – Gdzie jest?

– Pani wybaczy, ale…

– Gdzie?!

Mężczyzna spojrzał w kierunku korytarza.

– Rozpęta pani burzę.

– Ja jestem burzą – odparła przez zęby. – A teraz mów, gdzie znajdę Kordiana Oryńskiego? Zatrzymaliście go bezprawnie na Poniatowszczaku, przewieźliście tutaj, a potem…

– Chyłka?

Obróciła się gwałtownie, słysząc głos Szczerbińskiego. Stał kawałek dalej, przy wejściu do korytarza. Był po cywilnemu, miał wyraźne cienie pod oczami, a fryzurę w zupełnym nieładzie. Wyglądał, jakby ktoś wyciągnął go prosto z łóżka.

– Co ty tu robisz?

– Zatrzymaliście Zordona.

– Wiem, właśnie...

– Widziałeś się z nim?

– Tak, rozmawialiśmy o całym... zajściu.

– Zajściu? Ja ci dopiero pokażę zajście, Szczerbaty. Prowadź mnie do niego, natychmiast.

Ruszyła w jego kierunku, mając zamiar przejść przez korytarz i dostać się do celi, choćby starał się ją powstrzymać fizycznie. Aspirant cofnął się nieco, ale szybko zrozumiał swój błąd. Uniósł otwarte dłonie, a gdy to nie poskutkowało, rozłożył ręce i zaparł się o przeciwległe ściany.

– Z drogi!

– Nie mogę cię tam wpuścić.

– Owszem, nie możesz. Musisz.

– Chyłka, posłuchaj mnie przez moment...

– Nie. Ty mnie posłuchaj – syknęła, zatrzymując się tuż przed nim. – Macie uzasadnione podejrzenie, że popełnił przestępstwo?

Policjant otworzył usta, ale nie miał czasu, by się odezwać.

– I jednocześnie przekonanie, że zatrze jego ślady albo da nogę?

– Dasz mi coś powiedzieć?

– Tylko jeśli odpowiesz na te pytania.

– Chyłka...

– Sporządziliście protokół? Poinformowaliście go o przyczynach zatrzymania? Co wy tu, w ogóle, kurwa, robicie?!

Ruszyła przed siebie, uznając, że ma tego dosyć. Odepchnęła Szczerbińskiego i szybkim krokiem skierowała się w głąb korytarza. Wszystkie drzwi do pomieszczeń były zamknięte, nie było widać, kto znajduje się wewnątrz. Joanna zaklęła głośno, a potem zaczęła szarpać za kolejne klamki.

– Skurwiele – powiedziała, obracając się przez ramię.

Szczerbiński szedł za nią, kręcąc głową. Kilku innych funkcjonariuszy ustawiło się w progu korytarza, z zaciekawieniem przyglądając się rozwojowi sytuacji.

– Z samego rana składamy zażalenie do sądu – wycedziła. – I to do takiego sędziego, który ustawowy wymóg niezwłoczności podjęcia decyzji traktuje cholernie poważnie. Szczególnie kiedy dostaje wniosek ode mnie.

– Zatrzymanie było…

– Skurwysyńskim aktem presji z waszej strony – dopowiedziała. – I wszyscy za to bekniecie, jakbyście przed chwilą zjedli zgniłą rybę, Szczerbiński. Rozumiesz?

Nabrał tchu, ale znów nie dała mu szansy, by odparował.

– Nie tylko doprowadzę do natychmiastowego zwolnienia Zordona, ale wszystkich was dojadę. Razem i z osobna. Odpowiecie za bezprawność zatrzymania, a Skarb Państwa zapłaci za niezgodne z prawem pozbawienie wolności. A on nie lubi płacić. I wiecie, na kogo spadnie potem całe gówno?

Nie odpowiedzieli, ale paru policjantów wycofało się do holu, jakby dzięki temu mogli sprawić, że ewentualne konsekwencje ich nie dosięgną.

– Uspokój się – zaapelował Szczerbiński. – W twoim stanie…

– Pieprzę mój stan – odparła, szarpiąc za jedne z zamkniętych drzwi.

– Nie powinnaś.

– Nie masz w tej sprawie nic do gadania.

– Być może mam.

Uderzyła w stalowe drzwi, a potem obróciła się do aspiranta.

– Gdzie on jest?

Jeszcze chwila musiała minąć, nim Szczerbiński zrozumiał, że albo będzie musiał wyprowadzić ją siłą i donieść o całej sprawie przełożonym, albo wpuści ją na moment do pokoju przesłuchań.

Wybrał drugą możliwość. Po chwili Chyłka spokojnym krokiem weszła do pomieszczenia, w którym znajdowały się jedynie niewielki drewniany stół, biurko, kilka zamykanych na klucz szafek i trzy krzesła.

Pokój nie przypominał sterylnych pomieszczeń, w których przesłuchiwano hollywoodzkich aktorów grających zbrodniarzy. Na biurku stała popielniczka z zagniecionymi petami, w powietrzu unosił się jeszcze zapach dymu, a samo pomieszczenie przywodziło na myśl kanciapę szkolnego dozorcy.

– Ufff – odezwał się Kordian.

– Ufff? Tyle masz mi do powiedzenia?

– A co mam dodać? Poczułem ulgę na twój widok – odparł. – Podobną do tej, którą czujesz, kiedy w biegu wpadasz do toalety w restauracji i nie zdążysz spojrzeć, czy to na pewno męska.

– Co?

– A w środku dostrzegasz pisuar.

Chyłka wsparła się pod boki.

– Ulga jest wtedy niewypowiedziana – dodał.

– Co to za porównanie, Zordon?

– Jedyne, które przyszło mi na myśl.

– Wystarczyło po prostu powiedzieć, że cieszy cię mój widok.

Obejrzała się na Szczerbińskiego, który stał w progu i łypał na nich, jakby oboje pochodzili z alternatywnej rzeczywistości. Joanna posłała mu nieprzychylne spojrzenie, ale nie cofnął się ani o krok.

Ona zaś podeszła do biurka i przysiadła na jego skraju.

– Srał pies polskiego ustawodawcę za to, że nie wprowadził nigdy *habeas corpus.*

– Czego?

Joanna nerwowo założyła kosmyk włosów za ucho. Potrzebowała jeszcze chwili, by wezbrana fala emocji opadła.

– Naprawdę zadałeś to pytanie?

– Znam termin, ale nigdy... się w to nie zagłębiałem.

– Jesteś prawdziwym prawniczym ignorantem, Zordon.

Wyraźnie się uspokoiła.

– I jurysdykcyjnym pacholęciem – dorzuciła.

Wzruszył ramionami, nie było w tym jednak ani odrobiny luzu. W przeciwieństwie do niej był spięty, patrzył z niepokojem na Szczerbińskiego i najwyraźniej miał powody, by się czegoś obawiać.

– To anglosaska instytucja – dodała po chwili Joanna. – Termin oczywiście pochodzi z łaciny i oznacza dosłownie „żebyś miał ciało".

– Brzmi zachęcająco...

– Nie pozwól odpłynąć myślom, chodzi o twój fizyczny byt.

– Aha.

– Sprowadza się to do tego, że nie można ot tak zatrzymać Zordona na Poniatowszczaku – wyjaśniła. – Bo każdy ma prawo natychmiast zwrócić się do sądu, by ten ocenił, czy zachodzą podstawy. – Obróciła się w stronę Szczerbatego. – Gdybyśmy więc byli w Wielkiej Brytanii, stalibyśmy teraz przed sędzią, który kazałby tego hipotetycznego Zordona natychmiast zwolnić.

Spojrzała z powrotem na Oryńskiego i uniosła brwi. Czekała.

– Bo nie mieli powodu, by cię zatrzymać, prawda?

– Prawda.

– Więc dlaczego to zrobili?

– Nie wiem.

– Czynna napaść – wtrącił się Szczerbiński. – W dodatku w bagażniku samochodu funkcjonariusze z drogówki znaleźli pewne niepokojące substancje.

Chyłka się roześmiała.

– Niewiarygodne – powiedziała. – Naprawdę tak bardzo zależy wam, żeby ukręcić tej sprawie łeb, że podkładacie dragi? – Uniosła bezradnie wzrok. – Co mu podrzuciliście? Gandalfa białego? Sztryms?

– Nikt już tak nie mówi na heroinę.

– Więc?

– W pojeździe znaleziono chlorek potasu i tiopental – odparł służbowym tonem aspirant.

Joanna znów się zaśmiała, a potem wskazała Oryńskiego.

– Spójrz na tego ponuraka – odezwała się. – Czy on ci wygląda na kogoś, kto lubi aplikować sobie takie substancje?

– To już oceni sąd.

– Bzdura – odparła Chyłka, podnosząc się. – Przed żaden sąd nie trafi, bo wychodzi stąd razem ze mną.

– Nie ma mowy.

– Jest – uparła się. – Bo albo on stąd wyjdzie, albo ja tu zostanę. A zapewniam, że tej drugiej wersji nie chcecie.

Mimo to właśnie ją wybrali. Widziała to w oczach Szczerbatego. Nie byli gotowi pójść na żadne ustępstwo, najpewniej dlatego, że dostali jakiś rozkaz z góry. Nie, nie rozkaz. To pozostawiłoby ślady. Musiało chodzić raczej o nieformalne polecenie, być może prośbę kogoś, kto znał komendanta.

– To wszystko w końcu wyjdzie – powiedziała. – Nie utrzymacie tego w tajemnicy.

Aspirant się nie odzywał.

– A ja zadbam o to, żeby echo było jak najgłośniejsze – dodała, mierząc palcem w Szczerbińskiego. – Żeby zadudniło w waszych pustych łbach i…

– Co tu się dzieje? – rozległ się głos z korytarza.

Po szybkim piruecie Szczerbińskiego i tym, że natychmiast wyprężył się jak struna, Joanna wniosła, że zjawił się jego bezpośredni przełożony. Chyłka posłała mu ostrzegawcze spojrzenie, kiedy ten marszczył czoło, przyglądając się niecodziennej sytuacji.

– Co ona tu robi?

– Panie komisarzu, ja…

Oficer minął Szczerbatego i zbliżył się do Joanny. Wyciągnął w jej kierunku rękę, jakby chciał jej pomóc opuścić pokój, ale widząc stanowczość w jej oczach, szybko z tego zrezygnował.

– Proszę stąd wyjść, natychmiast.

– Nie mam zamiaru.

– W takim razie będziemy zmuszeni panią wyprowadzić, a zapewniam, że...

– Daj spokój, Chyłka – odezwał się w końcu Zordon. – Wszystko się wyprostuje.

Spojrzała na niego w milczeniu. Komisarz zbliżył się, a potem zaczął solennie zapewniać dwójkę prawników, że grożą im poważne konsekwencje. Ci jednak zdawali się go ignorować, patrząc na siebie bez słowa.

Nie trwało to jednak długo.

– Pani mecenas, proszę opuścić pomieszczenie. Już. Nie ma pani prawa tutaj być.

– Mam pełne prawo.

– Wręcz przeciwnie – zaoponował komisarz. – Podejrzany może złożyć wniosek do sądu, on rozpatrzy sprawę. Ale do tego czasu...

– Do tego czasu wydaje wam się, że możecie wszystko. A to gówno prawda.

Podniosła się, zmierzyła oficera wzrokiem, po czym opryskliwie prychnęła. Ruszyła w stronę drzwi, przed wyjściem z pokoju obejrzawszy się jeszcze na Oryńskiego. Nie miał żadnych śladów świadczących o agresji ze strony policjantów, ale jednocześnie przywodził na myśl mocno obitego. Zapewne nie potraktowali go ulgowo.

– Nie zadręczaj się myślami, Zordon – rzuciła. – Myśl o tym pisuarze.

Wyższy stopniem policjant spojrzał na nią z niedowierzaniem.

– Rano cię stąd wyciągnę.

– Nie spiesz się. Gospodarze są wyjątkowo gościnni.

– O tak – przyznała, tocząc wzrokiem po funkcjonariuszach.

Chwilę później Chyłka wróciła do holu, a Szczerbiński wskazał jej miejsce na ławce pod ścianą. Usiadła, nie mając innego wyjścia. Istniało jeszcze kilka argumentów, które mogła podnieść w rozmowie z komisarzem, ale żaden nie robił różnicy. Oryński musiał spędzić noc na komendzie.

Miała tylko nadzieję, że z samego rana uda jej się go stąd wyciągnąć. Alternatywa nie była dobra. Jeśli rzeczywiście uprawdopodobnią, że doszło do czynnej napaści i że miał przy sobie środki, których teoretycznie nie powinien posiadać, sędzia może zgodzić się nawet na tymczasowe aresztowanie.

Pokręciła głową. Nie chciała nawet wyobrażać sobie Oryńskiego w areszcie wydobywczym.

Podniosła się, przeszła po korytarzu, a potem opuściła komendę. Warszawa zdawała się pogrążona we śnie, przynajmniej tutaj. Być może na placu Trzech Krzyży, na Marszałkowskiej czy placu Defilad życie tętniło. Wilcza jednak tonęła w nocnej martwocie. I z jakiegoś powodu działała ona na Chyłkę niepokojąco.

Joanna wyjęła telefon i wybrała numer Kormaka. Odebrał zaspany, zachrypniętym głosem pytając, czy świat już się skończył, czy dopiero zamierza to zrobić. Właściwie nie mógł zadać bardziej adekwatnego pytania.

Wytłumaczyła mu wszystko, co się wydarzyło. Szybko otrząsnął się z resztek snu, które kołatały się gdzieś w jego umyśle.

– O kurwa... – skwitował, gdy dotarła do momentu wyprowadzenia jej z kanciapy. – To nie brzmi dobrze.

– Nie, nie brzmi – przyznała.

– Co teraz?

– Jeśli sąd wykaże się rozsądkiem, wyjdzie. Jeśli nie, areszt wydobywczy.

– Ile mogą go tam trzymać?

– Jeśli są zaradni, ile chcą.

Kormak odpowiedział milczeniem.

– Nie wiesz, że areszt tymczasowy to w Polsce oksymoron? – dodała, a potem spojrzała na prawą dłoń. Brakowało jej dymiącego papierosa między palcami. – W rejonówkach średnio trwa siedem miesięcy, w okręgówkach czternaście. A często w aresztach śledczych jest gorzej niż w więzieniach.

– Mhm…

– I jak proces się przeciąga, areszt też – dodała. – Można przetrzymać delikwenta kilkanaście lat.

– I nic nie można zrobić?

– Można walczyć przed Trybunałem Sprawiedliwości w Strasburgu – odparła ciężko. – I Europejskim Trybunałem Praw Człowieka. Ale po fakcie, by uzyskać odszkodowanie od państwa.

Chudzielec znów odpowiedział milczeniem. I był to najlepszy komentarz, jakiego mógł udzielić.

13

ul. Wilcza, Śródmieście

Czterdzieści osiem godzin. Tyle Kordian mógł najdłużej spędzić jako zatrzymany. Po upływie tego czasu prokurator musiał zwrócić się z wnioskiem do sądu o zastosowanie tymczasowego aresztowania. Jeśliby tego nie zrobił, Oryński wyszedłby na wolność.

Miał jednak wrażenie, że nie będzie musiał tak długo czekać. Chyłka prawdopodobnie zaczęła działać natychmiast, budząc znajomych sędziów. I jeśli nagabując ich bezpośrednio, nic nie wskórała, na pewno zwróciła się do Artura Żelaznego i Harry'ego McVaya. Ci znali jeszcze więcej jurystów – a w przypadku części z nich mogli powołać się na niewykorzystane, ale przyobiecane, przysługi.

Mimo to mijały kolejne godziny, a Oryński nadal siedział w niewielkiej kanciapie, która zdawała się pozbawiona dostępu do jakiegokolwiek źródła tlenu.

Nie dano mu żadnego posiłku ani niczego do picia. U Chyłki też nic nie jadł i teraz irytowało go burczenie w brzuchu. O napojach nie chciał nawet myśleć. Czuł, jakby od kilku dni snuł się po pustyni.

W końcu drzwi się otworzyły, a do środka wszedł nieznany mu mężczyzna w garniturze. Nie miał krawata, a koszulę nosił rozpiętą. O jeden guzik za daleko, uznał w duchu Kordian.

Nieznajomy usiadł przy stoliku i postawił na nim tekturowy kubek z wodą. Oryński robił wszystko, by nawet nie spoglądać w jej kierunku. Było to jednak silniejsze od niego.

Mężczyzna się nie odzywał. Wyciągnął z niewielkiej teczki kilka dokumentów, rozłożył je na blacie, a potem przez chwilę przypatrywał się Kordianowi.

– Wypadałoby się przedstawić – odezwał się aplikant.

– Tak pan sądzi?

– Tak, ale oprócz tego wypadałoby, żeby zrobił to także funkcjonariusz, który mnie zatrzymał. Nie wspominając już o podaniu powodu, podstawy prawnej…

– Nie zagłębiajmy się w szczegóły.

Był krótko ostrzyżony, miał głęboko osadzone oczy i zdecydowane spojrzenie. Sprawiał wrażenie, jakby wszystko było mu obojętne. Zarówno siedzący naprzeciw niego podejrzany, jak i materiały, które przed sobą rozłożył.

Miał poczucie kontroli. Pełnej.

– Więc? – odezwał się Oryński. – Kim pan jest?

– Dowie się pan w swoim czasie.

Kordian uniósł brwi.

– Chyba pan sobie kpi…

– Nie.

– Nie możecie ot tak się zjawiać i pozwalać sobie na…

– Możemy znacznie więcej – wpadł mu w słowo mężczyzna. – Myślałem, że udowodniliśmy to panu na moście Poniatowskiego.

Kordian drgnął nerwowo. Spokój, z jakim rozmówca to powiedział, w jakiś sposób wprawił go w jeszcze większe podenerwowanie. Rozejrzał się po pokoju, jakby nagle mógł dopatrzyć się gdzieś kamery lub choćby mikrofonu. Czegokolwiek, co utrwaliłoby tę rozmowę i dało mu pewien komfort psychiczny.

Niczego takiego jednak tutaj nie było. W pomieszczeniu znajdowali się tylko oni dwaj. I wszystko, co zostanie przez nich wypowiedziane, przepadnie. Jeśli Kordian przywoła cokolwiek w sądzie, będzie tylko słowo przeciwko słowu.

W sądzie? Nie, nie było sensu się łudzić, że ci ludzie do tego dopuszczą. Kimkolwiek byli, z pewnością posiadali narzędzia, by przeciągać postępowanie, a jego trzymać w areszcie wydobywczym.

Oryński ze zgrozą pomyślał, że mogą mieć także dostęp do zupełnie innych metod. Zanim odbędzie się pierwsza rozprawa, współosadzeni w areszcie zajmą się młodym prawnikiem na tyle czule, że odechce mu się wszelkiego oporu.

Zresztą o jakim oporze mogła być mowa? Nie wiedział nawet, z kim rozmawia. W żaden sposób nie mógłby wezwać tego człowieka na świadka w procesie.

– Kim pan jest? – powtórzył.

Krótko ostrzyżony mężczyzna nie odpowiedział.

– Może zapytam inaczej: kim wy jesteście, do cholery?

Wciąż żadnego odzewu.

– Czego ode mnie chcecie? – dodał aplikant. – Chodzi o Fahada, tak? O to, że szala zaczęła przechylać się na naszą korzyść?

Gość trwał w zupełnym bezruchu.

Służby specjalne, pomyślał Kordian. Spokój tego człowieka był zbyt… zbyt agresywny, zbyt natarczywy. Nie mógł wchodzić w szeregi policji czy innej zwykłej służby, został odpowiednio przeszkolony. Przez jego twarz nie przemknął nawet cień jakiejkolwiek emocji.

Wreszcie oderwał wzrok od Kordiana i spojrzał na dokumenty.

– Zarzuty są dość poważne – zauważył.

– Są absurdalne.

– I sprawią, że nie będzie panu dane praktykować prawa.

– Zobaczymy.

– Chyba że w obronie samego siebie – dodał mężczyzna, jakby nie słyszał żadnej z odpowiedzi Oryńskiego. – Choć nie polecam takiego rozwiązania. Zazwyczaj okazuje się problematyczne.

– Co pan w takim razie poleca?

Rozmówca na moment podniósł wzrok, jakby z uznaniem.

– Jakąś propozycję zapewne usłyszę – wyjaśnił Kordian. – Inaczej nie przyszedłby tu pan i nie wprawiał mnie w jeszcze większą konsternację.

– Konsternację?

Oryński rozłożył ręce.

– Nie bardzo rozumiem, dlaczego tak się na mnie uwzięliście, zainscenizowaliście tę sytuację, spreparowaliście dowody i teraz mi grozicie. Konsternacja to w tym wypadku właściwie mało powiedziane.

Mężczyzna lekko skinął głową.

– Przejdziemy do rzeczy? – dodał Kordian.

– W swoim czasie.

– Ten jest równie dobry jak każdy inny.

– Niezupełnie.

Oryński odniósł wrażenie, jakby uczestniczył w tańcu dwóch osób, które słyszą zupełnie inną muzykę. Zmarszczył czoło, zastanawiając się, czego mogą chcieć od niego ci ludzie.

I kim są.

Nietrudno było poskładać wszystko w mniej więcej logiczną całość. Z pewnością te same osoby odpowiadały za śledztwo w sprawie Fahada, kradzież iks piątki, groźby, rzucanie prawnikom kłód pod nogi, a być może także śmierć Lipczyńskich.

Tylko kim byli ci ludzie? I jaki cel realizowali?

Oryński przypuszczał, że od przybysza niewiele się dowie. Zjawił się tutaj, by wybadać teren, a potem złożyć mu propozycję. Niczego ponad to nie należało się spodziewać.

Niczego prócz kolejnych pogróżek.

– Chce pan się przekonać, z kim ma do czynienia, tak? – zapytał Kordian, by przyspieszyć cały proces. – W takim razie śmiało, proszę mnie wystawić na kilka prób. A potem przejdźmy do konkretów, bo przesiedziałem tu już wystarczająco dużo czasu.

Nieznajomy zamilkł na kilka chwil, przeglądając akta. Kordian czekał cierpliwie, przynajmniej przez jakiś czas. Ostatecznie uznał, że albo przejmie inicjatywę, albo spędzi tutaj znacznie więcej czasu, niż chciał.

– Jak się do pana zwracać?

– Jak pan chce.

Oryński się skrzywił.

– Z wyglądu przypomina mi pan trochę Lindę.

Mężczyzna nie podniósł wzroku. Wydawał się całkowicie pochłonięty dokumentami, których treść musiał już doskonale znać.

– Chodzi mi o naszego polskiego Eastwooda, nie żadną kobietę – wyjaśnił Kordian.

Rozmówca wciąż się nie odzywał.

– Jest pan wprawdzie trochę młodszy, nie posiwiał pan jeszcze, ale… sam nie wiem, może chodzi o tę surowość, która od pana bije.

Tym razem Linda mruknął coś cicho pod nosem.

– Surowość, która każe mi sądzić, że nie służy pan raczej w CBŚP. Ci funkcjonariusze są nieco bardziej wygadani i ekspresyjni. Raczej rzuciliby mną o ścianę, a potem innymi metodami dali do zrozumienia, czego oczekują.

Kordian nabrał tchu, licząc na to, że mężczyzna w końcu włączy się w jego dywagacje.

– Ci najbardziej milczący są chyba w Służbie Wywiadu, prawda? – ciągnął Oryński. – Tyle że wywiad raczej nie miałby czego szukać w moim życiu. Ot, zwykła aplikancka egzystencja.

– Mhm.

– Więc moim kolejnym strzałem będzie ABW – dodał Kordian, a potem odgiął się z zadowoleniem. – Trafiłem?

– Dowie się pan…

– W swoim czasie – dokończył prawnik. – Tak, tyle zdążyłem już zrozumieć.

Jeszcze przez kilkanaście minut Linda milczał. A może minęło nawet więcej czasu, trudno było to Kordianowi stwierdzić. Ostatecznie jednak rozmówca zebrał wszystkie dokumenty, ułożył je równo w tekturowej teczce i zamknął ją.

Popatrzył na Oryńskiego.

– Jest tu tego wystarczająco dużo, by nigdy nie został pan dopuszczony do egzaminu adwokackiego.

– I?

Mężczyzna lekko zmrużył oczy.

– Studiował pan i odbywał aplikację chyba po to, by przystąpić do…

– Właściwie tak. Ale wie pan, jak to jest.

– Niezupełnie.

– Jeśli przez jakiś czas wszyscy wokół powtarzają, że się nie zda, to można uwierzyć, że rzeczywiście tak będzie. I wtedy jakiekolwiek groźby natury zawodowej specjalnie do człowieka nie przemawiają.

– Chce pan więc usłyszeć inne?

Linda nagle się ożywił. W jego oczach pojawił się błysk, kiedy nachylił się w kierunku Kordiana. Spiorunował go wzrokiem, jeszcze bardziej przypominając aplikantowi niegdysiejszą ikonę maczyzmu w Polsce. I to w wersji z *Psów* Pasikowskiego.

– Zaraz powie mi pan, żebym zdychał, bo nikogo to nie obchodzi? – zapytał Oryński.

Na twarzy mężczyzny odmalowało się zdziwienie. Najwyraźniej nie był przyzwyczajony do takiego traktowania – i pewnie nie spotkałby się z nim także w tym przypadku, gdyby tylko na początku oznajmił, kim jest.

Jeśli Kordian miał w istocie do czynienia z kimś ze służb, gotów był spuścić z tonu. Tyle że mimo swojego wywodu nie miał takiej pewności. Ten człowiek równie dobrze mógł mieć więcej wspólnego z bezprawiem niż prawem.

– A potem doda pan, że nie chce mu się ze mną gadać?

Linda nadal patrzył na niego jak na idiotę.

– Nieważne. – Aplikant machnął ręką. – Wróćmy do gróźb. Jeśli kwalifikują się jako karalne, chętnie je usłyszę. Zrobię później z tego użytek przed sądem.

– Nie. Nie kwalifikują się.

– Więc nie mam się czego obawiać.

– Przeciwnie, panie Oryński. Ma pan wiele powodów do obaw.

– Jak na przykład?

– Prosto z tej komendy może pan trafić do aresztu wydobywczego. I przypuszczam, że nie muszę panu mówić, jakie zwyczaje tam panują.

– Nie najgorsze, o ile wie się, co i jak.

– Pan nie wie.

– Nie? – spytał Oryński i zmusił się do lekkiego uśmiechu.

W rzeczywistości jednak nie było mu zbyt wesoło.

– Orientuję się co nieco – dodał. – Broniłem kilku osób, które miały tę wątpliwą przyjemność przebywania w areszcie.

Linda przyglądał mu się jeszcze przez kilkadziesiąt sekund, a potem zamrugał, podniósł się i zaczął krążyć po pomieszczeniu. Zatrzymywał się przy niewielkich szafkach, oglądał je, po czym przechodził dalej.

– Jak skrzyżuje pan ręce za plecami, zmienię panu ksywę z Lindy na Szpiega z Krainy Deszczowców.

Mężczyzna zatrzymał się i odwrócił do Kordiana.

– Naprawdę panu do śmiechu?

Aplikant wzruszył ramionami.

– A co mi pozostało?

Wiedział doskonale, jaka jest odpowiedź na to pytanie. Zdawał też sobie sprawę z tego, że w areszcie śledczym nie przetrwa długo. Jeśli trafiłby na jednego z klientów, któremu pomógł, w istocie mógłby liczyć na rewanż. Prawdopodobieństwo takiego zdarzenia było jednak niemal zerowe.

Należało spodziewać się raczej tego, że ktokolwiek za tym wszystkim stał, zadba o to, by trafił do celi przejściowej z najgorszym elementem. Takim, który chętnie wyświadczy komuś przysługę, byleby poprawić nieco swoje warunki bytowe.

Macki ludzi odpowiedzialnych za ostatnie zdarzenia sięgały daleko. I z pewnością nie miały problemu z przeniknięciem przez mury aresztów.

Co gorsza, mogły sprawić, że Oryński nigdy ich nie opuści.

– Wie pan, co panu pozostało.

Kordian przez moment milczał. Potem skinął powoli głową.

– Jest pan gotów na poważną rozmowę? – zapytał Linda.

– Nie – przyznał aplikant. – Ale czuję, że i tak ją odbędziemy.

– Tylko jeśli chce pan wysłuchać mojej propozycji.

– Mhm.

– I jeśli jest pan skłonny ją rozważyć – dodał mężczyzna, stając za nim.

Położył ręce na oparciu krzesła, a po chwili Oryński poczuł jego oddech na czubku głowy. Wzdrygnął się.

– Alternatywny scenariusz zakłada, że spędzi pan kilka lat za kratkami – dodał mężczyzna. – Nigdy nie zostanie pan adwokatem, pożegna się pan ze wszystkim, na co pracował przez te wszystkie lata, a ponadto... cóż, przypuszczam, że po wyjściu z więzienia nie będzie pan już tym samym człowiekiem.

Co do tego ostatniego Kordian musiał się z nim zgodzić.

– I bez fachu w rękach pańskim głównym zainteresowaniem stanie się wysokość zasiłku dla bezrobotnych. Lub, co bardziej prawdopodobne, możliwości zarobienia w sposób niekoniecznie zgodny z prawem.

Oryński się nie odezwał. Akurat ta wizja była zupełnie absurdalna.

A mimo to także całkiem realna.

– Więc jak będzie? – dopytał Linda, zbliżając się do krzesła. – Rozważy pan moją propozycję?

Kordian obrócił głowę i spojrzał w górę.

– Najpierw muszę się dowiedzieć, jak brzmi.

Rozmówca po raz pierwszy uniósł lekko kąciki ust. Poklepał aplikanta po ramionach, a potem obszedł stół i usiadł po drugiej stronie. Skrzyżował dłonie na blacie, przechylił głowę na bok i zaczął mówić.

14

Gabinet Żelaznego, Skylight

Do biura imiennego partnera wypadało zapukać, ale tego dnia Chyłka weszłaby bez zapowiedzi nawet na audiencję do papieża. Otworzyła drzwi, obrzuciła wzrokiem kobietę siedzącą przed biurkiem Żelaznego, a potem wskazała jej korytarz.

– Co też pani…

– Żegnam – rzuciła Joanna.

Artur poderwał się na równe nogi.

– Pani mecenas! – zaoponował.

Tyle na dobrą sprawę wystarczyło, by Chyłka zorientowała się, że na grzędzie przed Żelaznym siedziała jedna z kur znoszących złote jaja. Może prezeska jakiejś korporacji, a może przedstawicielka którejś z zagranicznych firm.

Nie miało to dla Joanny żadnego znaczenia.

– To sytuacja kryzysowa – powiedziała. – Jeśli zaraz nie porozmawiam z mecenasem Żelaznym, wszyscy zginiemy.

Kobieta podniosła się, skonsternowana. Chyłka obróciła się w kierunku korytarza.

– Tutaj są drzwi – dodała. – Prowadzą na zewnątrz.

– Ależ…

– Proszę zrobić użytek z mojej rady.

Była to właściwie najuprzejmiejsza rzecz, jaka przyszła jej na myśl. Po chwili odprowadziła kobietę wzrokiem, a kiedy ta przekroczyła próg, zatrzasnęła za nią drzwi. Żelazny trwał w bezruchu za biurkiem, wlepiając w nią wzrok. Brakowało tylko, by z nozdrzy zaczął ulatywać mu dym.

– Zakryj te oczy Saurona – mruknęła Joanna, zajmując miejsce, które zwolniła kobieta. – Działają mi na nerwy.

– Masz tupet...

– Nie. Tupet ma Trump, ja po prostu nie umiem być do końca poprawna. A teraz siadaj, Artur, i słuchaj.

– Przypominam ci, że jesteś w moim gabinecie.

– Nie musisz.

– Chyba jednak muszę.

– Zatrzymali Zordona – rzuciła.

– Wiem.

– Skąd?

Nie musiała zadawać tego pytania, doskonale znała odpowiedź. Ona poinformowała Kormaka, a ten szybko puścił parę Ance z Recepcji. A kiedy coś docierało do tej pindy, natychmiast przestawało być tajemnicą.

Żelazny musiał wyjść z założenia, że Joanna sama udzieliła sobie wszystkich wyjaśnień, gdyż bez słowa usiadł na fotelu. Chciał sięgnąć po spinki leżące na biurku, ale Chyłka szybko je odsunęła.

– Mam zszargane nerwy – zastrzegła. – I nie spałam całą noc. Ostatnią rzeczą, jakiej potrzebuję, są te twoje pieprzone klejnoty.

Artur uniósł brwi.

– To nie zabrzmiało dobrze – zauważyła, unosząc wzrok. – Ale skoro już wiesz o sprawie, dlaczego...

– Wyrzuciłaś stąd pierwszego zastępcę komendanta rejonowego policji.

Chyłka zamarła. Nieczęsto jej się to zdarzało, ale w takiej sytuacji wydawało się zrozumiałe. Szybko jednak się otrząsnęła i spojrzała na zamknięte drzwi.

– Może jeszcze ją dogonisz – dodał z satysfakcją Żelazny.

Minęła chwila, nim Joanna wzięła oddech.

– Choć nawet jeśli zdążysz złapać ją przed wejściem do windy, nie wróżę sukcesu – dodał Artur, wyciągając dłoń ku prawniczce.

Oddała mu spinki, a potem na chwilę spuściła wzrok.

– Właściwie taka nauczka byłaby dla ciebie na wagę złota – kontynuował Żelazny. – Może w końcu…

– Co ona tu robiła?

– Nie domyślasz się?

– Pytam o konkrety, Artur. Ma jakąś propozycję?

– Nie. Ja miałem propozycję dla niej.

– Jaką?

– A jak sądzisz, do cholery? Żeby wypuściła mojego pracownika z komendy. – Żelazny zaczął przekładać spinki między palcami. – Jak on tam w ogóle trafił?

– Przez niefortunny splot zdarzeń.

– To znaczy?

– Uwikłał się w obronę muzułmanina, która najwyraźniej jest jak cierń w boku dla służb specjalnych – odparła pod nosem Chyłka, wyłącznie dla porządku.

Znów spojrzała w stronę drzwi.

– Co powiedziała? – odezwała się.

– Że sprawa jest załatwiona.

– Co takiego?

– To była kurtuazyjna wizyta – odparł Żelazny, nie kryjąc wyższości w głosie. – Paweł załatwił wszystko, co należało, a mnie pozostało jedynie...

– Messer?

– Owszem. Okazuje się, że dość dobrze się znają, jego kancelaria broniła kiedyś znajomego komendanta.

Joanna ściągnęła brwi, przyglądając się Żelaznemu. Natychmiast wyczuła, że coś jest nie w porządku. Nie trzeba było zresztą Sherlocka Holmesa, by to stwierdzić. Po pierwsze Messer do tej pory nie przejawiał żadnego zainteresowania sprawą, a w sądzie nie ubiegał się o prawo do jakiegokolwiek czynnego udziału. Po drugie policja tak łatwo nie odpuszczała.

– To jakaś bzdura – oceniła Chyłka.

– Nie cieszy cię, że twój chłopak wychodzi?

Zignorowała użyte przez Żelaznego określenie.

– Co daliśmy im w zamian? – zapytała.

– Nic.

– Gówno prawda.

Artur uśmiechnął się pobłażliwie.

– Zapewniam cię, że cenię tego twojego aplikanta.

– Jego patronem jest Borsuk.

– Przestaniecie tak go określać? – mruknął Żelazny. – Przez te wszystkie lata Buchelt zasłużył sobie choćby na minimalny szacunek.

– Zasłużył sobie też na ten przydomek – ucięła. – I do czego zmierzasz, Artur? Do tego, że nie przehandlowałbyś Zordona za nic na tyle ważnego, by policja skusiła się na taki układ?

Nie potwierdził, ale właściwie nie musiał. Znała go na tyle dobrze, by wiedzieć, że właśnie to miał na myśli.

– Paweł wszystko załatwił – wyjaśnił. – Mnie pozostało jedynie uścisnąć rękę zastępcy komendanta. I tyle.

– To niedorzeczne.

– Naprawdę powinnaś być zadowolona.

– Trudno być zadowoloną, kiedy czuje się, że gdzieś niedaleko znajduje się ukryta gówno prawda i emanuje swoim smrodem wokół – zaoponowała. – Nie wiem, co Messer obiecał ci za włączenie go do sprawy, i nie wiem, co zrobił, by przekonać policję, ale jedno jest dla mnie pewne…

– Jesteś paranoicznie nastawiona.

– Ja?

– To zrozumiałe. Hormony robią swoje.

– Dopiero zrobią, jeśli nie przestaniesz pieprzyć, Artur.

Żelazny przerzucił spinki do drugiej dłoni, a potem zważył je, jakby dopiero co podniósł je spod lady i zastanawiał się, czy zakup jest wart jego pieniędzy.

– W naszym wspólnym interesie było dogadanie się – odparł. – Rozumiesz?

– Nie.

– Więc co ci wyjaśnić?

– Choćby to, co się zmieniło od wczorajszej nocy.

– Nastawienie. I podziękuj za to Pawłowi.

– Nie mam zamiaru, bo to jedna wielka bzdura – uparła się Chyłka. – Nawet jeśli są do niego przychylnie nastawieni, bo kiedyś wybronił jakiegoś znajomego komendanta, nie poszliby na taki układ.

Żelazny znów przerzucił metalowe zabawki do drugiej dłoni. Powtórzył to kilkakrotnie, działając Joannie na nerwy. Nie skwitowała tego jednak w żaden sposób.

– Nieraz nam pomagali – rzekł. – A my im. Tak to działa.

– Nie w takich sytuacjach.

– To znaczy?

– Chcieli oskarżyć Zordona o czynną napaść i posiadanie. Mieli rzekomo mocne dowody, nagranie z samochodu i jakieś substancje w bagażniku.

– Widocznie uznali, że gra nie jest warta świeczki.

– Bo Messer się do nich uśmiechnął?

Widziała, że Artur nie ma zamiaru dłużej drążyć tej sprawy. Sygnałem było to, że odłożył spinki do niewielkiego pudełka, a potem je zamknął. Potwierdził jej przypuszczenia, kierując wzrok na wyjście.

Chyłka odczekała jeszcze chwilę, zastanawiając się, czy jest sens w naciskaniu partnera. Ostatecznie uznała, że nie. Całe zawodowe życie spędził na uchylaniu się od udzielania odpowiedzi na niewygodne pytania.

A ona najwyraźniej właśnie takie zadawała.

Podniosła się i poprawiła skórzaną kurtkę. Nie miała czasu się przebrać, rano wybiegła z domu w pośpiechu.

Popatrzyła jeszcze na Żelaznego z dezaprobatą, a potem opuściła jego gabinet. Szkoda było tracić czas, kiedy do rozwiązania było tyle problematycznych spraw. Skierowała się od razu do Jaskini McCarthyńskiej, by uporać się choć z częścią z nich.

Szybko wyjaśniła Kormakowi, co się wydarzyło.

– I następnym razem trzymaj gębę zamkniętą jak supermarket w święto narodowe.

– Hę?

– Powiedziałeś za dużo Ance, a ona natychmiast puściła to dalej w obieg.

– Ale ja nie…

– Mniejsza z tym – ucięła czym prędzej. – Powiedz mi lepiej, co przehandlowaliśmy w zamian za wypuszczenie Oryńskiego i niestawianie mu zarzutów.

Kormak wydawał się zbity z tropu.

– Halo?

– Myślę, ale…

– Ale co?

– Skąd mam wiedzieć?

Chyłka przewróciła oczami.

– A kto ma wiedzieć, jak nie ty?

Rozejrzał się po swojej kanciapie.

– Dobre pytanie – odparł cicho.

I zadane właściwej osobie, dodała w duchu Joanna. W całej kancelarii niewielu było lepiej zorientowanych od szczypiora. A jednak dzisiejszego poranka Kormak zdawał się przebywać w innym świecie.

– Zgrzeszyłeś wczoraj, Kormaczysko?

– Co?

– Uprawiałeś *coitus* z Anką w recepcji?

– C-co…

– To bardzo proste pytanie – odparła Chyłka, zbliżając się do biurka. – A brak odpowiedzi ktoś podejrzliwy mógłby wziąć za odpowiedź samą w sobie.

Odsunęła sobie krzesło i usiadła.

– Mniejsza z tym, dojdziesz do siebie – ciągnęła. – I ustalisz szybko, wręcz błyskawicznie, co obiecaliśmy służbom w zamian za Zordona.

Kormak poruszył się nerwowo, ale na jego twarzy pojawił się też cień ulgi, niewątpliwie spowodowany zmianą tematu.

– Cóż… logiczny wniosek jest taki, że odpuścimy w sprawie Fahada.

– Przeciwnie. To wniosek alogiczny.

– Tak?

– Oczywiście – potwierdziła. – Gdybyśmy to zrobili, pierwszy lepszy dziennikarzyna by to wyniuchał. Sytuacja byłaby zbyt klarowna. Musi chodzić o coś innego.

Chudzielec przez moment się zastanawiał, przygryzając dolną wargę.

– Może zapytaj Zordona – podsunął.

Chyłka rozłożyła ręce i cmoknęła z niezadowoleniem.

– Doprawdy, Kormaczysko, dostaniesz zakaz gżenia się – zadeklarowała. – Tak jak piłkarze w niektórych reprezentacjach w przeddzień meczów. Tyle że w twoim przypadku będzie trochę gorzej, bo rozgrywasz je właściwie codziennie.

– Ale…

– Seks ewidentnie ci nie służy. Zostań przy lekturze McCarthy'ego. Zresztą przypuszczam, że to dla ciebie równie, jeśli nie bardziej, satysfakcjonujące zajęcie. Mam rację?

Szukał jakiejś odpowiedzi, ale jej nie znalazł.

– Jeszcze jedna rzecz – dodała Joanna. – Ustaliłeś coś w sprawie „W"?

– Nie.

– To ważne, Kormak. Może chodzić o współtwórcę mojego pasożyta.

Uniósł pytająco brwi.

– Nie żebym chciała zaprzęgnąć go do wychowania tego małego drania – zadeklarowała, poklepując się po brzuchu. – Chodzi mi po prostu o to, żebym wiedziała, jaki adres korespondencyjny wskazać w pozwie.

Zanim zdążył odpowiedzieć, podniosła się.

– Daj znać, jak ogarniesz jedną i drugą sprawę.

Skinął niepewnie głową.

– I koniec z pieprzeniem się, tak?

– Ale…

– Czy mam porozmawiać z Anką?

Potrząsnął głową z niedowierzaniem.

– Po prostu… Nie, nieważne.

– Świetnie – odparła, gotowa wyjść. W ostatniej chwili przypomniała sobie jednak o czymś jeszcze. – A, sprawdź mi jeszcze Tatarka.

– Sprawdzić… sprawdzić sędziego?

– Tak. Poszperaj, zobacz, co na niego mamy.

– Na sędziego?

– Powtarzasz się.

– Bo chcę się upewnić, że dobrze rozumiem, o co mnie prosisz.

– Nie proszę, tylko zlecam.

– Mam szukać brudów na przewodniczącego składu orzekającego?

Przewróciła oczami.

– Nie brudów, ale ciekawostek. Anegdot. Intrygujących faktów w jego biografii, które mogłyby sprawić, że wyda mi się bardziej interesujący niż w tej chwili.

Kormak milczał przez jakiś czas, czekając, aż prawniczka wycofa się z tego, co w istocie mu poleciła. Joanna nie miała jednak takiego zamiaru.

– W porządku – odpowiedział po chwili. – Dam znać, jak czegoś się dowiem.

– Idealnie.

– Ale jeśli chodzi o sprawę Zordona, nadal uważam, że powinnaś pogadać właśnie z nim. Jeśli ktokolwiek coś wie, to…

– Taki mam zamiar – zapewniła.

I rzeczywiście tak było. Zrealizowała go niedługo po tym, jak opuściła Jaskinię McCarthyńską. Zamówiwszy ubera, pojechała na Wilczą, a potem stanęła pod budynkiem komendy i tam czekała na Oryńskiego.

Długo nie wychodził, mimo że wedle wszelkiego prawdopodobieństwa powinien być już na wolności. Przyszło jej na myśl, że musi poczekać, aż w robocie stawi się ktoś, kto będzie mógł złożyć podpis pod odpowiednimi papierami.

Rozejrzała się, myśląc o tym, jak dobrze byłoby zapalić papierosa. Przez pół jej życia w takich sytuacjach nikotyna wydawała się istotniejsza od tlenu.

– Znów tutaj? – rozległ się głos Szczerbińskiego.

Obejrzała się przez ramię, w stronę wejścia do budynku. Szczerbaty najwyraźniej wychodził z podobnego papierosowego założenia. Skinął do niej z westem zwisającym z kącika ust, a potem go podpalił.

Wypuścił dym, jakby jednocześnie wzdychał.

– Gdzie Zordon? – zapytała.

– Tam, gdzie wcześniej. Jest przygotowywany do…

– Skończyłeś już służbę?

– Ta – potwierdził niedbale. – Choć na dobrą sprawę wydaje mi się, że nigdy tak naprawdę…

– W sumie mnie to nie interesuje.

Zawiesił na niej wzrok. Nie było w nim żadnych emocji, a przynajmniej przez jakiś czas starał się, by ich nie dostrzegła. Ostatecznie jednak gdzieś w jego oczach przewinął się zawód.

– Dlaczego go wypuszczacie? – spytała.

Przez moment miała nadzieję, że to pytanie wywoła konsternację. Szczerbiński jednak nie był ani trochę zdziwiony. Musiał wiedzieć o jakimkolwiek układzie, jaki został zawarty po tym, jak w nocy opuściła komendę.

– Nie mamy podstaw do zatrzymania.

Zaśmiała się z niedowierzaniem.

– Jeszcze parę godzin temu mieliście ich aż nadto.

– Sytuacja się zmieniła.

– W jaki sposób?

– Pytaj swojego chłopaka – rzucił, po czym ruszył w kierunku służbowego parkingu, ciągnąc za sobą chmurę dymu.

Już drugi raz tego dnia usłyszała to określenie i po raz drugi je zignorowała. Przyszło jej do głowy, że to znamienne, ale szybko odsunęła tę myśl. Może Żelazny miał trochę racji, jeśli chodziło o hormony.

Nauka na dobrą sprawę stała po jego stronie. Niemal od razu po zapłodnieniu organizm zaczynał zwiększoną produkcję znanych już hormonów, w dodatku zaczynał wytwarzać także zupełnie nowe. Przynajmniej część z nich musiała przekładać się na… większą determinację w szukaniu partnera. Być może nawet jakiś fizjologiczny imperatyw, by to robić.

Dla Chyłki była to właściwie dość wygodna myśl. Zakładała, że to niezależne od niej, wywołane obiektywnymi zmianami w organizmie.

Odczekała jeszcze chwilę, a potem uznała, że najwyższa pora przyspieszyć nieco proces wypuszczenia Zordona.

Ledwo jednak zrobiła krok w kierunku komendy, z budynku wyszedł Oryński.

Zatrzymał się jak rażony piorunem, widząc ją. Miał podkrążone oczy, a ze starannie ułożonej fryzury jedynie kilka kosmyków trzymało się dzięki mocnej paście tak, jak wczoraj w sądzie.

Przez chwilę patrzył na Joannę, jakby go na czymś przyłapała. Potem nagle się uśmiechnął i zakręcił na palcu kluczykami od daihatsu.

– Wolny jak ptak – powiedział.

– Raczej jak maluch wyładowany kamieniami, podjeżdżający pod górkę – odparowała. – W sensie spowolnienia intelektualnego, rzecz jasna.

– Rzecz jasna.

Rozejrzał się z niemalejącym uśmiechem.

– I czego się szczerzysz?

– Cieszę się swobodą – zadeklarował. – A przy okazji szukam też daihatsu.

– Stoi na policyjnym parkingu. A ty zachowujesz się, jakbyś znalazł się na deskach teatru, Zordon.

Zanim zdążył cokolwiek odpowiedzieć, skinęła na niego i ruszyła w stronę parkingu. Przez moment szli w milczeniu.

W końcu uznała, że jeśli nie pociągnie go za język, najwyraźniej niczego się nie dowie. Rozważała podejście do tematu w sposób delikatny, oględny, zastosowanie niewielkiego fortelu i uśpienie jego uwagi, ale ostatecznie doszła do wniosku, że lepiej będzie, jeśli po prostu zwyczajnie, uprzejmie zapyta go o ostatnie zdarzenia.

– Co tam się, kurwa, stało? – zapytała więc.

– Zatrzymali mnie na moście, a potem…

– To już słyszałam. Mam na myśli to, co wydarzyło się później.

– Sama widziałaś, byłaś przecież…

– Dlaczego cię wypuścili, krępaku?

Kordian wzruszył ramionami.

– Nie mam pojęcia.

– Przycisnąłeś ich jakimiś formułkami z kapeku?

– Nie. Ale próbowałem z rozporządzeniem Rady Ministrów.

– Zuch chłopak – odparła z przekąsem. – Szkoda, że nie sięgnąłeś po jakieś wewnętrznie obowiązujące zarządzenie. Albo uchwałę kółka gospodyń wiejskich. To dopiero by nimi wstrząsnęło.

Posłał jej krótkie spojrzenie.

– Nic nie wskórałem – odezwał się. – Cokolwiek ich przekonało, nie miałem z tym nic wspólnego.

– Nie zaproponowali ci żadnego układu?

Pokręcił głową. Chyłka jeszcze przez moment czekała, aż powie coś więcej, ale najwyraźniej było to wszystko, co miał jej do przekazania. Nie miała powodu, by mu nie wierzyć.

I w takim razie należało uznać, że to rzeczywiście Messer jakimiś zakulisowymi gierkami doprowadził do zwolnienia Oryńskiego. Nie wróżyło to niczego dobrego. Kiedy powiedziała o tym Kordianowi, dochodzili już do daihatsu. Aplikant spojrzał na nią z niepewnością.

– Jesteś pewna, że Messer brał w tym udział?

– Tak twierdzi Żelazny.

– Ciekawe.

– Dlaczego?

Znów wzruszył ramionami, a potem bez słowa wsiadł do samochodu. Kiedy zajęła miejsce pasażera i spojrzała na Oryńskiego, dostrzegła w jego oczach coś, czego zazwyczaj nie widziała. Pewną tajemniczość. I w jakiś sposób była ona dla niej źródłem niepokoju.

15

Sąd okręgowy, al. Solidarności

Proces ciągnął się bez końca. Wszyscy teoretycy prawa podkreślali, że w Polsce właściwie nie istnieje prawo zwyczajowe, ale przyglądając się przebiegowi rozpraw, Kordian był gotów wejść w polemikę z najtęższymi umysłami.

Tygodnie mijały na przesłuchaniach świadków, dowodzeniu tez zupełnie bzdurnych lub nieistotnych dla sprawy. Paderborn i obrońcy godzinami wysłuchiwali analiz biegłych, którzy w zależności od tego, która ze stron ich powołała, wykazywali, jak trudno lub jak łatwo było skonstruować ładunek znaleziony w mieszkaniu Fahada.

Paweł Messer odpuścił już po dwóch tygodniach. Wyznaczył zastępstwo i przestał pojawiać się w sądzie. Chyłka i Oryński stawiali się na każdej rozprawie, ale poza sądem widywali się sporadycznie.

Właściwie nawet incydentalnie. Kordian miał trudności ze spojrzeniem jej w oczy.

Nie obawiał się, że go przejrzy. Wiedział, że potrafi to zrobić w przypadku wielu innych ludzi, ale nie, kiedy chodziło o niego. Ufała mu do tego stopnia, że nie spodziewała się kłamstwa z jego strony.

Wynikało to prawdopodobnie z tego, że ich relacja była pełna trudnych przejść. Kiedy opuścili zakręty i wzniesienia, wyszli na prostą. I umocnili łączącą ich więź, czymkolwiek w istocie była.

A teraz on znów ją nadwerężył. I to w sposób dotychczas niespotykany.

Jeśli kiedyś wyjdzie na jaw rozmowa, którą odbył na posterunku policji, wszystko się zmieni, a ich relacja przekroczy swoisty *point of no return*.

Spojrzał na Chyłkę, kiedy usiadła w ławie obrońców po skończonym przesłuchaniu kolejnego biegłego. Tym razem wypowiadała się na temat sytuacji dzieci w Iraku, Afganistanie, a przede wszystkim Syrii.

Tatarek wprawdzie był pełen rezerwy, ale Joanna zapewniła, że ma to związek ze sprawą. I obiecała, że wykaże go jeszcze dzisiaj.

Był to pierwszy element dwuetapowej taktyki, która miała zapewnić im zwycięstwo. Nie, nie miała. W tej sprawie nic nie było czarne i białe. Mogła dać im przewagę, ale ostateczny efekt wciąż pozostawał niewiadomą.

Tak czy inaczej dziś powinno dojść do pierwszego przełomu. A za tydzień, może dwa, do kolejnego. Chyłka dokładnie wszystko rozplanowała. I na razie sprawa szła tak, jak wynikało to z jej założeń.

Kiedy w końcu umościła się na krześle obok, przysunął pod stołem rękę w jej kierunku. Nawet na nią nie patrząc, zdzieliła go po dłoni.

– Nie waż się.

– Chciałem tylko pogładzić.

– Upierdolę ci tego badyla, Zordon. Przysięgam.

Od pewnego czasu doprowadzał ją do szału, głaszcząc coraz bardziej wydatny brzuch. Zresztą nie on jeden. Najwyraźniej jakaś niepisana tradycja nakazywała, by większość osób w otoczeniu ciężarnej kobiety odczuwała wewnętrzny przymus gładzenia jej po brzuchu.

– Nie jestem pieprzoną lampą Aladyna – dodała. – A to małe gówno nie jest dżinem.

Kordian wydął usta.

– Masz inne zdanie?

– Poniekąd...

– W takim razie zachowaj je dla siebie.

– Ta analogia po prostu w pewnym stopniu...

– Zamknij się.

Zamilkł, bo Tatarek zdawał się powoli interesować przyciszonymi rozmowami dwojga obrońców. Siedząca obok przedstawicielka kancelarii Czymański Messer Krat ignorowała ich zupełnie, odgrywając rolę paprotki.

I to całkiem adekwatnej do wystroju wnętrz, oceniła w pewnym momencie Joanna. Kordian musiał się z tym zgodzić. W CzMK poszukiwania osoby mającej zastąpić Pawła nie trwały długo. Szybko wybrano aplikantkę adwokacką, w której płynęła indyjska krew. I to w ilości na tyle dużej, by dziewczyna mogła pochwalić się nieco ciemniejszą karnacją.

Pasowała do tego procesu idealnie, mimo że z islamem nie miała nic wspólnego.

Coś za to łączyło ją z Oryńskim. Oboje byli na tym samym etapie rozwoju zawodowego. Główna różnica polegała jednak na tym, że podczas gdy ona przynosiła na rozprawy materiały i uczyła się do egzaminu, on był nadal do tyłu z nauką i skupiał się na kwestiach związanych z Fahadem.

A czasu pozostało mu już niewiele.

– I pomyśleć, że mogłem teraz siedzieć na Białołęce – szepnął.

Chyłka zerknęła na niego, ale szybko przeniosła wzrok na listę osób, które miały być dziś przesłuchane. Kolejny biegły miał absolutnie kluczowe znaczenie dla linii obrony.

– Co tam mruczysz, Zordon?

– Że mogłem mieć spokój.

– Tutaj masz pełny spokój. Nic się nie dzieje, sam widzisz.

Na dobrą sprawę miała rację. Proces nie mógł już chyba bardziej się przeciągać, a od pewnego czasu mimo wagi zarzutów zdawał się wręcz sielankowy. Dowodem tego był fakt, że Tatarek zaczął tolerować ciche rozmowy prawników.

Media odpuściły nieco Al-Jassamowi, ale Oryński zdawał sobie sprawę, że jedynie do czasu. Prawdopodobnie do dzisiaj. Kiedy Chyłka skończy przesłuchiwać biegłego, znów rozpęta się burza.

Ostatnio miała miejsce, kiedy w końcu przesłuchano funkcjonariusza ABW, który zasłonił się tajemnicą służbową. Zwolnienie go z niej było formalnością, kiedy jednak Tatarek postanowił o utajnieniu części procesu, wyobraźnia niektórych dziennikarzy weszła na zupełnie nowy poziom. Spekulowano o sensacjach, jakie musieli usłyszeć uczestnicy procesu, jakby chodziło o odkrycie nowych dowodów w sprawie ataku na World Trade Center.

Prawda była taka, że oficer niczego znaczącego nie wyjawił. Potwierdził, że prowadzono obserwację Fahada Al-Jassama i uparcie twierdził, że służby miały wystarczające powody, by się nim interesować.

Jakie? Chyłka i Oryński drążyli temat, ale zdołali zmusić funkcjonariusza jedynie do przyznania, iż agencja wiedziała wcześniej o powiązaniach z poręczycielem w Egipcie.

Poręczycielem, którego podejrzewano wówczas o współpracę z ISIS.

Z pewnością było coś jeszcze, ale z oficera nie dało się tego wyciągnąć. Miał na podorędziu swoich prawników i doskonale zdawał sobie sprawę, że mówiąc dokładnie tyle – i ani słowa więcej – załatwi sprawę i jednocześnie nie pogorszy sytuacji oskarżenia.

Kilkakrotnie zapewniał, że na żadnym etapie nie złamano prawa. I miał stuprocentową rację. Ustawa przyznawała służbom tak szerokie kompetencje, że inwigilować można było właściwie każdego. Założenie podsłuchu nadal wymagało trochę więcej wysiłku, ale monitorowanie obywatela w sieci nie stanowiło większego problemu.

Chyłka twierdziła, że zeznania oficera nie mają żadnego znaczenia. Jej zdaniem liczyło się jedynie to, że stworzyli odpowiedni wydźwięk w mediach, a utajnienie samego przesłuchania będzie wodą na młyn wszystkich, którzy podchodzą do działań ABW z dystansem.

Być może miała rację. Problem polegał na tym, że w systemie kontynentalnego prawa należało przekonać przede wszystkim zawodowego sędziego, a nie grupę ludzi z ulicy. W USA taka presja społeczna być może zaważyłaby na ocenie ławy przysięgłych – polscy ławnicy jednak ani nie mieli tyle swobody w orzekaniu, ani nie czuli potrzeby, by przejmować inicjatywę zwyczajowo spoczywającą w rękach sędziego.

– Uważaj, Zordon – odezwała się Chyłka, wyrywając go z zamyślenia. – Czas przejść do ofensywy.

– Jak niegdyś Legia w meczu z Realem.

Popatrzyła na niego z powątpiewaniem.

– Czy oni nie przegrali pięć do zera?

– W pierwszym meczu, w drugim…
– Tym przy pustych trybunach?
– Aha.
Westchnęła cicho.
– Nieważne – mruknęła wreszcie. – Tak czy inaczej to inny rodzaj ofensywy. Ruszamy jak sprzymierzone siły na opanowany przez islamistów Mosul.
– Okej.
– Jak Piłsudski na kacapów na przedpolach Warszawy w dwudziestym roku.
Oryński gorączkowo pokiwał głową i uznał, że musi dorzucić coś od siebie.
– Jak Sobieski pod Wiedniem na…
– Nie musimy cofać się do siedemnastego wieku, Zordon – ucięła. – W dwudziestym i dwudziestym pierwszym przelało się wystarczająco dużo krwi przeciwników Rzeczypospolitej, żebyś miał z czego wybierać.
– Widzę, że jesteś naprawdę bojowo nastawiona.
Potwierdziła cichym, ale pełnym aprobaty pomrukiem.
– Czas zmiażdżyć przeciwnika – dodała.
Kordian rozprostował plecy i usłyszał, jak coś strzela mu w karku. Źle spał tej nocy. Wieczorem rozłożył przykładowe kazusy egzaminacyjne na stole w kuchni, zaparzył sobie kawę, a potem… Potem obudził się, kiedy kawa dawno już ostygła, a na dworze było jasno.

Rozmasował kark, kiedy sędzia oznajmił, kto zajmie teraz miejsce dla świadków. Polska formułka zapowiadająca to zdarzenie nie była specjalnie podniosła, nie wywoływała żadnych emocji. Amerykanie mogli w tym względzie liczyć na nieco więcej – adwokat podnosił się, przez moment milczał, budując suspens, a potem oznajmiał, że obrona wzywa na świadka tego i tego człowieka…

– Staje doktor Katarzyna Pol, w stosunku do oskarżonego obca – mruknął ze znudzeniem Tatarek.

Chyłka powitała ją zdawkowym uśmiechem, choć przez ostatnie tygodnie poznały się całkiem nieźle. Katarzyna była cenioną, znaną psycholożką – i gdyby proces sądowy był idealny, jej zeznanie warte byłoby dwa razy tyle, ile innych biegłych czy świadków.

W praktyce jednak wartość dowodowa tego, co powie, była taka, jak słowa zapijaczonego flejtucha spod sklepu monopolowego. I to od Tatarka zależało, ile z tego, co usłyszy, weźmie do siebie.

Wezwano ją na wniosek Chyłki, po tym jak ta zaznaczyła, iż opinia poprzedniego biegłego cechowała się sprzecznościami i wymagała nie tylko konwalidacji, ale także powołania kolejnego specjalisty, a być może nawet konfrontacji jednego z drugim.

Odpytanie Pol leżało przede wszystkim w gestii Tatarka, Joanna miała jednak zamiar wykorzystać każdą sekundę czasu, który jej przysługiwał. Nie potrzebowała go wiele, by zrealizować swój plan.

Plan, który w swej prostocie był właściwie genialny.

– Pani doktor – zaczęła Chyłka, podnosząc jeden z wydruków, które wcześniej przygotowała. – Czy może pani rozwinąć tezę na temat traumatycznych przeżyć mojego klienta, które przedstawiła pani w…

– Wszyscy czytaliśmy opinię, pani mecenas – wtrącił się Tatarek. – Nie traćmy czasu na ponowne zaznajamianie się z rzeczami, o których już wiemy.

– Chciałabym jednak poszerzyć nieco…

– Poszerzyć co?

– Jeśli pozwoli mi Wysoki Sąd dokończyć, zapewniam, że…

– Nie ma czego poszerzać. Wszystkiego dowiedzieliśmy się z opinii biegłego.

Sędzia na moment zrobił pauzę, krzyżując ręce na piersi. Gdy Chyłka nie zaoponowała, sprawiał wrażenie, jakby poczuł się nieswojo. Spojrzał niepewnie na Katarzynę i odchrząknął.

– Mam rację, pani doktor? – spytał niechętnie.

– Cóż…

Joanna pozwoliła sobie na lekki uśmiech. Początek wypowiedzi biegłej jasno dawał do zrozumienia, jak będzie brzmiała jej odpowiedź.

– Zawsze można rozwinąć taką analizę, tym bardziej że…

– Nie rozumiem – przerwał Tatarek, potrząsając nerwowo głową. – Sporządziła pani opinię, za którą otrzymała pani odpowiednie wynagrodzenie, a teraz twierdzi pani, że jest niepełna?

„Wynagrodzenie" było określeniem umownym, skwitował w duchu Oryński. W rzeczywistości psycholog nie mógł liczyć na wiele – stawki za określenie stanu zdrowia psychicznego oskarżonych były zryczałtowane i wahały się od dwustu piętnastu do niecałych czterystu sześćdziesięciu złotych.

Dla autorytetów w dziedzinie była to śmieszna kwota. Kiedy Kordian dowiedział się o jej wysokości, był przekonany, że Katarzyna Pol nigdy nie zgodzi się sporządzić ekspertyzy. Zapomniał jednak o sile przekonywania, jaką dysponowała Chyłka.

– Twierdzę tylko, że w opinii stosuje się pewne uproszczenia, a z drugiej strony stara się oddać cały obraz, nie wiedząc do końca, co okaże się najbardziej przydatne Wysokiemu Sądowi – odparła neutralnym głosem doktor. – Mogę doprecyzować pewne kwestie, jeśli taka jest wola Wysokiego Sądu lub stron.

– Mhm.

Tatarek popatrzył pytająco na Chyłkę.

– *Tempus fugit*, Wysoki Sądzie – odezwała się Joanna.

– Co proszę?

– Czas...

– Tak, wiem doskonale, co to znaczy.

Chyłka pokiwała głową ze zmrużonymi oczami, jakby pogrążała się w głębokiej zadumie.

– Czas płynie, życie razem z nim, ale nie wszyscy jesteśmy sternikami na tej łajbie – dodała Joanna. – W moim przekonaniu ten proces ponad wszystko powinien sprowadzać się do ustalenia, czy aby nie jest tak w wypadku Fahada Al-Jassama.

– Tak, wiem, jakie jest pani przekonanie.

Sędzia przez chwilę się zastanawiał. Ławnicy spoglądali na niego niepewnie, jakby chcieli zasugerować, że to długie wahanie osłabia ich pozycję jako orzekających.

– W porządku – postanowił w końcu Tatarek. – Niechże pani pyta. Byle szybko. I bez powtarzania tego, co już wiemy.

– Dziękuję.

Kordian wciąż nie mógł przejść do porządku nad tym, jak dobrze Chyłka potrafiła ukryć swoją niechęć i udawać osobę niemal koncyliacyjną.

– Pani doktor, sporo słyszeliśmy o dzieciach porwanych przez ISIS – podjęła temat. – W pani raporcie także znalazły się informacje na ten temat.

– Owszem.

– Jest pani w pewnym sensie specjalistką w tym zakresie, prawda?

– Pani mecenas... – mruknął Tatarek. – Naprawdę nie ma potrzeby robić z tego przedstawienia w dziesięciu aktach. – Spojrzał w kierunku kamer. – Wiem, że obiektywy działają na pani aktorską duszę inspirująco, ale wszyscy mamy życie poza tym gmachem.

Chyłka zerknęła na Oryńskiego.

– Nie wszyscy – odparła. – Ale większość być może tak.

– Mniejsza z tym. Ja mam. Chcę wrócić do domu, odpocząć, zająć się sprawami, które... zająć się czymkolwiek, co nie jest związane z tym przeciągającym się procesem.

– Rozumiem, Wysoki Sądzie.

– Więc proszę pytać biegłą... biegle.

– Tak, Wysoki Sądzie.

Jeśli Tatarek zdążył poznać Joannę choćby w niewielkiej części, powinien spodziewać się, że zaistnieje znacząca różnica pomiędzy tym, co deklarowała, a co zaraz zrobi. I obserwując jego reakcje, Kordian uznał, że w istocie miał już pewne pojęcie o adwokat z kancelarii Żelazny & McVay.

Odpuścił przy którymś z kolei pytaniu, które zasadniczo miało potwierdzić, że Katarzyna Pol rzeczywiście zna się na rzeczy i miała kontakt z dziećmi, które wpadły w sidła dżihadystów, nie tylko tych z ISIS.

– Ile lat mają te dzieci, kiedy dopuszcza się je do przeprowadzania egzekucji? – spytała Joanna.

– Około trzynastu. I słusznie użyła pani słowa „dopuszcza". Do tego momentu bowiem ich umysły są już tak przesiąknięte wiarą w fundamentalistyczną propagandę, że same palą się do tego, by chwycić za maczetę lub kałasznikowa.

Oryńskiemu stanęło przed oczami słynne nagranie przedstawiające muzułmańskiego dzieciaka, który obrzynał głowę jednemu z jeńców. Obiegło cały świat i mimo że nie pokazywały go żadne media, Internet oferował mnóstwo możliwości, by je obejrzeć.

– Skąd pani czerpie wiedzę?

– Głównie ze współpracy z Syryjskim Obserwatorium Praw Człowieka – odparła Katarzyna. – To ono ustaliło, że rocznie werbuje się około pół tysiąca dzieci w Iraku i Syrii. Porywa się je z okolic szkół lub meczetów, a potem umieszcza w obozach.

– Treningowych? Jak dawne nazistowskie obozy Hitlerjugend?

– Niezupełnie – odparła Pol rzeczowym tonem. – Niemcy starali się uformować na pewną modłę przyszłe pokolenia. Pracowali nad dziećmi wytrwale, w sposób wyrachowany, ale zarazem cierpliwy. Dokonywali wprawdzie gwałtów na młodych umysłach, cały proces miał jednak swoje granice. W przypadku terrorystów jest inaczej.

– Dlaczego?

– Bo inne jest przeznaczenie tych dzieci. Hitlerjugend miało w przyszłości stanowić trzon Rzeszy, młodzi islamiści zaś mają być bronią samą w sobie.

– W jakim sensie?

Katarzyna rozejrzała się po sali i na chwilę zamilkła.

– Proszę sobie wyobrazić, że jest pani żołnierzem jadącym humvee na przedmieściach Mosulu – podjęła. – Widzi pani z oddali ubrudzonych dziewczynkę i chłopca, trzymających się za rękę. Stoją na drodze kawalkadzie, którą pani prowadzi. Co pani zrobi?

Chyłka się nie odzywała.

– Nawet jeśli została pani wyszkolona przez najlepszego instruktora Navy SEALs i latami przygotowywana, by odpowiednio zareagować, zatrzyma się pani. Podejdzie do dzieci. To naturalny odruch, silniejszy od jakichkolwiek wojskowych nawyków.

Joanna skinęła głową.

– Jeszcze silniejszy jest jednak wybuch ładunków umocowanych do pasów szahida, które te dzieci z chęcią zakładają – kontynuowała Katarzyna. – A zapewniam, że nie trzeba ich do tego przekonywać. Są tak zindoktrynowane, że nie mają pojęcia, co oznacza śmierć. Nie znają naszej koncepcji umierania. Wiedzą tylko tyle, że muszą coś zrobić dla Allaha. I chętnie to robią.

Chyłka nadal się nie odzywała, co było częścią planu. Miała nie dopytywać, nie ciągnąć biegłej za język. Obrońcy przypuszczali, że na tym etapie włączy się Tatarek, ale najwyraźniej na nim także te słowa robiły wrażenie.

– Próbowała pani kiedyś wytłumaczyć sześciolatkowi, czym jest śmierć? – zapytała Pol.

Role nieco się odwróciły. Nikt jednak nie protestował.

– Nie – odparła Chyłka.

– Ale gdyby to pani zrobiła, przykładowo chcąc wytłumaczyć, co stało się ze zmarłym członkiem rodziny, zaczęłaby pani od nakreślenia wizji nieba. Powiedziałaby, że to tam odszedł wujek czy kuzyn. Pokazałaby pani to miejsce dziecku jako coś dobrego.

– Prawdopodobnie.

– I nie byłoby to nic trudnego – dodała Pol. – Przynajmniej jeśli chodzi o zakotwiczenie tej myśli w głowie dziecka.

– Nie, przypuszczam, że nie.

– Dla pani cała sytuacja mogłaby okazać się bardziej kłopotliwa niż dla samego dziecka.

Tatarek poruszył się i charknął cicho, jakby chciał zasugerować, że jego cierpliwość jednak ma granice. Chyłka lekko skinęła głową do biegłej.

– Jak wygląda sam proces szkolenia? – zapytała prawniczka.

– Jak modelowe pranie mózgów. Dzieci trzyma się w zupełnej izolacji, każe im się spać z kałasznikowami, chodzić z nimi w trakcie dnia i nieustannie oswajać się z bronią. Chłoszcze je się, kiedy postępują niezgodnie z poleceniami dżihadystów lub kiedy źle zapamiętują fragmenty Koranu. Bo ich przyswajanie należy do jednego z najważniejszych obowiązków.

– Ci najmłodsi także uczestniczą w egzekucjach?

– Owszem, od samego początku. Jeśli nawet nie angażuje się ich bezpośrednio, to przypatrują się temu, co robią starsi koledzy. Czyli zadawaniu śmierci. W niejako naturalny sposób po jakimś czasie widok im powszednieje, ale sama partycypacja staje się czymś niedostępnym, dozwolonym jedynie po osiągnięciu określonego wieku. To zakazany owoc. A ten, jak wszyscy wiemy, po długim wyczekiwaniu smakuje.

– Mhm.

– Ich aktywna rola zaczyna się dopiero po fakcie, po dokonaniu egzekucji. Każe się im podnosić oberżnięte głowy czy kończyny, bawić się nimi, udawać, że sami przeprowadzają dekapitację. Metody są właściwie nieograniczone, zresztą nie ma żadnego schematu. Każda grupa uczy tak, jak uznaje to za stosowne. Liczy się tylko to, by wynaturzenie tym dzieciom spowszedniało. By nie jawiło się jako coś sprzecznego z normą.

W sali znów zaległa ciężka cisza.

– Indoktrynacja nie zna granic – dodała Katarzyna.

– Są dzieci, które potrafią się jej oprzeć?

– Wśród tych najmłodszych nie. Ich umysły i serca to pusta karta, gotowa do zapisania. Wśród starszych się to zdarza.

– I co się wówczas z nimi dzieje?

– Zazwyczaj trzyma się je w obozach, dokonuje dalszych prób, a jeśli nie rokują najlepiej, wykorzystuje się je do celów medycznych.

– To znaczy?

– Poczynając od transfuzji krwi dla rannych dżihadystów, na wycinaniu organów na handel kończąc.

Wśród nielicznej publiczności przeszedł cichy szmer.

– Pani mecenas... – zaapelował Tatarek. – Chyba usłyszeliśmy już na ten temat wszystko, co powinniśmy.

Joanna uniosła brwi i długo patrzyła na sędziego. Ten w końcu odwrócił spojrzenie.

– Wydaje mi się, Wysoki Sądzie, że o tych sprawach nie sposób mówić za długo. Jedynie za krótko.

Tatarek odchrząknął, sprawiając wrażenie nieco zażenowanego. Jego wzrok uciekł mimowolnie w kierunku coraz bardziej wydatnego brzucha prawniczki i wyraźnie sugerował, że sędzia właśnie w jej stanie upatruje powód, dla którego Chyłka drąży temat dzieci.

Prawda była jednak inna.

– Pani doktor – podjęła Joanna. – Czy te dzieci są poczytalne?

– Nie. Absolutnie nie.

– Czy dziecko porwane w wieku trzynastu lat byłoby podatne na indoktrynację, o której pani mówi?

– To zależy.

– Od czego?

– Od wielu czynników. Środowiska, z którego się wywodzi, środowiska, do którego trafiło, jego predyspozycji, metod indoktrynacji, czasu jej trwania… Mogłabym w zasadzie wymieniać do wieczora.

– Proszę tego nie robić – bąknął Tatarek.

Chyłka założyła ręce za plecy.

– W ciągu szesnastu lat udałoby się taki proces przeprowadzić?

– Przypuszczam, że tak.

– A jeśliby chodziło o osobę z domu dziecka, znajdującą się w nieznanym kraju, wśród…

– Wszyscy wiemy, do czego pani dąży – upomniał ją przewodniczący. – Nie trzeba dochodzić do tego naokoło. Zrozumiano?

– Tak, Wysoki Sądzie.

– A biegłą proszę o odpowiedź.

Katarzyna Pol nie musiała się długo zastanawiać. W jej przekonaniu Fahad Al-Jassam został poddany dogłębnej, uporczywej indoktrynacji. Po badaniach, które przeprowadziła, nie miała żadnych wątpliwości.

– Oskarżony ukrywa swe prawdziwe poglądy – powiedziała, powtarzając właściwie konkluzję ze swojej ekspertyzy. – Moim zdaniem jest islamskim fundamentalistą, który w istocie planował przeprowadzenie akcji mającej uderzyć w ludzi, których postrzega jako niewiernych. Niegodnych tego, by żyć.

Chyłka trwała w absolutnym, niemal nabożnym bezruchu.

– Niewątpliwie został poddany długiej, dogłębnej i uporczywej indoktrynacji w jednym z ośrodków ekstremistów, o których wspominałam – dodała. – A w rezultacie stał się niczym innym, jak bezmyślnym narzędziem w rękach swoich oprawców. Mając to na względzie, w moim przekonaniu nie można uznać, że był poczytalny w momencie planowania zamachu.

16

ul. Argentyńska, Saska Kępa

Chyłka miała wrażenie, że jest grupa osób, która całymi dniami nie robi nic innego, jak tylko czeka na podobną okazję. Odzew z ich strony był natychmiastowy. I mimo że się go spodziewała, jego rozmiar zaskoczył nawet ją.

Weszła do mieszkania z mocnym postanowieniem, by nie szperać w internecie. Właściwie nie miała zamiaru nawet sprawdzać nieodebranych połączeń, nagranych na poczcie wiadomości ani czytać SMS-ów od nieznanych numerów.

Ostatecznie jednak niezdrowa ciekawość wzięła górę. Usiadła przed laptopem i zaczęła przeglądać portale informacyjne. Po długich tygodniach spędzonych na skupianiu się wyłącznie na sprawie Fahada miała już ustaloną kolejność. Stało się to właściwie jej codzienną, wieczorną tradycją.

Zazwyczaj wszystko po niej spływało. Ale tego dnia z jakiegoś powodu było inaczej.

Przeczytała kilka komentarzy, a potem oderwała wzrok od monitora i skierowała go na lodówkę. Na wszelki wypadek nie trzymała w niej ani kropli alkoholu. Zresztą nie było powodu, dla którego miałaby kupować choćby butelkę piwa – sama z oczywistych względów zostawiła to za sobą, a gości nie miewała.

Oryński od pewnego czasu unikał wszelkich sytuacji, które mogłyby kończyć się choćby kurtuazyjną wizytą w jej mieszkaniu na Argentyńskiej. Nie miała pojęcia, z czego to wynika, ale nie zamierzała się w to zagłębiać. Miała ważniejsze sprawy na głowie.

A przynajmniej tak sobie powtarzała.

Sięgnęła po telefon, przez moment się wahała, a potem wybrała numer Kordiana. Odebrał niemal od razu.

– Uczysz się – oceniła.

Odpowiedziała jej cisza.

– Wnoszę po tempie odebrania połączenia.

– W zasadzie…

– Nie ma sensu zaprzeczać, Zordon. I nie ma sensu się uczyć.

– Bo i tak zdam?

– Bo i tak jesteś tępy jak kłoda suchego drewna – odparła niemal natychmiast. – Przy czym ona jest nieco bardziej przydatna, bo można napalić nią w kominku. – Na moment urwała. – Chociaż…

– Dzięki.

– Daj spokój – odparła. – Wiesz, że to przejaw mojej sympatii do ciebie.

– Mhm.

– Nad czym ślęczysz?

– Nad kazusami z…

– Właściwie mnie to nie interesuje.

– Tak też myślałem – przyznał. – Więc dzwonisz tylko po to, żeby mnie usłyszeć?

– I żeby ci donieść o najnowszych obelgach, które zrobiły na mnie wrażenie.

Zabębniła palcami o blat, czekając na jakąkolwiek odpowiedź. Nie doczekała jej się, zupełnie jakby Oryński liczył na to, że uda mu się zbyć temat milczeniem. Raz po raz dyskutowali o internetowym hejcie, a on cały czas upierał się, że jeśli Chyłka dalej będzie przeglądać sieć, w końcu popadnie w samobójczy nastrój.

– Zordon.

– Jestem, jestem… zająłem się kazusem.

– Skup się na rozmowie ze swoją mentorką.

– Która znowu zaczęła szperać w odmętach portali informacyjnych, poszukując kolejnych litrów błota, jakie wylewają na nią internauci?

– Tak.

– Mówiłem ci, że…

– Mówiłeś, że w obecnym stanie to może wyprowadzić mnie z równowagi, za co od razu cię zbeształam, bo mój stan jest dokładnie taki, jak zawsze.

– Nie licząc bebzola.

– Owszem, nie licząc go. Ale to tylko fizyczna manifestacja pasożyta, nic ponadto.

– Rozumiem.

Joanna westchnęła do słuchawki, a potem przeniosła wzrok na ekran laptopa. Na dobrą sprawę wolałaby przeglądać te wszystkie rzeczy z Oryńskim siedzącym obok niej, ale rozmowa telefoniczna musiała wystarczyć.

– Powiem ci, co zrobiło na mnie największe wrażenie. To jest naprawdę dobre.

– Musisz?

– Tak.

– W porządku, więc…

– Gość o nicku CookieZ69 pisze, że „Joanna Chyłka jest tak oschłym, tak odpychającym, tak samotnym padalcem, że nawet gdybym przyszedł na jej pogrzeb i wyruchał wszystkich żałobników, nadal byłbym prawiczkiem".

Oryński milczał.

– Niezłe, co?

– Nie.

– Daj spokój, Zordon, to tylko zwykły nastoletni hejt. Sam fakt tych cyfr na końcu nicka o tym świadczy. No chyba że facet urodził się w czterdziestym ósmym. Ale wątpię.

– Po co to czytasz?

– Dla rozrywki.

Tym razem Oryński wypuścił powietrze wprost do słuchawki.

– I w tym celu mi to potem relacjonujesz, okazując swój dystans? – zapytał poważnym głosem. – Chcesz przekonać mnie, a jednocześnie samą siebie, że jesteś pełna rezerwy?

Joanna uśmiechnęła się pod nosem.

– Rozwiązujesz jakieś kazusy związane z psychologią, Zordon?

– Tak – potwierdził. – I to od kilku lat. Kazus Chyłki. Wciąż niezgłębiony, mimo tego, że rozwiązania poszukują najtęższe umysły na globie.

Decyzja o zadzwonieniu do niego była jedną z lepszych, jakie podjęła. Humor od razu jej się poprawił.

– Przeczytam ci inne opinie – rzuciła po chwili.

– Tyle że naprawdę muszę...

– Inny gość twierdzi, że to absolutnie niemożliwe, żeby Chyłka urodziła się taką cipą i że pewnie musi codziennie rano przypominać sobie o tym, by nią być – kontynuowała. – Słabe, ale przynajmniej wykazał jakąś kreatywność.

– Minimalną.

– Czego nie można powiedzieć o pozostałych.

Zaczęła długą litanię tępych, ordynarnych obelg, które sprowadzały się właściwie do dwóch ocen. Według pierwszej Chyłka miała na różne sposoby oddawać się muzułmanom, Romom i przedstawicielom innych mniejszości, których bezgranicznie kochała. Jeśli wierzyć drugiej, była najlepszym reprezentantem tego, co najgorsze w Polsce.

Sporo ludzi jej broniło, ale hejterzy przeważali. I nie przebierali w słowach. Wśród wszystkich komentarzy, jakie przeczytała, odnalazła bodaj każde znane jej przekleństwo.

– Prawdę mówiąc, Zordon, czuję się jak polityk – zauważyła, kiedy dobrnęła do końca. – I wcale mi się to nie podoba.

– Więc nie czytaj tych komentarzy.

– Wtedy to uczucie się spotęguje. Oni tak właśnie robią. Udają, że nie widzą całego tego hejtu.

Rozmowa zeszła na inny tor, a po chwili oboje stopniowo mówili coraz mniej, skupiając się na innych rzeczach. On zapewne pochylał się nad kolejnymi case'ami, ona zaczynała przeglądać miejsca w sieci, w których mogła znaleźć bardziej wartościowe opinie na temat procesu.

Na moment jednak wrócił do *clou* problemu.

– Przypomniałem sobie słowa Bartoszewskiego.

– O dyplomatołkach?

– Nie – odparł nieco skonsternowany. – Dlaczego miałbym… zresztą nieważne. Chodzi mi o to, co powiedział kiedyś, zapytany o to, jak traktuje hejterów i cały ten jad, który na niego wylewają.

– I?

– Odparł, że jeśli ktoś zwymiotuje na niego w tramwaju, to go to nie obraża, a co najwyżej budzi wstręt.

Chyłka przez moment milczała.

– W sumie trafne – oceniła.

Kordian mruknął coś pod nosem, na powrót skupiając się na swoich sprawach. Joanna wodziła wzrokiem wokół, zastanawiając się, czego właściwie od niego oczekuje. W końcu uznała, że na tym etapie niczego.

– Dobra – rzuciła w końcu. – Ryj tam wytrwale, Zordon.

– Właśnie to staram się robić.

– Bądź jak jurystyczna, nieugięta ryjówka.

– Okej.

– Powodzenia – dodała na koniec, a potem rozłączyła się i odłożyła telefon.

Jeszcze przez moment czytała artykuł na łamach „Dziennika Gazety Prawnej", w którym podsumowywano dotychczasowy rozwój wydarzeń w sprawie Fahada. Autor komentarza nie wróżył obronie wielkich szans, choć podkreślał, że próba dowiedzenia niepoczytalności to słuszny ruch.

Chyłka była przekonana, że tak jest. O ile wiedziała, w przypadku terroryzmu nie próbował tego nikt przed nią, ale wydawało się to właściwe. Jeśli Al-Jassam rzeczywiście został zindoktrynowany jako dziecko, nie odpowiadał do końca za to, co wymusiło na nim bestialskie szkolenie.

Nie był jak strażnicy w obozach koncentracyjnych, którzy jako dorośli dołączali do nazistów i dopuszczali się nieludzkich rzeczy. Był ofiarą. Osobą, której urządzono pranie mózgu. Wydmuszką lub robotem, niemającym wiele do powiedzenia w swoim własnym życiu.

Joanna pokręciła głową i wstała od stołu.

Być może uda jej się przekonać ławników, ale nie Tatarka. I nie samą siebie. Tak naprawdę nie wierzyła w to, że Fahad jest niewinny. Gdyby to ona orzekała w sprawie, od razu wysłałaby go na resztę życia do więzienia.

A jeśli któryś adwokat zdołałby przekonać ją, by przyjęła wersję z winą leżącą po stronie indoktrynacji, w porywach złagodziłaby wyrok do dwudziestu pięciu lat.

Taktyka była jednak odpowiednia, jeśli wziąć pod uwagę zachodnią kulturę prawną i poprawność polityczną. Chyłka bez trudu mogła wyobrazić sobie proces odbywający się gdzieś w Skandynawii, w którym taka argumentacja zostałaby przyjęta z urzędu.

Państwa opiekuńcze lubiły występować w roli dobrego wujka, który roztacza parasol nad skrzywdzonymi jednostkami. Al-Jassama z pewnością mogła przedstawić w ten sposób.

Obrazu dopełni na kolejnej rozprawie, a potem przejdzie do tego, co zamierzała zrobić od początku. Przypuszczała, że tego ataku nie będzie się spodziewać ani Paderborn, ani Tatarek. I że uda jej się dzięki niemu znacznie zwiększyć szanse klienta.

Uśmiechnęła się lekko, a potem włączyła album „Powerslave" Ironsów. Położyła się na kanapie, przez moment słuchała kolejnych kawałków, po czym uznała, że odpowiednio się wyciszyła przed snem.

Nie myślała już ani o obelgach, ani o tym, jak po procesie będzie postrzegana w środowisku prawniczym. Ani nawet o ludziach, którzy niewątpliwie wciąż dybali na nią i Kordiana.

Zanim jednak zasnęła, pomyślała o iks piątce. Potem o tym, że właściwie mogłaby zainwestować w któryś sportowy model. Mogłaby, gdyby nie to, że będzie potrzebowała większego auta, by zmieścić wózek.

Skutecznie się rozbudziła. Usiadła na łóżku i westchnęła, gładząc się po brzuchu. Oddałaby wiele, żeby móc z czystym sercem wybrać się do monopolowego, ściągnąć z półki butelkę tequili, a potem robić jednego drinka z grenadyną za drugim.

Albo by chociaż zapalić.

Wstała i zaczęła chodzić po domu. Krążyła tak przez jakiś czas i ostatecznie usiadła na powrót przed laptopem. Była pierwsza w nocy, pora właściwie nie najgorsza, by popracować nad tym, co zamierzała zrobić w sądzie.

Najpierw jednak sprawdziła skrzynkę mailową. Większość nowych wiadomości pochodziła od hejterów. Ominęła je, mając tej nocy dosyć synonimów słowa ladacznica.

Jedna z wiadomości pochodziła od jej ojca. Początkowo ją zignorowała, ale po chwili przewinęła z powrotem. Filip pisał to, co zwykle – zabiegał o spotkanie, chwalił postępy w procesie i zapewniał, że jeśli postanowi wpuścić go z powrotem do swojego życia, wszystko będzie inaczej.

Skasowała wiadomość. Kiedy jeszcze piła, odpisywała na niektóre maile – teraz jednak nawet nie przeszło jej to przez myśl. Był to jeden z nielicznych plusów abstynencji.

Kolejną wiadomość wysłał Kormak, mniej więcej pół godziny temu. Oznajmił, że wreszcie udało mu się zidentyfikować „W”. Nie zająknął się na temat sposobu, dzięki któremu tego dokonał, nie podawał też żadnych szczegółów.

Joanna przez moment się zastanawiała.

Potem zerknęła w kierunku korytarza i podjęła decyzję. Tej nocy i tak już nie zaśnie, a lepiej było przesiedzieć kilka godzin z Kormakiem w Skylight, niż zostać w domu i myśleć o fajkach i tequili.

Poza tym chciała się w końcu dowiedzieć, kto jest trzecim kandydatem na ojca jej dziecka.

Kiedy dotarła na miejsce i przemierzyła pusty, owiany mrokiem korytarz, przekonała się, że na jego końcu jest światełko – zarówno w przenośni, jak i dosłownie. Ledwo weszła do Jaskini McCarthyńskiej, a już widziała, że Kormak zdobył dla niej znacznie więcej niż tylko namiar na „W".

– Co dla mnie masz, szczypiorze? – spytała.

– Intrygujący fakt z biografii Tatarka – odparł z satysfakcją. – Wedle życzenia.

Musiała przyznać, że ta noc nie okazała się tak beznadziejna, jak początkowo sądziła.

17

Sąd okręgowy, al. Solidarności

Tym razem Kordian przygotował się odpowiednio, przynosząc ze sobą materiały z prawa gospodarczego publicznego. Rozłożył je na stole i starał się skupić na niuansach prowadzenia działalności przez jednostki samorządu terytorialnego, ale głos Tatarka skutecznie mu to utrudniał.

Spojrzał z zazdrością na siedzącą obok aplikantkę z CzMK. Zdawała się posiąść zdolność, której mu brakowało. Zdolność odseparowania się od wszystkich bodźców zewnętrznych.

W końcu zamknął teczkę. Nie było sensu się zamęczać, tym bardziej że Chyłka zmierzała już do tego, co planowała od pewnego czasu. A właściwie od samego początku.

Dziś przypadał dzień przesłuchania kolejnego świadka, ponownie na posiedzeniu utajnionym. Tym razem miejsce na mównicy zajął przełożony oficera ABW, który zeznawał wcześniej.

Funkcjonariusz nie był zadowolony z wezwania. Okazywał to każdym mięśniem swojego ciała. Krzywił się, łypał złowrogo na Chyłkę, wiercił się, obracał bokiem, wzdychał i przewracał oczami. Momentami sprawiał wrażenie, jakby cierpiał na zespół nadpobudliwości z deficytem uwagi.

– Panie majorze, ile może trwać kontrola operacyjna? – zapytała Chyłka.

– Półtorej roku.

– Półtora.

– Tak powiedziałem.

– Niezupełnie, ale mniejsza z tym – odbąknęła. – To zgodne z prawem unijnym? Z Konstytucją? Z Kartą Praw Podstawowych?

– Tak.

– Ile taka kontrola mogła maksymalnie trwać przed ostatnią zmianą prawa?

– Trzy miesiące.

– Dlaczego zmieniono ten okres?

– Ze względu na rosnące niebezpieczeństwo terroryzmu.

– Rozumiem. I ile trwała w przypadku mojego klienta?

– Przed odkryciem materiałów w jego mieszkaniu nie była prowadzona.

– Czyli nie był podejrzany o terroryzm?

– Nie.

– Może pan powiedzieć więcej?

– Tylko jeśli usłyszę kolejne pytanie.

Uśmiechnęła się. Odburkiwał jej opryskliwie, przywodząc Kordianowi na myśl szczekającego psa, ale Chyłce najwyraźniej sprawiało to w jakiś sposób przyjemność. Była w swoim żywiole.

– A jednak ostatecznie pojawiły się podejrzenia o organizowanie zamachu – powiedziała. – I dlatego teraz tu jesteśmy, a mój klient siedzi w areszcie śledczym.

Major uniósł błagalnie wzrok. Oryński mógłby przysiąc, że kiedy ten człowiek wróci do domu, usiądzie przed laptopem i zamieni się w jednego z internetowych hejterów Chyłki.

– I nadal nie mogę się dowiedzieć, jak konkretnie do tego doszło – ciągnęła Joanna.

– Znaleźliśmy materiały…

– W jego mieszkaniu – dopowiedziała. – Po wtargnięciu do niego.

– Mhm.

– Ale musieliście mieć powód.

– Mieliśmy pewne podejrzenia.

– Dzięki bezprawnej inwigilacji mojego klienta.

– Nie.

– Może pan to wyjaśnić?

– Powtarzam po raz enty: nie była prowadzona żadna kontrola operacyjna w jego sprawie.

Chyłka w zadumie pokiwała głową.

– Jestem gotowa w to uwierzyć, ponieważ zeznaje pan z pełną świadomością konsekwencji, jakie grożą za składanie fałszywych oświadczeń.

Major się nie odezwał, jakby swoim spokojem chciał zasugerować, że Chyłka zbliża się do niebezpiecznego gruntu. Tatarek zaś zdawał się tracić cierpliwość i Kordian przypuszczał, że sędzia niebawem napomknie, że to wszystko już ustalili.

Joanna miała jednak rację, mówiąc, że nie wykazano najważniejszego. Dopiero dziś miała zamiar to zrobić, przygotowując sobie grunt pod ostateczne uderzenie.

– Nie jestem gotowa uwierzyć w przypadek – dodała. – Ani w waszą intuicję.

– To pani problem.

– Raczej wasz – odparowała. – Bo możecie robić tylko to, na co pozwala wam prawo. Macie służyć obywatelom, a nie występować w roli ich oprawców.

– Pani mecenas… – zaapelował Tatarek.

Chyłka uniosła dłoń w geście mówiącym: chwila moment, jeszcze nie skończyłam.

Był to pierwszy raz, kiedy pozwoliła sobie na takie zachowanie względem sędziego. Ten zmrużył oczy, jakby nie dowierzał.

– Poskładałam wszystko w logiczną całość, panie majorze – dodała. – Przyznam, że trochę mi to zajęło, bo skupiałam się przede wszystkim na ustawie inwigilacyjnej, zupełnie zapominając o tym, jak kreatywni są posłowie.

– Co ma pani na myśli?

Fakt, że oficer ABW w końcu zadał jakiekolwiek pytanie, potwierdzał, że trafiła w dziesiątkę. Oryński uniósł lekko kąciki ust i zauważył, że siedząca obok aplikantka podniosła wzrok.

– Mam na myśli ustawę o konfiskacie rozszerzonej – odparła Chyłka.

Funkcjonariusz przypatrywał jej się uważnie, zastanawiając się pewnie, o ilu rzeczach wie, a ilu się tylko domyśla.

– To całkiem zgrabnie zakamuflowany projekt – przyznała prawniczka. – Nawet nazwa niewiele wspólnego ma z inwigilowaniem obywateli. I nie dotyczy kontroli operacyjnej, więc może pan do woli wypierać się jej prowadzenia nawet w sądzie.

Oficer ABW spojrzał niepewnie na sędziego. Ten wyraźnie nie był zadowolony z kierunku, w którym zmierzało przesłuchanie.

– Wytłumaczy pan składowi orzekającemu, o co chodzi? – spytała Chyłka.

– Jeśli zada pani konkretne…

– Konkretne pytanie? – dokończyła za niego. – Nie ma problemu. Mam ich całe mnóstwo.

Podniosła jedną z leżących na blacie kartek i potrząsnęła nią. W rzeczywistości była to strona z notesu, na której Kordian kilka chwil wcześniej wynotowywał niektóre uprawnienia administracji gospodarczej.

Chyłka nie potrzebowała żadnej ściągi. – Czego dotyczyła ostatnia zmiana w sprawie konfiskaty rozszerzonej? – zapytała.

– Zakresu pozyskiwania informacji.

– A konkretnie?

– Cóż...

– Mogę odpowiedzieć za pana.

Joanna odłożyła kartkę, a Tatarek cmoknął z niezadowoleniem.

– Nie, nie może pani – zauważył. – Od odpowiadania na pytania jest świadek.

– A mimo to się uchyla.

Sędzia przeniósł wzrok na majora i pytająco uniósł brwi.

– Uchyla się pan, panie majorze?

– Nie.

– W takim razie proszę odpowiedzieć, jeśli łaska. I miejmy to już za sobą.

Chwilę trwało, nim funkcjonariusz niechętnie przedstawił założenia projektu, z którym w tamtym roku wyszło ministerstwo sprawiedliwości. Chyłka pomagała mu, jak mogła, ale wydawało się, że z premedytacją mówi nieskładnie i stara się zamglić ogólny obraz.

Dla Oryńskiego był jednak jasny. Ministerstwo znacznie poszerzyło możliwości służb, przyznając dodatkowe kompetencje policji, ABW, CBA i innym organom. Przed wprowadzeniem zmian protestowały organizacje pozarządowe, podkreślając, że to gwałt na prawie do prywatności. Nie przyniosło to jednak żadnego skutku.

Wszystko sprowadzało się do tytułowej konfiskaty. Jeśli służby przejmowały majątek pochodzący z przestępstwa, mogły sprawdzać właściwie wszystko, co wiązało się z nim i z osobą, która w samo przestępstwo była zamieszana.

Tak było niegdyś. Po zmianie krąg osób został rozszerzony także o te, które w jakikolwiek sposób miały styczność z konfiskowaną rzeczą. Nic nie stało więc na przeszkodzie temu, by inwigilować nabywcę kradzionego samochodu, który o jego prawdziwym pochodzeniu nie miał najmniejszego pojęcia.

Właściwie wystarczający byłby nawet zakup komórki w komisie, która po czasie mogłaby okazać się przedmiotem pochodzącym z kradzieży. W dodatku „mogłaby" było słowem kluczem, czynności operacyjne bowiem były dozwolone, by wykryć pochodzenie takiej rzeczy.

Stanowiło to tylko jeden z wielu przykładów. Zmiana w prawie pozwalała na sprawdzanie wszystkich, którzy w jakikolwiek sposób, nawet przypadkowy, zetknęli się z przedmiotem oszustwa lub innego przestępstwa.

Chyłka była przekonana, że właśnie tę furtkę zastosowano w przypadku Fahada. Nie mogła tylko dojść konkretnie, kto, kiedy i z jakiej przyczyny trafił na celownik służb.

Teraz zamierzała się tego dowiedzieć.

Kiedy funkcjonariusz ABW skończył referować założenia rozszerzonej konfiskaty, wiedział już o tym doskonale. I był na to przygotowany.

– Czy może pan nam powiedzieć, jak wykorzystano ten przepis w przypadku mojego klienta?

– Nie powiedziałem, że wykorzystano.

– A było tak?

– Nie mogę udzielić odpowiedzi na to pytanie.

Chyłka przyjęła zdziwiony wyraz twarzy, zupełnie jakby nie spodziewała się usłyszeć tych słów.

– Przypominam, że jest pan zwolniony z obowiązku dochowania tajemnicy, a jawność tej części rozprawy została wyłączona.

– Zdaję sobie z tego sprawę.

– Więc słucham.

– Nie zmienia to faktu, że nie mogę odpowiedzieć na to pytanie.

– Dlaczego?

– Ponieważ trwa postępowanie w sprawie.

– Pytam o mojego klienta.

Major poszukiwał wzrokiem ratunku u sędziego, ale na tym etapie Tatarek musiał już dojść do wniosku, że Chyłka poszła za daleko, by mógł ją zmusić do wycofania się. Jakikolwiek opór ze strony przewodniczącego byłby traktowany jako opowiedzenie się po stronie służb i *de facto* ich chronienie.

– Jego sprawa nie jest... jednostkowa, jak może się pani domyślić – powiedział w końcu oficer.

– Domyślam się aż za dobrze.

– A zatem...

– Ale skład orzekający nie będzie decydował na podstawie moich domysłów – ciągnęła. – Dlatego też zapytam jeszcze raz: czy sprawdzali państwo mojego klienta na podstawie przepisów o konfiskacie rozszerzonej?

– Nie mogę udzielić odpowiedzi na to pytanie przez wzgląd na dobro toczącego się postępowania.

Chyłka rozłożyła ręce.

– Czyli jest ktoś z otoczenia mojego klienta, wobec kogo prowadzicie kontrolę operacyjną? Ktoś, przez kogo zwróciliście uwagę na Fahada? I przez kogo rozpoczęliście proces sprawdzania go?

– Nie mogę udzielić…

– Ktoś wpadł, prawda? – przerwała mu. – Niech zgadnę. Zgarnęliście laptopa, którego użyto do jakiegoś celu niezgodnego z prawem, choćby do ściągnięcia nielegalnego filmu.

Major milczał.

– Znaleźliście na nim maila od mojego klienta, może zapis rozmowy na facebookowym chacie, czy jakiś inny bzdurny dowód łączący Fahada z zatrzymanym przez was człowiekiem – kontynuowała z satysfakcją Joanna. – I tyle wystarczyło, tak?

– Mając na względzie dobro prowadzonego śledztwa, nie mogę udzielić odpowiedzi na to pytanie.

– Udzieli jej pan, zapewniam.

– Obawiam się, że nie mogę tego zrobić.

Chyłka prychnęła cicho.

– Ma się pan czego obawiać – przyznała. – Ale akurat nie tego.

– Chodzi o dobro państwa, pani mecenas.

– Z pewnością.

– Służby prowadzą czynności, które mają na celu…

– Zapewnienie bezpieczeństwa obywatelom RP – dokończyła. – W porządku, rozumiem. Tyle że mój klient też ma polskie obywatelstwo. Urodził się tutaj i spędził tu kilkanaście lat, zanim go porwano i wyprano mu mózg w jakimś islamskim ośrodku.

– Pani mecenas…

– Słucham, panie sędzio? – odparowała agresywniej Joanna. – Prawda robi się niewygodna?

Tatarek potrzebował chwili, by na dobre dotarło do niego, że teraz to on stał się celem ataku.

– To, co tu się dzieje, jest kompletnym absurdem – dodała Chyłka, wychodząc zza ławy obrony.

Aplikantka z CzMK rozszerzyła oczy, Kordian uśmiechnął się w duchu.

– Proszę wrócić na swoje miejsce – upomniał ją Tatarek.

– Nie zamierzam.

– Pani mecenas!

– Dosyć tego, Wysoki Sądzie – odparła. – Domagam się natychmiastowego uchylenia decyzji o wyłączeniu jawności. Społeczeństwo ma prawo wiedzieć, co się tutaj dzieje. Służby folgują sobie do woli, zachowują się, jakby miały nieograniczone kompetencje, jakby Konstytucja i prawo międzynarodowe pozwalały na…

– O tym, na co pozwalają, a na co nie, decydują niezawisłe sądy – uciął Tatarek. – I nie przypominam sobie, by składała pani jakikolwiek wniosek o uznanie, że ta czy inna ustawa w polskim porządku prawnym jest niezgodna z aktami wyższego rzędu. Chyba że przegapiłem któryś z pani medialnych cyrków.

– Przegapił pan znacznie więcej.

– Co takiego? – obruszył się Tatarek i drgnął nerwowo, jakby miał zamiar zerwać się na równe nogi. – Pani mecenas, nie wiem, co w panią dziś wstąpiło, ale ostrzegam: to ostatni raz, kiedy pozwalam na takie zachowanie.

Chyłka zbliżyła się do niego.

– Proszę się cofnąć.

– Nie ma mowy, panie sędzio. Poszłam już za daleko.

– Niewątpliwie, a teraz…

– A teraz pójdę jeszcze dalej – zapowiedziała. – I podkreślę z całą mocą, że mojemu klientowi zostało odebrane prawo wynikające z artykułu czterdziestego piątego Konstytucji Rzeczypospolitej Polskiej.

W jej przekonaniu zapewne brzmiało to doniośle, pomyślał Oryński. W uszach wszystkich tych, którzy coraz częściej dezawuowali i Konstytucję, i Trybunał, były to jednak słowa jak każde inne.

Chyłka stała wyprostowana, jakby napawało ją dumą, że występuje w obronie najwyższego prawa RP.

– Chyba sobie pani żartuje…

– Nie, Wysoki Sądzie.

– Jak pani śmie w ogóle sugerować, że…

– W moim przekonaniu odbiera mu pan prawo do sprawiedliwego i jawnego rozpatrzenia sprawy bez nieuzasadnionej zwłoki przez właściwy, niezależny, bezstronny i niezawisły sąd – wyrecytowała dokładnie brzmienie przepisu. – Od samego początku jest pan wobec niego uprzedzony, choć nie byłam dotychczas gotowa tego przyznać. Teraz widzę, jak daleko idzie pana niechęć. Nie dopuszcza pan dowodów, strofuje biegłych, ogranicza świadków w ich zeznaniach, stosuje uproszczenia, wyłącza jawność postępowania, a teraz nie jest pan gotów…

– Dosyć tego!

Chyłka uniosła lekko brodę. Nie miała zamiaru odpuszczać.

– Na podstawie artykułu czterdziestego pierwszego Kodeksu postępowania karnego składam wniosek o wyłączenie pana z dalszego postępowania – powiedziała, robiąc krok w kierunku Tatarka. – W mojej ocenie zachodzą bowiem uzasadnione wątpliwości co do pana obiektywizmu.

Sędzia aż poczerwieniał.

– Ponadto apeluję do pana o złożenie odpowiedniego pisemnego oświadczenia do akt oraz o natychmiastowe powstrzymanie się od udziału w sprawie.

Tatarek przez chwilę wyglądał, jakby miał wybuchnąć. Potem ogłosił przerwę.

18

Areszt Śledczy, Warszawa-Białołęka

Za każdym razem, gdy Chyłka czekała na widzenie ze swoim klientem, spodziewała się zobaczyć innego człowieka. Nieraz tego doświadczała i nic nie wskazywało na to, by w tym wypadku miało być inaczej – im więcej czasu ludzie spędzali za kratkami, tym bardziej się zmieniali.

Niektórzy maleli w oczach, kurczyli się ze strachu przed otaczającym ich nowym światem. Inni wręcz przeciwnie, tężeli i mężnieli, starając się przystosować do życia w więzieniu.

Fahad Al-Jassam za każdym razem wyglądał dokładnie tak samo, jak pierwszego dnia, gdy tutaj trafił. Oznaczało to dwie rzeczy. Po pierwsze był ulepiony z mocnej gliny, a po drugie spodziewał się, że znajdzie się w tym świecie. Był przygotowany na to, co go spotkało.

Czy ten drugi fakt czegokolwiek dowodził? Chyłka nie chciała wnikać.

– Co mu powiesz? – odezwał się siedzący obok niej Oryński.

Oboje patrzyli na zamknięte drzwi, czekając, aż strażnik wprowadzi Fahada.

– Wszystko.

– To roztropne?

– A widziałeś kiedykolwiek, żebym zrobiła coś nieroztropnego?

– W zasadzie, od kiedy się znamy…

– Skorzystaj z prawa odmowy na pytanie – ucięła, mierząc do niego palcem. – Tak będzie dla ciebie najlepiej.

Skinął głową.

Na Al-Jassama czekali jeszcze przez moment. Kiedy wszedł do sali, Joanna potwierdziła swoje wcześniejsze przypuszczenia. Wciąż nie było widać, by zaszła w nim jakakolwiek zmiana.

Oprócz dwóch hipotez, które wcześniej postawiła, istniała jeszcze trzecia. Być może Fahad był po prostu świetnym aktorem.

Usiadł przed nimi, a potem spojrzał na jedno i drugie, jakby zastanawiał się, dlaczego nie przyprowadzili ze sobą aplikantki z kancelarii Czymański Messer Krat. Nie zająknął się jednak słowem na jej temat.

– Wszystko okej? – zapytała Chyłka.

Skinął głową. Przy rozmowach w cztery oczy był znacznie mniej wygadany niż w sądzie. Tam robił dobre wrażenie, jeśli pominąć jego pierwszy wybryk z odmawianiem modlitwy. Choć niektórzy argumentowali, że było to dobre posunięcie, które dało wszystkim jasno do zrozumienia, jak istotną rolę w życiu Fahada odgrywa religia.

– Nie dręczą cię? – dopytała prawniczka.

– Nie.

– Dziwne, powinni już zacząć.

– Potrafię się bronić. I wiem, jak sobie radzić w takich miejscach.

Właściwie nie powinna w to wątpić. Jakiś czas temu jakiś cichy głos z tyłu głowy podpowiadał jej, by zapytała, w jaki sposób zapewnił sobie bezpieczeństwo. Ostatecznie jednak lepiej było nie wiedzieć.

Może znalazł sobie protektora. Może kogoś zadźgał. A może przemycił coś dla któregoś z więźniów niebezpiecznych.

– Mamy pewien przełom w twojej sprawie – odezwała się Chyłka. – Sprowadza się do tego, że w końcu rozjuszyłam sędziego.

Zdawał się minimalnie zainteresowany, przypuszczając pewnie, że taka deklaracja to jedynie przejaw jakiegoś prawniczego szpanerstwa.

– Od początku skupialiśmy się na tym, by Tatarek zogniskował swoją niechęć na Zordonie – dodała. – Dzięki temu mocniej wybrzmiało to, co zrobiłam dzisiaj.

– A co konkretnie zrobiłaś?

– Mówiąc wprost, wkurwiłam go.

Dopiero teraz uniósł brwi.

– A na koniec oznajmiłam, że złożę wniosek o wyłączenie go z rozprawy. I już to zrobiłam.

Fahad zdawał się nie dowierzać. Przez jakiś czas w pokoju widzeń panowała cisza i gdyby nie to, że Chyłce nieco się spieszyło, zapewne pozwoliłaby, by trwała. Było coś satysfakcjonującego we wprowadzaniu klientów w konsternację. Szczególnie tak problematycznych jak Al-Jassam.

– Są do tego podstawy? – odezwał się wreszcie.

– Tak.

– Jakie?

Streściła mu wszystko, co przedstawiła samemu Tatarkowi, a potem przeszła do tego, o czym nie wspomniała podczas rozprawy. I o czym wspominać nie musiała, sędzia bowiem doskonale zdawał sobie z tego sprawę.

– Tatarek ma ciekawych znajomych – powiedziała. – Kormak znalazł nawet na jednym z portali społecznościowych zdjęcie z pewnej gali, na której pojawili się sędzia i kilku polityków.

– I? To chyba nic dziwnego.

– Ano nic – przyznała. – Przynajmniej w kraju, w którym to polityk wręcza nominacje sędziowskie.

Kordian pokiwał głową zamyślony.

– Mam na myśli prezydenta, Zordon.

– Tak, wiem.

– I chciałam dodać coś jeszcze odnośnie do Krajowej Rady Sądownictwa. Wiesz co?

– A to jakiś egzamin?

– Raczej sprawdzenie podstawowej wiedzy – odparła i założyła ręce na karku. – Tej, o którą nikt cię pytać nie będzie, bo oczywiste jest, że ją posiadasz.

Al-Jassam patrzył na nich jak na dwójkę wariatów, ale zasadniczo nie było to nic nowego. Chyłka dawno przywykła do podobnych reakcji.

– Bo wiesz, że to KRS przedstawia kandydatów na sędziów? – upewniła się.

Spojrzał na nią spode łba i nie odpowiedział.

– Ale kto powołuje KRS, oto jest pytanie – dodała.

– Pytanie do mnie, jak rozumiem.

– Mhm – potwierdziła. – Nie musisz wymieniać wszystkich członków, wystarczą ci, którzy pochodzą z politycznego nadania.

– Sejm powołuje czterech spośród posłów.

– Brawo.

– Senat dwóch z grona senatorów.

– Wow!

– Jedną osobę powołuje prezydent, a oprócz tego jest tam jeszcze minister sprawiedliwości.

– Zaraz zaliczę ci egzamin adwokacki, Zordon. Coś jeszcze, jeśli chodzi o polityków wybierających sędziów?

– Nie.

– A pierwszy prezes SN i prezes NSA?

– Powoływani są przez prezydenta, ale na wniosek zgromadzeń ogólnych.

– Mniej więcej – przyznała. – Ale skoro uczestniczy prezydent, to też poniekąd polityczne nadanie.

Nagięła trochę rzeczywistość, ale tylko po to, by dowieść, że nie wymienił wszystkich, których miała na myśli. Kiedy Oryński łaskawie skinął głową, uznała temat za zamknięty.

– Dążycie do czegoś konkretnego? – zapytał Al-Jassam.

– Do tego, że polityka i prawo się przeplatają. Przynajmniej u nas. I to nie tylko w konstrukcjach ustawowych, ale też podczas wszelakich imprez. Na jednej z nich Tatarek zrobił sobie zdjęcie z kilkoma ultraprawicowymi kumplami.

Uśmiechnęła się szeroko, czekając na podobną reakcję Fahada. Ten jednak trwał z obojętnym wyrazem twarzy.

– I?

– I czego więcej chcieć? – zapytała. – Obraca się w określonym środowisku, ruga nas podczas procesu i jest ci nieprzychylny.

Widziała, że Al-Jassam nie był przekonany, ale po prawdzie nie musiał być. To nie jego musiała nakłonić do zaakceptowania tej wersji.

– To mądre posunięcie? – spytał.

– Już drugi raz słyszę to pytanie – odparła z niezadowoleniem. – I zaczynam sądzić, że otaczają mnie wyjątkowo pesymistyczne typy.

Fahadowi na dobrą sprawę nie mogła się dziwić. Wszystko, co działo się w ostatnim czasie, kazało mu odłożyć optymizm na bok. I nie liczyć na to, że w najbliższym czasie cokolwiek sprawi, by znów po niego sięgnął.

– Tak, to mądre – bąknęła. – Bo mamy wystarczające podstawy.

– A jeśli okaże się, że nie?

– To dojdzie do tragedii – wyręczył ją Kordian. – Zniechęcimy sędziego do siebie, a w rezultacie także do ciebie. Przegramy sprawę i nic nie wskóramy w apelacji, bo kolejny sędzia będzie miał do nas… cóż, mocno ograniczone zaufanie.

Niestety tak to działało. Przynajmniej pewna część sądowych wyroków opierała się na tym, jak sprawnie strony zdobywały sympatię orzekających.

Nieraz Chyłce wydawało się, że niewykształcone prawniczo anglosaskie ławy przysięgłych sprawdzały się znacznie lepiej. W ich przypadku skrupulatnie pilnowano, by członkowie podejmowali decyzje jedynie w oparciu o ustawowe przesłanki. Gdy zaś chodziło o zawodowych sędziów, wychodzono z założenia, że pilnować nikogo nie trzeba. I być może był to błąd.

W przypadku sędziów takich jak Tatarek było tak nawet z pewnością. Gdyby nie udało się doprowadzić do wyłączenia, niechybnie odgryzłby się kosztem oskarżonego.

I dlatego tak rzadko strony składały podobne wnioski. Gra nie była warta świeczki, mało kto chciał podejmować tak duże ryzyko. Tym bardziej, że sędzia, który zastąpi wyłączonego przewodniczącego, może okazać się jego kumplem.

To tyle, jeśli chodziło o ustawowe gwarancje bezstronności.

Chyłka była jednak pewna, że w tym wypadku uda jej się dopiąć swego. Nie miała się czym martwić. Pracowała w tym kierunku niemal od początku rozprawy, a kiedy Kormak dotarł do pozornie niewinnych zdjęć, wiedziała już, że ma do dyspozycji oręż największego kalibru.

– Więc co się teraz stanie? – zapytał Fahad.

Joanna popatrzyła na Oryńskiego i wykonała zachęcający ruch ręką.

– Normalnie doszłoby do głosowania składu orzekającego, bez tego konkretnego sędziego – wyjaśnił Kordian. – Ale w naszym wypadku decyzję podejmie sąd wyższego rzędu.

– Brzmi poważnie.

– Bo takie jest – przyznał aplikant. – Zrobimy niemałe zamieszanie. I jeśli się potkniemy, wyłożymy się jak...

– Nie przesadzaj, Zordon – ucięła Chyłka. – Poza tym sprawa jest jasna. Tatarek zastosował domniemanie winy.

Prawniczka popatrzyła po obu mężczyznach, jakby to oświadczenie samo w sobie miało dowodzić najcięższego przewinienia sędziego.

– A solidarność zawodowa? – spytał Fahad.

– Nie występuje, kiedy zachodzą uzasadnione wątpliwości co do bezstronności.

Al-Jassam nie wyglądał na przekonanego.

– Przynajmniej w sytuacji, kiedy tyle osób patrzy rozpatrującemu wniosek sędziemu na ręce – dodała Joanna, a potem westchnęła. – A ty skup się na tym, co powinieneś robić jako klient.

– Czyli?

– Zaufaj swojemu obrońcy.

Widziała, że nie był gotowy tego zrobić. Gdyby jego adwokatem nie była kobieta, być może inaczej podchodziłby do sprawy. W jego oczach wciąż jednak widziała dystans, a nawet niechęć.

Przypuszczała, że obydwa odczucia będą łagodniały w nadchodzących tygodniach, kiedy jej plan zacznie przynosić pierwsze efekty. Mimo upływu czasu Fahad zdawał się jednak nieprzejednany w swojej niechęci.

Na froncie sądowym za to obrońcy poczynili znaczące postępy. W postępowaniu o wyłączenie sędziego najważniejszą rolę odgrywała aplikantka od Czymańskiego Messera Krata, Chyłka wyszła bowiem z założenia, że kolor skóry dziewczyny będzie dodatkowym atutem.

Już po pierwszym posiedzeniu wszystko wskazywało na to, że sąd gotów jest przychylić się do wniosku. Joannie trudno było przesądzić, czy jest to rezultat ich prawniczej kazuistyki, czy w istocie obracanie się w środowisku ultraprawicowców stanowi wystarczający powód wyłączenia Tatarka.

Tak czy owak spodziewała się sukcesu. Przedstawili swoje argumenty przekonująco, media właściwie podzielały ich wątpliwości, a sąd wydawał się przychylny.

I być może dlatego była tak zdruzgotana, kiedy postanowiono, że Tatarek nie zostanie wyłączony z prowadzenia sprawy.

19

Kawalerka Oryńskiego, ul. Emilii Plater

Kordian nie był dobrej myśli. Zarówno jeśli chodziło o zbliżający się egzamin adwokacki, jak i finał procesu Al-Jassama. Właściwie nie potrafił nawet przesądzić, w której kwestii jest większym pesymistą.

Tego ranka obudził się na kanapie, zamiast kocem przykryty wydrukami kazusów i testów z poprzednich lat. Potrzebował chwili, by zrozumieć, dlaczego ocknął się o szóstej rano w sobotę.

Ponowny dźwięk dzwonka do drzwi skutecznie mu to wyjaśnił.

Zrzucił materiały na podłogę, zwlókł się z łóżka, a potem poczłapał do krótkiego przedpokoju. Zerknął w wizjer i ze zdziwieniem zobaczył Chyłkę. Wlepiała wzrok prosto w judasza i z niecierpliwością czekała na jakikolwiek odzew.

Podskoczył, gdy znów z impetem wcisnęła guzik dzwonka. Natychmiast otworzył drzwi, mierzwiąc sobie włosy.

Joanna weszła do środka bez przywitania.

– Wyczerpałam cały arsenał, Zordon – rzuciła.

Oryński obrócił się, wodząc za nią wzrokiem, gdy szła w kierunku aneksu kuchennego. Rozejrzała się, jakby szukała ekspresu do kawy. W końcu zlokalizowała niewielkie przelewowe urządzenie, a potem nieotwarty pojemnik z inką. Nasypała jej szybko do zbiornika.

Kordian zamknął za nią drzwi, a Chyłka zaczęła przygotowywać napój.

– Śpisz jeszcze czy jak? – burknęła.

– O szóstej w sobotę? Gdzieżby...

Zerknęła na makulaturę rozrzuconą przed kanapą.

– Przyciąłeś komara przy nauce?

– Chyba tak.

– To dobrze świadczy.

– Tak, wprost idealnie...

– Mam na myśli twoje podejście. Ewidentnie jesteś zmotywowany.

– Chciałbym zdać.

– Chcieć a móc to dwie różne rzeczy – zauważyła. – Ale, jak mówię, trzeba docenić twoją determinację.

Oryński przeszedł do łazienki, przepłukał usta i zaczął myć zęby. Wciąż je szorując, przechylił się przez próg.

– Co tu robisz? – wymamrotał.

– Przyszłam ponarzekać.

– Hrmpf... – wydał z siebie.

Chyłka usiadła na kanapie z parującym kubkiem i czekała, aż Kordian do niej dołączy. Najwyraźniej nie rozważała nawet scenariusza, by jemu również zaparzyć.

– Użyłam już wszystkich argumentów, Zordon – powiedziała. – Nie mam nawet niczego dobrego na mowę końcową.

Popatrzył na nią z niedowierzaniem.

– Długo będziesz tak wlepiał we mnie gały?

– Jestem po prostu zdziwiony. Ale może nie powinienem, bo w tak zaawansowanej ciąży...

Potrząsnęła głową.

– Intruz nie ma z tym nic wspólnego. Poza tym bez przesady, mam jeszcze trochę czasu, nim go wydalę.

– Mimo to przyznanie się do bezsilności to w twoim wypadku dość nietypowa sprawa.

– Do niczego się nie przyznaję.

– Ano tak...

– Po prostu muszę wyrazić swoje niezadowolenie z racji tego, jak potoczyły się zdarzenia.

– I nie mogłaś tego zrobić przez telefon? Na przykład o dziesiątej? Jedenastej?

– Nie. Takie rzeczy nie mogą czekać.

– Rozumiem.

Westchnęła, pociągnęła łyk, a potem podała kubek Kordianowi. Skorzystał chętnie, choć przypuszczał, że zbożowa kawa raczej nie postawi go na nogi.

– Nie masz planu „B"?

– Nie.

– Więc co zamierzasz?

– Siedzieć tu dopóty, dopóki czegoś nie wymyślę.

– Co proszę?

– To najlepszy sposób, Zordon – odpowiedziała z powagą w głosie. – Jeśli postawię sobie takie ultimatum, szybko na coś wpadnę, byleby opuścić tę twoją norę. – Potoczyła wzrokiem dookoła. – Naprawdę mógłbyś posprzątać.

– Może po egzaminie...

– Tak, tak. Sprzątanie zawsze jest po czymś. Typowo męski punkt widzenia.

– Te hormony chyba jednak...

– Sam jesteś hormon – ucięła. – W dodatku estrogen.

– Co?

– Hormon żeński produkowany przez jajniki w pierwszej fazie cyklu.

Wzdrygnął się, jakby usłyszał wzmiankę nie o miesiączkowaniu, ale o czymś naprawdę bulwersującym. Chyłka podniosła jedną z kartek, potrząsnęła nią, a potem odrzuciła ją na bok. Zainteresowała się kolejną, nie dłużej jednak niż poprzednią. Przez kilka chwil pobieżnie przekopywała złogi materiałów.

– Nie ma tu czegoś o wygrywaniu beznadziejnych spraw karnych?

– Nie wydaje mi się.

– W takim razie to nauka z gatunku tych, co o kant dupy można potłuc.

– Zgadzam się.

Przebiegła wzrokiem kolejną kartkę. Oryński przypatrywał jej się z zaciekawieniem, starając się stwierdzić, czy jej rozkojarzenie jest rezultatem zmian zachodzących w ciele, czy tego, że sprawa Fahada przybrała rzeczywiście fatalny obrót.

– Zastanów się, Zordon – odparła, jakby trochę nieobecna.

Nie chciał nawet pytać, nad czym.

– Mamy nieprzychylnego sędziego – dodała.

– To mało powiedziane.

– Mamy problem natury prawnej.

– To znaczy?

– Osłowie uchwalili ustawę, która sprawiła, że służby działały zgodnie z prawem – mruknęła. – Przepraszam, posłowie.

Kordian napił się kawy i chciał odstawić kubek na stół, ale Chyłka szybko go przejęła. Powąchała napój, przymykając oczy, i najwyraźniej nie miała zamiaru oddawać go aplikantowi.

– To, co zrobili Fahadowi, było typowym inwigilacyjnym kurewstwem, ale w obecnym stanie prawnym w pełni legalnym.

– Mhm.

– Tatarek doskonale o tym wie.

– Niestety.

– Moglibyśmy wygrać w Strasburgu, powołując się na prawo międzynarodowe, ale w Polsce przepadniemy z kretesem – ciągnęła. – Czy to nie absurdalne?

Chciał potwierdzić, ale ostatecznie uznał, że Chyłka go nie słucha. W takich chwilach była jak zawodniczka na treningu squasha, w którym nie brał udziału żaden partner. Rola Oryńskiego sprowadzała się do ściany, od której Joanna odbijała piłeczkę.

– Zanim jednak trafimy z tym do europejskich trybunałów, minie tyle czasu, że media stracą zainteresowanie, Fahad zgnije w więzieniu, a cały potencjalny splendor przepadnie.

– Z pewnością.

– Co więc nam pozostaje?

Chyłka milczała. I była to jedna z najbardziej niepokojących chwil ciszy, jakich Kordian doświadczył podczas całej swojej przygody w kancelarii Żelazny & McVay. Przygody, która niebawem mogła zakończyć się z hukiem, pomyślał, patrząc na rozrzucone wydruki. Jeśli zawali egzamin, pożegna się z kancelarią. Nie było sensu łudzić się, że Artur zatrzyma go jako in-house'a bez aplikacji.

Ten miesiąc nie będzie należał do dobrych, skwitował w duchu Oryński. Starał się odsunąć pesymistyczne myśli i skupić na pozytywach, ale próżno było ich szukać.

Przez moment zastanawiał się, co wyzwoliło w nim taki fatalizm. I w końcu dotarł do źródła problemu.

Rozmowa z Lindą na komendzie.

Ta sprawa wisiała nad nim jak czarne, spiętrzone chmury, zapowiadające gigantyczną burzę. Wprawdzie zażegnał wtedy niebezpieczeństwo, dogadał się z tym człowiekiem, ale wiedział, że sprawa prędzej czy później wróci.

Największy problem stanowiło to, że mógł liczyć wyłącznie na siebie. I na to, że mężczyzna da mu jak najdłużej spokój.

Odsunął związane z tym myśli. Postarał się skupić na Fahadzie, w pełni świadom, że w poniedziałek dojdzie w końcu do wydania wyroku. Weekend wydawał się niewystarczającym czasem, by skonstruować nową linię obrony, szkoda było tracić czas na płonne rozważania spraw, na które Kordian nie miał wpływu.

– Wciąż możemy argumentować, że go wrobiono – odezwał się. – Że ktoś podłożył mu te materiały.

– Nie mamy na to dowodów.

– I co z tego? – odparł Oryński. – To oni muszą wykazać winę, a nie my niewinność.

Chyłka zaśmiała się cicho.

– W teorii.

Miała rację. W praktyce Tatarek z góry założył, że tylko kwestią czasu jest, nim kraty zasuną się za Al-Jassamem na dobre.

– Nie mamy nawet przekonujących argumentów – dodała Joanna.

– A mimo to udział służb jest co najmniej podejrzany.

– Tak – przyznała. – I wykazaliśmy to już zarówno przed obliczem Jego Obiektywności Tatarka, jak i sądu wyższej instancji. W jednym i drugim wypadku dostaliśmy po łapach.

Najwyraźniej nie tylko Kordian miał wisielczy nastrój.

– Organy państwa wzajemnie się kryją, *nihil novi* – dodała Joanna. – Szczególnie jeśli chodzi o sprawy związane z bezpieczeństwem.

– W takim razie uwydatnijmy ataki na nas.

– To też już zrobiliśmy, Zordon. Każdy uczestnik procesu doskonale zdaje sobie sprawę z tego, co zaszło.

– A mimo to nikt nadal nie ustalił, kto nas śledził, kto ukradł iks piątkę i…

– I nikt już tego nie ustali.

Skinął głową, czując się coraz bardziej jak pokonany. Oboje na jakiś czas zamilkli, a Chyłkę przestały interesować nawet jego ściągawki. Trwali w zupełnej ciszy, dopóki z mieszkania nad kawalerką nie dobiegł kaszel świadczący o tym, że para pewnych staruszków już się zbudziła. Po chwili słychać było dźwięki niewątpliwie dochodzące z toalety, a potem spuszczaną wodę.

Joanna skrzywiła się.

– Zawsze masz tu taką akustykę?

– Nie wiem – odparł i wzruszył ramionami. – Normalnie o tej porze w weekend śpię, a w tygodniu jestem już w Skylight.

– Beznadzieja.

– Mnie to mówisz?

– Harujesz cały dzień, żeby mieć na wynajem mieszkania w samym centrum, w którym praktycznie nie przebywasz.

Miał wrażenie, że opisała nie tylko jego, ale i całe jego pokolenie.

– Ale to się niebawem zmieni.

Zerknął na nią z pytaniem w oczach.

– Jak zawalisz egzamin i przegramy sprawę, wylecisz na zbity pysk.

– Dzięki.

– Tylko mówię. Lepiej się przygotować i nie wypierdzielić – odparła. – Wiesz, jak to jest. Pesymista chodzi ze spuszczoną głową i nie widzi, co przed nim. Optymista ją zadziera, więc ostateczny rezultat jest taki sam. A realista patrzy przed siebie. I zawczasu dostrzega przeszkodę, o którą może się potknąć.

– Zgrabnie ujęte. Choć w żaden sposób mi to nie pomaga.

– Ano nie – przyznała ciężko, a potem się podniosła.

Zaczęła chodzić po pokoju, jakby to miało jej pomóc wpaść na pomysł, dzięki któremu będzie mogła opuścić jego mieszkanie. Mijały jednak minuty, potem kolejne kwadranse, a Chyłka nie zbliżyła się do odnalezienia rozwiązania.

Ostatecznie została u niego aż do wieczora. On skupiał się na porządkowaniu materiałów i próbach wyciągnięcia z nich czegoś konstruktywnego, ona szukała dróg, którymi mogłaby dotrzeć na metę w sprawie Fahada.

Oboje mieli wrażenie, że nie posuwają się ani o krok do przodu.

Kiedy późnym wieczorem Joanna opuszczała jego kawalerkę, był przekonany, że wróci z samego rana, by znów postawić sobie ultimatum.

Przez całą niedzielę nie miał jednak od niej żadnej wiadomości. Sam nie podejmował próby kontaktu. Z jakiegoś powodu czuł, że to niewłaściwe. Od kiedy zaczął ukrywać przed nią to, co zaszło na komendzie, miał trudności choćby z dłuższym spoglądaniem jej w oczy.

Spotkali się dopiero w poniedziałek rano w sądzie. Chyłka nie wyglądała najlepiej, właściwie przywodziła na myśl tę wersję samej siebie, którą widywał, gdy była w alkoholowym cugu. Wyglądało też na to, że zaspała, nie zdążyła bowiem ułożyć swojej zwyczajowo starannej fryzury. Na dobrą sprawę on też nie. Uczył się do późna, a rankiem przesunął tylko grzebieniem po głowie i nałożył trochę pasty, zaczesując grzywkę na bok. W porównaniu z Chyłką robił jednak całkiem dobre wrażenie.

Zlustrował ją wzrokiem.

– Wyglądasz jak Hodor – zauważył. – Zaraz po tym, jak przestał trzymać drzwi.

Zmarszczyła czoło.

– Chyba nie chcę w to wnikać, Zordon.

– Nie oglądasz *Gry o tron*?

– Nie. Czytam za to *Pieśń Lodu i Ognia* – odparła, a potem zasłoniła ziewnięcie. – Mam prostą zasadę. Jeśli jest coś, co zamiast oglądania mogę przeczytać, wybieram drugą opcję. Zawsze.

– Aha.

– Dzięki temu jestem chyba jedną z niewielu osób na świecie, które czytały *Ojca chrzestnego*, ale nie widziały filmu.

Obrońcy usłyszeli kroki i oboje odwrócili się w tym samym czasie. Paweł Messer powitał ich poprawnym, wyćwiczonym uśmiechem.

– Jesteś unikatowa – odezwał się.

Jako jedyny sprawiał wrażenie adwokata obcującego z sukcesem. Tego dnia Kordian i Chyłka przywodzili na myśl raczej dwoje prawników, którzy ponoszą fiasko za fiaskiem, praktykując prawo w jakiejś drugorzędnej kancelarii.

Paweł zmierzył ich wzrokiem, a potem włożył ręce do kieszeni.

– Sprawa tego islamisty chyba dała wam po dupie – zauważył.

Żadne z nich się nie odezwało.

– Ale dobrze by było, żebyście mieli coś mocnego na koniec – dodał, a potem zerknął w stronę Paderborna.

On także wyglądał całkiem nieźle. Jak świeżo zmartwychwstały Kurt Cobain, skwitował w duchu Oryński.

– Mam coś mocnego na każdym etapie, Messer – odparła Chyłka.

– *Sure*. Szczególnie jeśli chodzi o wyłączanie sędziów.

– To było niewielkie potknięcie.

Wzruszył ramionami.

– Może i niewielkie – przyznał. – Ale huk waszego upadku rozszedł się echem po całej Warszawie.

Kordian przypuszczał, że przepychanka słowna będzie trwała jeszcze przez jakiś czas, ale Chyłka niespodziewanie odpuściła. Odwróciła się od Pawła i popatrzyła w kierunku prokuratora. Ten udawał, że nie dostrzega obrońców Fahada.

Słusznie, Oryński na jego miejscu też nie chciałby tracić czasu ani energii na przedprocesowe zagrywki. Nie kiedy miał tak dobrą perspektywę.

Prawnicy z Żelaznego & McVaya weszli na salę niepewnym krokiem, tuż za nimi podążała aplikantka z CzMK, a Messer zajął miejsce na widowni. Najwyraźniej zjawił się tylko po to, by obserwować porażkę kolegów po fachu.

Dla niego wynik sprawy był nieistotny. Zapewnił swemu pierwszemu klientowi bezpieczeństwo, Tomasz Kiljański nie miał się czego obawiać. Oryński wprawdzie spodziewał się, że Chyłka będzie chciała obejść jakoś umowę między kancelariami i wezwać go na świadka, ale najwyraźniej nie znalazła na to żadnego sposobu. Ta uliczka była ślepa.

Ale czy udało jej się znaleźć jakąkolwiek inną? Całodzienne milczenie przed rozprawą zazwyczaj właśnie to sugerowało. Tyle że w takiej sytuacji rano stawiała się w sądzie pełna determinacji. A nie sprawiająca wrażenie pokonanej, jak dziś.

Kiedy zajęli miejsca, Oryński się do niej nachylił.

– Zastanawiam się – szepnął.

– Nie ma nad czym. Mówiłam ci, że nie zdasz.

– Nie chodzi o egzamin.

– A o co?

– O ciebie.

Popatrzyła na niego, jakby spodziewała się dostrzec w jego oczach niepożądaną troskę. Oryński jednak patrzył na nią raczej badawczo.

– Do czego pijesz, aplikancie?

– Do tego, że zdajesz się apatyczna.

– Nie wyspałam się.

– I? – odparł. – Nie twierdziłaś kiedyś, że jesteś jak…

Zawiesił głos, nie mogąc przypomnieć sobie, o które zwierzę chodziło.

– Żyrafa – wyręczyła go. – To one kimają od pięciu do trzydziestu minut w czasie doby. Tyle im w zupełności wystarcza.

– No właśnie.

Pokiwała głową ze swobodą, jakby potwierdzenie, że tak jest także w jej przypadku, było zupełnie niepotrzebne.

– Po prostu gromadzę siły – odezwała się cicho. – Jak medytujący jogin przed... przed czymkolwiek ważnym, co dzieje się w jego życiu.

– Okej – odparł bez przekonania Oryński. – Ale wciąż...

– Co?

– Wyglądasz jak dętka – wypalił w końcu.

Chyłka spiorunowała go wzrokiem.

– Nie słyszałeś nigdy, żeby w takie dni jak ten nie opisywać wyglądu kobiety słowami?

– Nie. To znaczy...

– Ewentualnie możesz oceniać go za pomocą cyfr. Mówiąc na przykład, że normalnie jestem dziesięć na dziesięć, a dziś osiem na dziesięć.

– To trochę mizoginistyczne podejście.

– E tam.

– Poza tym w tej skali musiałbym dać ci dzisiaj...

– Proszę wstać, Sąd idzie – rozległ się donośny głos.

Prawnicy i osoby zajmujące miejsca dla publiczności podniosły się, po czym wszyscy spojrzeli w kierunku, z którego miały nadciągać burzowe chmury. Jako pierwszy na sali zjawił się sędzia zawodowy, zaraz za nim weszło dwoje ławników. Ci ostatni sprawiali wrażenie, jakby uczestniczyli w zwykłym, kolejnym z rzędu posiedzeniu. Tatarek zaś wyglądał zupełnie inaczej. Uśmiechał się szeroko, nie kryjąc satysfakcji. I bynajmniej nie chodziło o to, że dziś mógł zamknąć sprawę.

Zamierzał się zemścić.

– Proszę spocząć – polecił, zająwszy swoje miejsce.

Poprawił łańcuch z orłem, a potem powiódł wzrokiem po zebranych.

– Oskarżonego nie ma, jak widzę.

Joanna niechętnie wstała, okazując niezbyt należny w jej przekonaniu szacunek.

– Nie, Wysoki Sądzie.

– Nie szkodzi. Poradzimy sobie bez niego.

– Owszem.

– Niech pani się usadzi, pani mecenas.

Chyłka zajęła miejsce, a potem głęboko nabrała tchu. Kordian przez moment był przekonany, że gromadzi siły, by wyprowadzić pierwsze uderzenie. Co rusz zerkał na nią kontrolnie, ale kiedy wygodnie się rozsiadła, uznał, że nie ma żadnego niebezpieczeństwa.

Tatarek postarał się o to, by domknęli wszystkie sprawy formalne, które pozostały otwarte, a potem spojrzał znacząco na prokuratora. Paderborn skinął do niego głową. Oryńskiemu zdawało się, że porozumiewawczo.

– Czas się wyłączyć, Zordon – szepnęła Joanna.

Olgierd wstał i zapiął marynarkę, przygotowując się do wygłoszenia mowy końcowej. Wszyscy doskonale wiedzieli, jakie argumenty podniesie. W trakcie rozprawy powiedział już wszystko, co było do powiedzenia.

Chyłka na dobrą sprawę także.

A mimo to ten element procesu był przez wielu uważany za jeden z najistotniejszych. Być może dlatego, że następował tuż przed tym, jak skład orzekający zamykał się w pokoju narad. Słowa wypowiadane przez oskarżyciela i obrońcę, o ile były dostatecznie mocne, mogły pobrzmiewać jeszcze echem w głowach ławników i sędziów.

A przynajmniej tak zakładali ci, którzy chcieli wierzyć, że prokurator czy adwokat rzeczywiście może przekonać orzekających do swoich racji.

Paderborn mówił krótko, bo na dobrą sprawę wystarczyło, by powtórzył najważniejsze rzeczy. Podkreślił, że służby działały zgodnie z prawem, że w mieszkaniu oskarżonego odnaleziono ładunki, a on sam był związany z osobami utrzymującymi kontakty z ISIS.

Czy trzeba było czegoś więcej?

Kordian poszukiwał odpowiedzi na to pytanie, przypatrując się Tatarkowi. Sędzia miał nieprzenikniony wzrok, ale nie trzeba było specjalisty od mowy ciała, by wiedzieć, że w tym wypadku przewodniczący jedynie pozoruje obojętność. W duchu cieszył się już na myśl o tym, jak utrze nosa niepokornej prawniczce.

Kiedy Paderborn skończył, Chyłka podniosła się powoli. Położyła dłoń na brzuchu i odgięła się lekko do tyłu.

Oryński z trudem powstrzymał uśmiech. Ostatnim, czego się spodziewał, był widok Joanny wykorzystującej fakt, że znajduje się w stanie błogosławionym.

– Wysoki Sądzie – zaczęła. – Wbrew temu, co twierdzi oskarżyciel, służby nie działały tak, jak powinny. Owszem, kontrola operacyjna była realizowana zgodnie z prawem, ale została wszczęta wbrew niemu. Nie było żadnego powodu, by rozpocząć inwigilowanie mojego klienta. Zrobiono to tylko ze względu na to, że jest określonego wyznania.

Wyprostowała się i założyła ręce za plecami.

– Zapomniano przy tym chyba, że żyjemy w świecie religii. Świecie, który jest zupełnie zdominowany przez osoby wyznające taką czy inną wiarę – dodała i zmrużyła oczy.

Tatarek odpowiedział podobną reakcją.

– Jeśli ktokolwiek potrzebuje na to dowodu, niech przypomni sobie, co wydarzyło się tuż po lądowaniu na Księżycu.

Oryński poruszył się nerwowo, nie mając pojęcia, do czego dąży była patronka.

– Po tym, jak Buzz Aldrin stanął na jego powierzchni, przyjął komunię świętą – powiedziała, rozglądając się.

Po wyrazach twarzy zebranych Kordian wniósł, że nie tylko on nie miał o tym pojęcia.

– Astronauta zabrał na misję opłatek i wino, oba konsekrowane przez pastora pewnego prezbiteriańskiego kościoła w Teksasie. Aldrin pełnił w nim posługę świecką, dzięki czemu mógł sam przyjąć komunię. I zrobił to.

Przy zwykłej wypowiedzi Tatarek na tym etapie zapewne by jej przerwał, podkreślając, że oddala się od meritum, ale mowa końcowa rządziła się swoimi prawami.

– Dążę do tego, że wyznanie, wiara, religia… te wszystkie rzeczy są w dzisiejszym świecie uniwersalne. Właściwe zdecydowanej większości z nas.

Znów się rozejrzała.

– Przypuszczam, że większość zebranych to osoby wierzące. Ateistów czy agnostyków mogłabym policzyć na palcach jednej ręki, o ile w ogóle jakiegoś bym tutaj odnalazła.

Głęboko nabrała tchu.

– Ale nie przekonamy się, czy mam rację, bo to nasza sfera prywatna – dodała. – Czy naprawdę chcemy, by przestało tak być? By służby patrzyły na obywateli przez ten pryzmat? Czy gotowi jesteśmy pozwalać na takie rzeczy względem muzułmanów, ryzykując tym samym, że odbije się to kiedyś na nas, chrześcijanach?

Rozłożyła lekko ręce, przybierając zafrasowany wyraz twarzy.

– Wysoki Sąd z pewnością wie, co się dzieje w Birmie. Służby specjalne namierzają tam wyznawców islamu dokładnie tak, jak miało to miejsce w przypadku mojego klienta u nas w kraju. Jedyna różnica polega na tym, że w Birmie potem ich mordują. – Urwała, kiwając głową. – ONZ bije na alarm, a dziesiątki tysięcy osób są wypędzane ze swoich domów. Szacuje się, że do tej pory dach nad głową straciło ponad sto tysięcy muzułmanów.

Tatarek odchrząknął z wyraźną dezaprobatą.

– Birma jest zbyt daleko? Stanowi zbyt egzotyczny kraj, by przyjąć, że takie wydarzenia mają cokolwiek wspólnego z Europą? – zapytała Chyłka. – W porządku, przykłady są znacznie bliżej. We Francji niedawno uchwalono nowe przepisy przeciwko terroryzmowi, argumenty były podobne do tych, które przedstawił prokurator Paderborn.

Prawniczka uniosła lekko brodę.

– Skutek był taki, że skazano pewnego osiemnastolatka za publiczne popieranie terroryzmu – ciągnęła. – Wysoki Sąd zapewne zna tę sprawę. I wie, co było powodem. Chłopak nazwał swoją sieć Wi-Fi „Daesz 21". Daesz to oczywiście inna wersja skrótu ISIS, a dwadzieścia jeden… cóż, to kod pocztowy regionu, w którym chłopak mieszkał. Brzmi niegroźnie? A skutek był taki, że sprawdzono komputer oskarżonego, wszystkie jego konta na portalach społecznościowych i ostatecznie go skazano. Mógł dostać siedem lat więzienia, zamiast tego zaproponowano mu sto godzin prac społecznych. Odmówił, więc dostał wyrok w zawieszeniu.

Znów rozłożyła ręce, tym razem znacznie szerzej.

– Ten groźny przestępca zmienił później nazwę sieci na „Roudoudou 21", co jest nazwą francuskich cukierków. A na jego kontach i twardym dysku nie odnaleziono ani materiałów wychwalających terroryzm, ani owych słodyczy – dodała. – W takim świecie żyjemy, tak nakręca się spirala absurdu. Apeluję do Wysokiego Sądu, by przerwać ją w porę. Zanim zakażemy następnemu Aldrinowi przyjąć opłatek i wypić wino. Zanim dojdzie do sytuacji jak w Birmie i Francji. Apeluję o wzajemny szacunek, Wysoki Sądzie. O to, byśmy nie dali się zapędzić w kozi róg tylko dlatego, że ktoś wyznaje inną religię.

Kordian miał ochotę pokręcić głową z uśmiechem, słysząc tak pokojowe deklaracje z ust Chyłki.

– Owszem, mój klient jest gorliwym wyznawcą islamu – przyznała. – Ale to nie oznacza, że miał zamiar dokonywać czegokolwiek niezgodnego z prawem. Tak jak Buzz Aldrin nie miał zamiaru wysadzać modułu księżycowego Apollo 11.

Tatarek uniósł lekko wzrok, jakby chciał delikatnie zasugerować, że jego cierpliwość jest na wyczerpaniu. Joanna wskazała na Paderborna, który w odpowiedzi zmarszczył czoło. Przez chwilę w ciszy mierzyli się wzrokiem.

– Wsłuchiwałam się w argumenty prokuratora – powiedziała Joanna. – I jeden z nich przewijał się dość często. Abstrahując od uprawnień służb, spraw prawnych i związanych ze sztuką czynności operacyjnych, oskarżyciel podkreślał, że ten, kto niczego złego nie zrobił, nie powinien obawiać się inwigilacji.

Zrobiła pauzę. Kordian przypuszczał, że zmierza do puenty.

– Ale twierdzenie, że podsłuchiwanie obywatela jest w porządku, bo ten nie ma nic do ukrycia, jest jak mówienie, że odbieranie wolności słowa jest okej, bo obywatel nie ma nic do powiedzenia.

Wbiła wzrok w Tatarka.

– To niebezpieczny grunt, Wysoki Sądzie. I to taki, w którym mogą ugrzęznąć przyszłe pokolenia. – Na moment zawiesiła głos, jakby spodziewała się, że jej słowa w istocie mogą dotrzeć do przewodniczącego. – Nie stać nas na to, by postawić choćby krok w tę stronę. Musimy zmienić kierunek. I to jak najszybciej, bo za moment będzie za późno.

Sędzia zdawał się zupełnie nieporuszony.

– Jeśli tego nie zrobimy, któregoś dnia obudzimy się w świecie, w którym pigmentacja skóry jest wystarczającym powodem, by uważać kogoś za gorszego od innych – dodała. – A to już w historii przerabialiśmy.

W poszukiwaniu ratunku spojrzała na ławników.

– Nie wracajmy do tego. Nigdy.

Odczekała moment, a potem wyprostowała się.

– Mimo strachu, który wszyscy czujemy – dodała. – Strachu, który obecny jest we wszystkich europejskich społeczeństwach. I ma prawo być obecny, bo jest w pełni uzasadniony. Zamachy, nagrania z egzekucji, terror… to wszystko od iluś lat dotyczy już nas, Europejczyków. Skończyły się czasy, kiedy tymi rzeczami musieli martwić się jedynie mieszkańcy Bliskiego Wschodu.

Jeden z ławników lekko skinął głową.

– Strach, który czujemy, to zwycięstwo dżihadu – ciągnęła. – Przez ten strach we Francji cały rok trwa stan nadzwyczajny, pasażerowie na amerykańskich lotniskach muszą rozbierać się do bielizny przed bramkami, a w Wielkiej Brytanii uchwala się prawo, które pozwala władzy na wszystko, co jej się żywnie podoba.

Wbijała wzrok w Tatarka, jakby czekała na jakąkolwiek reakcję. Sędzia jednak nawet nie drgnął.

– Zmierzmy się z tym strachem. I nie pozwólmy dżihadowi wygrać. Sprawmy, byśmy wraz z upływem kolejnych lat oddalali się od roku tysiąc dziewięćset osiemdziesiątego czwartego, a nie zbliżali do niego. I nie pozwólmy, by europejskie państwa występowały przeciwko swoim obywatelom – zakończyła, a potem skinęła głową wszystkim członkom składu orzekającego i usiadła.

W sali zaległa cisza.

Kordian przesunął dłoń pod stołem i poklepał ją po kolanie.

– Życie ci niemiłe? – mruknęła.

– Chciałem tylko cię pochwalić. Zainspirowałaś mnie.

Popatrzyła na niego kątem oka.

– Ciebie może tak – szepnęła. – Ich raczej nie.

Powiódł wzrokiem po trojgu ludzi, którzy mieli zadecydować o losie Al-Jassama. Odniósł wrażenie, że Chyłka ma rację.

20

Cafe Bar Paragraf, al. Solidarności

Z nieskrywanym rozrzewnieniem Joanna potoczyła wzrokiem po piwach wystawionych na półce za ladą. Liczba butelek, odręcznie napisane menu i ogólny klimat tego miejsca kazały sądzić, że jego głównym przeznaczeniem jest gromadzenie ludzi, którzy lubowali się w przyjmowaniu napojów wyskokowych. Cała reszta była tylko dodatkiem.

Jeszcze kilka miesięcy temu Chyłka czułaby się tu jak ryba w wodzie. Wtedy zbilansowana dieta oznaczała dla niej tyle, że brała po jednym kuflu piwa na każdą rękę. Teraz jednak miała wrażenie, jakby znalazła się w obcym świecie.

Jedynym elementem, który wywołał w niej poczucie jako takiego komfortu, był fakt, że Oryński zamówił piwo bezglutenowe.

Spojrzała na butelkę z rezerwą.

– Trzeba korzystać, skoro jest taka opcja – zastrzegł szybko Kordian.

– Masz uczulenie na gluten?

– Właściwie to…

– A masz pojęcie, że piwo jest robione z chmielu i słodu?

– Tak, tylko że…

– I że słód zawiera ten straszliwy, przeraźliwy gluten? – dopytała, przechylając głowę. – Może i fermentuje sobie, zamienia się w jakieś tam białka podczas warzenia, ale jest obecny.

Oryński niepewnie pociągnął łyk.

– A ty nie masz celiakii – dodała.

– Ano nie.

Skwitowali jego odpowiedź milczeniem. Joanna miała wrażenie, że to najwłaściwszy komentarz wobec całego tego ogólnonarodowego pędu, by z jakiejś przyczyny wyeliminować gluten z diety. Zabębniła palcami o klejący się blat stołu i potoczyła wzrokiem po nieco ponurym wystroju wnętrz.

Nie, nie czuła się tu wcale tak źle. Pomijając cały ten alkohol, właściwie mogłaby przesiadywać w Paragrafie nawet częściej.

Zresztą nie tylko ona. Cafe Bar korzystał z dobrej lokalizacji naprzeciwko sądu, dzięki czemu pojawiali się tutaj także inni prawnicy czekający na zapadnięcie wyroku. Jednym z nich był Olgierd, który siedział dwa stoliki dalej.

Nie pozwolił sobie na piwo, co jej nie dziwiło. Na jego miejscu też powstrzymałaby się z celebrowaniem do czasu, aż sędzia przewodniczący ogłosi wyrok i zapowie, kiedy pojawi się uzasadnienie.

Wszystko stanowiło jedynie formalność, uznała w duchu. Szanse, by Tatarek orzekł na ich korzyść, były minimalne. Może nawet tylko hipotetyczne.

– Może weźmiesz bezalkoholowe? – podsunął Oryński.

Zmierzyła go wzrokiem.

– Coś ty powiedział?

– Tylko…

– Piwo bezalkoholowe? Na kogo ja ci wyglądam?

Wzruszył ramionami, a potem przechylił kufel.

– Na alkoholiczkę w ciąży.

Nic nie stało na przeszkodzie, by poczuła się urażona. Jakkolwiek Kordian miał stuprocentową rację.

– I proponujesz jej polskie piwo bezalkoholowe?

– A co w tym zdrożnego?

– To, że w przeciwieństwie do takich produktów w innych krajach, nasze ma jakieś pół procenta – odparła. – Co dość znamienne. Nie potrafimy wytworzyć całkowicie wolnego od alkoholu piwska.

– Taki nasz urok.

Chyłka uniosła wzrok i przez moment się zastanawiała. Potem spojrzała przelotnie na Paderborna, który popijał kawę i czytał gazetę. Był zupełnie zrelaksowany.

– Prawdziwy urok Polaków zobaczysz w pigułce, kiedy troglodyta Tatarek orzeknie – burknęła.

Kordian powoli pokiwał głową, jakby przyznawał się do porażki.

– Nie mamy żadnych szans? – spytał.

– Najmniejszych.

– Mowę miałaś całkiem zgrabną...

– I może przysięgłych w amerykańskim sądzie bym przekabaciła. A przynajmniej jednego.

– Tyle by ci wystarczyło.

– Owszem – przyznała. – I dlatego tamten system jest tak piękny.

Oryński obrócił kufel w ręce. Znów zaległo milczenie, które zdawało się przybrać fizyczną formę i uwierać obojga jak zbyt ciasne ciuchy, dodatkowo skurczone po praniu. Chyłka zaklęła w duchu.

Nie tak to wszystko miało wyglądać.

– Zostaje nam apelacja – odezwał się Kordian.

– A potem kasacja.

– Mhm…

– I ostatecznie walka przed europejskim trybunałem.

– Naprawdę myślisz, że tak daleko to zajdzie?

– To nasza jedyna szansa, Zordon – odparła, wzdychając. – W Polsce nikt nie opowie się po stronie Fahada, nawet jeśli w sądzie odstawię prawniczy odpowiednik najlepszego tańca z „You Can Dance", po którym Egurrola wygląda, jakby miał zamiar adoptować uczestnika.

Nie wyglądał na przekonanego.

– Coś nie tak? – bąknęła.

– Sam nie wiem. Wątpliwości w całej tej sprawie jest sporo, w dodatku to, co nas spotkało…

– Nikogo to nie interesuje.

– A może powinno.

– Nie „może" – zastrzegła. – Z pewnością powinno. Ale tak nie jest.

– Nie w okręgowym – odparował Oryński. – W apelacyjnym jednak możemy liczyć na więcej. Nie wspominając już o tym, co możemy zdziałać przed Sądem Najwyższym.

Mimo że rozprawa kasacyjna stanowiła dla większości prawników rzecz, na którą czekali z zapartym tchem, Joanna niechętnie myślała o tej perspektywie. Miała za sobą postępowanie, które zakończyło się w ten sposób. I nie wspominała go dobrze.

– Moim zdaniem Al-Jassam ma jeszcze szansę – dodał Kordian.

– Zobaczymy.

– Problem polega na tym, że to wszystko potrwa – kontynuował Oryński, raz po raz zerkając na Paderborna, jakby spodziewał się, że prokurator jakimś cudem może ich usłyszeć. – A twoja sprawa jest rozwojowa.

Dopiero kiedy wskazał na jej brzuch, zrozumiała, co ma na myśli.

– Dzidzia do tego czasu już będzie na świecie – dorzucił.

Chyłka niemal zakrztusiła się własną śliną.

– Zordon...

– Będziesz już nosiła bobaska na rękach.

– Zamilknij.

– Może nawet maleństwo powie „mama".

Popatrzyła na szklankę, a potem na niego.

– Jestem o krok od wbicia ci tego kufla prosto w twarz – zapowiedziała. – Pilnuj się.

– Ty też, bo za ciężkie uszkodzenie ciała możesz trafić za kratki. I kto będzie czytał maluszkowi bajki na dobranoc?

Sięgnęła po szkło, ale szybko je odsunął.

– Kto zajmie się twoją kruszynką?

– Przysięgam, Zordon. Jeszcze jedno takie określenie...

– Jakie? Nie podoba ci się kruszynka? To może kajtek?

– Będziesz żałował przez długie, długie lata – dokończyła.

Zaśmiał się, a potem pokręcił głową i odpuścił. Musiała przyznać, że nieco poprawił jej humor.

Niestety, nie na długo. Chwilę później dostrzegła, że Paderborn odebrał telefon, wysłuchał krótkiej informacji, a potem złożył gazetę i podniósł się. Spojrzał znacząco na dwoje obrońców i Joanna nie miała wątpliwości, że sprawa została przesądzona.

– Zapadł wyrok – odezwała się.

Moment później potwierdził to dźwięk dzwoniącej komórki, tym razem jej. Oryński szybko uregulował rachunek, po czym wyszli za Paderbornem z knajpy. Prokurator na nich nie poczekał, choć mógłby skorzystać z okazji, by się nad nimi poznęcać.

– Nie zwlekali – zauważył Kordian.

– Bo nie mieli nad czym deliberować. Zaczęli naradę, Tatarek wyjaśnił stan prawny, rozwiał ewentualne wątpliwości, spisano sentencję, a potem zagłosowano.

– Chciałbym to kiedyś zobaczyć.

– Nie ty jeden.

– I przekonać się, jak to naprawdę działa – ciągnął Oryński.

Zatrzymali się kawałek przed skrzyżowaniem. Przy przejściu dla pieszych stał Paderborn, czekając na zielone światło.

– Sprawdzić, kto ile ma do gadania – dodał aplikant. – I czy wszystko odbywa się tak, jak powinno.

– Jak jest obecny protokolant, to tak.

– A nie musi być?

– Nie – przyznała Chyłka. – Sędzia przewodniczący może uznać jego obecność za zbyteczną. Wtedy w sali narad zostają sami członkowie składu.

– Wprost idealnie – skwitował pod nosem Kordian.

Po chwili ruszyli w kierunku okazałego gmachu sądu. Olgierd ani razu nie obejrzał się przez ramię i znikł za masywnymi drzwiami. W jakiś sposób ignorowanie obrońców było dla nich bardziej dotkliwe niż sytuacja, w której Paderborn starałby się okazać swoją wyższość.

Joanna zwolniła nieco kroku przed wejściem, jakby coś podświadomie kazało jej odwlec poznanie decyzji.

Wchodząc po schodach, spojrzała na swój brzuch i skrzywiła się.

– Niepotrzebnie się martwisz, Zordon – oznajmiła. – Nie odpuszczę. Wydalę grzdyla na długo przed kasacją i…

– Naprawdę powinienem zacząć to spisywać.

– Co?

– To, jak odnosisz się do swojego bobo.

– Zamknij się.

– Po latach mu to przeczytam. Mu lub jej.

– Mu – odparła. – Postanowiłam, że pętak jednak będzie mężczyzną. I to takim z prawdziwego zdarzenia, niewpieprzającym kiełków i niepijącym sojowego mleka.

Kordian docenił ten przytyk lekkim uśmiechem.

– Jeśli będę miał cokolwiek do gadania, od czasu do czasu przynajmniej zje łososia.

– Nie będziesz miał.

– To się okaże – odparował, kiedy podchodzili pod drzwi sali sądowej. – Może twoja drobinka będzie miała znacznie więcej do powiedzenia, niż ci się wydaje.

Zasunęła mu z łokcia pod żebra, kiedy przechodzili przez próg. Miała w tym na tyle wprawy, by nikt tego nie dostrzegł. Przeszli przez salę, czując na sobie spojrzenia zebranych, a potem zajęli miejsca dla obrony. Aplikantki z CzMK nie było, Messer też już się zwinął. Chyłka na ich miejscu również nie traciłaby czasu.

Rozpięła guziki żakietu i rozsiadła się wygodniej.

– Miejmy to już za sobą – szepnęła, patrząc na członków składu orzekającego.

Kordian spojrzał na nią z powątpiewaniem.

– Nie pójdzie zbyt szybko – zauważył konspiracyjnie. – Tatarek nie odmówi sobie satysfakcji.

Musiała się z nim zgodzić. Uzasadnienie z pewnością też nie zostanie sporządzone zbyt prędko i kancelaria dostanie je w ostatnim ustawowo dopuszczalnym dniu. Potem zacznie się jego żmudna analiza i poszukiwanie przyczyn odwoławczych.

Właściwie będzie to przyjemna robota, przynajmniej na ostatnim etapie, kiedy Chyłka będzie starała się ułożyć najbardziej prawdopodobne scenariusze wygranej w apelacji. Żaden z nich nie będzie pewny, wszystkie prawdopodobnie zakończą się utrzymaniem w mocy wyroku, ale sam proces powinien należeć do przyjemnych. Obrzuci Tatarka całymi hektolitrami błota.

Potrząsnęła głową.

Kiedy stała się taką fatalistką? W momencie, gdy zaczęły się poranne mdłości? A może kiedy zaczęła bronić osób, w imieniu których niegdyś nie byłaby gotowa występować?

Tak, ta druga ewentualność była dużo bardziej prawdopodobna. Nigdy nie miała oporów, by jak lwica walczyć o wolność dla morderców i zwyrodnialców. Ale z dystansem podchodziła do obrony tych uciśnionych, dyskryminowanych czy po prostu źle potraktowanych przez państwo.

Czas najwyższy wrócić do poprzedniego doboru klientów, skwitowała w duchu.

Nie miała czasu dobrze się zastanowić nad tym, czy na tym etapie jest to jeszcze możliwe, bo Tatarek zaczął odczytywać wyrok w imieniu Rzeczypospolitej Polskiej. Wszyscy z wyjątkiem członków składu orzekającego stali, czekając na rozstrzygnięcie.

Chyłce brakowało emocji, które niegdyś towarzyszyły jej w takich chwilach. Brakowało jej napięcia, niepewności i przekonania, że cokolwiek powie sędzia, należy potraktować to jak rzucone jej wyzwanie.

Teraz z góry założyła, że przejdzie obok tego obojętnie. W pierwszej i drugiej instancji, a potem w postępowaniu nadzwyczajnym. Nie poddawała się, zamierzała raczej okazać, że jest ponad to. Że Tatarek może robić, co mu się żywnie podoba, a po niej spłynie to jak po kaczce.

– Po rozpoznaniu sprawy Fahada Al-Jassama… – mówił sędzia, ale Joanna go nie słuchała.

Wyprostowała się, ostatecznie uznając, że właśnie z poczucia wyższości wynikało jej podejście. Tak, była to znacznie wygodniejsza wersja od tej ze zmianami hormonalnymi i klientami, których w istocie nie chciała bronić.

Tatarek rozwodził się przez chwilę nad tym, co prokuratura zarzuciła Fahadowi. Oskarżeń było niemało, a dodatkowo ich ustawowa definicja sprawiała, że przewodniczącemu mogło w pewnym momencie zaschnąć w ustach.

Po kilku chwilach Kordian uniósł dłoń, by zasłonić ziewnięcie, a Chyłka zaczęła się zastanawiać nad tym, czy aby nie wyciągnąć telefonu i nie sprawdzić skrzynki SMS-owej.

Kormak wprawdzie przekazał jej sporo informacji na temat „W", ale nadal był w trakcie prowadzonego przez siebie dochodzenia. Joanna była mu wdzięczna, sama bowiem nie wiedziała o mężczyźnie zbyt dużo. Spotkali się raptem kilka razy, wymienili kilka zdań, a potem doszło do tego, co być może zaowocowało powstaniem fąfla w jej brzuchu.

Westchnęła. Jeśli okaże się, że to „W" jest ojcem, sytuacja będzie znacznie bardziej skomplikowana niż w wypadku Szczerbatego czy Messera. Wiedziała doskonale, jak spławić i spacyfikować tych dwóch. I miała pewność, że odpuszczą. W przypadku „W" nie mogła niczego przesądzić.

Kiedy sędzia opisywał stan faktyczny, Chyłka sięgnęła po komórkę. Żadna wiadomość jednak na nią nie czekała. Napisała do Kormaka, by upewnić się, że do niczego nowego nie dotarł, a potem wsunęła telefon do kieszeni.

Oryński odchrząknął znacząco.

– Już dociera do celu – powiedział cicho.

– Spokojnie, Zordon. Weźmie jeszcze objazd, perorując na temat tego, czego miał się dopuścić Al-Jassam.

Zazwyczaj był to moment, który stanowił katorgę dla obrońców. Sędziowie zdawali się przeciągać w ten sposób dotarcie do sedna, choć prawda była taka, że stanowiło to wymóg formalny.

Każdy starał się z tonu głosu przewodniczącego wnieść, co powie, kiedy już odhaczy wszystkie obowiązkowe punkty programu. W przypadku początkujących jurystów istniał cień szansy, by udało się to zrobić. Przy zaprawionych w bojach przewodniczących, takich jak Tatarek, nie było na co liczyć.

Chyłka musiała czekać, aż sam dobrnie do końca.

I w końcu to zrobił. Nabrał tchu, podniósł na moment wzrok, posyłając Joannie obojętne spojrzenie, a potem potrząsnął plikiem trzymanych kartek.

Coś było nie tak.

W jego oczach powinna pojawić się choćby ledwo dostrzegalna satysfakcja. Tymczasem Chyłka zobaczyła coś diametralnie innego. Pretensję.

Poprawiła się na krześle, zerkając na Oryńskiego. Ten najwyraźniej nie wychwycił reakcji sędziego, bo siedział wciąż tak samo znudzony, jak przed momentem.

Tatarek odkaszlnął.

– W punkcie pierwszym… – podjął ciężko.

Chyłka znieruchomiała.

Czy to możliwe, by się pomyliła? Nie, nie w tak jasnej sprawie. Nie było w niej żadnego pola manewru. Nawet gdyby Tatarek w ostatniej chwili z jakiegoś powodu powziął wątpliwości, nie znalazłby zapewne odpowiednich podstaw prawnych, by uniewinnić jej klienta. Był zbyt zafiksowany na tym, by skazać muzułmanina.

A mimo to odwlekał podanie wyroku.

I zdawało się, że nie robi tego, by przedłużyć satysfakcję. Przeciwnie, sprawiał wrażenie, jakby zwyczajnie nie mógł wydusić z siebie tych słów, które musiał.

– Co jest? – szepnął Kordian.

– Cicho.

Skupili się na sędzim. Chyłka kątem oka dostrzegła, że Paderborn poruszył się nerwowo. On także zrozumiał, że coś jest nie w porządku.

– Po burzliwej, aczkolwiek ostatecznie owocnej deliberacji, sąd uznaje oskarżonego, Fahada Al-Jassama za niewinnego zarzucanych mu czynów – wyrzucił w końcu z siebie Tatarek. – W punkcie drugim kosztami postępowania obciąża Skarb Państwa.

Powietrze w sali zdawało się stężeć, unieruchamiając wszystkich zebranych. Chyłka wstrzymała oddech, niepewna, czy dobrze usłyszała. Dopiero po chwili otrząsnęła się z szoku i popatrzyła na Oryńskiego.

Aplikant z niedowierzaniem wbijał wzrok w sędziego, jakby sama obserwacja Tatarka mogła odpowiedzieć na pytanie, co się wydarzyło.

Joanna uświadomiła sobie, że nie na niego należy patrzeć, a na ławników.

Oboje sprawiali wrażenie zadowolonych.

Prawniczka zrozumiała, że to właśnie oni odpowiadają za to, co się wydarzyło. Jej przypuszczenia potwierdziły się, kiedy Tatarek oznajmił, że zgłosił zdanie odrębne.

Kordian wyglądał, jakby miał zamiar skakać ze szczęścia. Paderborn siedział ze zwieszoną głową, wyraźnie nie mogąc poradzić sobie z przegraną. Z pewnością nie chodziło o to, że Fahad wyjdzie na wolność. Znacznie większy ciężar musiała mieć świadomość tego, z kim w istocie oskarżyciel przegrał.

– Chyłka?

Joanna oderwała wzrok od Olgierda.

– Wygraliśmy? – zapytał z niedowierzaniem Oryński.

– Najwyraźniej…

Zmrużył oczy, jednocześnie marszcząc czoło. Mina nieco mu zrzedła, kiedy uważniej na nią spojrzał.

Osoby zajmujące miejsca dla publiczności zaczynały cicho wymieniać się uwagami. Tatarek beznamiętnym głosem recytował wszystko to, co zostało mu do powiedzenia. Chyłce wydawało się, że w jakiś sposób znajduje się w zupełnie innym miejscu.

– Więc co jest nie tak? – zapytał Kordian.

– Hm? – mruknęła.

– Wyglądasz, jakbyśmy przegrali – zauważył. – Co się dzieje?

Nie wiedziała, jak odpowiedzieć na to pytanie. Mogłaby jednak przysiąc, że coś jest stanowczo nie w porządku.

Rozdział 3
No pasarán

1

ul. Pożaryskiego, Wawer

Prawnicy z kancelarii Żelazny & McVay weszli do mieszkania przed Fahadem. Rozejrzeli się, sprawdzili pokoje, a dopiero potem oznajmili swojemu klientowi, że może wejść. Al-Jassam sprawiał wrażenie, jakby był tutaj pierwszy raz.

– I to wszystko? – spytał, odwieszając kurtkę w przedpokoju. – Ot tak wróciłem do swojego życia?

– Na to wygląda – odparła Chyłka.

Kordian milczał, wciąż się rozglądając. Mieszkanie sprawdzili pobieżnie, wyłącznie dla pozornego spokoju ducha. Aplikant zdawał sobie sprawę, że na dobre przekonają się, czy wszystko jest w porządku, kiedy na miejsce dotrze Kormak z całym swoim rynsztunkiem.

Miał na podorędziu raksę, którą uznawał za kompromis między drogim, profesjonalnym sprzętem a urządzeniami, które nadawały się jedynie na złom. Twierdził, że dzięki niej jest gotów wykryć wszystkie sidła, które służby mogą zastawić na Bogu ducha winnego obywatela.

Oryński nie spodziewał się, by w mieszkaniu cokolwiek takiego się znalazło. Po tak głośnym procesie ani ABW, ani CBŚP nie ryzykowałyby zakładaniem podsłuchu.

– Wejdźcie – rzucił Fahad, przechodząc do kuchni.

Kurz z szafek i stołu właściwie można było ściągać szpachlą. Chyłka odsunęła jednak krzesło i zupełnie nie zwracając na to uwagi, opadła na nie ciężko. Odgięła się przy tym lekko do tyłu i Kordianowi przeszło przez myśl, że niebawem przy takich czynnościach będzie trzymała się za odcinek lędźwiowy.

Uśmiechnął się lekko.

– Co cię bawi, aplikancie?

– Nic.

– A jednak suszysz zębiska.

– Cieszę się z wygranego procesu.

Chyłka zerknęła kontrolnie na Al-Jassama, jakby obawiała się, że ta rozmowa szybko pójdzie w kierunku, z którego klient nie będzie zadowolony. Od kiedy wyszli z sądu, zachowywała się osobliwie, ale Kordian nie miał zamiaru drążyć sprawy. Uznał, że jest po prostu powściągliwa.

Im dłużej jednak jej się przyglądał, tym bardziej był przekonany, że jej rezerwa wynika z czegoś innego.

– Rozgośćcie się – zaproponował Fahad. – Zaraz przyjdę.

Odprowadzili go wzrokiem, kiedy skierował się do toalety. Zamknął drzwi, a potem rzucił jeszcze, by zrobili sobie kawę. Kordian spojrzał na niewyczyszczony, stary ekspres i szybko stwierdził, że najroztropniej będzie posiedzieć o suchym pysku.

Joanna wbijała wzrok gdzieś za okno, zatopiona we własnych myślach. Oryński chrząknął na tyle głośno, że musiała to usłyszeć, w żaden sposób jednak nie zareagowała.

– Co jest? – spytał w końcu. – Wygraliśmy czy nie?

– Nie wiem.

Nachylił się ku niej.

– Jak to: nie wiesz?

Wzruszyła ramionami, a potem założyła rękę za oparcie krzesła. Wreszcie skierowała wzrok na Kordiana i przyglądała mu się przez moment. Dopiero wtedy uświadomił sobie, że patrzy jakby na przestrzał. Wciąż była nieobecna.

– Chyłka – mruknął, domagając się uwagi.

Potrząsnęła głową i nabrała tchu.

– To zdarza się ekstremalnie rzadko – odezwała się.

– Masz na myśli…

– Ławników orzekających wbrew sędziemu – dopowiedziała. – Choć równie dobrze mogę to odnieść do samego wyroku uniewinniającego. Nie mieliśmy szans, Zordon.

– Widać twoja mowa końcowa domknęła sprawę.

– Nie miała czego domykać. Staliśmy w przeciągu.

– Widocznie…

– Przestaniesz się, kurwa, łudzić? – syknęła, zakładając do tyłu drugą rękę. Odgięła się i skrzywiła, jakby wszystko ją bolało. – Coś jest wyjątkowo nie w porządku.

– Co?

– Dopiero mam zamiar to ustalić.

Nie mieściło się to w zadaniach adwokata, szczególnie po procesie, który zakończył się korzystnie dla klienta. Kordian nie miał jednak zamiaru o tym wspominać. Byłoby to zupełnie daremne.

– Tylko nie rób niczego głupiego – powiedział cicho.

– Nie zrobię niczego, czego nie podjąłby się przeciętny, rozsądny prawnik.

Kordian uniósł wysoko brwi.

– No co? – burknęła Joanna.

– Zabrzmiało to... rozsądnie.

– Nie da się ukryć.

– A więc podejrzanie – dodał. – Bo w twoim przypadku to zazwyczaj zapowiedź, że planujesz coś skrajnie nieodpowiedzialnego.

– Nigdy tego nie planuję, Zordon. Samo wychodzi.

Oryński przysunął się bliżej stołu. Miał wrażenie, że Fahad stoi tuż za drzwiami toalety i przysłuchuje się wszystkiemu, co mówią prawnicy.

– Co twoim zdaniem się stało, hm? – szepnął, ale napinał usta, jakby krzyczał. – Wydaje ci się, że ktoś przekupił ławników? Zagroził im?

– Dopiero będę to ustalać.

Kordian zaklął cicho w odpowiedzi. Tylko tego było mu do szczęścia potrzeba. Teraz, kiedy wszystko zdawało się w jak najlepszym porządku, Chyłka miała zamiar szukać dziury w całym.

Zanim zdążył cokolwiek odpowiedzieć, rozległ się dźwięk spuszczanej wody, a potem Fahad otworzył drzwi. Spojrzał na pochylonych do siebie obrońców.

– Wszystko okej? – zapytał.

– Nie – odparła Chyłka i wyprostowała się. – Nie słyszałam odkręcanej wody.

– Co takiego?

– Nie umyłeś rąk – mruknęła, a potem westchnęła.

Spojrzał na dłonie, jakby ktoś nagle polał je łatwopalną cieczą i podpalił. Natychmiast wrócił do toalety, nie odzywając się słowem.

– Niewiele czasu w więzieniu potrzeba, by nawet muzułmanin odzwyczaił się od przestrzegania higieny – szepnął Oryński.

Chyłka zbyła to milczeniem.

Kiedy Al-Jassam wrócił, sprawiał wrażenie tak zażenowanego, że Kordian poczuł się niekomfortowo.

– Co teraz będzie? – odezwał się Fahad. – Prokurator tak po prostu odpuści?

– Pader? Nie ma mowy – odparła Joanna. – Być może sam nie będzie walczył do upadłego, ale zadba o to, by jego odpowiednik z prokuratury apelacyjnej to zrobił.

– Dojdzie więc do kolejnej rozprawy?

– Oczywiście. Od tego jest kolejna instancja.

– Mam się czym przejmować?

– To zależy.

– Od czego? – spytał Fahad, patrząc to na Chyłkę, to na Oryńskiego.

– Od tego, czy to, co teraz przed nami odstawiasz, jest grą.

Al-Jassam ściągnął brwi, najpierw tylko lekko, jakby nie dowierzał, że naprawdę to powiedziała, a po chwili bardziej gniewnie.

– Tak lepiej – oceniła Joanna. – Bo przed momentem przywodziłeś na myśl zagubionego chłopczyka, który wciąż nie może uwierzyć, jak wielkie ma szczęście.

Fahad spuścił lekko głowę, ale nie odrywał wzroku od prawniczki. Nadzieja Oryńskiego, że Chyłka na tym poprzestanie, szybko znikła. Znał ją na tyle dobrze, by wiedzieć, że dopiero zaczynała.

I pomyśleć, że każdy inny prawnik na jej miejscu dziękowałby teraz opatrzności za to, że trafili mu się dwaj wyjątkowo nonkonformistyczni ławnicy, którzy postawili się sędziemu.

– Jak to z tobą jest, Fahad? – dodała Joanna. – Tak naprawdę?

– Nie wiem, co masz na myśli.

– To, że poznaliśmy cię jako mruka, potem zobaczyliśmy w tobie bigota, ostatecznie właściwie normalnego faceta, a teraz ugrzecznionego, niemal potulnego chłopaka. Pomijam już fakt, że za kratkami zapewne musiałeś odgrywać rolę twardziela. I to całkiem nieźle, skoro nikt ci mordy nie obił.

Al-Jassam milczał, a Chyłka podniosła się i podeszła do niego.

– Pomijam też to, że czasem patrzysz na mnie w typowo muzułmański sposób, jakbyś postrzegał wszystkie kobiety przez pryzmat najdurniejszych wersetów z…

– Nie kończ tej myśli.

– W porządku – odparła i uniosła otwarte dłonie. – Ale wiesz, do czego zmierzam.

Z pewnością tak było, Fahad jednak nie miał zamiaru potwierdzać. Trwał w zupełnym bezruchu, Kordian zaś klął w myślach, licząc na to, że chudzielec ze sprzętem pojawi się jak najszybciej i wszyscy skupią się na poszukiwaniu podsłuchów.

– Cierpisz na rozdwojenie jaźni? – dodała Joanna. – A może trafiłam w sedno, kiedy w sądzie próbowałam wykazać twoją niepoczytalność?

– Może.

Skinęła głową z uznaniem, jakby fakt, że odezwał się w chłodny, beznamiętny sposób, w pełni ją zadowalał.

– Kim ty jesteś, Fahad? – spytała.

Przypatrywał jej się przez moment, po czym lekko uniósł kąciki ust. Obserwując tę wymianę zdań, Kordian uznał, że najlepiej było puścić Al-Jassama samopas i nie kontaktować się z nim dopóty, dopóki nie zaistnieje taka konieczność przed rozprawą apelacyjną.

– Nie chcesz wiedzieć, kim jestem, ale co planuję – odparł po chwili.

– Poniekąd.

– Zastanawiasz się, czy aby nie wybroniłaś zamachowca.

Chyłka skrzyżowała ręce na piersi, patrząc na niego wyzywająco.

– I czy w ogóle mnie wybroniłaś – dodał. – Bo równie dobrze może się okazać, że moi ludzie zrobili, co do nich należało.

– To znaczy?

Oryński szybko się podniósł.

– Dosyć tego – rzucił. – Możecie do woli ciągnąć te bzdury, ale dopiero po tym, jak zjawi się Kormak.

Znacząco powiódł wzrokiem dokoła, wiedząc, że nie musi dodawać nic więcej, by przypomnieć obojgu, że nadal mogą znajdować się tu podsłuchy. A rozmowa, jakkolwiek była zwykłą przepychanką, ostatecznie mogła okazać się także dowodem świadczącym na niekorzyść Fahada.

Al-Jassam cofnął się, a potem otworzył jedną z szafek i wyjął szklankę. Obejrzał ją, nalał sobie wody i usiadł przy stole.

– Poczekam na tego waszego specjalistę – odezwał się. – Ale wy nie.

Joanna i Oryński wymienili się spojrzeniami.

– Czas na was – dodał muzułmanin, wskazując drzwi.

– Nie ma mowy – zaoponowała Chyłka. – Nie zostawię tu szczypiora samego z potencjalnym psycholem.

– Więc poczekasz na zewnątrz.

Jeszcze chwilę trwało, nim oboje się wygadali. Kordian w pewnym momencie uznał, że najwyższa pora na interwencję, ale kiedy tylko ujął dłoń Joanny, ta szybko odrzuciła jego rękę. Wycedziła kilka uwag pod adresem Fahada, ostatecznie jednak z mieszkania wyszła.

Zaraz potem zadzwoniła do Kormaka, by się nie fatygował na Wawer ze swoją raksą.

Do daihatsu wsiedli w milczeniu. Oryński przez jakiś czas nie odpalał silnika, a Joanna go nie ponaglała. Cisza była coraz bardziej niewygodna. I coraz bardziej niepokojąca.

W końcu na siebie spojrzeli.

– Jedź, Zordon.

– Dokąd?

– Do prokuratury.

– Co?

– Słyszałeś. Jedź na Chocimską.

Jeszcze echem rozbrzmiewały mu w głowie własne słowa o tym, by nie robiła nic głupiego. Mimo to przekręcił kluczyk w stacyjce, a potem ruszył w stronę Mokotowa.

2

Wał Miedzeszyński, Gocław

Srebrny sedan minął zjazd na most Siekierkowski, utrzymując bezpieczną odległość od żółtego daihatsu. Brunetka raz po raz przegryzała kawałek pizzy z kartonu, który podawał jej pasażer. Nie lubiła jeść za kierownicą, ale czasem nie było wyjścia. Tak jak teraz, kiedy prawnicy przedwcześnie opuścili mieszkanie Al-Jassama i z jakiegoś powodu skierowali się w stronę centrum.

– Natężenie ruchu mamy idealne – odezwał się jej towarzysz.

– Być może. Ale ostrożności nigdy za wiele.

– Samochodów akurat tyle, żeby ich nie zgubić, a jednocześnie nie zostać…

– Tak, tak – ucięła z pełnymi ustami.

Miała dosyć jego ciągłych komentarzy, analiz i ocen. Zdawało jej się, że każdą chwilę ciszy wykorzystuje, by zastanawiać się nad tym, co mógłby powiedzieć. Nie znosił milczenia. I nie miał oporów przed powtarzaniem tych samych kwestii ileś razy.

– Ten samochód też lepszy nie mógłby być.

Spojrzała na żółte YRV, które spokojnie jechało prawym pasem. Jej towarzysz miał rację. Zgubienie tak charakterystycznego auta byłoby niemałym nieosiągnięciem.

– Dokąd jadą?

– Być może na Argentyńską.

– I tak im się spieszy? Nie, nie wydaje mi się.

– Przekonamy się – odparła niechętnie.

Mężczyzna milczał przez krótką chwilę.

– Dlaczego nie sprawdzili mieszkania? Powinni to zrobić.

– Widocznie był jakiś problem.

– Albo coś naglącego – odparł, przyglądając się widocznemu w oddali daihatsu. – Może dostali jakiś cynk?

Brunetka westchnęła i odłożyła niedojedzony kawałek pizzy do kartonu.

– Na jaki temat?

– Nasz.

Stanowczo pokręciła głową.

– Nie mają pojęcia, że ich śledzimy.

– Mogą się tego spodziewać. Po tym, jak przysłałaś jej tablicę, prawniczka z pewnością…

– Nie – zaprzeczyła, zwalniając nieco.

Nie było powodu ryzykować, podjeżdżając bliżej. Z daleka mogła dostrzec, kiedy kierowca YRV choćby zamierzał zmienić pas i zjeżdżał nieco w kierunku linii przecinającej jezdnię.

Prowadził zapewne Kordian Oryński. Brunetka nie spodziewała się, by Chyłka gotowa była usiąść za kierownicą takiego samochodu. Traktowała go zapewne jako swoiste motoryzacyjne wynaturzenie.

Tak, z pewnością tak było. Kobieta poznała adwokat na tyle dobrze, by wiedzieć, jak zapatruje się nawet na tak prozaiczne rzeczy. Właściwie miała czasem wrażenie, że są starymi, dobrymi znajomymi. I znają się jak łyse konie.

A mimo to Joanna nie wiedziała nawet, jak ona ma na imię. I tym bardziej nie miała pojęcia, ile brunetka o niej wie.

O ciąży, o ojcu dziecka, o jej karierze, o Filipie Obertale i o innych rzeczach, które należało sprawdzić, zanim zabrali się do Chyłki.

Brunetka zdawała sobie także sprawę z tego, jak ostrożną i czujną osobą jest Joanna. Zwolniła jeszcze trochę.

Mężczyzna przez moment milczał, zapewne gorączkowo zastanawiając się, jak przerwać ciszę. Minęli zjazd na Argentyńską, a zaraz potem za Skwerem Ryskim zjechali na aleję Stanów Zjednoczonych.

– Dokąd oni jadą? – powtórzył.

Popatrzyła na niego z irytacją.

– A jakie to ma znaczenie? – odparła. – W niczym nam nie zagrażają.

– Jesteś pewna?

– Oczywiście.

Nie wyglądał na przekonanego.

– O niczym nie mają pojęcia, udowodnili to podczas rozprawy.

– Nie rozumiem, skąd ta pewność.

– Stąd, że gdyby choćby zbliżyli się do prawdy, usłyszelibyśmy o tym.

Wprawdzie sami nie przyszli do sądu, obawiając się, że zostaną rozpoznani po spotkaniu przy McDonaldzie, ale mieli wśród publiczności swojego człowieka. Zrelacjonował im znacznie więcej, niż mogliby dowiedzieć się z mediów.

– Wszystko jest w porządku – zapewniła brunetka. – Wciąż nie mają o niczym pojęcia.

Mężczyzna skinął głową.

Minęli Łazienki, przecięli Aleje Ujazdowskie, Marszałkowską, a potem skręcili w Waryńskiego. Z każdą kolejną przecznicą brunetka stawała się coraz bardziej zaniepokojona. Wiedziała, co mieści się nieopodal. Kiedy daihatsu zaparkowało pod budynkiem prokuratury, natychmiast się zatrzymała.

Zjechała w jedną z mniejszych uliczek, a potem oboje jak na rozkaz opuścili samochód. Powoli wyszli zza rogu i spojrzeli w stronę YRV.

– To może być problem – zauważył mężczyzna.

Kiedy dwoje prawników ruszyło w kierunku wejścia do prokuratury, brunetka syknęła cicho. Musiała zgodzić się ze swoim towarzyszem.

3

Prokuratura okręgowa, ul. Chocimska

Niepewna, czy o tej porze zastaną jeszcze Paderborna, Chyłka minęła główne drzwi i zatrzymała się przed pracownikiem prokuratury patrzącym na nią jak na intruza. Jeszcze kilka lat temu nie byłoby sensu fatygować się tu późnym popołudniem czy wczesnym wieczorem. Oskarżyciele odbębniali swoje obowiązki do określonej godziny, a potem podbijali kartę i wracali do domu.

Od jakiegoś czasu Joanna miała jednak wrażenie, że przestali być urzędnikami, a stali się prokuratorskimi odpowiednikami korpoludków. Podobnie jak w Żelaznym & McVayu, tak i tutaj przesiadywano poza godzinami pracy, a robotę częstokroć zabierano do domu. Może nawet w swoich czterech ścianach zaczynano wykonywać jej więcej niż w miejscu, gdzie powinno się to robić.

– Paderewski na posterunku? – spytała mężczyznę w średnim wieku, który bacznie jej się przyglądał.

Stanowczo zbyt bacznie, jakby miała zamiar minąć punkt kontroli z ładunkiem wybuchowym, a potem zabarykadować się w którymś pokoju z zakładnikami.

– Moja urocza koleżanka pyta o prokuratora Paderborna – sprostował Oryński.

Chyłka spojrzała na niego z niedowierzaniem.

– Koleżanka?

– W sensie towarzyszki życia zawodowego.

– Błądzisz, Zordon.

– Więc może naprowadzisz mnie na właściwy tor?

Było to w zasadzie niemożliwe, pomyślała. Ich relacja była stanowczo zbyt skomplikowana, by ubrać ją w słowa.

– Mentorka to odpowiednie określenie – wybrnęła z impasu. – Nieraz ci to powtarzałam. – Przeniosła wzrok na pracownika prokuratury. – Jest Pader czy nie?

Mężczyzna otworzył usta, ale nie zdążył się odezwać.

– Jeśli tak, podnieś słuchawkę i oznajmij, że na jego archipelag spokoju nadciągnął właśnie tajfun.

Rozmówca najwyraźniej nie potrafił się odnaleźć w tej niecodziennej sytuacji.

– Będzie wiedział, o kogo chodzi – dodała Chyłka.

Jeszcze chwila musiała minąć, nim strażnik poinformował Olgierda, że ma gości. Dodał szeptem, że dość osobliwych, ale nie zrobił tego na tyle cicho, by prawnicy z Żelaznego & McVaya nie usłyszeli.

Chwilę później usiedli w dobrze urządzonym gabinecie na piętrze. Kordian trzymał plastikowy kubek z całkiem niezłą kawą. Automaty serwujące lurę znikły razem z urzędasami, którzy swoją karierę budowali w czasach, gdy w dobrym tonie było aresztowanie jak największej liczby opozycjonistów z „Solidarności". Ci przenieśli się do sejmu, w organach ścigania robiąc miejsce nowemu narybkowi.

Paderborn należał do nowego, pełnego determinacji pokolenia, które miało pokazać, że polska prokuratura może śmiało konkurować ze swoimi odpowiednikami na zachodzie, a niejednokrotnie nawet ich prześcigać.

Zdecydowanie i wigor Olgierd okazywał właściwie na każdym kroku. I być może dlatego Chyłce tak dziwnie było patrzeć na niego, gdy był wyraźne przybity i zgaszony.

Powitał ich zdawkowo, ale bez pretensji. Usiedli przed jego biurkiem, a on rozchylił poły marynarki i spojrzał najpierw na jedno, potem na drugie. Nie miał pojęcia, co skłoniło ich do tej wizyty. Wygrali sprawę, na tym etapie niczego od niego nie potrzebowali.

Mimo to o nic nie pytał. Czekał.

– Każdy kiedyś przegrywa, Pader – odezwała się Joanna. – Szczególnie kiedy spotyka na swej drodze prawniczy buldożer.

– Tak się określasz?

– Z braku laku – odparła i machnęła ręką. – Ale nie przyjechaliśmy po to, żeby cię zrównywać z ziemią.

Jego wyraz twarzy nie pozostawiał wątpliwości, że nie daje temu wiary.

– Chodzi o Fahada.

– Domyślam się, że o Fahada. Ale…

– Mam pewne wątpliwości, które chciałabym rozwiać.

Oryński skrzywił się, słysząc to konkretne określenie. Gdyby Olgierd nagrał tę rozmowę i odtworzył ją potem w sądzie, słowo „wątpliwości" samo w sobie sprawiłoby, że Chyłka straciłaby grunt pod nogami.

Nie obawiała się jednak ani podsłuchów, ani tego, że Paderborn powtórzy komukolwiek tę rozmowę. Mimo że dopiero pierwszy raz występowali przeciwko sobie, znali się dość dobrze.

Pewność zyskała, kiedy okazało się, że prokurator nie ma zamiaru dopytywać, o jakie wątpliwości chodzi. Skinął porozumiewawczo głową, jakby wszystko było jasne.

– Pomożesz mi je rozwiać?

Kordian znów nerwowo się poruszył.

– Może.

Joanna lekko się uśmiechnęła.

– Zamierzasz stawiać warunki, Paderewski? – spytała z niedowierzaniem. – Przychodzę tutaj z dobrej woli.

– Raczej z troski.

– Też. Troszczę się o Rzeczpospolitą i Naród.

– Miałem na myśli raczej to, że masz na względzie twoje własne zdrowie psychiczne.

– Mhm – mruknęła.

– Nie, nie – zaoponował Oryński. – O nie nikt już się nie martwi. Wszyscy, z Chyłką włącznie, dawno spisaliśmy je na straty.

Paderborn zamilkł, jakby obawiał się, że zostanie wciągnięty w jedną ze słownych utarczek, z których tych dwoje prawników zdążyło już zasłynąć.

Joanna zbyła uwagę aplikanta milczeniem.

– Pytaj – rzucił Olgierd. – Jeśli będę mógł odpowiedzieć, zrobię to.

Przeszyła go wzrokiem, a potem cicho klasnęła.

– W porządku – powiedziała. – Dlaczego namierzyliście akurat Fahada?

– Nie namierzaliśmy go.

Chyłka przewróciła oczami.

– Daj spokój – rzuciła. – Nie jesteśmy w sądzie, a sprawę przejmie teraz prokuratura apelacyjna. Masz to z głowy.

– Bynajmniej.

Jadąc tutaj, sądziła, że Paderborn będzie w stanie wyjść poza swoją standardową rolę, tak jak ona to zrobiła. Być może jednak się pomyliła. Jeśli miał zamiar zaprzeczać, bawić się w zwyczajowe adwokacko-prokuratorskie gierki, nie miała tu czego szukać.

– Zamierzam doprowadzić sprawę do końca.

– Rozumiem. – Chyłka się podniosła. – Nic tu po nas, Zordon.

– Moment…

– Jeśli masz zamiar dalej uczestniczyć w postępowaniu, to zrozumiałe, że niczego mi nie powiesz, Pader – rzuciła. – Mogłabym liczyć na nieco szczerości tylko wtedy, gdyby się okazało, że zamknąłeś sprawę.

Kordian wstał, Olgierd zrobił to samo.

– Twierdzę jedynie, że to nie my go namierzaliśmy.

Joanna ściągnęła brwi i pochyliła nieco głowę.

– ABW miała go na celowniku od jakiegoś czasu.

– Dlaczego?

– Wszystko usłyszałaś w sądzie.

– Innymi słowy, więcej mi nie powiesz.

Pokiwał głową.

– Tyle że nie obchodzą mnie szczegóły, Paderewski.

– Co więc?

– Odpowiedź na pytanie, czy istnieje jakieś niebezpieczeństwo – oznajmiła. – Czy ABW rzeczywiście miała coś konkretnego, czy polowała na czarownice.

Wiedziała, że nie usłyszy odpowiedzi wprost. Oprócz tego miała jednak świadomość, że Paderborn w taki czy inny sposób da jej do zrozumienia, jak było naprawdę. Miała przed sobą być może jedynego prokuratora, który był gotów to zrobić – ona zaś była jedyną adwokat, która mogła o to zapytać.

Przetrzymał jej wzrok, po czym lekko, niemal niezauważalnie, skinął głową.

Przez chwilę trwali w milczeniu, udając, że nie doszło do wymiany informacji, które właściwie były istotniejsze niż wszystko, co ustalili w trakcie procesu.

– Kawę macie niezłą – oceniła Joanna, powąchawszy napój Oryńskiego. Potem skinęła głową na aplikanta i skierowała się do drzwi. – Personel też bywa nie najgorszy.

– Potraktuję to jako komplement.

– Słusznie – odparła na odchodnym. – Bylebyś nie nadinterpretował moich słów.

Opuściła gabinet Paderborna, nie czekając na odpowiedź. Chwilę później wyszli z Kordianem na Chocimską i popatrzyli na siebie. Chyłka dopięła płaszcz i ściągnęła ramiona.

– Powinnaś zainwestować w szalik.

– A ty w ponowne studia prawnicze.

– Co?

– Skoro już dajemy sobie cenne rady, musiałam skorzystać. Od dawna nosiłam się z zamiarem, żeby ci to powiedzieć.

Uniósł bezradnie wzrok.

– A tymczasem ja miałem jedynie zamiar powiedzieć, że jest chłodno, a ty musisz zadbać nie tylko o siebie, ale także o dzidzię.

– Sprawia ci to przyjemność, prawda?

– Co takiego?

– Nazywanie grzdyla w ten sposób.

– Niewypowiedzianą – przyznał z przekąsem. – Ale jeszcze większą sprawi mi, jeśli powiesz, po co w ogóle tu przyjechaliśmy.

Obróciła się i spojrzała na gmach. Przez moment się zastanawiała, jednak nie nad tym, o co pytał Zordon. Z jakiegoś powodu pomyślała, że może patrzeć na jego przyszłe miejsce pracy.

Wprawdzie od pewnego czasu nie zająknął się słowem na temat kariery oskarżyciela, ale wiedziała doskonale, że wciąż ma tę perspektywę gdzieś z tyłu głowy. A fakt, że przez ostatnie miesiące zwiększał dystans między nimi, mógł świadczyć o tym, że uznaje to za coraz bardziej realny scenariusz.

– Chyłka?

– Zamyśliłam się.

– Widzę. Ale moje pytanie pozostaje aktualne: co my tu robimy, do cholery?

Oderwała wzrok od budynku i spojrzała na Oryńskiego.

– Musiałam się upewnić.

– W takim razie misja zakończona fiaskiem, bo to lekkie kiwnięcie głową było równie wymowne jak wzruszenie ramion oskarżonego, kiedy sąd pyta go, czy przyznaje się do winy.

– Nie.

– Nie? – zapytał Kordian ze sceptycyzmem. – Byliśmy w dwóch różnych miejscach? Rozmawialiśmy z dwoma różnymi osobami?

– Właściwie ja rozmawiałam z Paderem, ty występowałeś jako milczące wsparcie dla swojego *capo di tutti capi*.

– Mniejsza o to. Pader niczego nie przyznał, zresztą naiwnością było sądzić, że…

– Przyznał, Zordon, przyznał. I to dość wymownie.

Widziała, że Kordian przygotowuje długą litanię argumentów, które miały ją przekonać, że się myli. Nie miała jednak zamiaru jej wysłuchiwać.

– To jeden z tych momentów, kiedy musisz mi po prostu zaufać.

– Aha.

– Coś nie w porządku?

– Nigdy nie wychodzę na tym przesadnie dobrze.

– Bo nigdy do końca mi nie ufasz.

Popatrzył na nią nieprzeniknionym wzrokiem. Miała wrażenie, że tą luźno rzuconą uwagą dotknęła czegoś znacznie poważniejszego. Czegoś, do czego bronił dostępu. Zmarszczyła czoło i przyjrzała mu się z namysłem.

– Tobie ufam – odparł po chwili, uśmiechając się. – Ale twojemu osądowi nie zawsze.

– W tym przypadku powinieneś – uparła się. – Paderborn i ja mamy niepisany układ o nieagresji. Darzymy się wzajemnym szacunkiem.

– O tak, to widać na każdym kroku.

– Mówię poważnie, Zordon – zastrzegła. – To jedyny prokurator, z którym możesz wymienić się informacjami i nie obawiać, że cię kantuje. I to właśnie zrobiliśmy. Milcząc, rozmawialiśmy.

– I do czego doszliście?

– Do tego, że Fahad stanowi niebezpieczeństwo.

Oryński rozłożył ręce.

– Nawet jeśli, to nie nasza sprawa.

– Formalnie nie, ale jak wysadzi w trzy strzępy Pałac Prezydencki, to zapewniam cię, że stanie się nasza. I to nie tylko jeśli chodzi o obronę Saracena przed nowymi zarzutami. – Joanna zawiesiła wzrok w oddali. – O ile oczywiście w tym hipotetycznym scenariuszu by przeżył.

– Raczej nie.

– Racja – przyznała. – Nawet jeśli nie wysadziłby się pasem szahida, zaraz potem własnoręcznie upchnęłabym mu do gęby C4 i zdetonowała.

Kordian zerknął na Chyłkę, a potem na czerwoną tabliczkę wiszącą na ścianie budynku, jakby chciał zasugerować, że to niespecjalnie odpowiednie miejsce na prowadzenie takiej rozmowy. A być może nawet, że każde inne także byłoby nieodpowiednie.

– Traktuję to jako nieprzesadnie zabawne żarty – oznajmił.

Joanna milczała.

– Słusznie? – spytał.

– Nie.

– A więc naprawdę...

– Naprawdę mam zamiar trzymać rękę na pulsie, Zordon. Tylko tyle.

– Albo aż tyle.

Nie była gotowa się z nim zgodzić, przekonana, że to absolutne minimum.

Owszem, to w gestii służb leżało, by w porę zapobiec ewentualnym niebezpiecznym działaniom Al-Jassama, o ile w ogóle jakiekolwiek planował. Problem polegał jednak na tym, że po skutecznej obronie i wygranej sprawie Fahad był ostatnią osobą, w stosunku do której służby mogły pozwolić sobie na dalsze przewinienia.

Wystarczyło, by przypadkowo spotkany na mieście funkcjonariusz spojrzał na niego krzywo, a Chyłka mogłaby zacząć dowodzić uporczywego nękania.

Nie miało znaczenia, że pod Würzburgiem młody Afgańczyk zaatakował pasażerów pociągu siekierą, że w Ansbach Syryjczyk wysadził się w powietrze, a w Monachium młody

Irańczyk zastrzelił dziewięć osób w centrum handlowym. W Polsce Al-Jassam był jak unikatowy gatunek pod ochroną. W tej chwili nikt nie mógł go tknąć.

A ona obawiała się, że Fahad skorzysta z tej okazji.

Kolejne dni tylko pogłębiały to uczucie. Klient nie pozwolił im na wejście do mieszkania przy Pożaryskiego, twierdząc, że nawet jeśli zamontowano w nim podsłuchy, teraz będą mogły zadziałać wyłącznie na jego korzyść.

Nie było to typowe podejście niewinnego człowieka, który przesiedział ileś tygodni w areszcie śledczym, a potem wygrał w sądzie. Al-Jassam powinien pałać żądzą zemsty wobec państwa. Powinien chcieć sprawiedliwości, zadośćuczynienia.

Tymczasem zdawał się w ogóle nie wracać do tego, co było. W dodatku zaczął ignorować swoich prawników. Nie odpowiadał na telefony, nie otwierał drzwi, coraz bardziej się oddalał.

W końcu zniknął.

Tydzień po rozprawie wyczyścił mieszkanie, wypłacił z konta wszystkie pieniądze i ślad po nim zaginął.

4

Kawalerka Oryńskiego, ul. Emilii Plater

Kazusy nawiedzały go nawet nocami. Nie dość, że przebudzał się o nieludzkich porach, z wrażeniem, że miał koszmary wyśnione na kanwie najbardziej skomplikowanych case'ów, to jeszcze zwlekał się z łóżka o poranku, mając pod powiekami przepisy, zasady i orzeczenia.

Kordian korzystał z każdej okazji, by przyswoić nieco wiedzy, ale wciąż był przekonany, że to nie wystarczy. Prawda była taka, że postąpił, jakby znalazł się z powrotem na studiach. Zbyt późno zaczął naukę. Mógł teraz pokonać prawniczo-aplikancki maraton, ale i tak nie było gwarancji, że dotrze do mety, zanim upłynie czas.

Usiadł na łóżku i rozmasował kark. Na dworze było jeszcze ciemno, nie powinien przebudzić się tak szybko. Dopiero po chwili przekonał się, że tym razem to nie przez koszmar, a wibrujący na szafce telefon.

Sięgnął po komórkę.

Była czwarta nad ranem, dzwoniła Chyłka. Nie mogło to oznaczać niczego dobrego.

Zastanawiał się przez moment, czy odbierać. Właściwie pora była usprawiedliwieniem samym w sobie. Za parę godzin mógł wysłać jej SMS-a, że spał i miał wyłączone dzwonki.

I przynajmniej połowicznie byłaby to prawda. Chyłka znała go jednak na tyle dobrze, by wiedzieć, że nie wyłącza wibracji. Na wszelki wypadek, gdyby stało się coś naprawdę ważnego. Przy odpowiedniej determinacji dzwoniącego komórka tańcząca na szafce nocnej potrafiła obudzić nawet tych, którzy cieszyli się snem sprawiedliwych.

Zanim podjął decyzję, Joanna przestała dzwonić.

Dlaczego nie odebrał?

Natychmiast odsunął pytanie, które pojawiło się w jego głowie. Doskonale znał odpowiedź. Rozmowa z Chyłką o czwartej nad ranem mogła dotyczyć tylko ważnych kwestii. Byłaby poważna, szczera.

A on unikał tego jak ognia.

Odłożył komórkę na bok i przykrył się kołdrą. Leżał przez moment na plecach, co samo w sobie świadczyło o tym, że nie zamierza zasypiać. Umiał to robić jedynie na boku.

Zaklął i usiadł na łóżku. Sięgnął po telefon, a potem wybrał numer Joanny.

– Zajęty jesteś, Zordon, czy jak? – powitała go.

Była rozbudzona. Nie, nawet więcej, pobudzona. Po głosie od razu wniósł, że nie śpi już od jakiegoś czasu.

– Zajęty? Nie, skąd...

– To dobrze.

– Czym mógłbym być zajęty o tej porze?

– Nieistotne – rzuciła. Mógłby przysiąc, że machnęła przy tym energicznie ręką. – Bo czytam właśnie uzasadnienie.

Jeszcze raz spojrzał na zegarek. Nie, nie pomylił się, naprawdę było tuż po czwartej.

– Uzasadnienie wyroku?

– Nie, wniosku o przydzielenie ci nagrody Darwina – odburknęła. – Oczywiście, że wyroku, Zordon.

– Ale...

– Odsuń wszelkie pytania na bok – poradziła. – Będzie jeszcze czas, żebyś okazał swój zwyczajowy brak domyślności. Teraz słuchaj.

Nie odpowiedział, wychodząc z założenia, że tylko w ten sposób może uda mu się zaznać jeszcze nieco snu tej nocy. Czy raczej tego poranka. Skierował wzrok w stronę pokoju połączonego z kuchnią, skąd dochodził zapach dymu papierosowego. Kupił wczoraj paczkę davidoffów, wychodząc z założenia, że dopóki uczy się do egzaminu aplikanckiego, może korzystać z taryfy ulgowej. Pewnie był to błąd. Podobnie jak to, że nie przewietrzył wieczorem chałupy.

– Zordon?

– Jestem – odparł. – Czekam cierpliwie, aż przelejesz na mnie swoją mądrość.

– Wykrywam nutę kpiny w twoim głosie.

– Niemożliwe.

– A teraz już nawet całą fermatę.

– Co takiego?

Głośno westchnęła.

– Nie grałeś nigdy na gitarze? Na pianinie? Na czymkolwiek... poza moimi nerwami?

– Nie.

Powtórzyła ostatni niewerbalny komentarz, a Kordian podniósł się i powłócząc nogami, przeszedł do kuchni. Usiadł przy stole, zerknął z niesmakiem na popielniczkę pełną petów, a potem sięgnął po davidoffa.

– Chodzi o koronę nad nutą, która dowolnie zwiększa czas jej trwania – wyjaśniła Chyłka. – Ale w tych twoich afrykańsko-brooklyńskich rytmach zapis nutowy jest nieistotny, prawda?

– Will Smith pochodzi z Filadelfii.

Skwitowała jego odpowiedź milczeniem.

– Uzupełnimy twoją wiedzę muzyczną innym razem – odparła w końcu, co należało uznać za duży postęp i przejaw dobrej woli. – Tymczasem zajmijmy się tą prawniczą.

– Wal – powiedział i zapalił.

Bez wątpienia usłyszała dźwięk zapalniczki, a potem tlącego się papierosa. Była na nie wyczulona.

– Co powinno znajdować się w uzasadnieniu wyroku? – spytała.

– Nie, Chyłka, błagam…

– Błagać będziesz przed wejściem na egzamin – odparła. – I to nie mnie, ale Boga. O cud.

Zaciągnął się tak głęboko, że popiół na końcu papierosa zbił się aż nadto.

– Daj mi żyć – zaapelował. – Mam wrażenie, że ryję nawet przez sen…

– Więc znasz kapek na pamięć. Artykuł czterysta dwadzieścia cztery.

– Naprawdę musimy…

– Paragraf pierwszy, punkt pierwszy – dodała. – Jedziesz.

– Donikąd – zaoponował. – Nie mam zamiaru…

– Jak tak dalej pójdzie, rzeczywiście tam zajedziesz, Zordon – powiedziała, a potem głęboko nabrała tchu. – Chodzi mi o samą kwintesencję wyroku, aplikancie.

Uniósł wzrok i odłożył papierosa do popielniczki.

– Niech będzie… – mruknął. – W uzasadnieniu sąd wykazuje przede wszystkim, jakie fakty zostały udowodnione i na jakich dowodach oparł się przy wyrokowaniu.

Podniósł davidoffa. O ile go pamięć nie myliła, w pierwszym punkcie tego przepisu było tylko tyle. Milczenie Chyłki sprawiało jednak, że zaczął powątpiewać. Znał dobrze konstrukcję, doskonale wiedział, co znajduje się w uzasadnieniu wyroku. Nie pamiętał jednak numerów konkretnych przepisów – zresztą przez całe studia ci bardziej ludzcy wykładowcy podkreślali, że nikt nigdy nie będzie wymagał od prawnika bezsensownego klepania cyfr. Liczyło się to, co było istotą przepisu, a nie jego numerek w akcie prawnym.

Najwyraźniej jednak ci ludzie nigdy nie mieli do czynienia z Chyłką.

– To połowicznie prawda – odezwała się w końcu. – A jak wiadomo, pół prawdy jest tyle warte, co…

– Więc może mnie oświecisz?

– Robię to bezustannie, Zordon – odparła niemal automatycznie. – I w tym przypadku powiem ci, że interesuje nas bardziej drugi człon tego przepisu.

– Czyli? Podstawa prawna?

– Nie… – odparła z niemocą w głosie. – To jest w punkcie drugim. Pierwszy nakazuje sądowi wyjaśnienie także tych faktów, których nie udało się udowodnić w toku postępowania. A przede wszystkim wyłożenie jak krowie na rowie, dlaczego nie uznano dowodów przeciwnych.

Oryński skinął głową.

– W tej kwestii Tatarek sporo przemilczał.

– Jak to?

– Jak być może pamiętasz, zgłosiliśmy trochę wniosków. I jeszcze więcej dowodów, których ten troglodyta nie był gotów uznać. Niepoczytalność, nadużycia służb, zagadkowa śmierć Lipczyńskich, niejednoznaczność powiązań Fahada z islamistami… czy w końcu przestępstwa przeciwko mieniu. – Na moment urwała. – Motoryzacyjny panie, świeć nad duszą iks piątki – dodała.

Kordian patrzył na dymiącego papierosa, zastanawiając się.

– Tatarek więcej odrzucił, niż był gotów przyjąć – przyznał. – To jasne. I chcesz mi powiedzieć, że niczego nie uzasadnił?

– Większości decyzji nie.

– Dlaczego?

– Nie mam pojęcia – odparła. – Ale wiem, że w normalnej sytuacji nigdy nie przepuściłby takiej okazji. Uzasadnienie to miejsce, w którym mógł dać upust wszystkiemu, z czym się hamował na sali sądowej. Właściwie nawet powinien to zrobić.

– A co ze zdaniem odrębnym?

– Jest opisane równie lakonicznie.

– Dziwne.

– Dziwne jest, że dziś jeszcze nie rzygałam, Zordon – zauważyła. – Fakt, że Tatarek nie zmieszał nas z błotem, jest podejrzany i niepokojący. Coś tu nie gra.

– Coś w sensie nuty czy fermaty?

– Coś w sensie całej pieprzonej partytury – odparła, a w jej głosie usłyszał determinację, którą tak cenił. – Wygląda mi to na szerzej zakrojoną sprawę.

– Bo?

– Przede wszystkim najpierw ławnicy robią woltę, wypinają się na sędziego w zupełnie bezprecedensowy sposób, a Tatarek poddaje się bez walki.

– Co miał zrobić?

Chyłka zaśmiała się cicho.

– Wierz mi, ten sukinsyn mógłby zaprowadzić porządek, gdyby tylko był odpowiednio zdeterminowany. I w trakcie procesu pokazał, że jest, a tymczasem na samym końcu po prostu odpuścił.

– Mhm.

– W dodatku nie skorzystał z okazji i w uzasadnieniu jedynie nadmienił o rzeczach, które uznał za wątpliwe. Jest tam tylko to, co ustawowo konieczne, Zordon.

– Może miał dosyć. Nie chciał już w tym grzebać.

Cisza w słuchawce kazała mu sądzić, że Chyłka uznaje to za pomysł raczej naiwny.

– Dawno nie widziałam tak lapidarnego uzasadnienia – odezwała się w końcu. – A w przypadku Tatarka nigdy.

Przygotowując się do procesu, Kordian sam wnikliwie badał sprawy prowadzone przez sędziego – i rzeczywiście, Tatarek był jednym z tych, którzy lubowali się w tworzeniu długich, łopatologicznych wyjaśnień.

Poza tym Joanna miała rację – przewodniczący nie przepuściłby okazji, by wyłożyć sędziom drugiej instancji, dlaczego jego zdaniem prawnicy z kancelarii Żelazny & McVay powinni byli przegrać.

– Oprócz tego Paderborn nie dzwonił – dodała.

– Hę?

– Nie kontaktował się w żaden sposób.

– I? Co w tym niezwykłego?

– Powinien to zrobić – odparła z pewnością w głosie. – Jeśli rzeczywiście wierzy, że Al-Jassam jest terrorystą, powinien w końcu zrugać nas za przeinaczenia, manipulacje, kłamstwa i inne moralnie niedopuszczalne działania, które sprawiły, że Fahad wyszedł na wolność.

Kordian dostrzegł, że papieros sam się wypalił i wypadł z popielniczki na stół. Strzepnął nikotynowy pył z blatu, a potem pstryknął niedopałkiem do zlewu.

– Może on nie z tych – zauważył.

– W pewnym sensie masz rację – oceniła Chyłka. – Powściągnął się podczas naszego spotkania, ale... do cholery, Zordon, to prokurator, który przegrał z nami jedną z najważniejszych rozpraw w życiu.

A w dodatku być może najbardziej prestiżową, jeśli wziąć pod uwagę, że miał przeciwko sobie swój odpowiednik z palestry. Myśl wydawała się sensowna, ale Kordian nie miał zamiaru jej werbalizować.

– I oczywiście pozwolił, by potencjalny terrorysta wyszedł na wolność – dodała. – Nigdy nie powinien sobie tego wybaczyć.

– O ile naprawdę sądzi, że Al-Jassam stanowi zagrożenie.

– O ile? – spytała z niedowierzaniem. – Jego wcześniejsza reakcja na moje słowa potwierdziła, że tak jest.

Oryński przez chwilę milczał, zastanawiając się nad tym, do czego dąży była patronka.

– Powinien być wściekły. Powinien zarzucać nas oskarżeniami, grozić kancelarii i...

– Wygląda mi raczej na takiego, który działa, zamiast gadać.

– Więc powinien działać, do kurwy nędzy! A on przyjął nas jak starych znajomych, wypiłeś kawę, pogawędziliśmy, a potem niewiele brakowało, a odprowadziłby nas do samochodu.

Kordian podrapał się po karku i spojrzał na zegarek. Ze snu nici.

– Co sugerujesz? – zapytał.

– Że tkwimy po uszy w gównie.

– Jakiego rodzaju?

– Tego najgorszego – odparła ciężko, a potem westchnęła.

Zapalił kolejnego papierosa, tym razem traktując go już nie jako przerywnik między fazami snu, a raczej jako śniadanie. Pomyślał, że przydałaby się też kawa. Zapowiadał się długi dzień.

– I jak się z tego wydostaniemy? – odezwał się.

– Jest tylko jeden sposób, Zordon. Na moment musimy zmienić front.

Nie brzmiało to zbyt dobrze.

– Sam rozważałeś karierę prokuratorską.

– Chcesz…

– Przenieść się na Chocimską? – przerwała mu. – Na Boga, nie. Nie obrażaj mnie.

– Więc o co chodzi?

– O to, że dojdziemy, kim naprawdę jest Fahad. Ustalimy, dlaczego wrócił do Polski. Dowiemy się, kto nas śledził, buchnął iks piątkę, przysłał pogiętą tablicę i napadł na mnie we własnym domu. – Głos Chyłki stał się bardziej zaczepny. – Sprawdzimy, czy śmierć Lipczyńskich naprawdę była przypadkiem. I przekonamy się, czy Fahad na pewno nie planuje niczego w Warszawie.

To tyle, jeśli chodziło o naukę do aplikacji, pomyślał Oryński.

5

Bollywood Lunch Restaurant, Nowy Świat

Podstawowy problem sprowadzał się do tego, że Al-Jassam wprost idealnie potrafił zacierać za sobą wszelkie ślady. Mieszkanie przy Pożaryskiego zupełnie wyczyścił, a do miejsca, gdzie rezydowali Lipczyńscy, nawet nie zajrzał.

Nie sposób było namierzyć go w żaden sposób, bo nie było nikogo, do kogo mógłby zwrócić się o pomoc. Nie miał znajomych, przyjaciół ani rodziny. Jedynymi ludźmi, którzy mogliby pomóc mu zniknąć, byli bracia w wierze – a ci trzymali się od niego z daleka, od kiedy tylko pojawiły się pierwsze informacje, że może trzymać z ekstremistami.

Oryński wszedł do zadymionego indyjskiego lokalu, przekonany, że podczas spotkania z Kormakiem nie dowie się niczego konkretnego. Wyglądało na to, że chudzielec chciał po prostu dobrze zjeść, a do tego zapalić sziszę.

Kiedy jednak Kordian wypatrzył siedzącą przy stoliku Chyłkę, natychmiast zrozumiał, że to nie będzie okazja do kurtuazyjnej pogadanki. Szczypior najwyraźniej nie próżnował i coś znalazł.

Oryński podszedł do stolika, ze zdziwieniem dostrzegając, że prowadzona przy nim rozmowa natychmiast się urwała. Joanna popatrzyła na Kordiana w charakterystyczny dla siebie, obojętny sposób, ale chudzielec wydawał się nieco zakłopotany.

– Mną się nie przejmujcie – rzucił aplikant, siadając na wolnym krześle.

– Hm? – mruknął Kormak.

– Ewidentnie wam w czymś przerwałem.

– Nie.

– Zamilkliście, jakbyście właśnie byli w trakcie planowania mojego pogrzebu.

– Poniekąd tak było – przyznała Chyłka. – Obstawiamy, jaki będziesz miał wynik na egzaminie adwokackim.

– Aha.

Nawet gdyby nie znał jej na wylot, po tonie głosu mógłby wnieść, że nie ma to wiele wspólnego z prawdą. Powiódł wzrokiem po obojgu, zastanawiając się, o czym rozprawiali – i co było na tyle kłopotliwe, by porzucić temat, kiedy tylko się zjawił.

Może go przejrzeli? Może Kormakowi w jakiś sposób udało się odkryć, czego dotyczyła rozmowa w policyjnym areszcie?

Nie, to niemożliwe. Przedsięwzięto wszelkie środki ostrożności, nawet stojący na korytarzu Szczerbiński nie miał pojęcia, co się działo w pokoju przesłuchań.

Musiało chodzić o coś innego. Być może o ciążę.

Kordian pomyślał, że nadal nie wie nic konkretnego odnośnie do ojca. Przemknęło mu przez głowę, że może być w tej niewiedzy osamotniony. Chyłka poprosiła Kormaka o pomoc, a ten mógł w końcu do czegoś dotrzeć, nie tylko w sprawie Fahada, ale i w kwestii tego, kto był głównym winowajcą powstania pasożyta.

– Uśmiechasz się do siebie, Zordon – zauważyła Joanna.

Kordian potrząsnął głową, odsuwając myśl o tym, że przyjął w duchu nomenklaturę stosowaną przez Chyłkę.

– Wyjdź na moment ze swojego świata – poradziła. – I skup się, bo Kormak coś ma.

– On zawsze coś ma.

– Nie mówię o problemach z samym sobą.

– Ja też nie.

Chudzielec odchrząknął, domagając się uwagi. Prawnicy patrzyli na siebie jeszcze przez moment bez słowa, jakby chcieli sprowokować się wzajemnie do pociągnięcia tematu. Potem w jednej chwili przenieśli spojrzenie na Kormaka.

Ten jednak złowił wzrok kelnera, a potem poprosił o szizę i jabłkowy tytoń. Chyłka zamówiła marokańską miętę, a Kordian uznał, że potrzebuje czasu, po czym zaczął wnikliwie studiować menu. Kusiła go bharta, bakłażan pieczony w piecu tandoor. Przypuszczał jednak, że zamawiając to danie, sprowadzi na siebie gromy.

– Prześledziłem wszystko, co było do prześledzenia – zaczął Kormak, kiedy podano mu fajkę wodną. Zdjął nakrycie główki, spojrzał z aprobatą na tytoń, a potem pociągnął z ustnika. W dzbanku zabulgotało. – Zarwałem dobre trzy noce – dodał, wypuszczając w górę dym.

– Z efektem lepszym niż w procesie naukowym Zordona?

– O to nietrudno.

Kordian zbył uwagę milczeniem. Popatrzył na przyjaciela, gdy ten po raz kolejny mocno pociągnął z sziszy.

– Założyłeś Fahadowi jakiś nadajnik? – spytał.

– Nie. To byłoby wbrew prawu.

– Co nie przeszkodziłoby ci ani w tym, ani w zamontowaniu podsłuchu.

Kormak się uśmiechnął.

– Fakt – przyznał. – Ale ponieważ ostatecznie nie dostałem się do domu, nie miałem okazji. Musiałem zdać się na bardziej tradycyjne metody szpiegowskie.

– To znaczy?

– Wyszedłem z założenia, że wszyscy oglądali relacje z procesu. W końcu to pierwszy polski islamista, który chciał wysadzić coś w Warszawie. Czy w ogóle w kraju.

– Rzekomo – dodał Kordian.

Chudzielec popatrzył na niego, jakby uraził go tym sprostowaniem.

– W każdym razie Fahad rzeczywiście stał się niejakim celebrytą – podjął Kormak. – I niełatwo mu było poruszać się po mieście niezauważonym. Pozbierałem trochę nagrań z monitoringu, porozmawiałem z kilkoma, kilkunastoma, a potem kilkudziesięcioma osobami i udało mi się odtworzyć kierunek, który obrał po opuszczeniu mieszkania.

Znów rozległ się bulgot. Chyłka z rozrzewnieniem spojrzała na kłęby dymu wydobywające się z ust szczypiora. Kordian dopiero teraz pomyślał, że siedząc tutaj, Joanna biernie wypali kilka paczek fajek.

Zamknął menu. Poczeka, aż Chyłka wypije miętę, a potem ją stąd wyprowadzi.

– Fahada widziano niedaleko Orlenu przy Pożaryskiego, szedł w kierunku przystanku na Czatowie.

Kordian potarł skroń i się skrzywił. Chudzielec przez moment się zastanawiał, a potem sięgnął do niewielkiej torby stojącej pod stołem. Wyciągnął tablet i szybko włączył mapę

Warszawy. Zrobił zbliżenie na Wawer, po czym zaczął palcem wskazywać poszczególne miejsca.

– Kierował się w stronę stacji PKP na Aninie – powiedział. – I tam też widziano go, kiedy wsiadał do eskaemki.

– Jadącej dokąd? – spytał Oryński.

– W kierunku Pruszkowa. Liczył pewnie na to, że nikt go tam nie zauważy, bo ruch nie jest duży, a kasa biletowa od dawna zamknięta. Można stanąć za wiatą, obrócić się tyłem do peronu i po sprawie.

Chyłka zbyła ostatnią wiadomość machnięciem ręki.

– Wiesz, gdzie wysiadł? – zapytała.

– Wiem – odparł z satysfakcją Kormak. – Choć niełatwo było to ustalić. Musiałem sporo się napocić, żeby dotrzeć do ludzi, którzy w tych godzinach jadą eskaemką w kierunku centrum.

– I?

– Widzieli go. Zresztą trudno było…

– Mam na myśli: co z Fahadem?

– Przejechał tylko trzy przystanki. Potem wysiadł na Wschodnim.

– Przyspiesz podawanie informacji, Kormaczysko.

– Nie mogę – zaoponował. – Chcę, żebyście poczuli choć namiastkę tego znoju, który musiałem na siebie wziąć. Wyobrażacie sobie, jak trudno było dotrzeć do…

– Do kogoś, kto widział Al-Jassama na Wschodnim? – przerwała mu Joanna i prychnęła. – Nie żartuj, cały tłum pasażerów musiał od razu go tam dostrzec. Połowa pewnie zadzwoniła na policję, że zjawił się niebezpieczny osobnik. A druga połowa zaczęła szukać kastetów i wyciągnęła telefony, żeby zadzwonić po kumpli.

Kormak trwał w bezruchu, ściskając ustnik sziszy.

– W końcu to Warszawa Wschodnia – dodała Chyłka. – I bynajmniej nie mam na myśli knajpy Gesslera. Całkiem niezłej, swoją drogą. Mimo że to Soho.

Kordian mógł tylko przypuszczać, że rzeczywiście tak jest. Nieczęsto chodził do miejsc, gdzie na rybę musiałby wydać niecałe osiemdziesiąt złotych.

– I robią świetny befsztyk tatarski – ciągnęła Joanna. – Jest tam też całkiem bezpiecznie, jeśli nie liczyć wszystkich hipsterowskich wegemaniaków, którzy zagrażają rodzajowi ludzkiemu.

– W jaki niby sposób? – włączył się Oryński.

– Związany z nieodwracalnymi zmianami w DNA. Ale nie wnikajmy.

– Nie, lepiej nie.

– Zresztą mówiliśmy o stacji. A ta mieści się na Pradze Południe.

– I?

Chyłka zmrużyła oczy, jakby wracała myślami do rzeczy, które nie zapisały się specjalnie przyjemnie w jej pamięci.

– Oddech śmierci jest tam wyjątkowo mocno wyczuwalny – odezwała się w końcu. – Kostucha zionie nim na co dzień.

Kormak i Oryński wymienili się zdezorientowanymi spojrzeniami. Prawniczka potrząsnęła głową, a potem lekko się uśmiechnęła.

– Dlatego tam mieszkam – dodała. – Ale skupmy się na tym, gdzie przeniósł się bisurmanin.

Kormak pokiwał głową i w końcu się poruszył. Wyraz jego twarzy nie pozostawiał wątpliwości, że nie miał zamiaru dłużej zwlekać z podawaniem informacji.

– Na Wschodnim wsiadł w inną eskaemkę.
– W stronę Legionowa?
– Tak.

Przeciwny kierunek nie miałby sensu, Al-Jassam dotarłby do centrum, a to samo mógł zrobić, zostając w pociągu, którym jechał z Wawra.

– Ustaliłeś, dokąd dotarł? – zapytała Joanna.

Poprawiwszy okulary w stylu Eltona Johna, szczypior popatrzył na ekran tabletu. Zrobił zbliżenie, wykonując sprawny ruch dwoma palcami.

– Na stacji Michałów-Reginów – powiedział. – Nie mam pojęcia, gdzie to jest ani co się tam mieści, ale najwyraźniej coś przyciągnęło tam Fahada jak ćmę do ognia.

Oryński westchnął, uznając, że porównanie zapewne okaże się nietrafione. Al-Jassam nie mógł się sparzyć – jeśli wybrał się do jednej z podwarszawskich wiosek, z pewnością miał ku temu dobry powód. Nie ryzykowałby tak długiego przejazdu komunikacją miejską po nic. Wprawdzie sąd go nie skazał, ale zrobiło to wiele osób – a wystarczyła jedna, przypadkowo spotkana w pociągu, by miał problem.

– Co dalej? – zapytał Oryński.
– Nic.
– Jak to nic?

Kormak wzruszył ramionami.

– Mało wam dałem? – zapytał z niezadowoleniem. – Wiecie, ile czasu, energii i wyrzeczeń kosztowało mnie dotarcie do ludzi, którzy go widzieli? I ułożenie tego w zborny ciąg zdarzeń?

– Sprawdziłeś raptem trzy stacje, Kormaczysko.

– Przez które przewijały się tłumy ludzi – odparł pod nosem. – Litości…

Kiedy zrobił pauzę, by zaciągnąć się jabłkowym tytoniem, Chyłka nachyliła się do niego.

– Skąd wiesz, że wysiadł w Michałowie?

– Widziała go jedna z babinek jadących do Nieporętu.

– A na peronie nikt…

– Nikt – uciął Kormak. – Zapewniam cię, że próbowałem dotrzeć do kogokolwiek, kto widział go w Michałowie, ale bez skutku. Byłem na tyle zdesperowany, że wrzuciłem nawet pytanie na odpowiednie „spotted".

Prawnicy popatrzyli na niego w milczeniu.

– Wcześniej założyłem fikcyjne konto z dość ponętną kobietą na profilowym – dodał szczypior. – Ale nawet to nie pomogło. Ślad tam się urwał. Pozostaje wam jedynie sprawdzenie tego na miejscu.

Kordian poruszył się nerwowo.

– Oho – odezwała się Chyłka, przyglądając mu się. – Odzywają się upiory przeszłości?

– W żadnym wypadku.

– Na pewno?

– Nic złego nigdy mnie tam nie spotkało. Nigdy nawet nie bylem w Michałowie-Reginowie.

– Wszystko przed tobą, Zordon – zauważyła z przekąsem. – Bo jak powszechnie wiadomo, masz talent do ładowania się w kłopoty w podwarszawskich wiochach.

Trudno było polemizować z nią w tym względzie. Właściwie od pewnego czasu uznawał się za stworzenie typowo miejskie i niechętnie wyjeżdżał poza granice Warszawy. Jeśli wziąć pod uwagę ciężar doświadczeń, być może było to całkiem zasadne.

Widmo Gorzyma nadal wracało. Nieczęsto, w dodatku było przyćmione innymi zdarzeniami, ale od czasu do czasu okazywało się kłopotliwe i przyprawiało Oryńskiego o szybsze bicie serca.

Co parę tygodni zjawiał się w Medicusie przy Chmielnej. Kancelaria płaciła firmie medycznej, by jej pracownicy systematycznie oliwili wszystkie trybiki maszyny prawniczej. Najczęściej więc opuszczali gabinety z receptami na psychotropy.

Kordian przy pierwszej wizycie usłyszał, że cierpi na łagodne stany lękowe. Nie brzmiało to najgorzej, a objawiało się głównie tym, że miał problemy ze snem. Teraz chyba ustąpiły. Trudno było powiedzieć, bo nauka do aplikacji wszystko zaburzała.

Ostatnio odstawił nawet lorafen, który przepisała mu lekarka. Przede wszystkim dlatego, że nie powinno się go łączyć z alkoholem. Przynajmniej ona tak twierdziła. Sprawdził to raz czy dwa z pomocą przemysłu browarniczego. Do żadnej tragedii nie doszło.

Zerknął na Chyłkę. Wciąż z sentymentem spoglądała na dym unoszący się nad Kormakiem.

Czy tylko oni mieli takie problemy? Nie, chyba nie. Może nawet byli jednymi z tych prawników, którzy z uzależnieniami radzili sobie całkiem nieźle.

Oryński powoli wstał z krzesła.

– Idziemy stąd – rzucił.

– Tak ci się spieszy do Michałowa?

– Nie wybieram się tam. Po prostu czas opuścić ten lokal.

– Ależ ty jesteś zasadniczy, Zordon – pochwaliła go Joanna. – I powinieneś dostać z miejsca Oscara, jako że to raczej pokaz aktorski niż…

– Idziesz?

Spojrzała na niego ze zdziwieniem, a on machnął ręką, jakby odciągał grubą kotarę przed sobą. Właściwie w pewnym sensie tak było. Dym wypełniający lokal zdawał się zagęszczać z każdą chwilą.

– Ach, martwisz się o darmozjada – powiedziała. – Tego, który bezczelnie wcina wszystko, co tylko znajdzie w środku. – Poklepała się lekko po brzuchu. – I przy okazji wchłania też to, co ja wciągam do płuc. O to chodzi?

– Ta.

– A zatem idziemy.

Kordian uniósł brwi. Spodziewał się raczej tego, że Chyłka go zruga.

– Zdziwiony? – spytała, kładąc na stole pięćdziesięciozłotowy banknot. – Jak ten mały szkodnik w końcu ze mnie wyjdzie i podrośnie, będzie miał wystarczająco dużo czasu, by popalić sobie do woli. Nie mam zamiaru teraz go do tego zmuszać.

Oryński przez moment zastanawiał się nad jej słowami, po czym uznał, że to tok myślenia właściwy dla Chyłki. Niemądrze byłoby w jakikolwiek sposób go komentować.

Pożegnali Kormaka, a potem wyszli na zewnątrz. Kordian od razu sięgnął do kieszeni marynarki po paczkę davidoffów.

– Wyszedłeś właśnie z hash komory – zauważyła Chyłka.

– Która sprawiła, że zachciało mi się palić. To chyba normalne.

Potoczyła wzrokiem dookoła.

– Nic nie jest normalne – odparła cicho.

Przypuszczał, że usłyszy jakiś nostalgiczny wywód, ale kiedy odpalił papierosa i na nią spojrzał, przekonał się, że był w błędzie. Joanna wyglądała na wyraźnie poirytowaną.

– Wiesz, co ten nieproszony gość ze mną robi? – zapytała, dźgając się palcem w brzuch. – Nie, nie masz pojęcia.

– I chyba nie chcę wiedzieć.

– Przede wszystkim przytyłam.

Niemal zakrztusił się dymem. Zlustrował ją z góry na dół, nie dostrzegając, by krągłości wystąpiły tam, gdzie jej ciało przechodziło łagodnie w ponętne zakosy. Może zdawała się trochę szersza w biodrach, ale minimalnie. Właściwie nawet dodawało jej to uroku. Poza wydatnym brzuchem nie dostrzegał żadnych zmian.

Ale może ona tak. Przy tych wszystkich obcisłych, ołówkowych spódnicach wystarczył centymetr różnicy, by pojawił się problem.

Tak czy inaczej nie miał zamiaru o tym rozmawiać.

– To nie wszystko, Zordon.

– Nie wątpię, ale...

– Przyznaję, piersi mi się zwiększyły – dodała. – Ale jednocześnie brodawki pociemniały, a wokół pojawiły się błękitne żyłki.

Tym razem naprawdę zakrztusił się dymem. Kaszlnął, mając wrażenie, że zaraz wypluje płuca.

– To od estradiolu – kontynuowała Joanna. – Jednego z pieprzonych hormonów, które produkuję teraz niczym dzieci szyjące T-shirty w chińskich fabrykach. Powoduje, że skóra na dekolcie i piersiach staje się bardziej przezroczysta.

Kordian wyrzucił papierosa i wskazał miejsce, w którym zaparkował daihatsu. Chyłka obojętnie skinęła głową i ruszyła w tamtą stronę.

– W dodatku cera mi się przetłuszcza – ciągnęła, wzdychając.

Miał ochotę odpowiedzieć, że dzięki temu promienieje, ale w porę się zmitygował.

– I najgorsze. Widmo rozstępów.

– Naprawdę musimy…

– Wiesz, co mi poradziła lekarka?

Pokręcił głową. Nie wiedział i nie chciał wiedzieć.

– Żebym nawilżała i masowała brzuszek.

Oryński poczuł, że w pewnym momencie nie zauważył otwartego portalu czasoprzestrzennego, który przeniósł go do alternatywnej rzeczywistości.

– Tak się wyraziła – dodała Chyłka. – I powiedziała jeszcze, żebym nie zapominała o piersiach i pupie. To też jej słowa.

Kordian przyspieszył kroku. Stąd na Tuwima, gdzie zostawiał auto, ilekroć przyjeżdżał do centrum, było niedaleko. Ale i tak wydawało mu się, że dojście tam zabierze całą wieczność.

– Mam masować sobie tyłek, rozumiesz, Zordon? – bąknęła Joanna. – Zupełnie ją popierdoliło.

– Bez wątpienia.

Spojrzała na niego z ukosa.

– Nie chcesz o tym gadać, co?

– Nie.

– W takim układzie nie pozostaje mi nic innego, jak codziennie relacjonować ci wszystkie moje przypadłości. I zapewniam cię, że rozstępy to tylko kropla w morzu.

Weszli w niewielką uliczkę prowadzącą w stronę Tuwima. Chyłka ponagliła Kordiana spojrzeniem, najwyraźniej licząc na jakąś ripostę. Starał się ją sformułować, ale szybko uznał swoją klęskę. Na polu ciążowym był na z góry przegranej pozycji.

Joanna zaśmiała się cicho.

– Jeśli coś ci kiedyś strzeli do głowy i postanowisz zostać ojcem, zadzwoń do mnie najpierw.

– Okej.

– Wyperswaduję ci to, przypominając tę rozmowę.

– Nie ma sprawy.

Popatrzyli na siebie w pewien osobliwy, niedookreślony sposób. Szybko odwrócili wzrok, a Oryński potrzebował kilku chwil, by zrozumieć, że było to jedno z tych spojrzeń, które sugerowało, że jedno i drugie ma coś jeszcze do powiedzenia.

Podeszli do YRV w milczeniu. Kordian otworzył drzwi, a potem się zawahał.

– Wiesz już, kto zawinił? – zapytał.

– W sprawie intruza?

Potwierdził zdawkowym ruchem głowy.

– Nie mam jeszcze pewności – odparła, wsiadając do samochodu.

Oryński zajął miejsce za kółkiem.

– Ale wiem już, kim jest „W".

Czekał, aż powie mu coś więcej, najwyraźniej jednak nie miała takiego zamiaru. On zaś nie chciał drążyć. Pewne sprawy lepiej było pozostawić niewyjaśnionymi. A przynajmniej na tym etapie, kiedy nie było pewne, który z trzech kandydatów okaże się ojcem.

– Zawsze mogę to olać – odezwała się, kiedy Kordian uruchomił silnik.

– Na aborcję już za późno.

Zmierzyła go nieprzychylnym spojrzeniem.

– Mam na myśli powiadomienie ojca – powiedziała. – Nic nie stoi na przeszkodzie, żeby nigdy nie dowiedział się o swoim współudziale w powstaniu pasożyta.

– Rzeczywiście, zupełnie nic.

– Tak czy owak wychowam krasnala samodzielnie – dodała zamyślona. – Ewentualnie z tobą, jak sytuacja mnie do tego zmusi.

– Ze mną – powtórzył. – Jeśli sytuacja cię zmusi...

– Tak.

– To świetny plan.

– Tak bym go nie nazwała, ale jakie mam wyjście? – odparła, wskazując na zielone światło na skrzyżowaniu przed nimi i sugerując, że zgaśnie, jeśli Oryński nie przyspieszy. – Może okazać się, że grzdyl jednak potrzebuje ojca. Albo ojcowskiego surogata. Przy odpowiednim obrobieniu mógłbyś się nadać, Zordon.

– Nie wiem, jak to traktować.

– Jak plan absolutnie awaryjny. Ale zastanowię się nad nim.

Nie skwitował, bo znów nie wiedział, co odpowiedzieć. Przytyki przytykami, wyczuwał w jej głosie wyraźną nutę sarkazmu, ale tkwiło gdzieś w nim także realne zaniepokojenie.

Nie chciał się w to zagłębiać, przypuszczał jednak, że w najbliższym czasie nie zazna już w tej kwestii spokoju. Pomylił się. Chyłka nie poruszała tematu, gdy jechali w stronę Michałowa-Reginowa, a po tym, jak dotarli na miejsce, oboje byli już pochłonięci zupełnie innymi sprawami.

Przez chwilę jeździli po wsi, zdając sobie sprawę, że sprawdzenie jej całej nie zajmie im wiele czasu. Mieszkało tu nieco ponad tysiąc osób, większość domów znajdowała się przy Warszawskiej, pozostałe przy jej odnogach.

Przy jednym z budynków na końcu wsi, w okolicy przywodzącej na myśl porzucony plac budowy, dostrzegli policyjne taśmy. Wymienili się znaczącymi spojrzeniami, a Kordian szybko zjechał na bok.

Wyszli z samochodu, wokół panowała niczym niezmącona cisza. Dopiero po chwili usłyszeli auto przejeżdżające po pełnej kocich łbów starej drodze krajowej. Nie zwrócili uwagi na srebrnego sedana z brunetką za kierownicą, skupiając się na domu.

Teren był ogrodzony pochylonym, zardzewiałym płotem. To na nim powiewały resztki taśmy. W budynku nie zamontowano okien czy drzwi, był właściwie w stanie surowym. Na przewróconej tabliczce leżącej przy furtce z trudem było można odczytać nazwisko kierownika budowy i lakoniczną informację o tym, że powstaje tu dom jednorodzinny.

Wiatr cicho zawodził między pozbawionymi szyb oknami, a kiedy Kordian im się przyjrzał, zobaczył, że w rogach znajdują się resztki tektury. Schował ręce do kieszeni, odnosząc wrażenie, jakby temperatura spadła nagle o kilka stopni.

– Co tu się stało? – zapytał.

Chyłka oderwała wzrok od szkieletowego domu.

– A wyglądam ci na specjalistkę od lokalnych wiadomości?

– Mam wrażenie, że cokolwiek się zdarzyło, nie było lokalne.

Jej milczenie zdawało się potwierdzać, że też tak sądzi. Wyjęła komórkę, po czym znacząco spojrzała na aplikanta.

– Zaraz się wszystkiego dowiem.

6

Parafia Świętej Rodziny, ul. Rozwadowska

Przeżegnawszy się, Chyłka weszła do kościoła i powiodła wzrokiem po pustych ławach. W świątyni panowały chłód i cisza, które zdawały się w jakiś sposób pogłębiać nabożność tego miejsca.

Kordian przeszedł przez próg tuż za nią. Obejrzała się przez ramię i posłała mu długie spojrzenie.

Uniósł pytająco brwi, jakby czuł się tu bardziej nie na miejscu niż w salonie BMW.

– Przeżegnaj się, Zordon – poradziła.

Sięgnął do kropielnicy, ale złapała go za rękę.

– Nie musisz moczyć palców w płynie, do którego łapy pchają wszyscy wchodzący i wychodzący – mruknęła. – Wystarczy, że przyklękniesz i zrobisz znak krzyża, aplikancie.

Zrobił, jak mu poleciła. Potem ruszyli kruchtą do jednej z tylnych ław.

– Dawno cię w żadnym kościele nie było czy jak?

– Dość dawno.

– A powinieneś bywać teraz codziennie. Może wymodliłbyś aplikację.

Szybko dostrzegli samotnego mężczyznę siedzącego nieopodal. Miał spuszczoną głowę, ale nie wyglądało na to, by się modlił. Przeciwnie, nerwowo pocierał czoło, jakby nie mógł się skupić.

Podeszli do niego i usiedli obok, wymieniając się zdawkowymi spojrzeniami.

Podczas krótkiej rozmowy telefonicznej, jeszcze w Michałowie-Reginowie, Joanna niechętnie przystała na to miejsce spotkania. Wychodziła z założenia, że było wiele lepszych do załatwiania spraw zawodowych.

Szczerbiński pozostawał jednak nieugięty. Twierdził, że jeśli ma im zdradzić cokolwiek, zrobi to tylko tam, gdzie będzie miał pewność co do braku podsłuchów.

Teraz jednak sprawiał wrażenie, jakby nawet tutaj ją stracił.

– Nie spieszyło się wam – zauważył szeptem.

Przyklęknął, położył łokcie przed sobą, a potem ukrył twarz w dłoniach. Prawnicy popatrzyli po sobie, a potem zrobili to samo. Przez moment wszyscy trwali w milczeniu.

– Zordon jeździ, jak jeździ – odezwała się Chyłka.

– Ciszej.

– To nie żadna tajemnica.

Szczerbiński zerknął na nią z ukosa. Przyjęła przepraszający wyraz twarzy, jakby mogło to stanowić wystarczające zapewnienie, że od teraz podejdzie do sprawy na poważnie. Być może powinna zresztą robić to od samego początku. Jeśli Szczerbaty naprawdę obawiał się, że ktoś może przysłuchiwać się rozmowie, należało uznać, że to nie przelewki. Aspirant nie należał do panikarzy, ani tym bardziej do zwolenników teorii spiskowych.

– Mów, co wiesz – poleciła Joanna.

Jeszcze bardziej zasłonił twarz.

– Niewiele.

– Weźmiemy każdy okruch. W końcu coś z nich ulepimy.

– Właściwie... to znaczy... – zaczął się plątać, szepcząc chrapliwie. – Powinienem użyć czasu przeszłego.

– W jakim sensie?

– Niewiele wiedziałem – sprostował. – Po twoim telefonie kilka właściwych pytań skierowanych do kilku właściwych osób rozwiało trochę moich wątpliwości.

– Do rzeczy.

Nabrał tchu i pochylił się jeszcze bardziej, jakby chciał zamknąć się w skorupie. I bez tego mówił niewyraźnie. Chyłka spodziewała się, że będzie musiała wysilić słuch, by teraz go usłyszeć.

– W tym domu, do którego pojechaliście, trafiono na Tomasza K.

– Kiljańskiego?

Szczerbaty nie odpowiedział.

– Na klienta waszej konkurencji – odparł wymijająco. – Konkurencji, z którą...

– Weszliśmy w piekielne konszachty, tak, tak – ucięła Joanna. – Wiadomo, o kim mowa.

Podniosła oczy na ołtarz i szybko pożałowała, że użyła tego epitetu. Służby być może nie nadstawiały tutaj ucha, ale zapewne robiła to najwyższa instancja.

– Zatrzymano go tam?

– Tak.

– Przecież to opuszczony szkielet. Nikt nie mógł tam mieszkać.

– Nie twierdzę, że ktokolwiek tam mieszkał na stałe. Zresztą budynek częściowo rozebrano, szukając dowodów.

– Na co?

– Na to, czym się trudnił podejrzany.

Chyłka skierowała na niego pełne dezaprobaty spojrzenie.

– Nie ułatwisz mi tego, co, Zębaty?

– Robię, co mogę. Ale to wszystko.

Zdawała sobie sprawę, że gdyby ich relacje na gruncie osobistym uformowały się inaczej, teraz dostałaby pełny pakiet informacji. W tej sytuacji mogła liczyć tylko na strzępki. Nie przypuszczała jednak, że okażą się tak irytująco małe.

Szczerbiński przeżegnał się, podniósł, a potem wyszedł z ławy.

– Hej, moment...

– To wszystko, co mogę wam teraz powiedzieć.

Nie czekał, aż spróbują go zatrzymać. Natychmiast ruszył w stronę wyjścia, zostawiając prawników skołowanych i rozdartych co do tego, jak należy zareagować. Ostatecznie nie ruszyli się ani o krok, pozwalając mu odejść.

Dopiero po chwili Chyłka zrozumiała, że dał im znacznie więcej, niż początkowo sądziła. Łaknęła dalszych szczegółów, ale tak naprawdę nawet lakoniczna informacja była wystarczająca, by mogli działać dalej.

Bez słowa wyszła spomiędzy ław i główną nawą ruszyła do wyjścia. Dostrzegła jeszcze kątem oka, jak Kordian bezsilnie rozkłada ręce.

Kiedy stanęli przed kościołem, wyciągnął paczkę davidoffów. Chyłka szybko ją przejęła.

– Nie tu – rzuciła.

– Naprawdę fascynuje mnie twoja pobożność.

– To nie pobożność, Zordon, a zwykły element mojego jestestwa.

– Hm?

– Człowiek jest jak laptop – wyjaśniła. – A wiara jest jak Wi-Fi, łączy go z całym światem. I podobnie jak owa sieć, jest niewidzialna.

Oryński otworzył usta i przez chwilę przyglądał jej się, nie odzywając.

– Niezbyt to wzniosłe – zauważył.

– Ale pragmatyczne – odparła, wodząc wzrokiem za Szczerbińskim. Nie było śladu ani po nim, ani po jego samochodzie. – Podobnie jak nasze krótkie spotkanie z Zębatym.

– Kiedy zmieniłaś mu ksywkę?

– Przed chwilą.

– Zaczynam się obawiać, że w moim wypadku…

– Nie ma czasu na pierdoły, Zordon – ucięła czym prędzej. – Najwyższa pora działać.

Widziała, że Kordian nie załapał, co konkretnie ma na myśli. Być może jego uciemiężony nauką umysł chwilowo utracił zdolność zaskakiwania na odpowiednie tory.

– Dostaliśmy wszystko, czego potrzebowaliśmy – powiedziała.

– To znaczy?

– W zupełności wystarcza nam informacja, że w tamtym domu pojawił się Kiljański.

Oryński dopiero teraz się zorientował, że w istocie tak jest. Fahad nie udał się tam bez powodu. Fakt, że widziano go właśnie na stacji PKP w Michałowie-Reginowie, dobitnie świadczył o tym, do kogo zwrócił się po pomoc.

Prawnicy uśmiechnęli się lekko do siebie. Mieli trop, w dodatku nie tylko całkiem świeży, ale także obiecujący. Nie musieli nawet przez moment się zastanawiać, w jaki sposób nim podążyć.

Pojechali prosto na Mokotów, do siedziby kancelarii Czymański Messer Krat. Mieściła się w samym sercu Mordoru, przy Domaniewskiej. Trwający nieopodal remont torowiska sprawiał, że zwyczajowe określenie stolicy polskiej korporacyjności nabrało dodatkowego wydźwięku.

Kordian nie znalazł miejsca parkingowego, choć Chyłka twierdziła, że spokojnie zmieściłby się w wąskim przesmyku między samochodami stojącymi przy Magazynowej. Ostatecznie postawił daihatsu dwie przecznice dalej, a potem w siąpiącym deszczu prawnicy podeszli pod siedzibę CzMK.

Minęli kilku kurierów dostarczających rzekomo świeże produkty rzekomo zapracowanym prawnikom, obrzucili obojętnym spojrzeniem zestresowanych stażystów, robiących wszystko, by szefowie dobrze ich zapamiętali, a potem przeszli do gabinetu Messera.

Paweł czekał na nich z kawą, uprzedzony, że powinien spodziewać się delegacji z Żelaznego & McVaya. Najwyraźniej jednak nie był świadomy tego, że kofeina i ciąża nie idą w parze. Joanna przepuściła Oryńskiego w progu, wprawiając go w zdumienie, po czym trzasnęła za sobą drzwiami.

Miała wrażenie, że niewiele brakowało, a na przeszklonych ścianach pojawiłyby się pęknięcia.

– Widzę, że ciężarność ci służy – zauważył Paweł.

Ciemne ray-bany leżały na biurku jak rekwizyt, ustawione pod odpowiednim kątem, szkłami do gości. Chyłce przeszło przez myśl, że Messer zapewne pojawia się w nich wszędzie poza budynkiem sądu. Nawet gdy nie świeci słońce.

– Koniec z mydleniem oczu – rzuciła.

Kordian odsunął dwa krzesła sprzed niewielkiego stolika i postawił je przed biurkiem. Wraz z Chyłką zajęli miejsca, jakby byli u siebie.

– Co tu się dzieje, do kurwy nędzy? – spytała Joanna. – Mów, Messer, albo przysięgam, że całe moje hormonalne wzburzenie spożytkuję na uprzykrzenie ci żywota.

– Niestety, nie rozumiem, co…

– Nasz Alibaba zniknął – wpadła mu w słowo.

– Tak, słyszałem.

– I ostatni trop prowadzi do twojego człowieka.

– Mojego? – zapytał, marszcząc czoło. – *Sorry*, ale…

– Przepraszać będziesz później. I to po polsku. Bo żyjesz w Polsce.

Skwitował jej słowa milczeniem, zerkając w stronę okularów, jakby stanowiły atrybut władzy, pewności siebie czy Bóg jeden wie czego. Po chwili sięgnął po nie i zaczął odginać zauszniki. Przywodził na myśl Żelaznego – a raczej jego młodszą, jeszcze nie do końca wyrobioną wersję.

Chyłka wzdrygnęła się na myśl o tym, co robiła z tym człowiekiem.

– Teraz gadaj – dodała. – Gdzie jest Saracen?

– Nie wiem, o czym mowa.

– Zwrócił się do Kiljańskiego, a ten pomógł mu zniknąć.

– Nie sądzę. Nie ryzykowałby.

– Gówno mnie obchodzi, co sądzisz – odparła, pochylając się. – Interesuje mnie jedynie to, jak mocno potrafisz przycisnąć swoich klientów.

Wiedziała, że nie miał z tym najmniejszych problemów. Uchodził za jednego z tych, którzy mają naturalną zdolność mydlenia ludziom oczu. Wykorzystywał to poza sądem nawet częściej niż na salach obrad, doprowadzając do wielu korzystnych dla CzMK ugód.

– Co masz na myśli? – spytał.

– To, czy potrafisz wydusić z Kiljańskiego informacje.

– Nie mam zamiaru niczego…

– Może nie w tej chwili – przyznała. – Ale zapewniam cię, że kiedy ta rozmowa dobiegnie końca, będziesz czuł wręcz wewnętrzny imperatyw, żeby wyciągnąć ze swojego klienta wszystko, co wie o moim.

– Formalnie to nasi klienci.

– Formalnie jesteś sukinsynem, na rozmowę z którym nie powinnam tracić czasu – odparowała. – A mimo to jestem tu. I czekam.

Mierzyli się wzrokiem znacznie dłużej, niż chcieli. Oryński poruszył się nerwowo i nabrał tchu. Najwyraźniej uznał, że pora się włączyć, zanim tych dwoje zapędzi się w kozi róg.

– Mamy dowód na to, że Fahad był w Michałowie-Reginowie – odezwał się Kordian.

– I?

– To tam swoją dziuplę miał Kiljański.

– Nic mi o tym nie wiadomo.

Oryński puścił to ewidentne kłamstwo mimo uszu.

– Biorąc pod uwagę liczbę podwarszawskich wsi, do których mógłby się skierować Al-Jassam, trudno podejrzewać, że to przypadek – dodał Kordian, a potem poprawił marynarkę. – Tak mniej więcej będzie brzmiał komunikat policji, kiedy już zainteresujemy ich tą sprawą.

– Kiljański to także wasz klient.

– Owszem. I niepokoimy się o niego tak samo, jak o Fahada.

Chyłka potwierdziła, kiwając głową.

– Otóż to – odezwała się. – Nagle zniknęli, nie wiemy, co się z nimi dzieje.

– A co miałoby się dziać? Al-Jassam został oczyszczony z zarzutów, Kiljańskiemu nigdy żadnych nie postawiono. Mieli pełne prawo wyjechać, to wolny kraj.

– Tyle że Kiljański zapewne wróci, a Fahad nie – zaoponował Oryński. – Jeden pomoże drugiemu zniknąć, to oczywiste. Załatwi mu papiery, być może nawet kanał przerzutowy.

W pomieszczeniu zaległa cisza. Messer doskonale zdawał sobie sprawę z tego, jak niekorzystnie sprawa może się dla niego skończyć. Pod względem prawnym był na dobrej pozycji, ale CzMK naraziła się na potencjalny PR-owy kłopot.

Złożył zauszniki i odstawił okulary na biurko. Potem poprawił je, by leżały przodem do Chyłki i Oryńskiego.

– Z pewnością uda ci się skontaktować ze swoim klientem – rzuciła Chyłka. – A im szybciej to zrobisz, tym większe prawdopodobieństwo, że policja nigdy się o niczym nie dowie.

Jeszcze przez moment się namyślał, ale Joanna była przekonana, że podejmie właściwą decyzję. Kiedy sięgnął po telefon, utwierdziła się w tym. Nie poinformował ich wprawdzie, czyj numer wybiera, kiedy jednak odwrócił się na krześle z lekko pochyloną głową, wiedziała, że dzwoni do Kiljańskiego.

Moment później znów okręcił się na krześle.

Popatrzył na nich z niepokojem.

– Nie odbiera? – zapytał pod nosem Kordian.

– Nie.

Joanna przyjrzała się Messerowi i uznała, że ten bynajmniej nie sprawia wrażenia zdziwionego. W mig zrozumiała, dlaczego tak jest, i siarczyście zaklęła w duchu.

– I to nie pierwszy raz, prawda? – rzuciła.

Paweł skinął głową.

– Od kiedy próbujesz się z nim skontaktować?

Widziała, że jeszcze się waha, czy powinien pozwolić sobie na otwartość. Miała w zanadrzu kilka formułek, których mogła użyć – wszystkie sprowadzały się do tego, że jadą na tym samym wózku.

Messer najwyraźniej sam do tego doszedł.

– Od jak dawna? – powtórzyła.

– Mniej więcej od momentu, kiedy znikł Fahad.

– I nic?

– Zupełna cisza – potwierdził Paweł i westchnął. – Jeden i drugi zapadli się pod ziemię.

Prawnicy z Żelaznego & McVaya starali się wyciągnąć z niego coś więcej, ale po chwili przekonali się, że ma tyle informacji, co oni. Był w takim samym położeniu. Wiedział na pewno jedynie to, że dwaj klienci znikli w tym samym momencie nie przez przypadek.

Cisza, która nastała, kiedy wyczerpali temat, zdawała się smutnym potwierdzeniem tego, w jak głębokim bagnie wszyscy się znaleźli.

Messer potarł czubek nosa i spojrzał na okulary.

– Jeśli się okaże, że ci dwaj coś planują, to będzie nasz koniec – ocenił.

– Nie przesadzaj.

– Wyobrażasz sobie cały hejt, który na nas spadnie? – perorował dalej Paweł. – Nie ograniczy się tylko do internetu. Media poszczują nas najgorszymi bulterierami. Będziemy jak hipotetyczny prawnik, który broniłby Hitlera, gdyby ten nie targnął się na swoje życie.

– E tam.

Spojrzał na nią z niedowierzaniem.

– Sugerujesz, że nikt by go nie bronił?

– Kpisz sobie? – odparła z uśmiechem. – Całe zastępy największych sław niemieckiej palestry ustawiałyby się w kolejce.

– Wątpię. Niewielu chciałoby bronić zbrodniarza, a jeszcze mniej podejmować się z góry przegranej sprawy.

– Chyba nie prześledziłeś dokładnie historii, Messer.

– Może tego jej wycinka nie – przyznał. – Ale wystarczy mi wiedza, że ludzie wbrew pozorom dość często kierują się moralnością. I słusznie robią.

– Więc jesteś jak Machiavelli.

Zmarszczył czoło.

– On, jako niewierzący, wychodził z założenia, że religia jest ludziom niezbędna. Ale tylko dlatego, by władcy mogli ją wykorzystywać – wyjaśniła. – Odnajduję w tym analogię.

– Goń się.

Chyłka uśmiechnęła się lekko.

– Taka riposta jest zazwyczaj dowodem na to, że cios był mocny, bo przeciwnik nie wie, jak odpowiedzieć – zauważyła. – Potraktuję to więc jako wyraz najwyższego uznania z twojej strony.

Podniósł się i wskazał drzwi.

– Chcesz jeszcze czegoś?

– Nie – odparła, również wstając. – Dowiedziałam się wszystkiego, co było mi potrzebne. A tobie proponuję poszerzyć wiedzę o tym, jak to było podczas procesów norymberskich.

Nie dodając nic więcej, opuściła jego biuro. Prawda o obronie hitlerowskich zbrodniarzy była taka, że w istocie chętnych do podjęcia się jej było wielu. W dodatku każdy z głównych obrońców miał przynajmniej siedemdziesięciu pomocników.

I wszyscy prawdopodobnie wychodzili z założenia, że klienci i tak zawisną. Ich rola sprowadzała się do tego, by zrobić wszystko, co w ludzkiej mocy, aby oskarżeni mieli szansę się obronić.

Bo dopiero po wyczerpaniu wszystkich możliwości obrony z czystym sumieniem można było skazać ich na jedyną słuszną karę. Śmierć.

Gdyby alianci wyszli z innego założenia, pozwoliliby żołnierzom na rozstrzelanie wrogów, kiedy tylko ci zostali odnalezieni. A jednak tak się nie stało. Obrońcy byli zatem niezbędni – i obywatele doskonale to rozumieli.

Nikt nigdy nie miał im za złe obrony Hansa Franka czy von Ribbentropa. Niektórzy kontynuowali głośne kariery prawnicze w powojennych Niemczech, jak choćby Otto Kranzbühler, który później bronił największych magnatów gospodarczych.

Czy w wypadku Chyłki i Oryńskiego mogłoby być podobnie? Joanna nawet na moment nie przyjęła takiej możliwości. Była przekonana, że jeśli w istocie dojdzie do jakiegoś ataku, natychmiast rozpoczną się poszukiwania kozła ofiarnego.

A obrońcy z Żelaznego & McVaya oraz z CzMK będą nadawać się do takiej roli wprost idealnie. Świat się zmienił. W jego obecnym kształcie lepiej odnajdywali się tacy prawnicy jak Frank Berton i Sven Mary, którzy zrezygnowali z obrony Abdeslama.

Kiedy wychodzili z siedziby Czymańskiego Messera Krata, tym razem to Chyłka pozwoliła, by Oryński otworzył jej drzwi i przepuścił ją w progu. Wyszła na zewnątrz i zapięła płaszcz po szyję. Mniej więcej w połowie jego długości przesunięcie zamka przychodziło jej z coraz większym trudem.

Naprawdę musi zakupić coś większego, przeszło jej przez myśl.

– Może po prostu się zwinęli – odezwał się Kordian.

Nie wiedziała, co ma na myśli. Zatrzymała się przed budynkiem, patrząc na samochody stojące w szybko tworzącym się korku. Sięgnęła do kieszeni, a potem oddała davidoffy Oryńskiemu. Szybko z tego skorzystał.

– Co mówiłeś? – zapytała.

– Że może nie planują żadnego zamachu.

Wypuścił dym w kierunku bloków po drugiej stronie ulicy.

Dotknął sedna sprawy. Cała trójka doskonale wiedziała, co może oznaczać nagłe zniknięcie bez śladu. Przynajmniej jeśli chodziło o te dwie konkretne osoby.

– Może uznali, że mają dosyć.

– Albo że pora wysadzić Pałac Kultury w trzy strzępy – zauważyła cicho Chyłka. – Przy czym tego akurat nie miałabym im za złe. Oczywiście gdyby w architektonicznej szkaradzie akurat nikogo nie było.

Kordian skinął głową.

– I gdyby Hard Rock nie ucierpiał.

– Wiadoma sprawa.

– Trzeba byłoby też ewakuować te myszołapy, które kłębią się w podziemiach.

– Nie wiedziałem, że dobro kotów leży ci na sercu.

Obróciła się do niego i pogroziła mu palcem.

– Nie znoszę miauczących arogantów – rzuciła. – Ale to jednak żywe zwierzęta, Zordon.

– Swój denerwuje swego.

– Co?

– Nic, tak tylko pomyślałem, że...

– Wolę psy, zdecydowanie – ucięła. – Może nawet sprawię sobie jakiegoś.

– Ty? – spytał niepewnie. – Ty i... pies? Właściwie... ty i jakiekolwiek żyjące stworzenie? Pod jednym dachem?

– Zrobiłabym lekki trening przed nadejściem pasożyta. Taka przebieżka macierzyńska, sam rozumiesz.

– Nie.

– W dodatku mogłabym nazwać zasrańca Nabuchodonozor.

– Mowa o psie czy dziecku?

Ściągnęła brwi, mrużąc oczy.

– Po tobie można się spodziewać wszystkiego – zastrzegł.

– Chodzi o psa – wyjaśniła. – Uważam, że to idealne imię.

– Imię może tak, ale jakoś...

– Postawiłabym na dobermana – dodała w zamyśleniu. – Wiedziałeś, że pierwszy pies tej rasy został wyhodowany przez poborcę podatkowego? To wiele o nich mówi.

– Nie wiedziałem.

Przestało kropić, Chyłka ruszyła w kierunku Magazynowej. Była zadowolona, że nie ciągnęli tematu Fahada. Na tym etapie dalsze rozważania byłyby bezcelowe. Mogli w koło przerabiać każdy najmniejszy szczegół, a i tak do niczego by nie doszli.

Musieli zastanowić się nad czymś innym. Nad tym, czy poinformować służby, że Al-Jassam znów zwrócił się do Kiljańskiego. A w podjęciu decyzji nie pomogłaby żadna rozmowa. Każde z nich musiało to przetrawić na własną rękę.

Gdy wrócili do kancelarii, Joanna od razu udała się do swojego gabinetu. Zamknęła się w nim i starała skupić na drogach, którymi mogłaby dotrzeć do celu. Wszystkie były ślepe.

Jej myśli odpłynęły w kierunku Messera, „W" i Szczerbińskiego. Głowiła się nad tym, kto byłby najlepszym, a kto najgorszym materiałem na ojca. I dlaczego ten, a nie inny, się nim okazał.

Westchnęła i z zaskoczeniem przekonała się, że trzyma rękę na brzuchu. Natychmiast ją cofnęła.

Wbiła wzrok w ekran laptopa i trwała przez kilka chwil w bezruchu. Włączyła mapę, sprawdziła okolicę opuszczonego domu w Michałowie-Reginowie, potem oddaliła ją i powiodła wzrokiem wzdłuż dróg prowadzących na północ i południe.

Jeśli Fahad i Kiljański zamierzali zaatakować, mieli mnóstwo możliwości. Al-Jassam był wprawdzie rozpoznawalny, ale ostatecznie jakie to miało znaczenie?

Gdyby zjawił się w jednym z centrów handlowych z pasem szahida, nie miałoby żadnego. Zanim ktokolwiek zdążyłby się nim zainteresować, Fahad nacisnąłby przycisk, a wszyscy wokół pożegnaliby się z życiem.

Nie, to nierealny scenariusz, powiedziała sobie w duchu Chyłka.

I trwała w tym przekonaniu, dopóki nie zauważyła, że dzwoni Paderborn.

Odebrała od razu.

– Jest coś nowego? – zapytała.

– To ja chciałem cię o to zapytać.

– Hę?

– Masz mi coś do powiedzenia?

Potrząsnęła głową. Brzmiało to, jakby powinna mieć.

– Jeśli tak, musimy się spotkać.

Była za. Prowadzenie takich rozmów przez telefon mogło skończyć się źle zarówno dla jednej, jak i drugiej strony.

– Byle nie w kościele – zastrzegła.

– Co takiego?

– Nieważne – odparła. – Co proponujesz? Neutralny grunt?

– A jest taki w Warszawie?

– Może i nie – przyznała. – Ale znam miejsce, gdzie puszczają dobrą muzykę.

7

Hard Rock Cafe, ul. Złota

Oryński nigdy nie przypuszczał, że poczuje się w tym miejscu lepiej niż w domu. A jednak tak było. Wchodząc do ciemnego, nastrojowego wnętrza, odetchnął z ulgą. Miłe uczucie nie trwało jednak długo, widok Paderborna sprawił bowiem, że poczuł ucisk w klatce piersiowej.

Usiedli z Chyłką przy stoliku, prokurator zajadał już jedno z dań mięsnych, które według Oryńskiego sprawiały wrażenie, jakby wymagały ubicia wyjątkowo zadziornego byka. Olgierd odkroił kawałek krwistego steka, a potem zdawkowo skinął głową do obrońców.

– Macie problem – oznajmił na powitanie.

Chyłka pogładziła się po brzuchu.

– To nie nasz. Wyłącznie mój.

– Nie mam na myśli… – Urwał, a potem najwyraźniej uznał, że nie musi kończyć. Wbił widelec w kawałek mięsa. – Pojawiły się nowe fakty.

Joanna uśmiechnęła się do kelnera, tym samym właściwie dokonując wyboru dania. W Hard Rocku nie potrzebowała ani menu, ani słów, by złożyć zamówienie.

Po chwili Kordian ze zdziwieniem przekonał się, że on także nie. Spojrzał na łososia, którego postawił przed nim pracownik obsługi, a potem zabrał się do jedzenia.

Nie podejmowali tematu. Czekali, aż Paderborn sam to zrobi.

Prokurator jednak się do tego nie kwapił, skupiając się przede wszystkim na swoim daniu. Przyglądając mu się, Oryński stwierdził, że Paderborn sam nie jest do końca przekonany, czy słusznie zrobił, spotykając się z nimi.

Chyłka uniosła ręce, skupiając na sobie uwagę obu mężczyzn, a potem przeciągnęła się.

– Muzyka jest wyśmienita – zauważyła, zerkając w stronę baru. – Mogłabym tu siedzieć cały dzień.

Olgierd na moment zamarł, a potem odłożył sztućce i otarł usta.

– Ale ani ja go nie mam, ani ty, Pader. A już na pewno nie Zordon.

Kordian spodziewał się kolejnego przytyczka aplikacyjnego, najwyraźniej jednak aluzja była tak wyraźna, że nie wymagała rozwinięcia.

– Jakie nowe fakty się pojawiły? – spytała Chyłka.

– Nie mogę wiele powiedzieć.

Joanna przewróciła oczami.

– Co nie jest niczym nowym, biorąc pod uwagę twój zawód. Czasem wydaje mi się, że cała prokuratorska robota sprowadza się do trzymania informacji dla siebie. A w szczególności do przemilczenia tego, co się kłóci z aktem oskarżenia.

– Podobne zarzuty mógłbym wyciągnąć wobec was.

– Mnie – poprawiła go Chyłka. – Zordon oblał egzamin adwokacki.

– Przecież jeszcze nie…

– No to dopiero obleje – poprawiła się. – Jeden grzyb. A teraz do rzeczy, Paderewski, zanim mój dobry humor bezpowrotnie przepadnie.

Olgierd odsunął talerz, najwyraźniej nie mając zamiaru dojadać steku. Kordian z chęcią skupiłby się na swoim łososiu, ale w tej sytuacji wypadało sobie odpuścić.

– Służby odkryły coś niepokojącego – oznajmił Paderborn.

Chyłka chciała odpowiedzieć, ale zamilkła. Odezwała się dopiero po chwili, unosząc jednocześnie rękę w geście „stop".

– Służby. Odkryć. Coś niepokojącego – wyrecytowała. – Te cztery wyrazy w jednym zdaniu budzą mój wewnętrzny sprzeciw.

– Mój też – dorzucił Oryński.

– Twój jest bez znaczenia, bo się nie uzewnętrzni. W przypadku mojego Paderewski pożałuje, że się urodził.

Prokurator nie wyglądał na rozbawionego, a dwójka prawników szybko sama spoważniała. Wymienili się jeszcze spojrzeniami, a potem wbili wzrok w Paderborna.

– Nawet gdybym mógł zagłębić się w szczegóły, prawdopodobnie bym tego nie zrobił – dodał Olgierd. – Ale moim zdaniem powinniście mieć choćby oględną wiedzę. W końcu chodzi o waszego klienta.

– Jaką wiedzę? – rzuciła Joanna.

– Że pojawiły się kolejne podejrzenia w jego sprawie. Wygląda na to, że nie jest tak niewinny, jak starałaś się to przedstawić w sądzie.

– W jakim sensie?

Paderborn zamilkł.

– I skąd masz te informacje?

– Z dobrego źródła. Więcej nie mogę powiedzieć.

– Więc mamy tak po prostu uwierzyć?

Westchnął, skupiając wzrok wyłącznie na Chyłce.

– Do tej pory udowodniłem już chyba, że... cóż, są dla mnie sprawy ważne i ważniejsze – odparł ciężko. – Do tych pierwszych zalicza się wygranie procesu, wpakowanie przestępcy za kratki.

– A do drugich?

– Dopowiedz sobie.

Podniósł się, wyciągnął drogi skórzany portfel, a potem odliczył kilka banknotów. Trudno było spodziewać się, że podczas tej rozmowy będzie wylewny, ale Oryński liczył na znacznie więcej.

Właściwie cały czas miał nadzieję, że w całym tym zamieszaniu znajdzie się jedna osoba, która wyłoży wszystkie karty na stół. Tymczasem każdy miał jedynie niewielkie elementy układanki, które nie chciały się ze sobą połączyć.

Olgierd upewnił się, że zostawił odpowiedni napiwek, a potem obrócił się w stronę wyjścia.

– Poczekaj – zatrzymała go Chyłka.

Kordian drgnął nerwowo, od razu orientując się, co zamierza zrobić Joanna. W pewnym względzie naprawdę była podobna do Paderborna. Mimo że oboje sprawdzali się świetnie w swoich rolach, broniąc lub oskarżając mniej lub bardziej winne osoby, ostatecznie ich działanie sprowadzało się do tego samego. Dla obojga były sprawy ważne i ważniejsze. A ważniejsze od wszystkiego było to, by zapobiec ewentualnemu zamachowi w mieście.

– Siadaj na chwilę, Pader.

Usiadł bez słowa, a potem założył nogę na nogę.

– Skoro nie chcesz sam gadać, odpowiesz mi na kilka pytań.

– Jeśli będę mógł.

– Będziesz musiał – poprawiła go, a potem zrobiła głęboki wdech. – *Uno*: śledzicie go?

– Nie.

– A służby?

– Też nie – odparł Olgierd i szybko uniósł rękę, widząc niedowierzanie w oczach Joanny. – Niewątpliwie chcieliby mieć go na oku, ale nie mają. Wszyscy patrzą im na ręce, od RPO przez organizacje pozarządowe aż po media.

– W porządku – odparła. – *Dos*: skąd w takim razie wiesz, że Fahad coś kombinuje?

Paderborn wzruszył ramionami. Nie było sensu ciągnąć go za język i Chyłka doskonale o tym wiedziała. Mruknęła coś pod nosem, zapewne niewybrednie oceniając jego powściągliwość.

– *Tres:* naprawdę istnieje niebezpieczeństwo?

– Tak.

– Skąd mam mieć pewność, że to prawda?

Olgierd przyglądał jej się w milczeniu, jakby mógł przez krótką chwilę zebrać odpowiednio wiele informacji, by stwierdzić, jaką jest osobą. Nie musiał się odzywać, by Chyłka wiedziała, że jej moralność jest właśnie kwestionowana.

– Zapewniam cię, że nie przyszedłbym tutaj i nie zabiegał o informacje, gdyby było inaczej.

– A zabiegasz?

– Wydawało mi się to oczywiste – odparł cicho Paderborn. – Nie wiemy, gdzie jest Fahad Al-Jassam. Nie znamy jego kontaktów. Nie śledzimy go i… krótko mówiąc, nie możemy w żaden sposób go odnaleźć.

Obrońcy znów wymienili się spojrzeniami.

– Nie jesteś sam – odparła Chyłka. – Mamy podobnie.

– Podobnie, ale nie tak samo.

– Nie?

– Przypuszczam, że macie z nim jakiś kontakt.

– Źle przypuszczasz.

Rozejrzał się z niemocą, jakby musiał przebywać z wyjątkowo kapryśnymi dziećmi, którym nie potrafi przemówić do rozsądku.

– Coś musicie wiedzieć. Cokolwiek.

Owszem, z punktu widzenia służb wiedzieli nawet całkiem sporo. Tyle że nawet przy zaangażowaniu wszystkich mocy przerobowych kancelarii nie zrobiliby użytku z informacji, że Fahad zwrócił się do Tomasza Kiljańskiego. Służbom mogło to jednak wystarczyć.

Koniec końców Paderborn nie przyszedł tu, by przekazać jakiekolwiek wieści prawnikom z Żelaznego & McVaya. Przeciwnie, zjawił się po to, by samemu je uzyskać.

I wybrał dobry sposób, by to zrobić. Zamiast ich przyciskać, odpuścił.

– Po prostu się nad tym zastanówcie – powiedział, a potem się podniósł.

Zanim którekolwiek z nich zdążyło odpowiedzieć, prokurator ruszył ku wyjściu. Nie oglądał się, nie czekał, aż zmienią zdanie. A co najważniejsze, nie wygłaszał długiego monologu na temat ewentualnych wyrzutów sumienia, z którymi będą musieli się zmierzyć, jeśli Fahad zabije choćby jedną niewinną osobę.

– Co teraz? – zapytał Oryński.

– Zjem hickory-smoked barbecue combo – oznajmiła. – A ty będziesz skubał swojego łososia, udając, że doda ci to energii.

– To najbogatsza w kwasy omega-3 ryba.

– Bzdura.

Kordian niechętnie krzyżował z Chyłką broń w słownym fechtunku, szczególnie gdy ten dotyczył rzeczy niespecjalnie ważkich. W tym wypadku jednak nie miał zamiaru odpuszczać. Bądź co bądź, łosoś to jego terytorium.

– Nic się nie znasz – odparł. – Ta ryba ma…

– Ta ryba od lat hodowana jest w określonych warunkach, przez co dawno zmienił się skład mięsa. Oczywiście mięsa w cudzysłowie.

– Nie wydaje mi się.

– Na wolności twoje łososie namiętnie wpieprzały plankton, Zordon. Plankton i mniejsze ryby. Stanowiło to jakieś osiemdziesiąt procent ich diety.

Uniósł brwi z niedowierzaniem. Nie zdziwiły go same fakty, a raczej to, że Chyłka je znała.

– Przy hodowlanych ten procent zmniejsza się do dwudziestu – ciągnęła. – Reszta to specjalnie przygotowana pasza.

Spojrzała na jego talerz.

– Lepiej byś zrobił, samemu szamiąc ten plankton – skwitowała. – Pewnie w którymś sushi trochę go jest.

Nie podjął tematu, wciąż zadziwiony, że Joanna posiadła tyle wiedzy o morskich stworzeniach. Właściwie należało uznać, że to z jej strony ukłon. Zrobiła to tylko przez wzgląd na niego, sama przecież nie miała żadnego interesu w tym, by…

Nie, to zupełnie nie tak.

– Czytałaś o tym, bo chciałaś mi w pewnym momencie dosrać – zauważył.

– Zgadza się.

– Doceniam wysiłek. Świadczy o twoich uczuciach, w pewnym sensie.

– Szukam po prostu rozrywki. Szczególnie w tych mrocznych czasach.

– Mroczne czasy nadejdą, kiedy Fahad wysadzi się w którymś centrum handlowym.

– Więc twoim zdaniem ktoś powinien zawczasu temu zapobiec?

– Tylko jeśli ktoś wierzy, że naprawdę może do tego dojść.

Chyłka zmarszczyła czoło, po czym spojrzała w kierunku, w którym niegdyś w takiej sytuacji by się udali. Wiedział, że brakuje jej wizyt w palarni, teraz bardziej niż kiedykolwiek.

– Pewności nigdy nie będziemy mieli – powiedziała. – Zresztą nawet gdyby tak było, uprawniałoby nas to, żeby dać znać Paderowi?

– Nie wiem.

Nie odpowiedziała. Czekała z podjęciem tematu, aż będzie miała przed sobą żeberka i inne mięsne specjały.

– Kranzbühler – odezwała się.

Oryński uniósł brwi.

– Obrońca Karla Dönitza na procesie norymberskim – dodała.

– Co z nim?

– Powinien wsypać klienta, gdyby ten wyjawił mu, że rzeczywiście kazał mordować załogi pokonanych okrętów?

– Chybaby nie wyjawił, bo przez całą wojnę postępował zgodnie z… cóż, zasadami jej prowadzenia. Trafił przed sąd tylko dlatego, że po śmierci Hitlera stał się na moment prezydentem Rzeszy i…

– Nie obchodzi mnie, co było, Zordon. Tylko to, co by było.

Nie lubił takiego teoretyzowania, ale w tym wypadku uznał je za uzasadnione. Mimo to nie potrafił znaleźć odpowiedzi.

– Załóżmy, że rzeczywiście jako dowódca floty kazał zabijać wszystkich, których jednostki unieszkodliwiono. I powiedziałby o tym Kranzbühlerowi. Zadaniem adwokata było wybronić go za wszelką cenę, nie powinien nawet pomyśleć o wyjawieniu takiej informacji.

– Mhm – odparł Oryński.

– A mimo to mówimy o zarzynaniu ludzi.

Kordian przez moment się zastanawiał.

– Różni się to czymś od obrony przeciętnego mordercy? – zapytał. – Takiego, co do którego masz pewność, że jest winny?

– Różni się. Choćby liczbą ofiar.

– Więc tyle wystarczy, żeby ten, kto ma go bronić, wystąpił przeciwko niemu?

Chyłka zamilkła, próbując uporać się z żeberkami. Odkroiła kawałek, zanurzyła w ostrym sosie, a potem mu się przyjrzała.

– Kurwa mać – oceniła.

– Coś nie tak z mięsem?

– Nie. Mięso jest okej, po prostu coś jest nie tak ze światem – odparła i zamyśliła się. – I z nami. Mamy jurystyczny odpowiednik szekspirowskiego dylematu.

– To znaczy?

– Bronić prawa czy bronić człowieka, oto jest pytanie – odparła cicho.

Kordian miał wrażenie, że Chyłka nawet nie napocznie swojego dania. A przynajmniej przyglądała się nabitemu na widelec kawałkowi mięsa, jakby nie miała takiego zamiaru.

– Uczyło mnie wielu troglodytów pokroju Tatarka – odezwała się. – Ale byli też tacy, którzy wiedzieli, na czym naprawdę polega praktykowanie prawa.

– I?

– I ci ludzie zawsze podkreślali, że prawnik nie jest uosobieniem spisanych ustaw. Stanowi raczej ucieleśnienie panujących w społeczeństwie zasad.

– To właściwie dość niebezpieczny pogląd. Znaczy, że może olewać prawo, jeśli mu nie pasuje.

– Prawo? Tak – odparła. – Ale nie to, co jest jego fundamentem.

– I co nim według ciebie jest? Czysta sprawiedliwość? Oko za oko, dopóki cały świat nie oślepnie?

Zawiesiła wzrok na końcu sali.

– I ząb za ząb, aż każdy z nas będzie musiał wcinać rozmemłaną papkę – dodała pod nosem, a potem głęboko westchnęła. – Sama nie wiem, Zordon. Czy ksiądz, który wysłuchał spowiedzi pedofila, powinien na niego donieść?

Oryński wolał nie zabierać głosu w tej sprawie.

– Prawo kanoniczne mówi jasno: nie. Tajemnica spowiedzi to świętość i nie ma od niej żadnych wyjątków.

– Poważnie?

– Mhm.

– Nawet gdyby facet przyszedł do konfesjonału i powiedział, że zaraz po wyjściu z kościoła kogoś zabije lub zgwałci?

– Kanon dziewięćset osiemdziesiąty trzeci – odparła Chyłka. – Sprawdź sobie.

Pokręcił głową.

– Nie znaczy to, że ksiądz pozostaje bierny – dodała. – Robi wszystko, co może w granicach prawa kanonicznego. Stara się przekonać penitenta, żeby ten zgłosił się po pomoc, na policję i tak dalej. Bo skoro gość już przyszedł się wyspowiadać, istnieje duża szansa, że chce odpokutować.

– Odpokutować, tak. Ale pójść do więzienia na resztę życia? Raczej nie – ocenił Kordian. – To beznadziejne. I absurdalne.

Na twarzy Joanny na chwilę pojawił się uśmiech.

– I dlatego księża starają się to obejść – powiedziała. – Mają na to swoje sposoby. A skoro im wolno, to nam także. – W końcu włożyła do ust kawałek żeberka. – Tym bardziej, że możemy skorzystać z ich inwencji twórczej.

8

Sala konferencyjna, Skylight

Najprostszy wybieg przy kazusie z tajemnicą spowiedzi sprowadzał się do tego, by o przestępstwie doniósł ktoś inny. Ktoś, kogo zasady prawa kanonicznego nie obowiązywały.

Owszem, spowiednik nie mógł choćby okrężnie dać komukolwiek do zrozumienia, że zna tajemnicę penitenta, ale to nie wykluczało użycia tej wiedzy dla takich czy innych celów. W przypadku pedofilów duchowni częstokroć kontaktowali się z ofiarami lub osobami mogącymi wiedzieć o całej sprawie.

Rozmawiali z nimi, próbowali nawiązać więź, a ostatecznie namówić te osoby, by same powiadomiły służby.

I wilk syty, i owca cała, w dodatku nikt nie oślepł ani nie tracił zębów, uznała w duchu Chyłka. Wyszedłszy z założenia, że to jedyne sensowne rozwiązanie, umówiła Kormaka i Paderborna na spotkanie w sali konferencyjnej.

Uczestniczyła w nim tylko przez moment. Posadziwszy chudzielca przy jednym z krzeseł, wpuściła do środka prokuratora, a potem zamknęła drzwi. Czuła się, jakby umieściła dwóch zawodników MMA w klatce.

Najważniejsza różnica polegała jednak na tym, że ci dwaj nie musieli się ze sobą ścierać. Przeciwnie. Obaj z pewnością szybko zrozumieją, dlaczego znaleźli się w sali konferencyjnej. A ona nie wypuści ich dopóty, dopóki nie zobaczy, że wymienili się wszystkimi posiadanymi informacjami.

Skinęła głową i otrzepała ręce, uznając sprawę za załatwioną. Nie złamała prawa. Ani jednemu, ani drugiemu nie wytłumaczyła, jaki jest powód spotkania. Nie dawała Kormakowi żadnych poleceń, a Paderbornowi żadnych gwarancji. Wiedziała jednak, że i bez tego poradzą sobie śpiewająco.

Nie pomyliła się.

Następnego dnia w mediach gruchnęła wiadomość, że Fahad Al-Jassam, niedawno uniewinniony muzułmanin, jest w istocie podejrzewany o związki z tak zwanym Państwem Islamskim.

Chyłka zorganizowała konferencję prasową pod Skylight, podkreślając, że to spore nadużycie. Stwierdziła z całą stanowczością, że jedynym dowodem na poparcie tej tezy jest relacja Fahada z Tomaszem K., który rzekomo miał znać kilku dżihadystów.

Właściwie była to prawda. Chodziło jedynie o relacje międzyludzkie, więcej twardych dowodów nie było. Jednak w świetle wszystkiego, co się działo, było to wystarczające, by służby podjęły działania.

Joanna kategorycznie je potępiła. Ponownie wygłosiła długą tyradę na temat inwigilacji, powtarzając analogię z godzeniem się na odbieranie wolności słowa, a potem zrobiła dłuższą pauzę, patrząc kolejno w każdy obiektyw.

– Wchodzimy w niebezpieczne czasy – dodała. – Czasy, w których każde urządzenie domowego użytku może okazać się narzędziem w rękach służb. Tym nieprzekonanym być może przemówi do rozsądku fakt, że nawet sam założyciel Facebooka zakleja kamerę internetową w swoim macbooku. Kto jak kto, ale on akurat wie, co jest grane.

Znów urwała.

– Państwo powinno być jak lekarz – odezwała się w końcu. – Jest oczywiste, że musi znać historię choroby, by pomóc pacjentowi. W konsekwencji musi więc badać, zbierać informacje, wnikać w sferę osobistą… ale tylko do pewnego stopnia. Żeby lekarz wyleczył zapalenie gardła, nie musi rozcinać nam otrzewnej i zaglądać do środka.

Jeden z lewicujących dziennikarzy skinął głową. Było to stanowczo za mało, by mogło zrobić jakąkolwiek różnicę. Czuła, że po ujawnieniu informacji o Fahadzie wzbudza powszechną niechęć.

– Tymczasem w przypadku mojego klienta nie tylko przeprowadzono operację na otwartym sercu, ale wywleczono z jego życia bebechy – ciągnęła. – Zniszczono je doszczętnie, obrzucając go błotem, stawiając mu absurdalne zarzuty, a w końcu zamykając bezprawnie w areszcie śledczym.

Na twarzach niektórych reporterów dostrzegła wyraźne zniesmaczenie. Na tym etapie bronienie Fahada dla większości było równoznaczne z uczestnictwem w procesach norymberskich po stronie oskarżonych.

Kiedy główne media w kraju jednoznacznie przedstawiły go jako osobę planującą zamach, było już *de facto* po wyrokowaniu. I żaden proces nie musiał się odbywać.

– Co mój klient miał zrobić w takiej sytuacji? Co państwo zrobiliby na jego miejscu? – zapytała. – Ja zwróciłabym się do kogoś… do kogokolwiek, kto mógłby mi pomóc, bez względu na to, kim był lub kogo znał. Tak właśnie postąpił Fahad. A ponieważ po raz kolejny był śledzony, mimo że sąd uznał go za niewinnego, to tyle wystarczyło, aby postawić mu kolejne zarzuty.

Nabrała tchu i wyprostowała się.

– Służby nie odpuszczają – oznajmiła. – Kiedy już raz wezmą kogoś na celownik, nie ustaną w wysiłkach, dopóki go nie ustrzelą.

Przez moment starała się sprawiać wrażenie, jakby to było wszystko, co miała do powiedzenia. W istocie jednak czekała jeszcze, by dotrzeć do konkluzji – i zrobić to w taki sposób, by mowa nie wyglądała na wcześniej przygotowaną.

– Margaret Thatcher powiedziała kiedyś, by nie wierzyć rządowi, kiedy ten zapewnia, że coś ci daje – odezwała się. – Bo rząd sam niczego nie posiada. Jeśli cokolwiek ci daje, to wcześniej musiał zabrać to albo tobie, albo komuś innemu.

Znów powiodła wzrokiem po kamerach.

– Podobnie jest w tym wypadku – dodała. – Rząd twierdzi, że daje nam bezpieczeństwo, ale jednocześnie zabiera je takim ludziom jak mój klient. Ludziom, którzy są zmuszeni uciekać, bo jedynie dzięki temu mają szansę, by się uratować.

Widziała, że nie musi dodawać niczego więcej. Oczywiście nikogo nie przekonała, że Al-Jassam jest niewinny, zresztą nigdy nie liczyła na to, że tak się stanie. Zrobiła to, co według prawa zrobić powinna – postarała się najlepiej, jak umiała, by działać na korzyść klienta.

Rozważała, czy nie zabrać ze sobą na konferencję Oryńskiego, ale ostatecznie uznała, że po jej zakończeniu zapewne sama stanie się najbardziej znienawidzoną prawniczką w Warszawie. Obrończynią terrorysty. Miłośniczką muzułmanów, której szybko przypomną, że broniła także Roma podejrzanego o zamordowanie swojej rodziny.

Nie wyjdzie z tego obronną ręką, przynajmniej nie pod względem PR-owym. Ostatnim, czego chciała, było wciąganie w to Kordiana.

Wróciła do biurowca, ignorując wszystkie pytania dziennikarzy. Wiedziała, że same w sobie będą oceniające i jakiekolwiek odpowiedzi nie zatrą złego wrażenia, jakie powstanie, gdy tylko dopuści reporterów do głosu.

Zamknąwszy się w swoim gabinecie na dwudziestym pierwszym piętrze, miała nadzieję, że tego dnia nikt nie będzie jej nękać. Otworzyła laptopa, a potem zaczęła odpisywać na zaległe maile. Tych od ojca nawet nie czytała, choć jak zwykle zarzucał ją pytaniami.

Po godzinie sprawdziła serwisy informacyjne. Wszystkie stacje wydawały się zgodne w ocenie rzeczywistości, co zdarzało się wyjątkowo rzadko. Fahad był terrorystą, a broniąca go adwokat prawniczym rekinem żerującym na bezpieczeństwie obywateli.

Najbardziej oberwało się jednak sądom i prokuraturze. Krytykowano cały system, który sprawił, że Al-Jassam wyszedł na wolność. Zaczęto od ogółu, stopniowo przechodząc do szczegółu. W końcu pod pręgierzem znaleźli się Tatarek oraz ławnicy, Paderborn, a także wszyscy inni, którzy uczestniczyli w ściganiu Fahada.

W kolejnych dniach krytyce nie było końca. Podczas gdy najpoważniejsze media wciąż skupiały się na fiasku organów państwa, mniej poważane serwisy celowały w prawniczkę, która wybroniła Al-Jassama.

Chyłka przestała sprawdzać maile i kupiła kartę prepaid, uznając, że należy jej się choć kilka dni spokoju. Nie wiedziała, w jaki sposób jej numer telefonu trafił do tak szerokiego grona osób, ale być może nie powinna się dziwić. W końcu podczas wspinania się po szczeblach kariery narobiła sobie trochę wrogów.

Z Oryńskim właściwie nie miała przez ten czas żadnego kontaktu. Skupił się na nauce, a ona nie miała zamiaru dokładać mu ani obowiązków, ani kolejnych kwestii do przemyśleń. Nie żeby sądziła, że może nie zdać – wbrew temu, co mówiła, uznawała to za formalność. Może nie pamiętał numerów konkretnych przepisów, ale miał odpowiednią wiedzę praktyczną. Była przekonana, że da sobie radę.

Parę dni upłynęło jej właściwie w samotności, jeśli pominąć obecność pasożyta. Zaczynała oswajać się z myślą, że za kilka miesięcy będzie musiała zacząć szukać ciuchów dla berbecia.

I pomyśleć o jego przyszłości. O tym, czy wychowywać go jako samotna matka, czy nie.

Była pierwsza w nocy, Chyłka leżała w sypialni, gdy naszła ją myśl, że czas najwyższy zastanowić się także nad pokoikiem dla dziecka. Łóżeczkiem. Kołyską. Wszystkimi tymi bibelotami wiszącymi nad nią.

Wzdrygnęła się i podniosła z łóżka. Sam dźwięk tych wszystkich zdrobnień w jej umyśle sprawiał, że robiło jej się niedobrze.

Wiedziała, że w najbliższym czasie nie zaśnie. Noc była już stracona, a jej nie pozostało nic innego, jak spożytkować ją w jakiś sposób. Przeszła do kuchni, nalała sobie soku z granatu i usiadła przy stole.

Uznała, że czas najwyższy rozprawić się z telefonem. Włożyła poprzednią kartę i przez moment czekała, aż urządzenie zaskoczy. Bez zdziwienia zobaczyła cały korowód SMS-ów i informacji o tym, że ktoś zostawił jej wiadomość na poczcie.

Zaczęła przeglądać ociekające jadem SMS-y od nieznanych numerów. Po chwili kasowała je już bez czytania. Miała wrażenie, że samo to zajmie jej pół nocy.

Zatrzymała się przy SMS-ie od Szczerbińskiego. Wysłał go kilka dni temu, tuż po jej konferencji prasowej. Był lakoniczny, zawierał tylko krótką propozycję, by spotkali się tam, gdzie ostatnio.

Przez chwilę Joanna się wahała. Potem wybrała numer aspiranta.

Odebrał stanowczo za szybko jak na tę porę.

– Nie śpisz, Zębaty? – zapytała na powitanie.

– Jestem na służbie.

– Znaczy się przy kieliszku?

– Nie, tak wyglądała twoja służba, Chyłka.

Zignorowała uwagę.

– Nie wiedziałam, że miewasz nocki na komendzie. Aspiranci powinni chyba zrzucać to na barki młodszych stopniem.

– Mam dyżur domowy – odparł Szczerbiński. – A ty chciałaś czegoś konkretnego czy…

– Przeczytałam SMS-a – oznajmiła.

– W porę.

– I jestem gotowa przystać na propozycję.

– Teraz?

– Skoro masz dyżur domowy, możesz wyskoczyć w nocy do kościoła, nikt ci nie broni – odparła.

Doskonale wiedziała, że policjant pełniący ten rodzaj służby musi znajdować się albo w domu, albo w odpowiedniej odległości od swojej jednostki. Czy ta dzieląca

Śródmieście i Targówek spełniała wymóg? Joanna nie miała pojęcia, ale też niespecjalnie ją to obchodziło.

– Za dwadzieścia minut? – spytała.

Aspirant zastanawiał się tylko przez moment. Potem mruknął z aprobatą i się rozłączył.

Chyłka szybko przejrzała się w lustrze i ostatecznie doszła do wniosku, że żaden rozsądny facet nie może się spodziewać, że kobieta wychodząca z domu o drugiej w nocy będzie wyglądać jak najlepsza wersja samej siebie.

Zamówiła transport, a kwadrans później wysiadała już z taksówki na Rozwadowskiej. Okolica sprawiała wrażenie wymarłej, ale o dziwo boczne drzwi kościoła były uchylone. Joanna zmrużyła oczy, przypatrując się im.

Szczerbińskiego jeszcze nie było, nie dostrzegła nigdzie jego samochodu. W jakiś sposób wywołało to w niej niepokój.

Policjant zjawił się chwilę później. Zaparkował w wąskiej uliczce naprzeciw świątyni, pod słupem ogłoszeniowym. Najwyraźniej o tej porze nie przejmował się łamaniem przepisów.

Wysiadł i wskazał otwarte drzwi.

– Mam tu znajomego księdza.

Powinna domyślić się, że wybrał parafię Świętej Rodziny nie bez powodu. Skinęła głową, po czym ruszyli do środka. Musiała przyznać, że czuje się cokolwiek dziwnie. Był to bodaj pierwszy raz, kiedy pod osłoną nocy spotykała się z kimkolwiek w takim miejscu.

Najwyraźniej jednak Szczerbińskiemu zależało na dyskrecji. Tym razem usiedli z przodu, przed samym ołtarzem. Obrócili się do siebie.

Dlaczego chciał się spotkać? Chyłka mogła pomyśleć tylko o jednej przyczynie. Oglądał jej konferencję, a zaraz po niej mógł zaobserwować wszystkie te negatywne reakcje, które zdawały się spływać coraz bardziej rwącym nurtem.

Może sumienie go ruszyło. Może miał jakieś informacje, które rzucały na sprawę inne światło.

Nie, było to tylko pobożne życzenie, uznała Chyłka. Służby nie uwzięły się na Al-Jassama bez powodu. Mogły w istocie mieć na niego coś, czego nie chciały na tym etapie ujawniać.

A Szczerbiński właśnie to mógł chcieć jej przekazać. Przez chwilę mu się przyglądała, utwierdzając się w przekonaniu, że tak jest.

– Masz mi coś do powiedzenia, Zębaty?

– Tak.

– Będziesz walił prosto z mostu czy kluczył jak potłuczony? – dodała. – Bo jeśli to drugie, skorzystam z okazji i szybko pomodlę się o to, żebyś jak najprędzej przeszedł do rzeczy.

– Nie mam zamiaru owijać w bawełnę.

– Świetnie.

Przyszła jej do głowy niepokojąca myśl, że może nie chodzi o Fahada, ale o dziecko. I że zaraz usłyszy pytanie, kto jest jego ojcem.

– Więc?

– Nie powiedziałem ci wszystkiego.

Odetchnęła z ulgą. Nie chodziło o pasożyta.

– Nigdy nie spodziewałam się, że powiesz – zauważyła. – W końcu po coś nosisz ten mundur.

– Nie po to, żeby narażać kogokolwiek na niebezpieczeństwo.

Uniosła brwi.

– A kogo naraziłeś?

– Ciebie – odparł, patrząc jej prosto w oczy.

Powaga tej chwili zdawała się zwiększać z każdą upływającą sekundą. Chyłka wytrzymała tylko przez chwilę, po czym błagalnie uniosła wzrok w kierunku krzyża górującego nad ołtarzem.

– Daj Boże, żebym zniosła te posągowe spojrzenia Szczerbatego.

– Mówię poważnie.

– Wiem. I dlatego składam wniosek o Boską interwencję. Inaczej mogłabym nagle wybuchnąć śmiechem, widząc w twoich oczach tę podniosłość i powagę.

Szczerbiński ewidentnie bił się z myślami, co w tej sytuacji właściwie nie było niczym dziwnym.

Ostatecznie umysł musiał zwyciężyć w starciu z sercem, bo policjant podniósł się raptownie.

– W porządku – rzucił. – Nie chcesz mojej pomocy, to…

– Siadaj, Zębaty.

Spojrzał na nią z góry.

– Wiesz, ile ryzykuję, przychodząc tutaj?

– Nie.

Z powrotem zajął miejsce, kręcąc głową.

– A ty robisz sobie z tego wszystkiego zwyczajowe kpiny.

– No już, już – uspokoiła go. – Mów, o co chodzi.

Nabrał powietrza nosem, odginając głowę.

– Tylko jeśli jesteś gotowa przez moment posłuchać.

Milczała, uznając, że to będzie najlepsza odpowiedź.

– Byłem na posterunku, kiedy zatrzymano tego aplikanta – powiedział.

– Nie musisz mówić o nim, jakby był kimś obcym.

– Muszę.

Na moment zaległa cisza, a Chyłka szybko pożałowała, że w ogóle się odezwała. Milczenie okazało się jednak zbyt wymowne. Stanowczo zbyt wymowne. Poruszyła się nerwowo, a potem delikatnym ruchem ręki zasugerowała Szczerbińskiemu, by kontynuował.

– Wiesz, co znaleźliśmy w jego bagażniku?

– To znaczy: co w nim umieściliście?

– Nie.

Uznała, że nie czas na obrzucanie ich winą. Zresztą być może to nie policja, a służby umieściły w daihatsu coś, co pozwoliło na zatrzymanie Oryńskiego.

– Chodziło o jakieś niedozwolone substancje, tak?

– O tiopental.

– Ahm.

– To środek, który wykorzystuje się w…

– W niektórych amerykańskich stanach do wykonywania kary śmierci – dopowiedziała. – Orientuję się w temacie.

Aspirant obrócił się przodem do ołtarza.

– To nie wszystko – dodał. – Znaleźliśmy też chlorek potasu.

Powiedział to, jakby te dwie rzeczy mogły służyć do skonstruowania bomby. Tymczasem o ile Chyłka wiedziała, nic nie stało na przeszkodzie, by legalnie je posiadać.

– I co z tego? – zapytała.

Szczerbiński na nią zerknął.

– I po co miałby to wozić w aucie? Żeby kogoś otruć? To chcieliście mu zarzucić?

– Niezupełnie.

– Rozwiń – mruknęła, czując, jak wzbierają w niej emocje.

– Jedno i drugie było dobrze ukryte pod kołem dojazdowym – podjął policjant. – I wyglądało na to, że zostało użyte. W pojemnikach znajdowały się jedynie resztki.

Joanna zmarszczyła czoło.

– Też mnie to zastanowiło – dodał Szczerbiński. – Tym bardziej, że służby najpierw zwróciły na to naszą uwagę, a potem kazały wstrzymać się ze wszelkimi czynnościami.

– Służby?

– ABW.

Chyłka miała wrażenie, że temperatura w kościele nagle nieco wzrosła. Spojrzała w stronę bocznego wyjścia. Drzwi nadal były uchylone, do środka wpadało nocne, zimne powietrze, wydając przy tym cichy szum.

– To oni polecili wam zatrzymać Zordona?

– Nie zadawaj pytań, na które nie mogę odpowiedzieć.

– Okej. Kontynuuj.

Skinął szybko głową.

– Nie mogłem zrozumieć, dlaczego tiopental i chlorek potasu w jakikolwiek sposób miałyby zrobić wrażenie na Oryńskim. Przynajmniej dopóty, dopóki nie zacząłem grzebać w jego przeszłości.

Miała ochotę natychmiast go zrugać, ale powstrzymała się. Teraz ważniejsze było to, by dowiedzieć się, co zaszło.

– Wiesz, co się stało z jego matką?

– Mniej więcej.

– To znaczy?

– Nigdy go nie wypytywałam, tak jak on nie ciągnął mnie za język w sprawie ojca – odparła, mówiąc jakby bardziej do siebie niż do policjanta. – Wiem tyle, że ciężko chorowała, a u schyłku życia przechodziła prawdziwą katorgę.

– Wiesz o zarzutach?

– Jakich zarzutach? – odparła nieco agresywniejszym tonem, niż zamierzała. – Jego ojciec wysunął jakieś bzdurne tezy o tym, że Zordon podał matce nadmiar leków.

– Że dokonał eutanazji.

– Tak, mówiąc wprost.

Aspirant oderwał wzrok od krzyża i na powrót obrócił się do Joanny. Kiedy założył rękę za oparcie ławy, wiedziała już doskonale, co od niego usłyszy.

– Widziałem wyniki sekcji – oświadczył. – W jej organizmie wykryto ślady tych substancji, które Oryński miał w bagażniku.

– Absurd.

– Nie, brała tiopental.

Chyłka zacisnęła usta, bo cisnęły jej się na nie niewybredne określenia.

– Początkowo uznałem, że sytuacja jest jasna – dodał Szczerbiński. – Ale skonsultowałem to ze znajomym biegłym. Twierdzi, że tiopental podaje się też jako lek usypiający, a często stosowany jest do indukcji padaczki. Ta kobieta cierpiała między innymi na tę przypadłość.

Joanna odetchnęła w duchu.

– Potem zapytałem go o to, jak potas reaguje z tiopentalem.

– I?

– Powiedział mi tylko: Doktor Śmierć.

Chyłka uniosła pytająco brwi.

– Chodzi o lekarza ze Stanów, Jacka Kevorkiana – wyjaśnił aspirant. – Pomagał nieuleczalnie chorym dokonywać samobójstw. Właśnie poprzez przygotowywanie dla nich mieszanki tiopentalu i chlorku potasu. Była to dość powszechna praktyka nielegalnej eutanazji… i dość głośna sprawa, kiedy już wszystko wyszło na jaw.

– I to podłożyli Oryńskiemu do bagażnika?

Wiedziała, że to jedno z pytań, na które nie może odpowiedzieć.

– A potem zagrozili, że to ujawnią? I zapewnili, że tyle wystarczy, by go wrobić?

– Zakładasz, że ktoś chce to zrobić.

– Co?

Policjant poruszył się nerwowo, jakby coś go uwierało.

– Zakładasz, że Oryński jest niewinny.

– Oczywiście, że jest – odparła stanowczo. – Znam Zordona lepiej niż on sam zna siebie, Zębaty. Mogę za niego ręczyć.

Szczerbiński nie skomentował.

– Tak czy inaczej dowody przemawiały na jego niekorzyść. Nie wiedzieliśmy o tym wtedy, ale gdyby było inaczej, być może byśmy ruszyli dalej z postępowaniem. Tymczasem sprawę nam odebrano i przekazano w ręce ABW.

Chyłka dopiero teraz uświadomiła sobie, jak niepokojący obraz się z tego wyłaniał. Ktoś wprawdzie spreparował haka na Zordona, ale ów hak był dość ostry. I wbił się prosto w jego ciało, co groziło tym, że chłopak szybko się wykrwawi.

Wszczęte postępowanie sprawiłoby, że mógłby się pożegnać ze zrobieniem aplikacji. Być może nawet z jakąkolwiek karierą prawniczą. Byłby sądzony za zabójstwo, a jeśli umiejętnie spreparowano te dowody, być może udałoby się przygotować także inne. Istniało realne niebezpieczeństwo, że Oryński zostałby skazany.

Potrząsnęła głową, starając się odpędzić od siebie zarówno te myśli, jak i wnioski, które się z nimi wiązały.

– Wypuściliście go – zauważyła.

– Tak.

– Co znaczy, że jakoś dogadał się z ABW.

Policjant pokiwał głową.

– I to jest właśnie ten moment, kiedy znalazłaś się w sytuacji zagrożenia – powiedział. – Ten moment, kiedy powinienem ci o wszystkim powiedzieć.

– Co ty pieprzysz?

– Oryński zawarł jakiś układ z ABW. Od tamtej pory działał dla służb, Chyłka.

Joanna wbijała w niego wzrok, szukając riposty. Nie znajdowała żadnej.

– Dla nich, a więc przeciwko tobie – dodał Szczerbiński. – Rozumiesz?

Rozumiała, choć nie była gotowa tego przed sobą przyznać.

9

Kawalerka Oryńskiego, ul. Emilii Plater

Śniły mu się scenki sytuacyjne związane z obowiązkami, jakie sąd może nałożyć na sprawcę czynu, gdy decyduje się na warunkowe umorzenie postępowania. W roli głównej występował on sam, zmuszony do opuszczenia mieszkania, które dzielił z pokrzywdzonym. Czy raczej z pokrzywdzoną, w tej roli bowiem pojawiła się Chyłka.

Tym większe było jego zdziwienie, kiedy zobaczył ją stojącą w progu kawalerki po drugiej w nocy.

Z łóżka zerwał się, jakby się paliło. Dzwoniła bez ustanku i z pewnością przepaliłaby dzwonek, gdyby tylko istniała taka możliwość. Potem wpadła do środka, nie zważając na to, że stał tuż przed nią.

Nie zdążył nawet zapytać, co się stało.

Zatrzymała się na środku korytarza, odwróciła do niego, a potem podeszła, jakby miała zamiar go popchnąć. Stanęli w niewielkiej odległości od siebie, patrząc sobie w oczy.

– Co…

– Ty sukinsynu – wycedziła.

Kordian cofnął się o dwa kroki, ale Chyłka natychmiast na niego naparła. Tuż przed tym, jak dotarł do drzwi, uniosła dłonie, a potem lekko go popchnęła. Uderzył o drewno i uniósł wysoko brwi.

– Ty kłamliwy, dwulicowy sukinsynu – powtórzyła. – Jak mogłeś wyciąć taki numer?

– Poczekaj…

– Dobrze wiesz, o czym mówię.

Pewien nie był, ale mógł się domyślić. Miał wrażenie, że na lekkim popchnięciu się nie skończy i Chyłka zaraz złapie go za fraki, a potem będzie potrząsała nim aż do momentu, kiedy…

Przeprosi? Nie, nie tego oczekiwała. Należała raczej do osób, które wybaczały jedynie w przypadku, gdy winowajca potrafił cofnąć czas.

Czyli nigdy.

– Za moimi plecami, Zordon? – syknęła. – Naprawdę?

– Nic nie…

– I jeszcze zamierzasz łgać, patrząc mi prosto w oczy?

Zbliżył się do niej, choć stali tak blisko, że było to niemal niewykonalne.

– Nie masz pojęcia, o czym mówisz – odparł.

– Mam całkiem niezłe pojęcie, kłamliwa szumowino.

Biorąc pod uwagę zasób jej słownictwa, należało uznać, że i tak zastosowała wobec niego taryfę ulgową.

– Dogadałeś się ze służbami.

Powiedziała to takim tonem, że poczuł, jakby dostał po pysku.

– Zagrozili ci zniszczeniem kariery – dodała. – I postawili sprawę jasno: albo im pomożesz, albo tiopental i chlorek potasu wyjdą na jaw.

Tym razem się cofnął. I zrobił to niemal bezwiednie.

– Skąd…

– Nieistotne, skąd wiem, ty zakłamana łajzo – wpadła mu w słowo. – Ważne, że wiem.

– Co? Co konkretnie wydaje ci się, że odkryłaś?

– Ty mi o tym powiesz, Zordon.

– Nie.

– Zapewniam cię, że tak – zaoponowała tonem, który dobrze znał. Tonem, który świadczył o tym, że naprawdę nie ma innej możliwości. – Bo albo wszystko mi wyjaśnisz, albo zaraz stąd wyjdę.

Przywaliła w drzwi otwartą dłonią tak mocno, że zobaczył, jak skurcz bólu wykrzywił jej twarz.

– I opuszczę nie tylko twoje mieszkanie, ty pieprzona gnido, ale też twoje życie. Raz na zawsze, rozumiesz?

Opuściła ręce, zacisnęła je w pięści i trwała tak przez moment. Potem przysunęła się do niego. Nie miał już żadnego pola manewru – zarówno w dosłownym znaczeniu, jak i w przenośni.

– Tak, poszedłem z nimi na układ – wyrzucił z siebie. – Tak, zaszantażowali mnie. I nie, nie miałem innego, do kurwy nędzy, wyjścia!

– Zawsze jakieś jest, wystarczyło…

– Wciągnąć cię w to? Żartujesz sobie?

– Oho, pięknie – powiedziała, przewracając oczami. – Teraz będziesz udawał, że to wszystko, żeby mnie chronić?

– Ciebie się nie da chronić.

– A tobie nie da się, kurwa, wierzyć.

Zacisnął usta i starał się powściągnąć emocje. Wyszedł z założenia, że jedno z nich musi to zrobić, jeśli ich relacja ma jakimś cudem ocaleć po trzęsieniu ziemi, które właśnie trwało.

– Niczym nie różnisz się od tych wszystkich dwulicowych, zasranych, obłudnych śmieci, którzy zawodzą na całej linii.

– Ja?

– A kto?! – podniosła głos. – Grasz grzeczną, kurwa, fajtłapę! A w rzeczywistości jesteś zdradzieckim kutasem, Zordon! Rozumiesz?

To wbiło szpilę. Jego emocje nadal płynęły wezbranym strumieniem, ale teraz prąd się zmienił. Nie było już w nich nawet cienia złości.

– Zawiodłeś mnie raz, puściłam ci to płazem. Drugi, pomyślałam: okej. Ale trzeci raz… – Odwróciła się, machnęła ręką, a potem wróciła do poprzedniej pozycji. – Mam cię w dupie, Zordon. To już zbyt wiele.

– Dla ciebie zbyt wiele? – zapytał. – A nie pomyślałaś, że u mnie też w pewnym momencie miarka się przebrała?

Nie był pewien, czy mówią o tym samym, a sytuacja była zbyt napięta, by się upewniać. Chyłka musiała wyjść z podobnego założenia, bo zmrużyła oczy i przez moment milczała, jakby się namyślała lub zbierała siły przed kolejnym atakiem.

– Mów, co im obiecałeś?

– Nic.

– Mów, do kurwy nędzy!

Uniosła rękę i zamachnęła się w jego kierunku.

W porę złapał jej dłoń tuż przed swoją twarzą i pociągnął ją w dół. Chyłka zachwiała się i przechyliła na bok tak, że zderzyli się głowami. Zanim zdążyła wziąć zamach z drugiej strony, szybko obrócił ją przodem do siebie, nie puszczając nadgarstka.

Przyparł ją do drzwi, złapał za drugą dłoń i unieruchomił jej ręce.

Wydawało mu się, że czas się zatrzymał. Że jedno ani drugie nie oddycha. Że wszystko wokół stało się jakby naelektryzowane, łącznie z powietrzem. I że jeśli którekolwiek się odezwie lub poruszy, to wszystko zniknie, przewróci się jak domek z kart i rozsypie.

Czekał, wiedząc, że zdarzyć może się wszystko.

Mogła się wyswobodzić, mogła obrzucić go kolejnymi wyzwiskami, mogła nawet uderzyć go z byka. W jej oczach dostrzegał wściekłość, która kazała sądzić, że byłaby do tego zdolna.

Mogła też zachować się zupełnie inaczej.

– Coś ty, kurwa, narobił… – powiedziała cicho.

Wiedział, że nie ma na myśli sprawy.

Przylgnął do niej mocniej, widząc, jak przymyka powieki. Uniósł jej ręce, przesuwając wierzchnią stroną jej dłoni po drewnie. Przechylił głowę, zbliżając się jeszcze bardziej. Poczuł jej oddech na swoich ustach, a potem wypuścił przegub jej dłoni. Przesunął palcem po jej wargach, upajając się nierealnością tego, co się działo.

Wyswobodziła drugą rękę i położyła mu ją na piersi. Przez moment spodziewał się, że go odepchnie, może nawet miała taki zamiar. Jeśli tak było, to szybko go zmieniła. Przesunęła dłoń na podbrzusze, a potem jeszcze niżej. Oryński wplótł palce w jej włosy, a potem lekko przechylił jej głowę na drugą stronę.

– Powinnam cię zabić – odezwała się szeptem.

– Zabijasz – odparł. – Od kiedy się poznaliśmy.

Nie czekał na odpowiedź. Przywarli do siebie z całej siły, jak dwie tonące osoby próbujące nawzajem ratować się przed śmiertelnym niebezpieczeństwem. Ich oddechy się połączyły, usta się spotkały. Ciała znalazły się tak blisko siebie, że przez moment wydawały się nierozłączne.

Oryński przesunął dłonie na jej pośladki i podniósł ją. Zareagowała natychmiast, jakby robili to już wiele razy. Objęła go nogami w pasie i pozwoliła, by przeniósł ją na kanapę. Położył się na niej, nieustannie całując. Miał wrażenie, jakby poza dotykiem jej ciała nie docierały do niego żadne inne bodźce.

Znalazł się w innym świecie. Czuł się upojony namiętnością, a zarazem przerażony bliskością. Całował ją tak, jakby czekał na to całe życie. I jakby to wszystko miało się za chwilę skończyć.

Obróciła go na plecy, na moment się od niego oderwała. Spojrzała na niego z góry, jej włosy opadały na jego twarz. Miał wrażenie, że zmieni zdanie, że usłyszy głos rozsądku i natychmiast to przerwie. Teraz, póki nie jest jeszcze za późno.

Zrobiła jednak co innego. Przyciągnęła go lekko do siebie, a potem zdjęła T-shirt, którego używał jako góry od piżamy. Natychmiast zareagował, ściągając jej bluzkę. Kiedy uniosła ręce, zaczął całować ją między piersiami, jednocześnie drapiąc po plecach. Chwycił za zapięcie biustonosza i sprawnie je rozpiął.

Wtedy ten inny świat nagle przestał istnieć.

Chyłka zerwała się na równe nogi, przytrzymując stanik. Natychmiast się cofnęła, zataczając się w kierunku stolika do kawy. Oryński wstał równie szybko.

Nie miał zamiaru odpuszczać.

Złapał ją za rękę i przyciągnął do siebie. Objął ją drugą ręką tak mocno, jakby od tego, co się dalej wydarzy, zależała cała przyszłość ich obojga.

– Musimy... – zaczęła Chyłka, ale znów ją pocałował.

Odsunęła go, odgięła głowę.

– Musimy to przerwać, Zordon. Teraz.

– Nie.

– Za moment będzie za późno.

– Już jest.

Walczyła z nim przez chwilę, ale z każdą kolejną sekundą jej opór malał, jakby opadała z sił i za moment miała zwiotczeć w jego ramionach.

Nagle pochyliła głowę, jakby godziła się z tym, że przegrała. Zwolnił nieco uścisk, a ona szybko skorzystała, odsuwając się. Zapięła stanik i uniosła otwarte dłonie.

– Nie – powiedziała.

Zrobił krok w jej kierunku, patrząc jej prosto w oczy. Zobaczył w nich chłód, którego jeszcze przed momentem próżno było szukać. Potem spojrzał na jej szyję, na gładką skórę, w końcu na brzuch. Miał wrażenie, że właśnie na to czekała. Z jakiegoś powodu to, co zrobiła wcześniej, którejś nocy, zatrzymało ją teraz.

Schyliła się i sięgnęła po jego T-shirt. Uniosła go, jakby chciała mu go rzucić, ale potem zmieniła zdanie. Włożyła go, spojrzała na Kordiana, po czym skierowała się ku niewielkiemu aneksowi kuchennemu.

Stanęła przed czajnikiem i nastawiła wodę na kawę. Oryński obserwował ją z salonu, nie mogąc uwierzyć, że to wszystko tak nagle się skończyło.

Ani że miało miejsce.

I że Joanna w jego T-shircie stała teraz w kuchni.

– Chyłka...

– Bez pieprzenia, Zordon – ucięła szybko. – Mam na myśli zarówno jeden, jak i drugi sens.

Obejrzała się przez ramię i posłała mu zdawkowy uśmiech. Nie odpowiedział tym samym. Czuł się tak, jakby grunt usunął mu się spod nóg, a on zaczął spadać w bezdenną przepaść.

– Posłuchaj…

– Nie ma mowy. Nie będziemy tego roztrząsać.

Zaparzyła sobie inkę, a jemu zwykłą kawę. Postawiła kubki na stole kuchennym, a potem usiadła przy nim. Wskazała Kordianowi krzesło naprzeciw.

– Nie możemy tak po prostu tego zignorować – powiedział, zajmując miejsce.

– Nie ignorujemy.

– Nie?

– Nie – potwierdziła. – Po prostu nie będziemy o tym ględzić.

– Więc…

– Więc są rzeczy, które nie wymagają wyartykułowania.

Ich spojrzenia się spotkały i Oryński poczuł przyjemne dreszcze na całym ciele. Chyba po raz pierwszy przekonał się, jak intensywnie jej oczy potrafią na niego oddziaływać. Widział w nich także coś jeszcze. Potwierdzenie, że ona odnosi podobne wrażenie.

– *Mamihlapinatapai* – powiedział.

Skinęła głową z uśmiechem.

– *Mamihlapinatapai* – potwierdziła.

Przez moment trwali w milczeniu, nie odrywając od siebie wzroku. Po chwili Joanna potrząsnęła głową, napiła się kawy i głęboko westchnęła.

– Po aplikacji – dodała.

– W porządku.

Nie musiała mówić nic więcej. Naraz zrozumiał, że przekroczyli już *point of no return*. Tyle że tym razem był punktem, za którym nie czekało na nich nic niebezpiecznego. Przeciwnie.

Przekroczyli swój własny Rubikon, do którego uparcie zbliżali się przez ostatnie lata. Teraz nie było już powrotu. Musieli zmierzyć się z tym, co czuli.

Po aplikacji.

Kordian pociągnął łyk kawy, nie odrywając wzroku od Chyłki. Chciał się odezwać, ale miał nieodparte wrażenie, że to wszystko jest tak kruche, iż może w każdej chwili zniknąć.

Ale tak nie było.

Patrzyła na niego w sposób, który jednoznacznie tego dowodził.

– Wyglądasz jak żołnierz, który stanął na minie, Zordon.

– A czuję się jak saper, który ją rozbraja – odparł. – Mam wrażenie, że jeden niewłaściwy ruch i wszystko wyleci w powietrze.

Pokręciła głową z niedowierzaniem.

– Na tym froncie jesteś bezpieczny, aplikancie Oryński – powiedziała, a potem położyła rękę na stole.

Sięgnął po nią. Znów patrzyli na siebie w milczeniu i Kordian miał wrażenie, że na krótką chwilę opadła kurtyna, która na co dzień przesłaniała prawdziwą Chyłkę. Zaraz potem jednak w jej oczach znów pojawiła się determinacja.

– A teraz mów, na co się zgodziłeś.

– Wiesz, że nie mogę.

– Nie mogłeś też robić tego, co zrobiłeś przy drzwiach. I na kanapie.

– Tak, ale…

– Nie ma „ale", Zordon. Wszystkie „ale" znikły, kiedy oboje podjęliśmy tę decyzję.

Pokiwał głową. Miała rację.

I jeśli kiedykolwiek miał jej wszystko powiedzieć, to musiał to zrobić właśnie teraz.

10

Kawalerka Oryńskiego, ul. Emilii Plater

Wypalił davidoffa w oknie łazienki, upierając się, że w mieszkaniu i tak unosi się zbyt dużo nikotynowych oparów. Nie dodał nic o pasożycie, ale nawet bez tego poczuła się nieswojo.

Kiedy wrócił, posłała mu długie spojrzenie.

– No co? – spytał. – Postawisz mi warunek, że muszę rzucić, zanim będziemy razem?

Zabrzmiało to nierealnie. Było nierealne.

A jednocześnie stało się osiągalne. Na wyciągnięcie ręki.

– Zordon…

– Hm?

– To będzie jeden z całej litanii warunków, na które przystaniesz.

– Tak? – zapytał, siadając naprzeciwko niej przy stole. – A jakie będą inne?

– Nie chcesz wiedzieć.

– Z dyskografią Ironsów jestem już jako tako zaznajomiony.

– Jako tako to w tym wypadku kluczowe określenie – odparła. – Ale przygotuję ci wszystko na piśmie, wypunktowane, opatrzone parafkami i gotowe do podpisania. Jedyne, co będziesz musiał zrobić, to…

– Podpisać ten cyrograf.

– Żebyś wiedział – potwierdziła z satysfakcją. – Ale to po aplikacji.

– Po aplikacji – zgodził się.

Oboje zamilkli, jakby była to odległa perspektywa. Prawda była jednak taka, że od egzaminów dzieliły go już dni. Niektórzy, ci bardziej zestresowani, zapewne liczyli pozostały czas w godzinach.

– A teraz powiedz mi, co się stało na tamtej komendzie.

Skinął głową i nabrał tchu.

– Przyszedł jakiś gość, który z wyglądu przypominał Lindę – zaczął. – Powiedział mi o wszystkim i…

– O wszystkim, to znaczy tiopentalu i potasie?

– Nie. O wszystkim, to znaczy o każdym aspekcie sprawy Fahada.

Chyłka zmarszczyła czoło i nachyliła się do Oryńskiego. Czekała, ten jeden raz nie mając zamiaru go ponaglać. Widziała, że układa sobie wszystko w głowie – i że ma jej wiele do powiedzenia.

W końcu rozruszał kark, jakby przygotowywał się do bijatyki. Coś strzyknęło mu w kręgach, skrzywił się, a potem odchrząknął.

– Funkcjonariusz, który ze mną rozmawiał, to pewien znaczący pułkownik z Departamentu Siódmego.

Zmrużyła oczy.

– Zwalczanie terroryzmu i zagrożeń strategicznych – rzuciła.

– Otóż to.

– Skąd wiesz, że to pułkownik?

– Przedstawił mi się… w swoim czasie.

– To znaczy?

– Czekaj. Idźmy chronologicznie.

Skinęła głową i wykonała ponaglający ruch ręką. Planowała być cierpliwa, okazać wyrozumiałość, najwyraźniej jednak nie leżało to w jej naturze.

– Idźmy, Zordon, ale żwawo – dodała. – Tempem Korzeniowskiego, a nie powoli toczącej się beczki łoju.

– Czego?

– Nie czytałeś *Quo vadis*, co?

Spojrzał na nią z niedowierzaniem i nie odpowiedział.

– Pułkownik początkowo był dość oszczędny w słowach, zresztą nie spieszył się ze zdradzeniem, kim w ogóle jest – podjął Oryński. – Kiedy jednak uznał, że przyparł mnie do muru tym tiopentalem, czynną napaścią na funkcjonariusza i tak dalej, poczuł się bezpiecznie. Wiedział, że może powiedzieć mi więcej, bo mają na mnie haka.

– I co ci powiedział?

– Że sprawa zmierza w niejasnym kierunku i potrzebują mojej pomocy.

– Jakiej pomocy?

– Dasz mi powiedzieć?

Pokiwała głową, nie odzywając się.

– Chcieli, żebym trzymał rękę na pulsie, informował ich o naszych planach, a w razie potrzeby zrobił to, co mi polecą.

Chyłka słuchała tego z rosnącym niedowierzaniem. Nie chodziło o to, co mówił Kordian – spodziewała się, że właśnie takie warunki usłyszał. Sedno tkwiło w tym, jak to mówił. A robił to beznamiętnie, jakby wyprany ze wszelkich emocji. Jak gdyby to, że zgodził się na taki układ, nie miało żadnego znaczenia i jakby nie było w istocie zdradą.

– Jak możesz się domyślić, w pierwszej chwili kazałem mu się pierdolić.

Uniosła brwi.

– Nie ubrałeś tego w przystępniejsze słowa?

– Nie – odparł z zadowoleniem. – Pułkownik nie był zadowolony, ale chyba poniekąd spodziewał się takiej reakcji.

Oryński wstał, odwrócił się i otworzywszy jedną z szafek, wyciągnął paczkę nerkowców. Wsypał je do niewielkiej miski i postawił na stole, a potem zajął miejsce. Oboje zaczęli bezwiednie przegryzać nieprażone i niesolone orzechy.

– Powiedziałeś, że tylko w pierwszej chwili kazałeś mu się pierdolić – podjęła. – Potem zmieniłeś zdanie?

– Tak.

– Dlaczego, do cholery?

– Bo przedstawił mi cały obraz. A ten... odbiega od tego, co widać na zewnątrz.

– Czyli?

– Fahad nie pojawił się znikąd. Nie przybył też do Polski przez przypadek. A co najważniejsze, naprawdę nie jest synem Lipczyńskich.

– Ale DNA...

– Zostało podłożone. Nie było o to trudno, bo jak pamiętasz, zmienili mieszkanie. Technicy pobierali próbki z pudeł, w których były rzeczy ich syna. Z pudeł, do których łatwo można było się dostać. I jeszcze łatwiej było tu i ówdzie zostawić jakiś włos czy coś innego.

Chyłka przełamała nerkowca na pół, a potem położyła dwie połówki na stole.

– Al-Jassam nie miał też nic wspólnego ze śmiercią tych ludzi. To naprawdę był wypadek.

– Kim on jest?

Oryński nabrał tchu.

– Naprawdę nazywa się Andrzej Zechwatowicz.

Joanna potrząsnęła głową, a potem sięgnęła po kolejny orzech. Przedzieliwszy go na pół, ułożyła kolejne części przed sobą.

– Niespecjalnie to do niego pasuje, co? – spytał Kordian.

– Żadne polskie imię i nazwisko do niego nie pasują, Zordon.

– A jednak nie jest żadnym islamistą. Obawiałem się, że to odkryjesz, kiedy niedawno nie umył rąk po skorzystaniu z toalety.

– Zrzuciłam to na karb odsiadki.

Oryński popatrzył na kawałki nerkowców.

– Co robisz?

– Przygotowuję arsenał – odparła. – Będę pstrykała w ciebie tymi orzechami za każdym razem, kiedy uznam, że ociągasz się z podawaniem informacji.

Strzeliła w niego jednym, a on uśmiechnął się i pokręcił głową.

– Nie bez powodu Kormak nie mógł dogrzebać się do przeszłości Fahada ani odkryć jego prawdziwej tożsamości – kontynuował. – Życie Zechwatowicza zostało oddzielone grubą kreską od życia Al-Jassama. Zresztą to drugie zaczęło się na dobre dopiero, gdy opuścił Bliski Wschód, a potem zwrócił się do Kiljańskiego o papiery.

– Nikt tak skrzętnie nie ukryłby swojej przeszłości.

– W tym wypadku było inaczej.

– Bo?

– Zaraz do tego dojdę, tylko…

Oberwał kolejnym kawałkiem nerkowca.

– Tylko powiem ci o samym Kiljańskim. On, podobnie jak my, nie miał pojęcia, co naprawdę się dzieje. Właściwie nikt nie był wtajemniczony, to była podstawa sukcesu.

– Jakiego sukcesu?

Wrzucił kilka orzechów do ust i zaczął przeżuwać.

– Zadawałaś sobie kiedyś pytanie, jak daleko posunie się władza, by chronić obywateli? – zapytał niewyraźnie.

– O wiele razy za dużo, Zordon.

– I jaka jest twoja odpowiedź?

– Doskonale ją znasz.

– Że stanowczo za daleko – wyręczył ją. – I w tym wypadku tak się stało, przynajmniej jeśli chcesz znać moje zdanie. To, co zrobiła Agencja Wywiadu... sam nie wiem. Może okazać się najlepszym posunięciem w historii tej formacji, ale równie dobrze najgorszym.

Mogła już dopowiedzieć sobie wiele rzeczy, we wszystkim jednak nadal były luki, które Oryński musiał wypełnić. By szybciej to zrobił, wystrzeliła dwa kolejne kawałki orzechów. Trzeci podrzuciła w ręce, patrząc na niego wymownie.

– Pod koniec tamtego roku ruszyła ofensywa Amerykanów i sił kurdyjskich na Rakkę – powiedział nieco poważniejszym tonem. – Stolicę i najsilniejszy bastion ISIS w Syrii.

– Mhm.

– Na przedmieściach odkryto dziuplę bojowników, której ci nie zdążyli w porę wyczyścić. Komputery i dyski twarde spalono, ale żołnierze znaleźli kilka uszkodzonych USB. Jeden udało się uratować, i było na nim trochę przydatnych informacji. Między innymi o planowanych zamachach w Europie. Dzięki temu udaremniono akcję we Francji i Niemczech pod koniec roku. Pewnie pamiętasz te zatrzymania.

– Pamiętam.

– Była tam też informacja o działaniach w innych krajach, między innymi lakoniczne sformułowanie na temat Polski.

Chyłka nadstawiła uszu, choć wystawiał jej cierpliwość na próbę.

– Pojawił się apel do tych tak zwanych samotnych wilków, by atakować nie tylko te kraje, które spodziewają się agresji, ale także inne działające przeciwko Daesz. Chodziło oczywiście o to, żeby nikt nie mógł czuć się bezpieczny. O to, żeby siać terror coraz szerzej. Przy okazji podkreślano, że w Polsce czy Czechach zamach przeprowadzić można znacznie łatwiej niż w krajach zachodnich. Zbiegło się to w czasie z deklaracją polskiego MSZ-etu, żeby wysłać na Bliski Wschód nasze myśliwce, więc... sama rozumiesz. Amerykanie potraktowali sprawę poważnie, przekazali nam informacje, aż te w końcu dotarły do Agencji Wywiadu. Rozpoczęło się żmudne, międzywydziałowe śledztwo, które skończyło się zupełnym fiaskiem.

– Niczego nie znaleźli?

– Ani strzępka tropu. Jeśli ktoś organizował zamach, a kolejne raporty Amerykanów i Francuzów sugerowały, że tak było, to nasze służby nie miały o tym bladego pojęcia.

Joanna przysunęła do siebie miskę z nerkowcami.

– Pozostało im tylko jedno – ciągnął Oryński. – To, co w ostatnim czasie idzie im najlepiej. Prowokacja i inwigilacja.

– W jakim sensie?

– W takim, by stworzyć Fahada Al-Jassama. Jedynym warunkiem było znalezienie kandydata, który przypominałby dorosłego syna Lipczyńskich.

Chyłka znieruchomiała. Spodziewała się raczej werbunku, przekabacenia go, ale nie tak daleko idącej inicjatywy ze strony służb.

– Starszy chorąży Zechwatowicz został wysłany do Iraku, tam wtopił się w tłum, nawiązał kilka znajomości, a potem zaczął realizować plan przedostania się do Polski. Należało tylko jakoś go uwiarygodnić. I tutaj zaginiony Przemek Lipczyński był dla AW na wagę złota.

– Ale…

– Lipczyńscy o niczym nie wiedzieli – odparł Kordian i spuścił wzrok. – Pułkownik twierdził, że kluczowe było, by oni również wiarygodnie odegrali swoją rolę.

Joanna pokiwała głową, zawieszając wzrok za oknem.

– Kontynuuj – powiedziała.

– Fahad dostał się do Oslo, a potem do Warszawy. Umieszczono go w lokalu przy Pożaryskiego razem z niebezpiecznymi materiałami, a potem pozostało tylko dopełnienie formalności. Nie było oczywiście żadnych podsłuchów, przynajmniej nie na tym etapie. Do nich i do inwigilacji dojdę później.

Popatrzyła na niego ponaglająco, a on przeczesał włosy dłonią.

– Wystarczyło tylko zatrzymać Fahada, a potem zrobić wszystko, żeby jego przypadek stał się możliwie najgłośniejszy. Pułkownik był zadowolony, kiedy Lipczyńscy zgłosili się do ciebie, bo wiedział, że zrobisz odpowiednio dużo szumu.

– Powiedzmy, że potraktuję to jako komplement.

– Chyba powinnaś – przyznał. – Bo z ich punktu widzenia kluczowe były trzy rzeczy: po pierwsze by obrońca walczył o uniewinnienie jak lew, po drugie by sprawa została odpowiednio nagłośniona, po trzecie by… w istocie doszło do uniewinnienia.

Chyłka naraz zrozumiała kilka rzeczy. Nie miała jeszcze pewności, ale przypuszczała, że za moment ją uzyska.

– Brunetka w sedanie – powiedziała. – Kradzież iks piątki…

– To wszystko zasługa służb.

Joanna podniosła się, szurając krzesłem po podłodze. Zaklęła kilkakrotnie pod nosem, idąc w stronę okna.

– Banda skurwieli – syknęła. – Tym razem naprawdę posunęli się za daleko.

– Mówiłem.

Obróciła się do niego, wodząc wzrokiem wokół. Szukała paczki papierosów, choć zdawała sobie sprawę, że gdyby nawet miała ją w ręce, skończyłoby się jedynie na wyciągnięciu z niej papierosa i poobracaniu go między palcami.

– Skurwysyny – dodała. – Po co to wszystko?

– Po to, żeby cię przyprzeć do muru.

Zmarszczyła gniewnie brwi.

– Musiałaś go wybronić – dodał. – To był warunek *sine qua non* powodzenia całej misji. Gdybyś nie uzyskała wyroku uniewinniającego, służby poniosłyby fiasko. A więc musieli mieć pewność, że będziesz walczyć, jakby od tego zależało nie tylko życie twojego klienta, ale także twoje. I właściwie robili wszystko, żeby tak było.

Joanna przysiadła na parapecie i odgięła głowę.

Ci ludzie w swoim przekonaniu walczyli o bezpieczeństwo kraju. Nie znali granic, nie chcieli ich znać. W pewnym sensie mogła ich zrozumieć.

– Ale to nie wystarczyło – ciągnął Oryński. – Paderborn okazał się bardziej problematyczny, niż sądzili. Zbytnio przyłożył się do sprawy, zresztą sam też nie miał pojęcia, że to wszystko jest ustawione. Nikt nie miał. I nikt nie mógł mieć.

– Bo to, kurwa, nielegalne – mruknęła.

Oryński pokręcił głową.

– Tylko pozornie – powiedział. – Nie było w tym nic sprzecznego z prawem, przynajmniej na tamtym etapie. Służby musiały jednak zadbać o jak najwęższy krąg wtajemniczonych.

Joanna na moment zamknęła oczy, jakby to mogło jej pomóc w zobaczeniu całego obrazu. Kordian miał kilka tygodni, by się z tym oswoić, sprawdzić wszystko i przemyśleć. I z pewnością przez pierwsze dni nie robił nic innego.

– Układanie się z prokuraturą czy sądem nie wchodziło w grę – ciągnął. – Wtedy rzeczywiście byłoby to niezgodne z prawem, bo wiązałoby się z ustawianiem fikcyjnych procesów sądowych.

– W porządku. Musieli działać w pełnej konspiracji.

– I liczyć na to, że nie przegrasz tej sprawy – dodał. – A nie muszę chyba mówić, że sprawdzili cię dokładniej niż położna po twoich narodzinach.

– Nie musisz.

Chyłka mogła sobie wyobrazić, jak dogłębnie został przeanalizowany każdy szczegół jej życia. Agencja Wywiadu wiedziała doskonale, jak sprawić, że Joanna będzie walczyła o wolność Fahada jak lwica. Że będzie gotowa narazić się sądowi, przelać własną krew i pogodzić się z wszelkimi możliwymi wyrzeczeniami, byleby osiągnąć sukces.

Tyle że Paderborna też musieli prześwietlić. I wówczas zorientowali się, że mają problem. Chcieli stworzyć wiarygodnego dżihadystę, bo bez tego nie mogliby liczyć na powodzenie misji. Dostarczyli jednak prokuraturze zbyt wielu dowodów.

Chyłka wbiła wzrok w Oryńskiego.

– Bunt ławników… – rzuciła cicho.

Skinął głową.

– Dotarli do nich?

– Nie wiem. Pułkownik nie był gotowy mi nic na ten temat powiedzieć.

– Przycisnęli ich? – dodała. – A może wystarczyło, że powiedzieli im, w czym rzecz?

Kordian westchnął, rozkładając ręce.

– Próbowałem się dowiedzieć. Bez skutku.

– Tak czy inaczej może się okazać, że to nie ja wygrałam ten proces, tylko AW – powiedziała zamyślona Joanna. – Ta myśl mnie mierzi, Zordon.

– Więc załóż, że akurat w tym względzie nie doszło do żadnego przekrętu.

– I że zaraz potem Tatarek nagle odpuścił?

Milczeli. Pewnych rzeczy nie musieli mówić na głos, być może nawet lepiej było, jeśli tego nie robili. Nawet jeśli nikt nie słuchał.

– Wszystko to miało uwiarygodnić, że Fahad jest samotnym wilkiem – dodał Oryński. – I właściwie cel został osiągnięty.

– O to nietrudno – odparła Joanna. – Te pieprzone terrorystyczne wolne elektrony okrążają świat bez żadnego nadzoru ze strony ISIS. Nikt nie wie, kim są, dopóki nie uderzą. Al-Jassam mógł bez problemu udawać jednego z nich.

– Tyle że jego rola była szersza.

Pokiwała głową w zamyśleniu.

– Po tak głośnym procesie każdy dżihadysta w Europie się nim zainteresował – zauważył Oryński.

– Ale nie na tyle, by mu pomóc.

– Ano nie, bo nie było pewne, czy Fahad w istocie chciał zorganizować jakiś zamach.

– Dopóki nie rozmówiliśmy się z Paderbornem. Dopóki nie daliśmy mu informacji o Kiljańskim.

– Otóż to – przyznał Kordian. – Dzięki temu wieść poszła w świat, media wydały wyrok, ty stałaś się celem ataków wszystkich jurnych narodowców, a Al-Jassam został terrorystą z prawdziwego zdarzenia. Wszystkie elementy zaprojektowanej przez służby układanki znalazły się na swoich miejscach.

Chyłka potrafiła wyobrazić sobie prawdziwych samotnych wilków, którzy z zainteresowaniem śledzili to, co działo się w Warszawie. Początkowo musieli być niepewni, ale w miarę rozwoju sytuacji utwierdzali się w przekonaniu, że Fahad to jeden z nich. Islamista walczący z niewiernymi.

Z pewnością między innymi dlatego podczas jednego z pierwszych posiedzeń zaczął manifestacyjnie odmawiać modlitwę. Ryzykował, że podpadnie członkom składu orzekającego, ale zrobił ukłon w kierunku wszystkich ekstremistów śledzących proces.

A oni musieli w pewnym momencie zacząć mu kibicować. Liczyć na to, że wygra. Kiedy do tego doszło, a potem wyszło na jaw, że ma kontakty z ISIS, ich ciekawość i sympatia musiały przerodzić się w coś więcej.

Przynajmniej jeden lub dwóch musiało mieć dosyć bierności. A tak naprawdę wystarczyło, by pojedynczy bojownik postanowił mu pomóc. By wyciągnął do niego rękę, choćby na centymetr.

W takim wypadku Agencja miałaby wszystko, czego potrzebowała.

– I tym samym dochodzimy do inwigilacji – powiedział Kordian.

Chyłka pokiwała głową. Wiedziała już, co powie Oryński.

– Jak wiesz, wystarczy nawiązanie kontaktu, by służby mogły działać – dodał. – I to właśnie się stało. Fahad skorzystał z pomocy Kiljańskiego, by zniknąć, a zaraz potem zaczęły odzywać się do niego nieznajome osoby. Służby natychmiast wzięły je na celownik. Założono podsłuchy, zaczęto śledzić je w Internecie. I wszystko wskazuje na to, że rzeczywiście udaremniono jakiś zamach.

Joanna spojrzała na niego pytająco.

– Nie mam pewności – zastrzegł. – Pewnych rzeczy pułkownik nie chce mi zdradzić. A ja nie mogę go do niczego przymusić.

– I tak powiedział ci sporo.

– Bo nie ma powodu obawiać się, że komukolwiek to powtórzę – odparł ciężko Oryński. – Hak, który trzyma, naprawdę może mnie załatwić.

Trudno było temu zaprzeczyć.

– Ale po co w ogóle cię w to wciągał?

– Zaczęli obawiać się, że przejrzymy sprawę i zobaczymy ich udział. Byłaby to dla nich tragedia większa niż…

bo ja wiem? Chyba nie doszło jeszcze w historii III RP do tak spektakularnej klęski służb.

– Ano nie. Jeszcze.

– Chcieli trzymać rękę na pulsie, a kiedy dowiedzieli się o wątpliwościach związanych ze śmiercią mojej matki, uznali, że mają idealne narzędzia, by mną sterować.

– I robili to?

– W pewnym stopniu – przyznał, uciekając wzrokiem. – Musiałem informować ich o tym, jakie mamy plany, ile wiemy i…

Urwał, a potem splótł ręce na karku.

– Wszyscy na dobrą sprawę działaliśmy razem.

– Ta? – odparła z powątpiewaniem Chyłka.

– W końcu dążyliśmy do tego, żeby Fahad wyszedł. – Na moment urwał, zawieszając wzrok na Joannie. – A teraz ja muszę wyjść, bo mój wewnętrzny nikotynowy demon domaga się, by mroczna matka przytuliła go do swojej dymiącej piersi.

Odprowadziła go wzrokiem, zazdroszcząc, że może w ten prosty sposób odciąć się od wszystkiego. A może raczej zyskać złudne poczucie, że tak jest. Tak czy inaczej był to dobry układ.

Ona została sama ze swoimi myślami. I nie podobały jej się.

W pierwszej chwili gotowa była wygłosić niekończącą się tyradę pod adresem służb. Na całym świecie formacje odpowiedzialne za bezpieczeństwo prędzej czy później przekraczały granicę, której powinny strzec.

Ale czy tak się stało w tym wypadku? Ważniejsze były prawo i zasady czy bezpieczeństwo obywateli?

Chyłka nie miała zamiaru tego roztrząsać, uznała, że szkoda na to czasu. Pozostawało jej liczyć na to, że to wszystko rzeczywiście się opłaciło. Że cała ta mistyfikacja ocaliła życie choć jednej osobie.

Kordian wrócił po chwili, cuchnąc papierosami. Popatrzył na nią, jakby spodziewał się, że dopiero teraz odpowiednio zareaguje na te wszystkie wieści.

– Czekasz, aż wypowiem wojnę? – zapytała.

– Nie powiedziałbym, że czekam, ale… spodziewam się tego.

– Nie da rady – odparła. – Gdybym to zrobiła, oni wypowiedzieliby wojnę tobie.

– Są rzeczy ważne i ważniejsze.

Wstała, a potem podeszła do niego. Powoli skinęła głową.

– Owszem – przyznała. – Są.

11

Aleje Ujazdowskie, Śródmieście

Otworzywszy laptopa, Oryński spojrzał po pozostałych żołnierzach, którzy stawili się na polu bitwy. Część sprawiała wrażenie równie niepewnych jak on, inni wyglądali, jakby przynajmniej przez połowę żywota czekali na to, by znaleźć się w tym miejscu.

Próbował wypatrzeć kogoś, kto zdecydował się na zdawanie egzaminu bez komputera. Nikogo takiego nie dostrzegł.

Wbił wzrok w wygaszony ekran laptopa i nabrał głęboko tchu. Karnego się nie obawiał, większe wątpliwości budził w nim poziom własnego przygotowania, jeśli chodziło o prawo gospodarcze i cywilne. Etykę i administracyjne traktował neutralnie, niespecjalnie wiedząc, czy stanowią realne zagrożenie, czy nie.

Testy zaś martwiły go bardziej niż zadania praktyczne. Apelację napisze bez problemu, podobnie sprawa miała się ze skargą do WSA, sporządzeniem pozwu czy umowy. Gdzie jak gdzie, ale na dwudziestym pierwszym piętrze Skylight często pojawiała się okazja, by nabrać w tych sprawach niemal biegłości.

Zresztą zaczął to robić już w norzeoborze. Być może nawet tam nauczył się najwięcej, siedząc pomiędzy ściśniętymi jak sardynki stażystami i praktykantami. Pokręcił głową, nie dowierzając, jak daleką drogę przeszedł od tamtej pory.

Wydawało mu się, jakby dopiero co napatoczył się na Chyłkę pod biurowcem. I jakby dopiero co usłyszał z jej ust pytanie, czy jest nowym praktykantem w ambasadzie Zjednoczonych Emiratów Arabskich.

A mimo to teraz siedział tutaj, w sali – a właściwie hali – egzaminacyjnej, gdzie miała się zadecydować jego przyszłość.

Najchętniej miałby to już za sobą. Do tego była jednak daleka droga, czekał go bowiem czterodniowy maraton, który zaczynał się od dzisiejszych sześciogodzinnych zmagań z prawem karnym.

Przełknął z trudem ślinę, a potem nalał sobie wody. Znów się rozejrzał, nie mogąc się oprzeć wrażeniu, jakby znalazł się w hali odlotów jakiegoś surrealistycznego lotniska. Mniej więcej połowa zdających miała ze sobą walizki wyładowane kodeksami i komentarzami.

Kordian spojrzał na dwie szmaciane siatki, w których przyniósł kilka niezbędnych opracowań. Nie robiło to najlepszego wrażenia. Tymczasem widział, że wielu aplikantów patrzyło na niego tak, jakby go znało – jakby wiedzieli, że pracuje w Żelaznym & McVayu.

Tym Żelaznym & McVayu. Powinien mieć jedną z najbardziej gustownych toreb, a co gorsza, ten egzamin powinien być dla niego wyłącznie formalnością.

Nabrał głęboko tchu i wsunął palec pod krawat, po czym poluzował go nieco. Pożałował, że w ogóle ubrał się tak, jakby musiał się przed kimś dobrze prezentować. Niektórzy przyszli w koszulach z dwoma rozpiętymi guzikami i podciągniętymi rękawami. I to ci wyglądali na najbardziej pewnych siebie.

Oryński zerknął na swoje odbicie w ekranie laptopa. Potem wzdrygnął się, gdy odezwał się jeden z członków komisji egzaminacyjnej.

– Przypominam o zakazie posiadania urządzeń umożliwiających przekazywanie danych na odległość.

Kordian uśmiechnął się nerwowo. Tylko w takim miejscu, przy takiej okazji, członkowie komisji mogli w tak zawoalowany sposób określić smartfony.

Większość zdających najwyraźniej weszła na salę bez telefonu, bo tylko nieliczni sięgnęli do kieszeni.

– Jeśli mają państwo je przy sobie, należy zdeponować je w tym miejscu. – Mężczyzna wskazał na niewielki koszyk stojący na biurku.

Oryński sięgnął po telefon. Mieli jeszcze trochę czasu do rozpoczęcia egzaminu, najwyraźniej komisja pospieszyła się z ostatnimi przygotowaniami.

Zanim wyłączył komórkę, dostrzegł nieprzeczytanego SMS-a. Szybko go wyświetlił, wychodząc z założenia, że być może Chyłka postanowiła dać mu jeszcze motywacyjnego kopniaka tuż przed tym, jak przystąpi do egzaminu.

I rzeczywiście wiadomość pochodziła od niej. Próżno było jednak szukać w niej budujących formułek.

„Ale jazda przed Skylight, Zordon" – zaczynała się wiadomość. „Jesteśmy w epicentrum zdarzeń. Zadzwoń, jak wychyniesz ze swojego własnego tajfunu. Pomyślnych wiatrów".

Przez moment się zastanawiał, patrząc na członków komisji. W końcu uznał, że rozmowy na sali i tak trwają w najlepsze, więc zamiast odpisać, wybrał numer Joanny.

– Zordon! – powitała go z entuzjazmem. – Egzamin jeszcze się nie zaczął, a już wyrzucili cię za ściąganie?

– Nie, jeszcze nie.

– To dobrze. Bo jeśli mam zaufanie do jakichkolwiek twoich umiejętności, to właśnie do krętactwa. Nie chciałabym być zmuszona do zmiany zdania.

– Spokojnie. Mam wszystko pięknie zakamuflowane w kodeksach.

– Idealnie. Spraw, że będę dumna.

– Okej – odparł i uśmiechnął się lekko.

Poczuł na sobie spojrzenie jednego z członków komisji i odwrócił się, by mężczyzna nie widział komórki.

– Co to za epicentrum? – spytał pod nosem.

– Miejsce tuż nad ogniskiem trzęsienia ziemi.

– Miałem na myśli…

– Mamy tu dziewiątkę w skali Richtera, Zordon. Żałuj, że cię nie ma.

– To znaczy?

– Gruchnęła wieść, że pojawiły się dodatkowe dowody na to, że Fahad Al-Jassam jest islamskim bojownikiem. Rzekomo jakieś zdjęcie, które zrobiono mu z nieżyjącym już członkiem ISIS.

Kordian uniósł brwi.

– Widziałam już rzeczony fotomontaż i muszę przyznać, że AW ma całkiem niezłych grafików. Jak już się z nimi po wszystkim dogadamy, poproszę o namiar. Usuną mi brzuch z naszych zdjęć ślubnych.

Kaszlnął nerwowo.

– Co? – rzucił.

– Jak zdasz aplikację, oświadczysz się.

– Tak?

– Oczywiście. Ale bez pierścionka, nie uznaję takich rzeczy.

– Pierścionek to podstawa.

– Nie sądzę – odparła kategorycznie. – Co romantycznego jest w kawałku metalu, do wykonania którego trzeba było zaprzęgnąć zabiedzone chińskie dzieci, pracujące po dwadzieścia godzin w pozbawionej wentylacji fabryce?

– Kiedy tak to ujmujesz…

– Chyba że mówimy o sygnecie z podobizną Eddiego. To inna sprawa.

– Tak, już to chyba nawet ustaliliśmy.

– Wybornie, Zordon, wybornie. Teraz pozostaje ci tylko dokonać cudu i zdać.

– Dzięki. To wyjątkowa motywacja.

– I skup się, do cholery – poradziła. – Nie wydzwaniaj do ludzi tuż przed egzaminem.

– Chciałem po prostu dowiedzieć się, co to za epicentrum.

– Cudowne – powiedziała z zadowoleniem. – Przed Skylight stoi chyba z dziesięć kamer, a oprócz tego pojawili się też protestujący. Powiewają polskie flagi, ku niebu unoszą się transparenty z moim nazwiskiem.

– Poważnie?

– Niezupełnie. Jest jeden. I nieprzychylnie ocenia moją moralność.

– Podoba ci się to.

– Bycie w epicentrum? Pewnie.

– Miałem na myśli raczej bycie wrogiem publicznym numer jeden. Czujesz się jak ryba w wodzie.

– Nie potwierdzam, nie zaprzeczam.

– Będziesz tęsknić za tym wszystkim, kiedy wyjdzie na jaw, że…

– Nic nie wyjdzie – ucięła tonem, który kazał sądzić, że czas na żarty się skończył.

Oryński postanowił nie kontynuować tematu. O pewnych sprawach rzeczywiście lepiej było nie rozmawiać, szczególnie przez telefon. Chyłka mogła mieć zresztą rację. Nawet w przypadku ostatecznego triumfu służb, zgarnięcia całego szeregu dżihadystów, w świat pójdzie jedynie lakoniczny komunikat. „Zatrzymano kilka osób podejrzanych o terroryzm".

Kordian pamiętał podobne nagłówki z czasów, kiedy doszło do zatrzymań we Francji i w Niemczech. Dziennikarze nie zagłębiali się w temat, a służby nie podawały szczegółów, zupełnie jakby nie było pewności, czy podejrzani w ogóle planowali coś, co mogło zagrozić obywatelom.

Skoro jednak doszło do zatrzymania, należało uznać, że tak było.

Odsunął te myśli. Nie była to najlepsza pora na ich snucie.

Spojrzał na monitor, a potem podciągnął rękaw i sprawdził godzinę. W słuchawce usłyszał dźwięk klaksonu i jakieś okrzyki z daleka. Dziwne. Chyłka o tej porze zazwyczaj siedziała w swoim gabinecie.

– Gdzie jesteś? – zapytał.

– Wracam z Hard Rocka. Byłam na drugim śniadaniu.

– To nietypowe.

– Bo dzień jest nietypowy.

– Stresujesz się moim egzaminem, Chyłka?

– Uznam, że nie słyszałam tego pytania.

– Możesz uznawać, co chcesz – odparł z uśmiechem. – Ale taka jest prawda. Denerwujesz się.

– Nie ja się, a ty mnie. To drobna różnica, ale kluczowa, bo jeśli zaraz nie przestaniesz tego robić, ten egzamin będziesz wspominał jako najmniej stresującą rzecz, jaka spotkała cię tego dnia.

– Ta? A co mnie spotka?

– Dopust Boży, Zordon. Wymierzony przeze mnie.

– Czyli jesteśmy umówieni na wieczór?

– Tak.

W tym momencie z jakiegoś powodu poczuł, jakby zdjęto mu z barków cały ciężar związany z tym, co go za moment czekało. Wyprostował się i odetchnął pełną piersią. Nie przeszkadzało mu nawet krytyczne spojrzenie członka komisji, który prędzej czy później przypomni mu, że najwyższy czas odłożyć telefon.

W słuchawce usłyszał coraz głośniejsze okrzyki. Pod Skylight zamieszanie rzeczywiście musiało być niemałe. Zobaczy potem wszystko w którejś z telewizji informacyjnych, nie miał co do tego wątpliwości.

– Żałuj, że cię tu nie ma – powtórzyła Joanna.

– Wierz mi, też żałuję.

– Prawdziwe pandemonium.

– Przedrzesz się?

Prychnęła głośno.

– Jak nie ja, to kto?

Jeden z członków komisji chrząknął znacząco, a potem na dłużej zawiesił wzrok na Kordianie. Kiedy ten ponownie

nie zareagował na ponaglające spojrzenie, mężczyzna postukał w tarczę swojego zegarka.

– Muszę kończyć – powiedział Oryński.

– W porządku. Pamiętaj tylko o jednym, Zordon.

– O czym?

– *No pasarán* – odparła, a on mógłby przysiąc, że szeroko się przy tym uśmiechnęła. – I czekam na telefon po wyjściu. Wiesz, co będę chciała usłyszeć.

– Wiem.

– W takim razie…

Nagle urwała, a on usłyszał w słuchawce krzyk.

W pierwszej chwili nie miał pojęcia, czy wydobył się z jej ust. Nigdy nie słyszał, by krzyczała.

– Chyłka?

Rozległ się trzask, w tle słychać było okrzyki, z których nie mógł nic zrozumieć.

Zerwał się na równe nogi, przykuwając uwagę wszystkich wokół.

– Chyłka!

Słyszał jedynie trzaski, a potem szum. Połączenie zostało przerwane. Spojrzał na komórkę z przerażeniem, jakby była odbezpieczonym granatem. Rozejrzał się, nie rozumiejąc, co się stało.

Natychmiast wybrał ponownie numer. Nie zauważył, że podszedł do niego jeden z członków komisji.

– Proszę siadać, zaraz zaczynamy.

Zignorował go. Przyłożył telefon mocno do ucha i czekał. Nie było sygnału.

– Proszę też zdeponować urządzenie.

Nie docierały do niego słowa mężczyzny. Oczami wyobraźni zobaczył Chyłkę w tłumie. We wściekłym zbiorowisku, gdzie wszystko mogło się wydarzyć.

Nie, nie wszystko. Powinien się uspokoić, zastanowić przez moment. Najprawdopodobniej ktoś wytrącił jej komórkę z ręki, ta upadła na ziemię, połączenie zostało przerwane.

Może ktoś zdeptał telefon, a może Chyłka po prostu go nie podniosła, wdając się w przepychankę ze sprawcą całego zamieszania. Wystarczyło, by ktoś lekko ją popchnął, z pewnością by mu nie popuściła.

Kilka nerwowych oddechów i kilka ominiętych uderzeń serca później Oryński wybrał numer Kormaka.

Mężczyzna z komisji patrzył na niego jak na szaleńca.

– Przepraszam – powiedział Kordian. – To ważna sprawa.

Egzaminator rozłożył ręce.

– To także – odparł, wodząc wzrokiem wokół. – Jeśli uważa pan inaczej, proszę opuścić salę.

– Moment, tylko...

– Za chwilę zaczynamy. Pora na rozmowy się skończyła.

Oryński skinął głową, ignorując go. Kormak nie odbierał, co zdarzało się ekstremalnie rzadko. Może nawet był to pierwszy raz, kiedy Kordian doświadczył takiej sytuacji – chudzielec był zawsze pod telefonem.

Może oglądał przekaz sprzed Skylight w telewizji? Może widział, co się stało, więc natychmiast, bez namysłu, popędził na dół, nie zabierając telefonu?

Oryński poczuł, że robi mu się gorąco.

– Nie wiem, jaką uczelnię pan kończył, ale najwyraźniej panujące tam zwyczaje...

– Zamknie się pan na chwilę?

– Słucham?

– Niech pan na moment da mi spokój, do cholery.

Mężczyzna odwrócił się i przywołał wzrokiem pozostałych członków komisji. Kordian ledwo to odnotował, ponownie próbując dodzwonić się do przyjaciela.

Ten w końcu odebrał, a Oryński natychmiast odsunął się o krok od biurka.

– Co się dzieje? – zapytał.

Na linii panowała cisza.

– Kormak! – krzyknął.

– Po… poczekaj…

– Nie mam czasu! Mów, co tam się dzieje!

Kordian rozejrzał się, jakby mógł gdzieś w sali znaleźć źródło informacji. Prawda była jednak taka, że na tym etapie aplikanci byli już odcięci od świata. A przynajmniej mieli być – co dobitnie uświadomiły mu karcące, niemal wściekłe spojrzenia członków komisji egzaminacyjnej.

– Panie Oryński, proszę natychmiast wyłączyć ten telefon albo…

– Kormak! – krzyknął ponownie, odchodząc jeszcze kawałek od grupy prawników.

Wiedział, że balansuje na granicy.

– Ktoś wylał… – wydukał chudzielec. – Ktoś oblał ją…

– Co? Czym?

– Ktoś oblał ją kwasem, Zordon – wydusił w końcu.

Oryński poczuł, że uginają się pod nim nogi. Wsparł się o skraj biurka.

Słyszał, że egzaminatorzy coś do niego mówią. Coraz bardziej nerwowo, coraz głośniej. Popatrzył na nich, ale nie rozumiał słów. Po chwili wszystkie dźwięki przestały do niego docierać, widział tylko, że członkowie komisji poruszają ustami.

Głośny szum w uszach był paraliżujący.

W głowie zaczynały mu się układać pierwsze myśli. Niepokojące. Druzgocące.

Znał sprawy sądowe, w których kobiety pozywały swoich oprawców za oblanie kwasem solnym. Za trwałe oszpecenie. Za obrażenia twarzy, uszkodzenie wzroku, za uszczerbek, którego nie mogła naprawić żadna operacja plastyczna, żaden zabieg…

Pamiętał doskonale, jak wyglądały te powódki. Żaden sędzia nie potrafił przejść obok takiego widoku obojętnie, wymierzano najwyższe kary. Choć te i tak wydawały się nieadekwatne.

Kordian potrząsnął głową.

Usłyszał trzęsący się głos przyjaciela i starał się skupić właśnie na nim.

– Ktoś z tłumu… krzyknął coś… wielbicielka muzułmanów, nie wiem dokładnie… – Kormak urwał i zrobił pauzę.

Oryński miał wrażenie, że świat wokół niego nagle zaczął wirować, a on znalazł się w jakimś dziwnym, obcym miejscu, odizolowanym od rzeczywistości. Popadł w zupełny marazm.

– Nic więcej nie wiem – dodał przyjaciel.

Kordian potrzebował chwili, by odzyskać nad sobą panowanie. Opuścił rękę wzdłuż tułowia, a potem spojrzał na członków komisji, jakby ci znikąd pojawili się tuż przed nim.

– Albo pan usiądzie, albo proszę pożegnać się z egzaminem – rzucił mężczyzna.

Oryński nie musiał długo się zastanawiać. Odwrócił się, a potem szybkim krokiem ruszył do wyjścia.

Kiedy wybiegał z budynku, towarzyszyła mu bolesna myśl, że nieważne jak bardzo się pospieszy, i tak będzie za późno.

Posłowie

W tym momencie opowieści autor zazwyczaj chce od razu pisać dalej. I gdyby nie to, że historia tego tomu w którymś momencie musi dobiec końca, zapewne bym to zrobił. Wiem jednak, że tą ostatnią sceną zamknęliśmy tę część. Część, która rozpoczęła się od głębokiego wniknięcia w życie obywatela i także na tym zakończyła.

Co będzie dalej?

W tej chwili nawet ja tego nie wiem. Cały urok pisarstwa polega na tym, że postacie takie jak Chyłka i Oryński potrafią zaskoczyć ich twórcę i niejednokrotnie pokazują, że to one tak naprawdę tutaj rządzą.

I to one decydują, kiedy wyjawić innym, kim jest „W", co stanie się z Chyłką, aplikacją Oryńskiego i z jaką sprawą przyjdzie mierzyć się prawnikom w kolejnym, szóstym już tomie…

Jako autor rzeczonej przyszłej odsłony, mogę powiedzieć tylko tyle, że długo na pewno nie trzeba będzie czekać. Chyłka już doprasza się o uwagę i ponagla mnie, bym kontynuował tę historię.

W końcu jest jeszcze sporo do opowiedzenia…

Podziękowania należą się:

– tak wielu osobom, że nie sposób wszystkich tu wymienić;

– jak zawsze moim Rodzicom, którzy wytrwale pędzą za mną czytelniczo, by być na bieżąco ze wszystkimi nowymi pozycjami;

– Dagmarze, która służy mi dobrą radą nawet w środku nocy;

– Monice, Piotrowi, Ani, Robertowi i całej ekipie Czwartej Strony, która nieustannie wymyśla nowe sposoby na to, jak zainteresować Czytelników Chyłką i Zordonem;

– Bognie i Jackowi, którzy udostępnili mi swoje hiszpańskie cztery kąty, być może licząc na to, że tamtejsze słońce natchnie mnie do napisania optymistycznego zakończenia tego tomu;

– Karolinie, która redaguje i czyta każdy tom tyle razy, że zaczynam obawiać się o stan jej psychiki;

– Violi, która nie tylko podjęła się niełatwego zadania przeniesienia Chyłki na ekran, ale także służy mi cennymi radami;

– Tobie, bo bez Ciebie nie byłoby ani Joanny, ani Zordona. Ani całego tego cyklu, który liczbą tomów może ostatecznie przebić liczbę wypalonych przez Chyłkę papierosów…

Remigiusz Mróz
Orihuela Costa – Opole
14 listopada 2016 roku

KIEDY OD ROZWIĄZANIA SPRAWY DZIELĄ SEKUNDY, NIE MA CZASU NA LOGICZNE MYŚLENIE, A GÓRĘ BIERZE INSTYNKT.

Dwa śledztwa, dwie odrębne sprawy – tajemniczy pacjent z amnezją i zamordowana przed laty aktorka. Psycholog Aleksandra Wilk na prośbę znajomego lekarza usiłuje dociec, kim jest tajemniczy NN i dlaczego chce rozmawiać tylko z nią. Czy coś łączy bezimiennego mężczyznę z dawno zamkniętą sprawą tragicznie zmarłej gwiazdy?

Nowe rozdanie autorki świetnych serii kryminalnych. Realizm, emocje i zwroty akcji – oto wzór na najlepszy kryminał!

Dynamiczna i wciągająca. Opiat-Bojarska w szczytowej formie! – Katarzyna Puzyńska

Starsza aspirant Agata Górska rozpoczyna prywatne śledztwo w tajemnicy przed przełożonymi, gdy okazuje się, że śmierć jej koleżanki, Leny, nie była przypadkowa. Jedynym tropem jest tajemnicza broszka w kształcie ważki, o której Lena wspominała podczas ich ostatniego spotkania.

Tymczasem partner Agaty, Sławek Tomczyk, prowadzi dochodzenie w sprawie zabójstwa wyrachowanego dziennikarza – jego zwłoki odnaleziono w redakcji gazety internetowej. Zamordowany nie wahał się sięgać po niemoralne środki w pogoni za sensacją i wywlekał na wierzch brudy mieszkańców Warszawy, więc krąg podejrzanych nieustannie się rozszerza.

Czy sprawa zabójstwa Woźnickiego oraz śmierci Leny są ze sobą powiązane? Jaki sekret skrywa broszka w kształcie ważki?

MAŁGORZATA ROGALA UDOWADNIA ŚWIETNĄ FORMĘ!